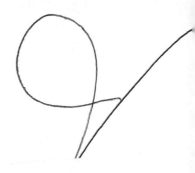

le meilleur du livre
les meilleurs des livres

■

SÉLECTION DU LIVRE

Sélection
du Reader's Digest

PARIS BRUXELLES MONTRÉAL ZURICH

PREMIÈRE ÉDITION

LES CONDENSÉS FIGURANT DANS CE VOLUME
ONT ÉTÉ RÉALISÉS PAR THE READER'S DIGEST
ET PUBLIÉS EN LANGUE FRANÇAISE
AVEC L'ACCORD DES AUTEURS ET DES ÉDITEURS DES LIVRES RESPECTIFS.

© SÉLECTION DU READER'S DIGEST, SA, 2007.
5 À 7, AVENUE LOUIS-PASTEUR, 92220 BAGNEUX.

© N. V. READER'S DIGEST, SA, 2007.
20, BOULEVARD PAEPSEM, 1070 BRUXELLES.

© SÉLECTION DU READER'S DIGEST, SA, 2007.
RÄFFELSTRASSE 11, « GALLUSHOF », 8021 ZURICH.

© SÉLECTION DU READER'S DIGEST (CANADA) LTÉE, 2007.
1100, BOUL. RENÉ-LÉVESQUE OUEST, MONTRÉAL (QUÉBEC) H3B 5H5.

IMPRIMÉ EN ALLEMAGNE (PRINTED IN GERMANY)
ISBN 978-2-7098-1874-2

265 (2-07)
021-0441-72

COMME UNE TOMBE
© REALLY SCARY BOOKS/PETER JAMES 2004.
© ÉDITIONS DU PANAMA, MARS 2006, POUR LA TRADUCTION FRANÇAISE.
L'ÉDITION ORIGINALE DE CET OUVRAGE A ÉTÉ PUBLIÉE PAR MACMILLAN, AN IMPRINT OF PAN
MACMILLAN LTD., SOUS LE TITRE DEAD SIMPLE.

LA NEIGE ÉTERNELLE
© ÉDITIONS ALBIN MICHEL, PARIS, 2005.

LE CUISINIER DE TALLEYRAND
MEURTRE AU CONGRÈS DE VIENNE
© ÉDITIONS JULLIARD, PARIS, 2006.

BERILL OU LA PASSION EN HÉRITAGE
© BELFOND, UN DÉPARTEMENT DE PLACE DES ÉDITEURS, PARIS, 2006.

Femme lisant, 1939 (détail)
Œuvre de Pablo Picasso (1881-1973)
Huile sur toile, 61 x 38 cm, Coll. part.
Photo : THE BRIDGEMAN ART LIBRARY

TABLE DES MATIÈRES

C'était supposé être un simple enterrement de vie de garçon… Une blague sans conséquence. Mais Michael Harrison a disparu, et ses garçons d'honneur sont morts. Il ne reste que trois jours avant le mariage. La fiancée est désespérée. Roy Grace, de la police de Brighton, prend l'affaire en main. Qui aurait intérêt à ce que Michael, exposé à une mort atroce, ne soit pas retrouvé ? Pour gagner cette lutte contre la montre, le commissaire est tenté d'avoir recours à des méthodes peu orthodoxes.

Pour Fred, treize ans, gamin de la ville, le choc est rude lorsqu'on l'envoie en vacances au fin fond du Béarn, chez son grand-père qu'il ne connaît pas. Entre le paysan bougon et l'adolescent impertinent, il y a un gouffre que rien ne semble pouvoir combler. Dans la défiance, ils s'observent, se testent, en viennent à s'accepter. La mémoire s'ouvre, la parole se délie. Fred découvre enfin la blessure secrète qui a jusqu'alors désuni sa famille et que lui seul pourrait, peut-être, guérir.

À l'automne 1814, le congrès de Vienne réunit les grandes puissances afin de procéder au dépeçage de l'empire napoléonien. Pour préserver les intérêts de la France, qu'il représente, le prince de Talleyrand-Périgord dispose de deux armes secrètes : la beauté de sa nièce Dorothée et le génie de son maître queux, Antonin Carême. Le sexe et le ventre ne mènent-ils pas le monde ? Mais voilà qu'un meurtre abominable vient contrarier les desseins du prince, car toutes les pistes conduisent à ses cuisines.

En 1959, sentant sa fin prochaine, Tomas Blaque-Belair, propriétaire de la prestigieuse banque du même nom, s'offre avec sa femme Berill un dernier voyage dans son Irlande natale. La succession s'annonce houleuse. Mais, pour avoir été dresseuse de fauves dans sa jeunesse, Berill sait faire face. Prise entre sa fille Maureen, férocement ambitieuse, et son fils Hugh, rêveur altruiste, elle doit manœuvrer avec autant de fermeté que de doigté pour préserver l'héritage de son mari et l'unité de sa famille.

PETER JAMES

COMME UNE TOMBE

Traduit de l'anglais par Raphaëlle Dedourge

En théorie, un enterrement
de vie de garçon, c'est plutôt gai.
Pourtant celui de Michael Harrison
promet d'être un enterrement
de première classe…

1

Jusque-là, à quelques détails près, le plan A fonctionnait à merveille. Ce qui tombait plutôt bien, vu qu'ils n'avaient pas, à proprement parler, de plan B.

À 20 h 30, un soir de mai, ils avaient compté sur un minimum de lumière. Ils en avaient eu à revendre la veille, à la même heure, quand ils avaient fait le trajet, à quatre, avec un cercueil vide et des pelles. Mais à présent, tandis que la fourgonnette verte filait à bonne allure sur une départementale du Sussex, un crachin insidieux tombait d'un ciel de plomb.

— Quand est-ce qu'on arrive? demanda Josh, assis à l'arrière, avec une voix de gosse.

— Grand Chef a dit : « On est là où on est », répondit Robbo, qui, légèrement moins saoul que les autres, avait pris le volant.

Encore quatre pubs à écumer : il préférait rester fidèle au panaché.

— Voilà, on y est! lâcha Josh.

— C'est bien ce que je disais.

Un panneau DANGER : TRAVERSÉE D'ANIMAUX SAUVAGES surgit de l'obscurité et se volatilisa, tandis que les phares balayaient le revêtement noir et luisant qui s'enfonçait dans la forêt. Ils dépassèrent une petite ferme blanche.

Michael, affalé sur un plaid étendu à même le sol à l'arrière de la camionnette, la tête calée sur un cric qui lui servait d'oreiller, se sentait très agréablement parti.

— Je crois que j'ai une petite foif, baragouina-t-il.

S'il avait eu toute sa tête, il aurait lu, sur les visages de ses amis, que quelque chose clochait. Lui qui ne buvait jamais beaucoup avait ce soir-là noyé ses esprits dans un nombre incalculable de bières et de vodkas frappées, dans plus de pubs que de raison.

Des six larrons qui traînaient ensemble depuis qu'ils étaient ados, Michael Harrison avait toujours été le leader. Si, comme ils aimaient à le dire, le secret, dans la vie, c'était de bien choisir ses parents, les fées s'étaient penchées sur son berceau. Il avait hérité des traits agréables de sa mère, du charme et de l'esprit d'entreprise de son père.

À présent, il avait vingt-huit ans. C'était un mec bien, malin. S'il avait un défaut, c'était celui d'accorder sa confiance trop facilement et, parfois, de pousser les blagues un peu trop loin. Mais ce soir, c'était lui qui allait déguster. Et comment…

Il flottait dans une stupeur extatique peuplée de pensées heureuses. La vie était belle. Sa mère avait rencontré un type sympa, sa petite sœur Carly s'accordait une année pour visiter l'Australie sac au dos, et son cabinet se portait admirablement bien. Pour couronner le tout, il allait se marier dans trois jours avec la femme qu'il aimait. Son âme sœur. Ashley.

— Je l'aime, bafouilla Michael. Ch'aime Ashley.

— C'est une perle, confirma Robbo en se tournant vers lui.

— On arrive, annonça Luke.

Robbo freina avant le croisement. Les essuie-glaces balayaient le pare-brise en continu et étalaient l'eau sur toute sa surface.

— Je plaisante pas, je l'aime vraiment, tu vois ch'que j'veux dire ?

— On voit ce que tu veux dire, fit Pete.

La fourgonnette pencha sensiblement vers la droite en s'engageant dans un virage serré, vibra en passant sur une barrière, puis une seconde, et s'engagea sur un chemin de terre. Un lapin détala devant eux, puis plongea dans le sous-bois. Les phares obliquèrent à droite et à gauche, colorant furtivement la dense forêt de conifères qui bordait le chemin. Robbo changea de vitesse, Michael changea de ton, sa voix soudain très légèrement teintée d'inquiétude.

— Où on va?

— Dans un autre pub.

— O.K. Super. (Puis, quelques secondes plus tard :) Ch'avais promis à Ashley de trop pas – de pas trop boire.

— Tu vois, dit Pete, t'es pas encore marié que tu lui obéis déjà. Tu es encore libre. Pour trois jours.

— Trois et demi, corrigea Robbo, sourcilleux.

La camionnette s'immobilisa et Robbo éteignit le contact.

— Arrivés! annonça-t-il. Pub suivant!

Quelqu'un ouvrit la portière arrière du Ford Transit. Des mains invisibles saisirent Michael aux chevilles. Robbo prit l'un de ses bras, Luke l'autre.

— Eh!

— Putain, t'es lourd! s'écria Luke.

Deux secondes plus tard, il était allongé par terre, son plus beau jean et sa veste de sport préférée dans la boue. Une petite voix dans sa tête lui disait que ce n'était pas particulièrement malin de les avoir mis pour son enterrement de vie de garçon. L'obscurité n'était émaillée que par les feux arrière rouges du véhicule et le faisceau blanc d'une torche. Une pluie de plus en plus forte lui piquait les yeux.

— Mes fringues…

Il fut projeté en l'air, puis atterrit brutalement dans quelque chose de sec et doux qui le pressait de chaque côté.

— Eh! cria-t-il.

Penchés sur lui, quatre visages de gars bourrés, grimaçant comme des spectres, le mataient. Ils lui collèrent un magazine entre les mains. Dans le faisceau de la torche, il entraperçut une rousse nue avec des seins énormes. Une bouteille de whisky, une petite lampe de poche, allumée, et un talkie-walkie atterrirent sur son ventre.

— Qu'est-ce que vous fou…?

Un tube en caoutchouc au goût écœurant fut enfoncé dans sa bouche. Michael le recracha, entendit un frottement, et quelque chose s'interposa entre ses amis et lui, étouffant leurs voix. Des odeurs de bois, de tissu neuf et de colle remplirent ses narines. L'espace d'un instant, il se sentit bien au chaud. Puis il paniqua.

— Eh, les gars, qu'est-ce que vous…

Robbo attrapa un tournevis, tandis que Pete orientait la lampe vers le cercueil.

— Tu vas quand même pas le visser ? dit Luke.

— Bien sûr que si ! répondit Pete.

— Tu es sûr ?

— Il risque rien, ajouta Robbo, il a le tube pour respirer.

— À mon avis, on devrait pas le visser.

— Bien sûr que si, sinon, il serait capable de s'échapper !

— Eh ! cria Michael.

Mais plus personne ne pouvait l'entendre à présent. Et lui n'entendait plus rien, à part quelques craquements assourdis au-dessus de lui.

Robbo s'affaira sur chacune des quatre vis. C'était un cercueil en teck, fait main, avec des poignées estampées en laiton, qu'il avait emprunté à l'entreprise de pompes funèbres de son oncle, où il était actuellement apprenti.

Michael regarda en l'air, son nez touchait presque le couvercle. Dans le faisceau de la lampe, rien d'autre qu'une doublure de satin ivoire. Il essaya de bouger les jambes : impossible.

Soudain dégrisé, il comprit dans quoi il était allongé.

— Écoutez les gars, je suis claustrophobe. Ça ne me fait pas rire ! Eh !

Sa voix lui revint, bizarrement étouffée.

Pete ouvrit la portière, se pencha dans le fourgon et alluma les phares. Quelques mètres devant eux se trouvait la tombe qu'ils avaient creusée la veille, un petit tas de terre et des sangles, déjà en place. Une grande tôle ondulée et deux des bêches qu'ils avaient utilisées se trouvaient à proximité.

Les quatre amis marchèrent jusqu'à la tombe et se penchèrent pour regarder à l'intérieur. Et soudain, ils réalisèrent que, dans la vie, rien ne se passe vraiment comme prévu. Le trou semblait à présent plus profond, plus sombre, plus comme… une tombe, justement.

La lampe éclairait faiblement le fond.

— Il y a de l'eau, fit remarquer Josh.

— C'est juste un peu d'eau de pluie, répliqua Robbo.

Josh fronça les sourcils.

— Il y en a trop, c'est pas la pluie. On a dû atteindre la nappe phréatique.

— Merde ! lâcha Pete.

Pete vendait des BMW et il avait la gueule de l'emploi, que ce soit pendant ou en dehors des heures de service. Cheveux en brosse, costard impeccable, toujours sûr de lui – enfin là, plus trop.

— C'est rien, dit Robbo. Quelques centimètres, pas plus.

— On a vraiment creusé aussi profond ? s'étonna Luke, avocat fraîchement diplômé, jeune marié, mais commençant à accepter les responsabilités de la vie.

— C'est une tombe, non ? dit Robbo. On était tombé d'accord sur une tombe, que je sache ?

Josh regarda le ciel et plissa les yeux sous une pluie de plus en plus diluvienne.

— Et si l'eau monte ?

— On l'a creusée hier, fit Robbo. En vingt-quatre heures, il n'y a eu que quelques centimètres, pas de quoi flipper.

Josh acquiesça, pensif.

— Et si on n'arrive pas à le sortir ?

— Bien sûr qu'on arrivera à le sortir, dit Robbo. Il suffira de dévisser le couvercle.

— Bon, on termine, O.K. ? trancha Luke

— Il le mérite bien, dit Pete pour encourager ses potes. Tu te souviens de ce qu'il t'a fait pour ton enterrement de vie de garçon, Luke ?

Luke n'était pas près d'oublier. Il s'était réveillé comateux dans un train de nuit à destination d'Édimbourg. Résultat : quarante minutes de retard à l'église le lendemain.

Pete non plus n'était pas près d'oublier. Le week-end précédant son mariage, il s'était retrouvé menotté à un pont suspendu, en petite tenue affriolante, et avait dû être secouru par les pompiers. Les deux blagues étaient signées Michael.

— Ça, c'est Mark tout craché, lâcha Pete. Quel salaud ! C'est lui qui organise le truc et il est même pas là…

— Il arrive. Il sera là au prochain pub, il connaît l'itinéraire.

— Ah ouais ?

— Il a appelé. Il est en route.

— Coincé à Leeds à cause du brouillard. Trop fort…, fit Robbo.

— Il sera au *Royal Oak* avant nous.

— Quel enfoiré! dit Luke. C'est pas lui qui se tape tout le boulot.

— Mais c'est pas lui qui s'amuse non plus! souligna Pete.

Ils soulevèrent le cercueil, avancèrent péniblement jusqu'au bord de la tombe et le déposèrent sans ménagement sur les sangles. Ils ricanèrent en entendant un « aïe » étouffé.

Un coup sourd retentit.

Michael cognait contre le couvercle.

— Eh, ça suffit!

Pete sortit un talkie-walkie de la poche de sa veste et l'alluma.

— Test, test!

À l'intérieur du cercueil, la voix de Pete retentit :

— Test, test!

— Bande d'enfoirés, faites-moi sortir, j'ai envie de pisser!

Pete éteignit le talkie-walkie et le remit dans sa poche.

— Bon, on fait quoi ensuite?

— On tire sur les sangles, expliqua Robbo. Chacun une.

Pete ressortit le talkie-walkie et l'alluma.

— On s'occupe des sangles, Michael!

Et il l'éteignit.

— Un… deux… trois! compta Robbo.

Lentement, maladroitement, tanguant comme un navire en perdition, le cercueil s'enfonça dans les profondeurs de la tombe. Une fois au fond, il était à peine visible.

Pete dirigea la torche. Dans le faisceau lumineux, les compères pouvaient distinguer le tube respiratoire qui sortait mollement du trou de la taille d'une paille qu'ils avaient fait dans le couvercle.

Robbo saisit le talkie-walkie.

— Eh, Michael, le magazine te fait de l'effet?

— O.K., ça suffit. Sortez-moi de là!

— On va en boîte. Dommage que tu puisses pas venir!

Robbo éteignit l'appareil avant que Michael ait eu le temps de répondre. Puis, après l'avoir mis dans sa poche, il prit une bêche, jeta de la terre sur le cercueil.

Pete saisit une pelle et se mit au travail. Surexcités par l'alcool, tous deux s'activèrent jusqu'à ce qu'il ne reste plus que quelques endroits visibles, qui disparurent à leur tour. Le tube respiratoire émergeait à peine.

— Eh, cria Luke, arrêtez! Plus vous le recouvrez, plus il y aura de terre à enlever quand on le sortira de là dans deux heures!

— C'est une tombe, hurla Robbo. Pour faire une tombe, il faut enterrer le cercueil!

Luke lui arracha la bêche des mains.

— Ça suffit, lui dit-il fermement. Je veux passer la nuit à boire, pas à donner des putain de coups de pelle, O.K.?

Pete, qui transpirait comme un bœuf, jeta sa pelle.

— Je suis pas sûr de vouloir faire carrière là-dedans, souffla-t-il.

Ils placèrent la tôle ondulée au-dessus du trou, reculèrent et gardèrent le silence quelques instants. La pluie tintait contre le métal.

— Allez, on s'arrache! déclara Pete.

Luke enfonça ses mains dans ses poches, dubitatif.

— On est sûrs de notre coup?

— On était d'accord pour lui donner une bonne leçon, rétorqua Robbo.

— Et s'il s'étouffe dans son vomi ou quelque chose comme ça?

— T'inquiète pas pour lui, il n'est pas si bourré, répliqua Josh. Allez, on y va!

Josh grimpa à l'arrière de la camionnette et Luke ferma les portes. Pete, Luke et Robbo s'entassèrent sur le siège avant et Robbo démarra. Ils reprirent le chemin et rejoignirent la route principale.

Robbo alluma le talkie-walkie.

— Comment ça va, Michael?

— Écoutez les gars, ça ne m'amuse pas du tout.

Luke s'empara de l'émetteur.

— C'est ce qu'on appelle un plat qui se mange froid, Michael!

Les quatre lascars éclatèrent de rire.

Michael bafouilla, la voix un tantinet plaintive.

— On peut pas arrêter, s'il vous plaît?

À travers le pare-brise, Robbo distingua, au loin, une zone de travaux et un feu vert. Il accéléra.

Luke cria:

— Eh, Michael, détends-toi, on revient dans deux heures!

— Comment ça, dans deux heures ?

Le feu passa au rouge. Pas le temps de s'arrêter. Robbo écrasa l'accélérateur.

— File-moi le truc, dit-il en attrapant le talkie-walkie, tout en négociant un long virage d'une seule main.

Il baissa les yeux et appuya sur le bouton APPEL.

— Eh, Michael…

— Robbo !

C'était la voix de Luke. Il hurlait.

Des phares, aveuglants, droit devant.

Puis un bruit de Klaxon, violent, appuyé, impérieux, féroce.

— Robbbbboooooo ! hurla Luke.

Pris de panique, Robbo écrasa la pédale de frein et lâcha le talkie-walkie. Le volant trépidait entre ses mains tandis qu'il cherchait désespérément où aller. Des arbres à droite, un hangar à gauche. Des phares qui incendiaient le pare-brise et qui l'éblouissaient, fonçaient vers lui, comme un train.

MICHAEL, le cerveau embrumé, entendit un cri, puis un violent son mat, comme si quelqu'un avait fait tomber le talkie-walkie. Puis plus rien.

Il appuya sur le bouton APPEL.

— Allô ?

Seuls des grésillements lui parvinrent.

— Allô ? Eh, les gars !

Toujours rien. Il observa l'appareil de plus près. Il y avait aussi un bouton marche-arrêt, une molette pour le volume, une pour le choix de la fréquence et une petite lumière verte, grosse comme une tête d'épingle, qui brillait intensément. Michael fixa le satin blanc qui était tendu à quelques centimètres de ses yeux, lutta contre une crise de panique, tandis que sa respiration s'accélérait. Il avait une terrible envie de pisser. Où était-il, nom de Dieu ? Et où étaient Josh, Luke, Pete et Robbo ? Au-dessus de lui, à ricaner ? Les salauds étaient-ils vraiment allés en boîte ?

Puis il se calma, l'alcool faisant de nouveau son effet. Ses idées s'assombrirent, s'embrouillèrent.

Il ferma les yeux et plongea dans un sommeil de plomb.

2

Assis au volant de son Alfa Romeo, qui n'était plus toute jeune, Roy Grace était pris dans un embouteillage. Il faisait nuit, la pluie tambourinait sur le toit, ses doigts tambourinaient sur le volant. Il était tendu. Impatient. Maussade.

Il avala une gorgée d'eau, revissa le bouchon et balança la bouteille dans le vide-poche de sa portière.

— Allez, allez! bougonna-t-il, en tapant plus fort sur son volant.

Il avait déjà quarante minutes de retard à son rendez-vous. S'il avait quitté le bureau ne serait-ce qu'une minute plus tôt, quelqu'un d'autre aurait décroché le téléphone et cette histoire de bijouterie, à Brighton, défoncée à la voiture bélier par deux voyous, serait devenue le problème d'un de ses collègues. Pas le sien. C'était l'un des joyeux impondérables du métier de policier : les délinquants n'avaient pas l'amabilité de s'en tenir aux heures de bureau.

Il n'aurait pas dû sortir ce soir. Il aurait dû rester chez lui et se préparer pour sa convocation au tribunal, le lendemain.

Ces dernières années, ses amis lui avaient arrangé une kyrielle de rendez-vous galants et, immanquablement, il avait un trac monstrueux avant d'y aller. Ce soir, c'était pis. N'ayant même pas eu le temps de prendre une douche et de se changer, il n'était pas du tout sûr d'être présentable : les deux voyous l'avaient, *de facto*, dispensé de toute stratégie vestimentaire.

Le temps que Grace arrive sur place, les voyous, qui avaient réussi à faire quelques tonneaux et à planter la Jeep qui leur avait servi à prendre la fuite, se trouvaient déjà en garde à vue. Grace était décidé à les poursuivre non seulement pour vol à main armée, mais aussi pour tentative de meurtre. Il trouvait insupportable qu'en Grande-Bretagne de plus en plus de délinquants soient armés, et que de plus en plus de flics, de leur côté, soient obligés d'avoir une arme à portée de main. Du temps de son père, cela aurait été inimaginable.

La circulation était toujours bloquée. Il jeta un coup d'œil à l'horloge du tableau de bord. Dix minutes s'étaient écoulées sans qu'il ait avancé d'un millimètre.

Il entendit une sirène. Une voiture de police le dépassa en hurlant. Puis une ambulance. Suivie d'une autre voiture de police, à tombeau ouvert, et de deux camions de pompiers.

Merde. Il devait y avoir eu un accident. À en juger par la présence des pompiers, ça avait l'air sérieux.

Il regarda de nouveau l'horloge, 9:15. Il aurait dû passer la prendre trois quarts d'heure auparavant, à Tunbridge Wells, qui se trouvait à vingt bonnes minutes de là, sans compter l'accident.

Un bouquet de fleurs acheté dans une station-service reposait sur le siège passager. Des roses rouges. Ringard, on est d'accord, mais il était, sous certains aspects, un indécrottable romantique. Les gens avaient raison : d'une manière ou d'une autre, il fallait qu'il passe à autre chose. Il pouvait compter les rencontres qu'il avait faites les huit dernières années (et dix mois) sur les doigts d'une main. Il ne pouvait tout simplement pas croire qu'une autre femme puisse arriver à la cheville de Sandy. Peut-être allait-il changer d'avis ce soir ?

Après avoir reçu, sur sa messagerie, un certain nombre de mails suggestifs signés de divers prénoms féminins, il avait compris, à sa grande colère, que Terry Miller, un commandant récemment divorcé qui travaillait dans son service, l'avait inscrit sur un site baptisé « Toi & Moi ». À son insu.

Solitude ? Curiosité ? Désir ? Il ne savait pas trop pourquoi il avait fini par donner suite à l'un de ces messages.

Son nom lui plaisait. Claudine Lamont. Ça sonnait français, un brin exotique. Et sur la photo, qu'est-ce qu'elle était sexy ! Cheveux dorés, joli visage, chemisier cintré révélant un décolleté avantageux.

Ils n'avaient eu qu'une seule conversation téléphonique, au cours de laquelle elle l'avait ouvertement dragué.

Grace grimaça en découvrant dans le miroir du rétroviseur son propre reflet, ses cheveux en brosse, son nez écrasé, tordu, cassé dans une bagarre, à l'époque où il était dans la police de proximité.

Le soir où ils s'étaient rencontrés, Sandy lui avait dit qu'il avait les yeux de Paul Newman. Ça lui avait beaucoup plu.

Il se sentait tout à coup capable d'aller à ce rendez-vous.

Passer à autre chose.

Dans un peu plus de deux mois, il aurait trente-neuf ans. Dans un peu plus de deux mois se profilait un autre anniversaire. Le 26 juillet, cela ferait neuf ans que Sandy était partie. Elle s'était évaporée le jour de son trentième anniversaire. Sans un mot. En laissant toutes ses affaires, sauf son sac à main.

Était-elle vivante? Était-elle morte? Il avait passé huit ans et dix mois à chercher et n'en savait pas plus qu'au premier jour.

En dehors du travail, sa vie était un vide intersidéral.

Parfois, il se demandait s'il serait plus heureux s'il n'était pas policier, s'il avait un travail moins prenant : quitter le bureau à 17 heures, aller au pub, rentrer chez soi et mettre les pieds devant la télé. Une vie normale. Mais il n'y pouvait rien. Un gène ou plutôt un bouquet de gènes le poussaient – comme ils avaient poussé son père avant lui – à passer sa vie à traquer les faits, à poursuivre inlassablement la vérité. Ces mêmes gènes lui avaient permis de gravir, un à un, les échelons, jusqu'à cette promotion, relativement récente, au poste de commissaire de police judiciaire. Mais ils ne lui avaient jamais apporté la moindre tranquillité.

Un océan de lumière s'abattit soudain sur lui et il entendit le claquement assourdissant d'un hélicoptère. Le faisceau se déplaça et il distingua l'engin.

Il composa un numéro sur son portable. On décrocha presque immédiatement.

— Allô, ici le commissaire Grace. Je suis coincé dans un bouchon sur l'A26 au sud de Crowborough. J'ai l'impression qu'il y a eu un accident. Vous avez des infos?

On lui passa l'état-major. Une voix masculine répondit :

— Bonjour, commissaire. Il y a eu un accident grave. Il y a des morts et des personnes encore prisonnières des tôles. La route va être bloquée un bon moment. Je vous conseille de faire demi-tour et de prendre un autre itinéraire.

Roy Grace le remercia et raccrocha. Puis il prit son terminal mobile BlackBerry, chercha le numéro de Claudine et lui envoya un Texto. Elle lui répondit quasiment immédiatement de ne pas se faire de souci, de faire au mieux. Sa réaction ne la rendait que plus aimable.

Des rodéos comme celui-là, c'était pas tous les jours, mais quand ça arrivait, nom de Dieu, qu'est-ce qu'il aimait ça, Davey ! Attaché sur le siège passager à côté de son père, suivant de près la voiture de police qui ouvrait la route à grand renfort de gyrophare et coups de pin-pon, il jubilait de doubler, à contresens, une file interminable de voitures immobilisées. Ça valait toutes les montagnes russes de la Terre où son père l'avait accompagné.

— Yiha! hurla-t-il, déchaîné.

Davey était accro aux séries policières américaines : il parlait quasiment tout le temps en imitant un accent. Parfois, c'était celui de New York. Parfois celui du Missouri. Parfois celui de Miami. Mais la plupart du temps, c'était celui de Los Angeles.

Phil Wheeler, taillé comme une armoire à glace, doté d'une belle brioche, en tenue de travail – salopette marron, bottes usées et bonnet noir – sourit à son fils, à côté de lui. Voilà des années que sa femme avait craqué et l'avait abandonné avec Davey, qui nécessitait une attention de tous les instants. Depuis dix-sept ans, il l'élevait seul.

La voiture de police ralentit. Derrière le pare-brise, Davey vit la batterie de phares et de projecteurs éclairer d'abord le devant non identifiable de la fourgonnette, dont une partie était toujours encastrée sous le pare-chocs avant de la bétonnière, puis le reste du véhicule, qui, écrasé comme une vulgaire canette de Coca, gisait contre une glissière de sécurité défoncée.

Il y avait des pompiers et des policiers, pour la plupart vêtus de gilets réfléchissants. Un photographe de la police faisait crépiter son flash. Deux experts prenaient des mesures. Des débris métalliques et des morceaux de verre étincelaient partout. Phil Wheeler distingua une basket, un tapis, une veste.

— C'est une vraie boucherie, Pa'!

Ce soir, c'était l'accent du Missouri.

— Tu l'as dit.

Phil Wheeler s'était endurci avec les années, et plus rien, pour ainsi dire, ne le choquait.

Davey, qui venait d'avoir vingt-six ans, portait sa tenue fétiche : casquette de base-ball des New York Yankees à l'envers, veste en polaire, chemise de bûcheron, jean, bottes de travail. Il aimait s'habiller comme les Américains qu'il voyait à la télé. Il avait l'âge mental d'un garçon de six ans, et ce serait comme ça toute sa vie. Mais il avait une force surhumaine, ce qui était pratique dans certains cas. Il était, par exemple, capable de plier une feuille de métal à mains nues. Une fois, il avait soulevé, seul, l'avant d'une voiture et dégagé une moto coincée dessous.

Il fallut presque deux heures pour charger toutes les pièces du Ford Transit et les attacher sur le plateau de la dépanneuse. Son père s'éloigna avec un agent de la circulation qu'il connaissait et avec qui il était maintenant en train de parler pêche.

La pluie s'était calmée et une pleine lune brillait entre deux nuages. Davey fit quelques pas en contrebas, les yeux rivés au ciel, guettant les chauves-souris. La conversation ne l'intéressait guère. Il aimait les chauves-souris, les souris, les rats, les campagnols, ce genre de bêtes. Jamais un animal ne s'était moqué de lui, contrairement aux autres, quand il était à l'école.

Balayant le sol de sa torche, il fit quelques mètres dans les fourrés, ouvrit sa braguette et vida sa vessie. Il venait de finir quand une voix s'éleva, juste devant lui, lui foutant une trouille pas possible.

— Allô, allô ?

Une voix métallique, désincarnée.

Davey fit un bond.

Puis il réentendit la voix.

— Allô ? Eh, répondez ! Josh ? Luke ? Pete ? Robbo ?

Il dirigea la lampe vers les buissons, mais ne vit personne.

— Qui est là ?

Silence. Suivi de crissements électrostatiques. Puis, à quelques mètres à sa droite, il réentendit la voix.

— Allô ? Allô ? Allô ?

Quelque chose brillait dans les buissons. C'était un émetteur avec une antenne. L'observant de plus près, il constata, non sans excitation, qu'il s'agissait d'un talkie-walkie. Il fixa la lampe sur l'objet, puis le ramassa. Sous un gros bouton vert, il lut le mot : APPEL. Il appuya dessus et dit :

— Allô !

Une voix l'apostropha immédiatement.

— Qui c'est ?

Puis une autre voix, un peu plus loin, cria :

— Davey !

Son père.

— J'arrive ! répondit-il.

En remontant vers la route, il appuya de nouveau sur le bouton.

— C'est Davey ! dit-il. Et toi ?

— Daveeeeeyyyyy !

Son père s'impatientait.

Pris de panique, Davey lâcha l'appareil, qui tomba lourdement sur le bitume. Le boîtier s'ouvrit, éjectant les piles.

— J'arrive ! hurla-t-il.

Il se baissa, ramassa le talkie-walkie et le fourra dans la poche de sa veste. Puis il ramassa les piles et les cacha dans une autre poche. Il remonta en courant jusqu'au camion.

MICHAEL appuya sur le bouton APPEL.

— Davey ?

Silence.

Il recommença.

— Davey ? Allô ? Davey ?

Un silence absolu, parfait, l'étouffait de haut en bas, de droite à gauche. Il essaya de bouger les bras. Il avait beau appuyer de toutes ses forces, les parois poussaient plus fort que lui. Reposant le talkie-walkie sur sa poitrine, il poussa de nouveau le plafond satiné à quelques centimètres seulement de ses yeux. Autant essayer de déplacer un mur en béton. Il attrapa le tube en caoutchouc rouge, le porta à la bouche et essaya de siffler à l'intérieur. Il émit un son ridicule. Il appuya de nouveau sur le bouton.

— Davey ! Davey ! J'ai envie de pisser. Davey !

Même silence.

Grand amateur de voile depuis des années, il possédait une excellente connaissance des émetteurs-récepteurs. « Essaie une autre fréquence », se dit-il. Il trouva la mollette, mais n'arriva pas à la tourner. Il força, sans succès. Il comprit pourquoi : elle avait été bloquée avec de la Super Glue. Il ne pouvait pas se mettre sur la fréquence internationale de détresse.

— Eh, ça suffit, espèces d'enfoirés, j'en peux plus !

Il plaça le talkie-walkie près de son oreille et écouta. Rien.

Il posa l'appareil sur sa poitrine et, lentement, avec grande difficulté, réussit à descendre sa main droite jusqu'à la poche de sa veste en cuir et à sortir le portable waterproof, particulièrement résistant, qu'Ashley lui avait offert pour faire du bateau. Il appuya sur un bouton et le téléphone s'alluma. Il reprit espoir, mais pas longtemps. Pas de réseau.

— Merde.

L'écran de son Ericsson indiquait 11:13.

Deux bonnes heures s'étaient écoulées. Il ferma les yeux, réfléchit quelques instants à ce qui pouvait bien se passer exactement.

Mais qui était ce Davey?

Il avait la gorge sèche. Il se sentait vaseux. Il aurait voulu être chez lui, au lit avec Ashley. Ils allaient revenir dans quelques minutes. Il suffisait d'être patient. Demain, il se vengerait.

Il ferma les yeux. Haut-le-cœur. Malaise. Il retomba dans les bras de Morphée.

3

LES roues de l'avion heurtèrent bruyamment le tarmac détrempé, cinq heures trente exactement après l'heure prévue. Le pilote prit la parole, d'une voix mielleuse, pour s'excuser une nouvelle fois du retard, accusant le brouillard.

Saloperie de brouillard. Mark détestait le climat anglais. Il rêvait d'une Ferrari rouge, d'une maison à Marbella, d'une vie au soleil et de quelqu'un avec qui la partager. Quelqu'un d'exceptionnel. Une lady. Si l'affaire immobilière qu'il avait négociée à Leeds marchait, il ne serait plus très loin de la maison et de la Ferrari. Pour la femme de sa vie, ce n'était pas si simple.

Épuisé et exaspéré, il se leva, et sortit son imper du coffre à bagages, trop fatigué pour se soucier de son apparence.

Contrairement à son associé, Michael Harrison, qui s'habillait toujours négligemment, Mark prêtait une grande attention à son allure. Mais, à l'instar de sa coupe de cheveux blonds impeccable, ses vêtements étaient trop classiques pour ses vingt-huit ans, et ils étaient habituellement tellement parfaits qu'ils avaient l'air neufs. Il aimait penser que les gens le considéraient comme l'entrepreneur idéal, mais tous ceux à qui il s'adressait avaient invariablement l'impression qu'il avait quelque chose à leur vendre.

Sa montre indiquait 23:48. Il alluma son portable, mais, avant qu'il ait eu le temps de passer un coup de fil, le signal de la batterie bipa et le téléphone s'éteignit. Il le replaça dans sa poche. Il était tard, bien trop tard pour rejoindre l'enterrement de vie de garçon. Il n'avait qu'une envie : rentrer chez lui et se coucher.

Une heure plus tard, il garait sa BMW X5 gris métallisé à la place qui lui était réservée, au sous-sol de son immeuble, le Van Alen. Il prit l'ascenseur jusqu'au quatrième étage et entra chez lui.

Il s'était saigné pour acheter ce loft, mais ça lui faisait une carte de visite prestigieuse. L'immeuble était imposant – style Art déco revu et corrigé –, donnant directement sur la baie de Brighton. L'endroit avait de la classe. Habiter Van Alen, ça voulait dire être quelqu'un. Être *quelqu'un*, ça voulait dire être riche. Et Mark n'avait jamais eu qu'un seul but dans la vie : être riche.

En traversant son vaste living, il vit que son répondeur clignotait. Il décida de ne pas y prêter attention pour le moment, brancha le chargeur de son portable, se dirigea directement vers le bar et se servit deux doigts de Balvenie. Puis il alla vers la fenêtre, regarda la promenade, en contrebas, très fréquentée malgré l'heure et le temps. Plus loin, il pouvait voir les lumières du *Palace Pier* et la mer, encre de Chine.

Son portable émit soudain un son aigu. Il s'approcha et regarda l'écran. Onze nouveaux messages !

Sans débrancher l'appareil du chargeur, il appela sa boîte vocale. Le premier message était de Pete, à 19 heures, lui demandant où il était. Le second était de Robbo, à 19 h 45, qui, voulant se rendre utile, l'informait qu'ils allaient dans un autre pub, *The Lamb*, à Ripe. Sur le troisième, à 20 h 30, il reconnut les voix de Luke et de Josh, passablement éméchés, et celle de Robbo, en fond sonore. Ils allaient dans un nouveau pub, *The Dragon*, sur Uckfield Road.

Les deux messages suivants étaient de l'agent immobilier, à propos de l'affaire, à Leeds, et de leur avocat.

Le sixième, à 23 h 5, était d'Ashley. Elle semblait affolée. Sa voix l'alarma. Ashley était habituellement imperturbable.

— Mark, je t'en prie, je t'en prie, rappelle-moi dès que tu auras ce message, le pressait-elle avec un léger accent nord-américain.

Le message suivant était, lui aussi, d'Ashley. Paniquée. Les suivants, à dix minutes d'intervalle, étaient toujours d'elle. Le dixième message était de la mère de Michael. Elle aussi avait l'air affolée.

— Mark, je vous ai laissé un message sur le répondeur de votre téléphone fixe. Rappelez-moi dès que vous aurez celui-ci, quelle que soit l'heure.

Mark appuya sur pause. *Qu'avait-il bien pu se passer ?*

L'appel suivant était d'Ashley. Elle était hystérique.

— Mark, il y a eu un terrible accident. Pete, Robbo et Luke sont morts. Josh est en soins intensifs. Personne ne sait où est Michael. Mon Dieu, Mark, rappelle-moi !

N'en croyant pas ses oreilles, Mark réécouta les derniers messages et se laissa tomber sur l'accoudoir de son canapé.

Il avait le regard plongé au fond de son verre et contemplait les glaçons comme s'ils étaient chargés de sens.

Lui aussi aurait eu cet accident si son avion avait été à l'heure.

Il avait les mains qui tremblaient. Il se dirigea vers sa chaîne Bang et Olufsen et mit une compilation de Mozart. Mozart l'avait toujours aidé à réfléchir. Et pour le coup il allait devoir réfléchir, plutôt deux fois qu'une.

Plus d'une heure passa avant qu'il décroche le téléphone pour composer un numéro.

Ashley ressemblait à un fantôme. Elle était appuyée au comptoir de la réception du service des soins intensifs de l'hôpital régional du Sussex. Sa vulnérabilité la rendait encore plus belle aux yeux de Mark.

L'esprit embrouillé par une nuit blanche, il s'avança vers elle et, passant les bras autour de ses épaules, il l'étreignit autant pour la rassurer que pour se rassurer lui-même.

Elle s'agrippa à lui comme à une bouée dans un océan déchaîné.

— Mon Dieu, Mark, Dieu merci, tu es là !

— C'est horrible, dit Mark. C'est incroyable.

Ashley acquiesça, la gorge nouée.

— Si tu n'avais pas eu ta réunion, tu aurais…

— Je sais. Je n'arrête pas d'y penser. Comment va Josh ?

Ashley venait de laver ses longs cheveux bruns. Ils sentaient bon le propre. Son haleine trahissait un soupçon d'ail, qu'il remarqua à peine. Des copines avaient organisé, la veille, son enterrement de vie de jeune fille dans un resto italien.

— Mal. Zoé est avec lui.

Elle tendit son doigt et, tout au bout de la salle des soins intensifs, il entrevit la femme de Josh, assise sur une chaise auprès d'un lit. Elle portait un tee-shirt blanc, une veste de survêtement et un pantalon large. Des boucles blondes retombaient sur son visage.

— Michael ne s'est toujours pas manifesté. Où est-ce qu'il est, Mark ? C'est pas possible que tu ne le saches pas, quand même…

— Je n'en ai aucune idée, lui assura-t-il. Absolument aucune idée.

Elle lui jeta un regard dur.

— Mais vous prépariez cette soirée depuis des semaines. Lucy dit que vous vouliez vous venger de tous les coups tordus qu'il avait faits pour leurs enterrements de vie de garçon.

Elle recula d'un pas.

— Peut-être que les gars ont changé de plan à la dernière minute, dit-il. Bien sûr, ils avaient évoqué divers stratagèmes, mais j'avais réussi à les en dissuader. Enfin, je croyais.

Elle esquissa un pâle sourire de reconnaissance.

— On est sûr qu'il n'était pas dans le Transit ?

— C'est certain. J'ai appelé les policiers. Ils disent… Ils disent…

Elle se mit à pleurer.

— Qu'est-ce qu'ils disent ?

De colère, elle explosa en sanglots.

— Ils ne veulent rien faire.

Ses larmes coulèrent quelques instants – elle luttait pour faire bonne figure.

— Ils disent qu'il est certainement en train de cuver quelque part.

Mark attendait qu'elle retrouve son calme.

— C'est peut-être vrai.

Elle secoua la tête.

— Il m'avait promis de ne pas se saouler. Mais tu vas me dire que c'était son enterrement de vie de garçon, c'est ça ? C'est ce que vous faites, les hommes, à cette occasion : vous vous bourrez la gueule…

Mark regardait fixement les carreaux gris du sol.

— Viens, on va voir Zoé, dit-il.

Ashley le suivit dans la salle. Zoé était une belle femme très mince. Mark la trouva encore plus maigre quand il posa une main sur son épaule et sentit l'os sous le tissu léger de son haut de survêtement tendance.

— Mon Dieu, Zoé, je suis désolé.

Elle haussa imperceptiblement les épaules.

— Comment va-t-il?

Mark espérait que l'anxiété qu'il mettait dans sa voix ne sonnait pas faux.

Zoé tourna la tête et leva son visage vers lui. Ses yeux étaient rougis, ses joues sillonnées de larmes.

— Ils l'ont opéré, maintenant, il n'y a plus qu'à attendre.

Mark ne répondit rien. Il observait Josh. Celui-ci avait les yeux fermés, son visage était lacéré, couvert de bleus. Une perfusion était enfoncée dans sa main, une canule fichée dans ses narines et un large tube respiratoire lui déformait la bouche. Des fils sortaient des draps et de son crâne, alimentant des écrans numériques et des graphiques au tracé accidenté.

Mark regardait les écrans en essayant de comprendre ce qu'ils disaient. Et il réfléchissait.

Josh était né avec une cuillère en argent dans la bouche. Il était beau garçon, ses parents étaient riches. Il planifiait sa vie et parlait sans arrêt de ses projets sur cinq ans, sur dix ans. Il avait été le premier de la bande à se marier. Il voulait avoir des enfants tôt pour être encore jeune quand ils seraient adultes, pour profiter de la vie une seconde fois. Il avait épousé une femme parfaite, Zoé, adorable petite fille riche, qui lui avait permis d'atteindre ses premiers objectifs. Elle lui avait offert deux bébés tout aussi parfaits, à intervalle rapproché.

Mark embrassa la salle d'un regard circulaire, repérant les infirmières, les médecins, puis ses yeux se posèrent sur l'électrocardiogramme. Des alarmes sonneraient si le rythme cardiaque, ou le taux d'oxygène dans le sang, tombait trop bas.

Si Josh survivait, ce serait un problème. Cette hypothèse l'avait empêché de dormir la majeure partie de la nuit, et il était presque malgré lui parvenu à la conclusion qu'elle n'était tout bonnement pas envisageable.

ROY GRACE avait toujours eu la sensation que la salle d'audience numéro un du tribunal de Lewes avait été délibérément conçue pour intimider. Elle avait un plafond haut et voûté, des murs couverts de boiseries, et des bancs, dont celui des accusés, en chêne sombre. Aujourd'hui, elle était présidée par le juge Driscoll, emperruqué.

Debout à la barre des témoins, élégamment habillé – costume bleu, chemise blanche, cravate sombre et chaussures noires à lacets, impeccablement cirées –, Roy faisait bonne impression, mais, intérieurement, il était au plus bas. Il y avait deux bonnes raisons à ça : la nervosité et le manque de sommeil – son rendez-vous avait été un cauchemar. *Claudine. Satanée Claudine Lamont.* Elle n'aurait pas dû oublier de signaler qu'elle était contre l'alcool, qu'elle détestait les flics, qu'elle était végétalienne pour ne rien gâcher, et que son seul intérêt dans la vie était les neufs chats qu'elle avait recueillis. Tenant la Bible d'une main, il débita son serment, jurant de dire la vérité, toute la vérité, et rien que la vérité.

Les jurés, qui formaient un groupe dépareillé, aux visages blafards, avaient été placés sur deux rangs, derrière un alignement de bouteilles d'eau et de verres. Les bancs réservés au public étaient envahis par les journalistes et les badauds.

Suresh Hossain était assis sur le banc des accusés. Ventripotent, visage vérolé, cheveux gominés en arrière, il suivait la procédure d'un air blasé, comme si le procès avait été organisé pour son bon plaisir. Propriétaire foncier véreux, il avait été intouchable ces dix dernières années, mais Roy Grace avait fini par l'épingler. Complicité de meurtre.

La parole était à l'avocat de la défense. Allure arrogante, petite perruque grise, robe noire, lèvres pincées dans un rictus qui se voulait engageant, il s'appelait Richard Charwell. Grace avait eu affaire à lui, et, à l'époque, déjà, l'expérience n'avait pas été concluante.

— Êtes-vous le commissaire Roy Grace, officier de police judiciaire au siège de la PJ du Sussex ? demanda l'avocat.

— Oui, répondit Grace.

Acteur patenté, Charwell marqua expressément un temps d'arrêt, puis, sur un ton qui laissait supposer qu'il était soudain le nouveau meilleur ami de Roy Grace, il reprit :

— Commissaire, je me demandais si vous pourriez nous éclairer sur un certain point. Avez-vous eu connaissance d'une chaussure liée à cette affaire ? Un mocassin en croco marron, avec une chaînette dorée ?

— Oui, effectivement.

Roy eut soudain un horrible pressentiment sur la direction que risquait de prendre l'interrogatoire.

— Allez-vous nous dire à qui vous avez montré cette chaussure, commissaire, ou préférez-vous que je vous force à nous le révéler ?

— Maître, je ne suis pas sûr de saisir où vous voulez en venir.

— Commissaire, je pense que vous savez très bien où je veux en venir. Avouez-vous avoir subtilisé une pièce à conviction essentielle à l'enquête, à savoir cette chaussure ?

L'avocat la saisit et la leva pour la montrer au tribunal, comme s'il venait de remporter un trophée.

— Je ne dirais pas que j'ai subtilisé quoi que ce soit, répondit Grace, énervé par tant d'arrogance, mais conscient qu'il ne devait pas entrer dans le jeu du juriste, qui entendait le pousser à bout.

Charwell baissa la chaussure.

— Vous ne pensez pas l'avoir subtilisée ?

Sans laisser à Grace la possibilité de répondre, il poursuivit.

— J'affirme devant ce tribunal que vous avez abusé de votre position, que vous avez subtilisé une pièce à conviction et l'avez montrée à un pseudo-professionnel de sciences occultes.

Se tournant vers le juge Driscoll, il poursuivit.

— Votre Honneur, j'ai l'intention de prouver que l'ADN prélevé sur cette chaussure n'est pas valable dans la mesure où le commissaire Grace a interrompu sa traçabilité et probablement vicié cette pièce essentielle à l'enquête.

Puis, se tournant vers Grace.

— Ai-je tort ou ai-je raison, commissaire, d'affirmer que le jeudi 9 mars de cette année, vous avez apporté cette chaussure à une prétendue voyante de Hasting dénommée Mme Stempe ?

— J'ai beaucoup de respect pour Mme Stempe, dit Grace.

— Nous ne sommes pas ici pour parler de vos sentiments, commissaire, mais des faits.

Mais la curiosité du juge semblait piquée.

— Je pense qu'il est parfaitement opportun de recueillir le sentiment du témoin dans cette affaire.

Grace reprit.

— Elle m'a aidé dans un certain nombre d'enquêtes, par le passé. Il y a trois ans, Mary Stempe m'a fourni suffisamment d'informations pour me permettre d'arrêter une personne suspectée de meurtre.

— Donc, vous avez régulièrement recours aux sciences occultes dans le cadre de vos fonctions. C'est bien ça, commissaire Grace ?

Un rire à peine réprimé parcourut la salle d'audience.

— Je ne parlerai pas de *sciences occultes*, corrigea Grace, mais de source alternative. La police se doit d'utiliser tous les moyens dont elle dispose pour retrouver les criminels.

— Pourrait-on, sans exagération, dire que vous croyez aux forces surnaturelles ? demanda l'avocat.

Grace regarda le juge Driscoll, qui le fixait comme si c'était lui l'accusé. Cherchant désespérément une réponse appropriée, il jeta un œil vers le jury. Et soudain, il trouva.

— Quelle est la première chose que ce tribunal m'a demandé de faire quand je suis venu à la barre ? demanda-t-il.

Avant que l'avocat ait eu le temps de répondre, Grace lança :

— De jurer *sur la Bible*.

Il marqua un temps d'arrêt pour poser sa voix.

— Dieu est un être surnaturel. L'Être surnaturel *suprême*. Dans un tribunal qui accepte que les témoins jurent sur un être surnaturel, il serait étrange que moi-même, et quiconque dans cette salle, ne croie pas au surnaturel.

— Je n'ai plus de questions, dit l'avocat en se rasseyant.

On appela un autre témoin de la défense. Quand arriva la suspension d'audience de l'après-midi, Roy Grace crut pouvoir espérer que l'histoire de la chaussure passe au second plan.

Ses espoirs furent balayés quand il sortit sur High Street pour prendre l'air et acheter un sandwich. Dans le kiosque, sur le trottoir d'en face, la une de *l'Argus*, le journal local, était barrée d'un énorme titre : Un officier de police admet avoir recours à des pratiques ésotériques.

Grace eut soudain très envie d'un verre et d'une clope.

Michael avait beau essayer de l'ignorer, la faim ne voulait pas le lâcher. Il n'arrêtait pas de penser à la nourriture : il imaginait l'odeur d'un hamburger juteux, servi avec des frites et du ketchup, des homards grillés, du bacon frémissant.

Il fut pris d'un nouvel accès de panique, il happait l'air, le gobait goulûment. Il ferma les yeux, essaya de penser qu'il était dans un endroit chaud, sur son voilier, en Méditerranée. Au beau milieu de la mer, des mouettes au-dessus de la tête, caressé par la douceur d'un air méridional. Mais les parois du cercueil poussaient, le compressaient. Il chercha à tâtons la torche posée sur son ventre et l'alluma. Les piles étaient sur le point de rendre l'âme. Il dévissa précautionneusement le bouchon de la bouteille de whisky – ses mains tremblaient – et porta le goulot à ses lèvres. Il prit une misérable gorgée, hydratant soigneusement sa bouche desséchée et pâteuse.

Il se concentra pour revisser le bouchon. Plus qu'une demi-bouteille. Une gorgée par heure. À heure fixe.

La routine prévenait les crises de panique. On ne sombre pas dans la folie, quand on s'accroche à la routine. La routine structure, ouvre une perspective, un horizon. Et quand on regarde l'horizon, on se sent plus calme. Il le savait, car, cinq ans auparavant, il avait traversé l'Atlantique en équipage sur un voilier.

Son horizon, c'était sa montre. La montre qu'Ashley lui avait offerte, une Longines en argent avec un affichage lumineux. C'était la première fois qu'il avait une montre aussi classe. Il faut dire qu'Ashley avait un goût très sûr. Tout, chez elle, était classe : les ondulations de ses longs cheveux bruns, sa façon de marcher, son élocution, ses traits réguliers. Il adorait entrer dans une pièce avec elle. Où que ce soit, les têtes se tournaient, les gens la dévisageaient. Dieu qu'il aimait ça ! Cette fille dégageait quelque chose de particulier. D'unique.

Même sa mère était d'accord, qui avait pourtant désapprouvé ses précédentes conquêtes. Ashley n'était pas comme les autres. Elle avait apprivoisé sa mère, l'avait charmée. Il l'aimait aussi pour ça, pour cette faculté qu'elle avait de charmer tous ceux qu'elle rencontrait, le moindre client, par exemple. Il était tombé amoureux d'elle le jour où elle était entrée dans le bureau qu'il partageait avec Mark, pour un entretien d'embauche. Six mois plus tard, ils allaient se marier.

Son entrejambe le démangeait terriblement. Urticaire géante. Vingt-six heures s'étaient écoulées et il avait, depuis longtemps, renoncé à sa dignité. Vingt-six heures qu'il hurlait dans ce maudit talkie-walkie, composait des numéros sur son portable, pour obtenir le même message : pas de réseau.

Il essaya de soulever le couvercle pour la centième fois. Ça ne changeait rien. Il avait déjà essayé de faire un trou dans le couvercle avec la coque métallique du talkie-walkie. Mais la coque n'était pas assez résistante. Il ralluma l'appareil.

— Allô ? Il y a quelqu'un ? Allô ?

Friture sur toute la ligne.

Il éteignit la torche et demeura dans l'obscurité. Il entendit sa respiration s'accélérer. Et si jamais ?

Si jamais ils ne revenaient pas ? Il était 23 h 30 passées.

Ils seraient là d'une minute à l'autre. Ils n'avaient pas le choix.

SANDY se tenait au-dessus de lui. Tout sourire, bloquant le soleil. Ses cheveux blonds se balançaient de part et d'autre de son visage couvert de taches de rousseur et lui caressaient les joues.

— Eh ! Il faut que je lise ce rapport ! Il faut que…

— T'es pas drôle, Grace, t'as toujours un truc à lire !

Elle l'embrassa sur le front.

— Lire, lire, travailler, travailler !

Elle l'embrassa de nouveau sur le front.

— Je ne te plais plus ?

Elle portait une minuscule robe d'été. Il entrevit ses longues jambes bronzées, sa robe remontée à mi-cuisses.

Il tendit les bras pour prendre son visage entre ses mains, l'attira vers le sien, plongea dans ses yeux bleus, confiants, et il se sentit incroyablement, profondément, immensément amoureux d'elle.

— Je t'aime plus que tout au…

Obscurité totale. Comme si quelqu'un avait éteint la lumière.

Grace entendit l'écho de sa voix dans la pièce vide et froide.

— Sandy ! cria-t-il.

Mais le son resta dans sa gorge.

La clarté du soleil se mua en une vague lueur orangée – les lumières de la rue filtraient à travers les rideaux de la chambre.

L'écran du réveil affichait 3 : 02.

Il entendit le bruit d'une poubelle qu'on renverse – un chat ou un renard.

Il resta immobile quelques instants, ferma les yeux et essaya de calmer sa respiration. Comme toutes les fois où il rêvait de Sandy, c'était tellement vrai… C'était comme s'ils étaient toujours ensemble, mais dans une autre dimension. S'il trouvait un moyen de localiser la porte, de passer le pont, ils seraient de nouveau ensemble… Ils seraient bien, ils seraient heureux.

Une immense vague de tristesse le submergea. Qui se transforma en effroi quand il reprit ses esprits. Ce putain de titre dans *l'Argus*, la veille au soir. Qu'allaient dire les journaux du matin ? Le précédent commissaire divisionnaire l'avait prévenu qu'avouer s'intéresser à l'ésotérisme pouvait nuire à sa carrière.

— Tout le monde sait que vous êtes un cas à part, Roy, avec la disparition de Sandy. Et personne ne vous reprochera de remuer ciel et terre pour la retrouver. Nous ferions la même chose si nous étions à votre place. Mais cette quête doit rester strictement personnelle.

Parfois, il s'en sortait plutôt bien, il se sentait fort. Jodie, sa sœur, lui avait dit qu'il était temps pour lui de passer à autre chose. Qu'il fallait qu'il accepte que Sandy était morte. Mais comment pouvait-il passer à autre chose ? Et si Sandy était vivante ? Et si elle était déte-nue par un maniaque ? Il devait continuer à la chercher. Il continuerait jusqu'à ce que…

Tourner la page.

Le matin de son trentième anniversaire, il avait promis à Sandy de rentrer tôt, mais il avait eu une journée chargée et il était rentré presque deux heures après l'heure fixée. Et Sandy avait disparu.

La maison était rangée, sa voiture et son sac n'étaient plus là, il n'y avait aucune trace de lutte.

Sa voiture avait été retrouvée vingt-quatre heures plus tard dans un parc de stationnement de courte durée à l'aéroport de Gatwick.

Il alluma la lumière, se leva et descendit l'escalier à pas de loup. Leur maison, construite dans les années 1930, dans un style Tudor, était modeste, comme toutes celles du voisinage.

Parfaitement réveillé, il s'assit dans son fauteuil et appuya sur la télécommande. Il zappa sur quelques chaînes du câble, mais rien ne retenait son attention. Il attrapa un livre, mais fut incapable de se concentrer sur plus de deux paragraphes.

Ce satané avocat de la défense qui s'était pavané devant la cour, la veille, lui avait porté sur les nerfs. Satané Richard Charwell ! Pis. Grace savait que le gars avait joué au plus malin et avait gagné. Lui s'était fait manipuler, coincer, et il se sentait piqué au vif.

Jeudi matin, deux tabloïds nationaux et un journal plus sérieux faisaient leur une sur le procès pour meurtre de Suresh Hossain et tous les autres journaux britanniques en parlaient dans leurs pages intérieures. Ce n'était pas tant le procès lui-même qui retenait l'attention que les remarques formulées par le commissaire Roy Grace lorsqu'il avait été appelé à la barre.

Pour la première fois de sa vie, Roy commençait à se demander s'il avait bien fait d'entrer dans la police. Enfant, il n'avait jamais imaginé faire autre chose.

Son père, Jack, avait fini sa carrière commandant, et certains anciens continuaient à parler de lui avec affection. Grace l'avait vénéré. Quand il était petit, il avait l'impression que la vie de son papa était bien plus excitante, bien plus passionnante, que celle des pères de ses copains. Il semblait y avoir, dans la police, une camaraderie et un esprit d'équipe qui lui parlaient vraiment.

Sa promotion récente, à peine trois mois auparavant, qui faisait de lui l'un des plus jeunes commissaires du Sussex de tous les temps, était presque devenue un cadeau empoisonné. Il avait dû quitter le poste de police de Brighton, qui se trouvait en plein centre-ville, dans le quartier qu'habitaient la plupart de ses amis, pour atterrir dans une zone industrielle relativement calme, en périphérie, dans une ancienne usine récemment reconvertie en siège de la PJ du Sussex, la Sussex House.

Voûté sur son bureau, mastiquant un sandwich au pain complet, Roy parcourait les minutes du procès Hossain.

Le téléphone sonna :

— Tu es occupé, là ?

Il reconnut une voix familière, celle de Glenn Branson, un commandant particulièrement doué avec lequel il avait travaillé plusieurs fois dans le passé, très ambitieux, tranchant comme une lame de rasoir, et sans doute son meilleur ami.

— Ça dépend ce que tu entends par occupé.

— Tu as déjà réussi à répondre sans poser une question ?

Grace sourit.

— Et toi ?

— Écoute, je suis harcelé par une femme. Son fiancé a disparu. Ça ressemble à un enterrement de vie de garçon qui aurait très mal tourné. Il ne s'est pas manifesté depuis mardi soir. J'ai l'impression que ce n'est pas une banale affaire de disparition. J'aimerais te mettre à contribution. Tu es libre cet après-midi ? demanda Branson.

À tout autre que lui, Grace aurait répondu par la négative, mais il savait que Glenn n'était pas du genre à lui faire perdre son temps. Et à ce moment précis, il était content d'avoir une excuse pour sortir de son bureau.

— Pas de problème, je peux me libérer.

Glenn Branson marqua une pause avant de dire :

— On n'a qu'à se retrouver à l'appartement du gars. Ce serait bien que tu le voies. Je vais chercher les clés, et on se rejoint là-bas.

Branson lui dicta l'adresse.

Grace consulta son BlackBerry.

— Qu'est-ce que tu dirais de 17 h 30 ? On pourra prendre un verre après.

Il prit son Alfa Romeo 147. Il aimait cette voiture, ses sièges durs, sa conduite abrupte, le chuintement de son pot d'échappement, l'impression de précision et les cadrans larges, façon voiture de sport, du tableau de bord. Les gros essuie-glaces balayaient bruyamment le pare-brise. À travers les gouttes de pluie, il voyait les immeubles du front de mer de Brighton s'étaler à perte de vue et, au-delà, une bande grise, floue, se mêler au ciel : la Manche.

Il avait grandi dans cette ville, connaissait ses voyous. Son père avait pour habitude de lui réciter en boucle le nom des dealers, des salons de massage, des trafiquants d'antiquités chics qui refilaient des bijoux volés.

Brighton avait été un village de contrebandiers. Puis George IV avait fait construire un palace à quelques mètres de la demeure de sa maîtresse. Mais la ville n'avait jamais tout à fait réussi à se débarrasser de ses activités illégales, ni de sa réputation de lieu de villégiature pour les couples adultérins. Cette renommée contribuait à différencier Brighton des autres villes de province, se dit-il.

La résidence Grassmere Court était formée d'un ensemble de bâtiments en briques rouges dans un quartier très comme il faut. Elle longeait une artère importante et surplombait un court de tennis. Les résidents étaient de jeunes célibataires qui faisaient carrière et des personnes âgées aisées.

Un grand Noir emmitouflé dans une grosse parka, glabre comme un météorite, attendait sous le porche : c'était Glenn Branson. Avec son physique impressionnant, obtenu après des années de musculation, il ressemblait davantage à un dealer qu'à un flic.

Branson le gratifia d'un « Yo, vieux sage ! ».

— Arrête ton char, je n'ai que sept ans de plus que toi. Un jour, tu auras mon âge et tu ne trouveras pas ça drôle.

Il sourit.

Ils se donnèrent une poignée de main digne de deux rappeurs, puis Branson, fronçant les sourcils, dit :

— Tu as vraiment une sale gueule, je ne plaisante pas.

— La célébrité ne me va pas bien au teint.

— J'ai cru comprendre que tu faisais quelques unes ce matin.

Il ouvrit la porte d'entrée de la résidence et entra.

Grace le suivit.

— Merci, tes compliments me vont droit au cœur. Comment va madame ? demanda-t-il tandis qu'ils attendaient l'ascenseur.

— Très bien.

— Et les gosses ?

— Sammy est une flèche, mais Remi est en train de devenir un monstre.

Il appuya sur le bouton de l'étage.

Ils sortirent de l'ascenseur au sixième étage. L'appartement se trouvait au bout du couloir. Branson ouvrit la porte et ils entrèrent.

L'endroit était petit et moderne. Les canapés étaient bas, aux murs étaient accrochées des peintures minimalistes, il y avait un téléviseur à écran plat, un lecteur de DVD et une chaîne hi-fi sophistiquée flanquée d'enceintes longilignes. Dans la chambre se trouvaient un futon défait et des commodes basses sur lesquelles étaient posées des lampes avant-gardistes.

Grace et Glenn échangèrent un regard.

— Sympa, fit Grace.

Grace observa une photo encadrée près du lit. On y voyait un bel homme, vingt-huit ans, blond, le bras sur les épaules d'une très jolie femme, même âge, longs cheveux noirs.

— C'est lui ?

— Et elle. Michael Harrison et Ashley Harper. Joli couple, n'est-ce pas ?

Grace hocha la tête sans les quitter des yeux.

— Ils se marient samedi. C'est du moins ce qui était prévu. S'il refait surface. Mais ça ne se présente pas bien.

— Tu dis qu'on l'a pas vu depuis mardi soir ? Qu'est-ce que tu sais sur lui ?

— C'est un gars du coin qui a réussi. Il est dans l'immobilier. Sa boîte s'appelle Double-M Properties. Il a un associé : Mark Warren. Récemment, ils ont entièrement réhabilité un vieil entrepôt sur le port de Shoreham. Trente-deux appartements – tous vendus avant la fin des travaux. Ils bossent ensemble depuis sept ans, ils ont fait pas mal d'affaires dans la région, des reconversions, du neuf. La fille, c'est la secrétaire de Michael. Très belle, très futée.

Grace prit la photo et l'observa de plus près.

— Nom de Dieu, je veux bien l'épouser ! Elle est vraiment sublime.

— Ce que j'essaie de te dire, c'est que si tu étais sur le point d'épouser cette nana samedi prochain, tu te ferais pas la malle.

— Sauf si j'étais maboule.

— Donc, s'il ne s'est pas tiré, où est-il ?

Grace réfléchit quelques instants.

— Au téléphone, tu parlais d'un enterrement de vie de garçon qui aurait mal tourné ?

— C'est ce que sa fiancée m'a dit. C'était ma première idée. Un enterrement de vie de garçon, ça peut être brutal. Hier, je me disais que ça pouvait encore être ça. Mais ne pas rentrer deux nuits de suite…

— La trouille? Il aurait une autre nana?

— Tout est possible, mais j'aimerais te montrer quelque chose.

Grace le suivit dans la pièce principale. Branson s'assit devant l'ordinateur et tapa quelques lettres sur le clavier.

Une demande de mot de passe s'afficha à l'écran. Branson s'excita sur le clavier, et, quelques secondes plus tard, l'écran se couvrit de données.

— Comment tu as fait? demanda Grace. Comment as-tu deviné le mot de passe?

Branson lui jeta un regard en biais

— Il n'y avait pas de mot de passe. La plupart du temps, quand on leur demande d'entrer un mot de passe, les gens pensent qu'il y en a un. Mais pourquoi en aurait-il créé un s'il était le seul utilisateur de cette machine?

— Je suis impressionné. Tu es vraiment le fils caché de Bill Gates.

Branson ne releva pas la remarque.

— J'aimerais que tu regardes ça de près.

Grace lui obéit et s'assit devant l'écran.

À QUELQUES kilomètres de là, Mark Warren était lui aussi scotché devant son ordinateur. L'horloge, à l'écran, indiquait 18:10. Il avait remonté ses manches. Un cappuccino Starbucks patientait à ses côtés. Son bureau, d'habitude impeccablement rangé, croulait sous des piles de documents.

Double-M Properties se trouvait au troisième étage d'une bâtisse étroite de cinq étages en mitoyenneté, style Régence, pas loin de la gare de Brighton. En plus du bureau, il y avait une salle de conférences pour recevoir les clients, une petite réception et une kitchenette. La décoration était moderne, fonctionnelle. Sur les murs, il y avait des photos des trois voiliers qu'ils avaient achetés ensemble et des photos de leur parc immobilier : l'usine en bord de mer, à Shoreham, dans laquelle ils avaient créé trente-deux appartements, un vieil hôtel Régence qu'ils avaient reconverti en dix appartements et deux grands lofts. Et leur dernier projet, le plus ambitieux, un dessin représentant un site de plus de deux hectares de forêt pour lequel ils venaient de décrocher le permis de construire vingt maisons.

À intervalles réguliers, comme il l'avait fait toute la journée, il composait le numéro de portable de Michael. Mais à chaque fois il tombait directement sur la boîte vocale. À moins que le téléphone n'ait été éteint, ou que la batterie soit à plat, cela voulait dire que Michael était toujours enfermé. Personne n'avait entendu quoi que ce soit. Vu l'heure à laquelle ils avaient eu l'accident, ils avaient dû l'enterrer vers 21 heures, il y avait deux jours de ça maintenant.

« Surtout, ne pas paniquer », se répétait-il. Il avait lu suffisamment de romans noirs et vu suffisamment de films policiers pour savoir que c'était quand le gars paniquait qu'il se faisait coincer. « Reste calme. Continue à effacer les mails. *Boîte de réception. Éléments envoyés. Corbeille.* Vérifie partout. » Il savait qu'il était impossible d'effacer complètement les mails. Qu'ils se trouveraient toujours quelque part, dans un serveur, dans le cyberespace. Mais personne n'irait fouiller aussi loin, n'est-ce pas ? Il entrait les mots-clés les uns après les autres, faisait des recherches avancées pour chacun d'eux. *Michael. Enterrement. Garçon. Nuit. Josh. Pete. Robbo. Luke. Ashley. Opération vengeance. Revanche.* Relire chaque mail. Tout vérifier.

Josh était en soins intensifs, sa situation était critique, il avait à coup sûr des lésions cérébrales. Mark avala sa salive, il avait la gorge sèche. Il connaissait Josh depuis l'âge de treize ans, depuis le collège. Luke et Michael aussi, bien sûr. Pete et Robbo les avaient rejoints plus tard : ils s'étaient rencontrés dans un pub de Brighton, vers dix-neuf ans. Comme Mark, Josh était méthodique et ambitieux. Et bel homme. Les femmes papillonnaient autour de lui comme elles tournaient autour de Michael. Certains avaient des facilités, d'autres, comme lui, devaient se battre pour avancer dans la vie, petit à petit. Mais malgré son jeune âge – vingt-huit ans –, Mark savait que rien ne durait très longtemps. Avec de la patience, on finit toujours par avoir de la chance. Les meilleurs prédateurs sont les plus patients.

Il souleva un papier et quelque chose attira son attention. Son ordinateur de poche Palm.

Une vague d'effroi le submergea.

4

APRÈS avoir quitté le commissaire Grace, Glenn Branson retourna au centre-ville dans la voiture de service qu'il avait empruntée, une Vauxhall bleue.

Il se gara sur sa place de parking, derrière le bâtiment blafard du poste de police de Brighton. Il passa par la porte de derrière, monta l'escalier en pierre et entra dans le bureau qu'il partageait avec dix autres policiers.

Il était 18 h 20. Il ne restait que deux collègues : le lieutenant Nick Nicholl, la petite trentaine, une grande perche, un officier zélé, doublé d'un avant rapide au foot, et le commandant Bella Moy, trente-cinq ans, visage souriant sous une tignasse brune.

À peine se fut-il installé à son bureau que son téléphone sonna. C'était l'accueil. Une femme l'attendait depuis une heure.

— C'est en rapport avec l'accident de mardi. Le fiancé qui a disparu.

— O.K., j'arrive.

Ashley Harper était aussi belle en vrai que sur la photo qu'il avait vue d'elle dans l'appartement de Michael Harrison. Il la fit entrer dans une salle d'interrogatoire, apporta deux cafés, ferma la porte et s'assit en face d'elle.

Elle posa son sac par terre. Ses magnifiques yeux gris trahissaient sa douleur. Une mèche brune barrait son front. Le reste de sa chevelure, encadrant parfaitement son visage, reposait délicatement sur ses épaules. Elle avait une allure impeccable, ce qui était quelque peu surprenant. En général, les gens qui étaient dans son état se souciaient peu de leur apparence.

— Vous êtes un homme difficile à joindre, dit-elle. Je vous ai laissé quatre messages.

— Hum, je suis désolé. Deux de mes gars sont en vacances. J'imagine dans quel état vous êtes.

— Vous imaginez dans quel état je suis ? Je dois me marier samedi, et mon fiancé a disparu depuis mardi soir. L'église est réservée, j'attends deux cents personnes, les cadeaux de mariage commencent à arriver… Est-ce que vous avez essayé, *une seconde*, d'imaginer dans quel état je suis ?

Des larmes roulèrent sur ses joues. Elle renifla, fouilla dans son sac à main et en sortit un mouchoir.

— Écoutez, je suis désolé. J'ai travaillé sur la disparition de votre fiancé depuis que nous nous sommes parlé, ce matin.

— Et alors ?

Elle s'essuya les yeux.

— Je suis désolé, je n'ai rien de nouveau pour le moment.

Ce n'était pas la stricte vérité, mais il voulait l'entendre dire ce qu'elle avait à lui dire.

— Comme je vous ai dit ce matin au téléphone, quand une personne disparaît, d'habitude…

Elle le coupa.

— Ce n'est pas un cas *habituel*, bon sang ! Quand on ne se voit pas, il m'appelle cinq fois, dix fois par jour. Ça fait deux jours qu'il ne m'a pas appelée.

Branson étudiait son visage attentivement, cherchait des indices. Mais il n'en trouvait pas. Ce qu'il avait devant lui, c'était une jeune femme qui voulait désespérément des nouvelles de son fiancé disparu. À moins qu'elle ne fût une *excellente actrice*, se dit-il, ne pouvant s'empêcher d'être cynique.

— Laissez-moi finir, d'accord ? Deux jours, en temps normal, ça ne suffit pas à tirer la sonnette d'alarme. Mais je suis d'accord avec vous : dans le cas présent, c'est bizarre.

— Il lui est arrivé quelque chose, O.K. ? Ses amis lui ont fait quelque chose, ils l'ont caché, l'ont envoyé quelque part, je ne sais pas ce qui leur est passé par la tête, mais je…

Elle baissa son visage comme pour cacher ses pleurs.

Glenn était ému.

— Nous faisons tout notre possible pour retrouver Michael, dit-il gentiment.

— Comme quoi, par exemple ? Qu'est-ce que vous faites ?

Son chagrin se dissipa momentanément, comme un nuage. Puis elle fondit de nouveau en larmes et sanglota en hoquetant.

— Nous avons mené des recherches à proximité de l'accident. Des hommes sont encore sur les lieux. Il arrive que les personnes accidentées soient désorientées. Nous couvrons toute la zone et nous avons transmis l'alerte partout : toutes les polices ont été informées, les aéroports, les ports...

— Parce que vous pensez qu'il puisse s'agir d'une fugue ? Mon Dieu. Pourquoi est-ce qu'il s'enfuirait ?

Utilisant une technique subtile qu'il tenait de Roy pour savoir si quelqu'un mentait ou pas, il lui demanda :

— Qu'avez-vous mangé à midi ?

Elle le considéra avec surprise.

— Ce que j'ai mangé à midi ?

— Oui.

Il observa attentivement ses yeux, qui se dirigèrent légèrement vers la droite. Mode *mémoire*. Le cerveau humain est divisé en deux hémisphères. Le droit et le gauche. L'un contient les souvenirs, l'autre l'imagination. Quand on leur pose une question, les gens bougent invariablement les yeux du côté de l'hémisphère qu'ils utilisent. Chez certains, le stockage des souvenirs se fait à droite, chez d'autres à gauche.

Quand les gens disent la vérité, leurs yeux oscillent vers l'hémi-sphère *mémoire*. Quand ils mentent, ils partent de l'autre côté. Branson avait appris à repérer l'hémisphère mémoire en posant une question simple, pour laquelle il était inutile de mentir.

— Je n'ai rien mangé à midi.

Il estima que c'était le moment de passer la vitesse supérieure.

— Que savez-vous sur les activités professionnelles de votre fiancé, mademoiselle Harper ?

— Je suis sa secrétaire depuis six mois. Je pense pouvoir affirmer que je suis au courant de tout, vous ne croyez pas ?

— Vous êtes donc au courant pour la société aux îles Caïmans ?

Son visage exprima une sincère surprise. Ses yeux se dirigèrent vers la gauche. Mode *imagination*. Elle mentait.

— Les îles Caïmans ?

— Lui et son associé (Il fit une pause, feuilletant rapidement ses notes.) Mark Warren, ont... Connaissez-vous l'existence de cette compagnie : HW Properties International ?

Elle le fixait en silence.

— Non, je n'en ai jamais entendu parler.

Il hocha la tête.

— O.K.

— Que pouvez-vous me dire de plus ? demanda-t-elle.

Son ton était légèrement différent, mais, grâce à la technique de Roy, il savait pourquoi.

— Je n'en sais guère plus, j'espérais que vous pourriez m'éclairer.

Ses yeux se déplacèrent de nouveau vers la gauche. Mode *imagination*.

— Non, dit-elle. Je suis désolée.

— Ça n'a probablement pas d'importance de toute façon, dit-il. Personne n'aime se faire plumer par le fisc, n'est-ce pas ?

— Michael est un excellent homme d'affaires, mais il ne ferait jamais rien d'illégal.

— Je ne dis pas ça, mademoiselle Harper. Je cherche seulement à vous dire que, peut-être, vous ne savez pas tout de l'homme que vous allez épouser. C'est tout.

— Ce qui veut dire ?

Il leva de nouveau les mains en l'air.

— Ça ne veut peut-être rien dire. Mais pensez-y.

Il lui sourit. Elle ne lui sourit pas en retour.

DANS sa chambre, un petit mobile home accolé à la maisonnette de son père, sur les hauteurs de Lewes, régnait le plus grand désordre. Davey regardait la série policière américaine *New York District*. Son personnage préféré, un flic super intelligent dénommé Reynaldo Curtis, tenait fermement un voyou au collet. « Je t'ai à l'œil ! » aboya le policier. Davey renchérit :

— Ouais, enflure ! Je t'ai à l'œil, tu vois ce que je veux dire ?

Les détritus du double hamburger et des frites qu'il avait ingurgités au dîner avaient rejoint les piles de déchets qui jonchaient le sol.

Les restes du talkie-walkie qu'il avait trouvé quelques jours auparavant traînaient à proximité.

Il avait vraiment prévu de l'assembler, mais, pour une raison ou pour une autre, ça lui était sorti de la tête. Beaucoup de choses lui sortaient de la tête.

Après une page de publicité, son attention se porta de nouveau sur le talkie-walkie. Il déplia au maximum l'antenne télescopique.

COMME UNE TOMBE

Il la dirigea vers l'écran et mit son œil dans l'axe, comme avec une carabine.

On frappa et la porte s'entrouvrit. Son père se tenait dans l'encadrement, portant un vieux K-way et des bottes de chasse.

— Si tu veux venir chasser les lapins, c'est dans cinq minutes.

Les pubs étaient terminées, la série allait reprendre. Davey porta un doigt à ses lèvres. Dans un sourire, Phil Wheeler recula et sortit.

— Cinq minutes, dit-il en fermant la porte.

Davey se dit que ce serait cool de prendre le talkie-walkie pour aller chasser le lapin. Il comprit dans quel sens il fallait mettre les piles et les inséra. Puis il appuya sur l'un des deux boutons du boîtier. Rien ne se passa. Il essaya le deuxième et, immédiatement, il entendit un crissement.

Et soudain retentit une voix d'homme, aussi forte que si quelqu'un se trouvait dans sa chambre.

— Allô?

De surprise, Davey lâcha le talkie-walkie.

— Allô? Allô?

Davey le fixa, fou de joie. Puis on refrappa à la porte et son père cria :

— J'ai ta carabine, on est partis!

De peur que son père ne le gronde pour le talkie-walkie – il n'était pas censé prendre quoi que ce soit sur le lieu des accidents –, il s'agenouilla, appuya sur l'autre bouton, qu'il pensait être celui pour parler, et bredouilla, avec un accent américain :

— Sorry, ch'peux pas parler, il m'a à l'œil, tu vois ce que je veux dire?

Puis il poussa le talkie-walkie sous son lit et sortit en courant de sa chambre, laissant à Reynaldo Curtis le soin de gérer l'affaire.

— EH! Allô? Allô? Allô? Aidez-moi, s'il vous plaît!

Michael, en larmes, enfonçait le bouton APPEL à intervalles réguliers.

— Je vous en prie, aidez-moi…

Grésillements. Parasites. Silence.

La voix dans le talkie-walkie lui avait semblé bizarre, comme celle d'un acteur amateur imitant un gangster américain. Ça faisait partie de la blague? Michael sentit des larmes salées couler vers ses lèvres desséchées, craquelées et, l'espace d'un instant trompeur, il savoura l'humidité, avant que sa langue l'absorbe, comme un buvard.

Il regarda sa montre. 8 h 50. Combien de temps ce cauchemar allait-il durer? Qu'avaient-ils prétexté pour qu'on ne parte pas à sa recherche? Ashley, sa mère, tout le monde devait les tanner, à l'heure qu'il était. Ça faisait… Ça faisait…

Ça faisait presque quarante-huit heures qu'il était là.

Demain, ce serait vendredi. La veille du mariage. Il fallait qu'il aille chercher son costume. Qu'il se fasse couper les cheveux. Il fallait qu'il écrive son petit speech pour le mariage.

— Mais, putain, qu'est-ce que vous foutez? Sortez-moi de là! cria-t-il de toutes ses forces, avant de tambouriner contre les parois et le couvercle de ses pieds et de ses poings. Allez, les gars. Vous avez eu votre revanche, là. Vous vouliez vous venger? C'est bon, j'ai dégusté. Félicitations!

Il localisa la torche et l'alluma pendant quelques précieuses secondes seulement.

Puis il éclaira juste au-dessus de lui, regarda le sillon de plus en plus profond qu'il avait fait dans le couvercle, saisit sa ceinture en cuir et recommença à frotter l'angle de la boucle en métal contre le teck. Il fallait qu'il sorte de cette putain de boîte.

Il lutta encore quelques instants, se remit à gratter, essayant de garder les yeux ouverts – la sciure lui chatouillait le visage.

MARK gara sa BMW X5 sur le parking des urgences de l'hôpital régional du Sussex, dépassa à grands pas deux ambulances qui attendaient et entra dans la salle d'attente qui commençait à lui être familière.

Puis il traversa un dédale de couloirs pour finir par retrouver le service des soins intensifs. Arrivé devant la réception, il entendit une voix puissante, presque hystérique, et vit Zoé, le visage baigné de larmes.

— C'est à cause de toi, de Michael, et de vos blagues à la con, hurla-t-elle. Bande d'inconscients!

Puis elle s'effondra dans ses bras, sanglotant désespérément.

— Il est mort, Mark, il vient de mourir. Il est mort. Josh est mort. Aide-moi, mon Dieu, qu'est-ce que je vais devenir ?

Mark passa son bras autour d'elle. Il la serrait fort, frottait son dos. Priait pour que son soulagement ne se voie pas.

MICHAEL s'éveilla brutalement d'un rêve confus.

Il regarda sa montre : 11:15. « Ce devait être le soir, jeudi soir. »

Des gouttes de sueur coulaient le long de son corps. Une petite flaque s'était formée dans son dos. Il tourna la tête au maximum pour regarder par-dessus son épaule, éclaira avec la lampe et le faisceau se réfléchit. De l'eau. Cinq centimètres.

Impossible qu'il ait sué autant. Formant un bol de ses mains, il porta une gorgée à sa bouche, but avidement tout ce qu'il put, sans se soucier du goût salé, vaseux.

Quand il eut terminé, il comprit soudain que cette montée des eaux impliquait. Il saisit la boucle de sa ceinture et se remit à gratter le couvercle comme un fou, mais, en quelques minutes, la ceinture lui brûla les doigts.

Il attrapa la bouteille de whisky. Il en restait un tiers. Il cogna avec la bouteille contre le couvercle et un minuscule éclat de verre se détacha. Ce serait dommage de gâcher ça. Il porta le goulot à sa bouche, avala une gorgée du liquide brûlant. Il souleva la bouteille et cligna des yeux pour l'observer dans le faisceau lumineux. Il avait la vue brouillée, à présent. Il ne restait presque plus de whisky.

Il entendit un bruit sourd juste au-dessus de sa tête. Le cercueil bougeait !

Nouveau bruit. Comme des pas. Comme si quelqu'un se trouvait juste au-dessus de lui !

L'espoir réveilla chacune de ses cellules. « Ils arrivent enfin ! »

— Bande de salauds ! hurla-t-il, d'une voix plus faible qu'il pensait.

Il entendit un nouveau bruit au-dessus de lui.

— Qu'est-ce que vous avez foutu ?

Silence.

Il cogna contre le couvercle.

— Eh, vous savez combien de temps vous m'avez laissé là-dedans ? Ça ne me fait pas rire du tout, vous entendez ?

Silence.

Michael tendit l'oreille.

Son imagination lui avait-elle joué un mauvais tour ? Il n'avait pas rêvé. Il avait bien entendu des pas. Ceux d'un animal ? Non, ils étaient plus lourds que ça. C'étaient les pas d'un homme.

Il cogna comme un fou avec la bouteille, puis avec ses poings.

Puis, sans crier gare, sans un bruit, comme dans ces tours de magie que l'on voit à la télé, le tube s'envola.

Un peu de terre coula du trou laissé vacant.

MARK ne voyait quasiment plus clair. Le violent accès de panique qui l'avait terrassé troublait sa vue, embrumait son cerveau. La voix de Michael : il avait entendu la voix de Michael !

Il referma la portière de sa BMW garée dans l'obscurité de la forêt, sous une pluie battante, et essaya, fébrile, d'enfoncer la clé de contact. Ses bottes étaient alourdies par la boue. De l'eau ruisselait de sa casquette.

Il tourna la clé de contact, les phares projetèrent une lueur blanche et le moteur démarra. Dans le faisceau, il distingua la tombe et les arbres, derrière.

Il n'arrivait pas à détacher ses yeux de la tombe, de la tôle ondulée qu'il avait soigneusement replacée et des arbustes qu'il avait arrachés pour la camoufler.

Les travaux ne commenceraient pas avant au moins un mois. Personne n'était censé venir ici. Le comité d'aménagement du territoire était passé pour inspection, rien ne serait fait avant le coup de tampon officiel. Il se mit en route et reprit le chemin.

Le lendemain matin, il irait directement dans une station qu'il connaissait – un endroit où toutes les voitures arrivaient crasseuses, où personne ne ferait attention à une BMW X5 couverte de boue.

DAVEY ouvrit le verrou du mobile home, donna un coup de pied dans la porte et entra avec une démarche de shérif.

— Yiha ! annonça-t-il à la télévision, qui était toujours allumée, et à tous ses potes qui s'agitaient dans la lucarne.

James Spader était au bureau. Il discutait avec une nana qu'il ne connaissait pas.

— On a shooté deux cents bestioles. Tu vois ce que je veux dire? dit Davey à James Spader en tordant la bouche comme s'il mâchait un chewing-gum.

Mais Spader l'ignora purement et simplement et continua à discuter avec la fille.

Davey n'avait pas du tout envie de dormir. Il voulait tailler une bavette, raconter à quelqu'un combien de lapins ils avaient descendus, avec son père, ce soir.

Puis Davey se souvint. Il connaissait quelqu'un qui aurait envie de discuter. Il attrapa le talkie-walkie sous le lit. Il appuya sur le bouton APPEL.

MICHAEL pleurait. Il était plus de 2 heures du matin. On était vendredi, il était donc censé se marier le lendemain.

Qui ou qu'est-ce qui avait enlevé le tube? Les pas étaient ceux d'un être humain, il en était sûr. Qui? Pourquoi? Où était Ashley? Que pensait-elle à l'instant précis? Que pouvait-elle se dire?

Il entendit soudain un crissement strident, puissant, clair. Le talkie-walkie! Puis quelqu'un dit, avec un fort accent américain :

— Ils font de ces dégâts, tu te doutes même pas!

Michael chercha désespérément la torche dans l'obscurité, l'alluma, repéra le talkie-walkie et appuya sur le bouton APPEL.

— Allô? Allô, Davey?

— Ouais, j'te parle. Je parie que tu sais que dalle.

— Euh, qui êtes-vous?

— Eh mec, te casse pas pour savoir qui je suis! Le problème, c'est que cinq lapins, ça broute autant qu'une chèvre.

Michael s'agrippa au boîtier noir, complètement déconcerté, se demandant si ce n'était pas une hallucination.

— Je pourrais parler à Mark? À Josh, Luke, Robbo?

Le silence s'installa quelques secondes.

— Allô? dit Michael. Vous êtes toujours là?

— Où veux-tu que j'aille, *man*?

— Qui êtes-vous?

— Disons que je suis L'Homme Sans Nom.

— Écoutez, Davey, cette blague a déjà trop duré. Sortez-moi de là.

— Deux cents lapins, ça te scotche, pas vrai?

Michael fixa le talkie-walkie. Tout le monde était-il devenu fou? Est-ce que c'était cet illuminé qui venait de retirer le tube?

— Écoutez, dit-il. Des amis m'ont mis là-dedans pour me faire une blague. Vous pouvez m'aider à sortir, s'il vous plaît?

— Tu es dans la mouise, c'est ça? dit la voix avec l'accent américain.

Sans trop savoir si c'était un jeu ou quoi, Michael répondit :

— Dans la mouise, exactement.

— Un mec qui vient de descendre deux cents lapins. C'est un mec cool, non?

— Complètement d'accord, dit Michael. Un mec cool, je confirme.

— O.K., on est sur la même longueur d'ondes, c'est cool.

— Trop cool, dit Michael pour essayer de s'en faire un ami. Je me disais que peut-être, tu pourrais venir soulever le couvercle et on pourrait discuter tranquille…

— Ben, je suis un peu K.-O… J'allais me mettre au pieu.

— Eh, non, ne fais pas ça! Allez, viens me sortir de là!

Après un long silence, la voix dit :

— Ben ça dépend. C'est où : là?

— Dans un putain de cercueil.

— Tu me fais marcher. Il faut que je te laisse, il est tard. Au dodo!

— Eh, s'il te plaît, attends…

Le talkie-walkie redevint silencieux.

Assis devant son ordinateur, Roy se sentait crevé. Il était un peu plus de 9 heures du matin. La porte de son bureau s'ouvrit, et Branson entra avec, dans une main, un café Starbucks, et dans l'autre un sachet en papier.

Il le gratifia d'un « Yo, vieux sage! » enjoué, comme à son habitude, et s'affala dans le fauteuil en face de Grace. Puis il souleva le couvercle de son café et sortit un croissant aux amandes du sachet.

— Tu en veux un?

Grace secoua la tête.

— Tu devrais manger plus sain au petit déjeuner. Qu'est-ce qui t'amène dans notre trou paumé ?

— J'ai besoin de l'avis d'un vieux singe comme toi. Tu as une minute ?

— J'ai le choix ?

Ignorant sa remarque, Branson poursuivit :

— Je récapitule. On a cinq gars réunis pour un enterrement de vie de garçon, O.K. ? Le futur marié est un petit plaisantin : il a joué des mauvais tours à chacun d'entre eux dans le passé, en a même menotté un qui était censé se marier le lendemain matin à Brighton au siège d'un train de nuit pour Édimbourg.

— Sympa, nota Grace.

— Ouais, le genre de pote dont on rêve tous. Je résume : au départ, ils sont cinq. À un moment donné, ils perdent le fiancé, Michael Harrison. Puis ils ont un accident, trois d'entre eux meurent sur le coup, le quatrième est mort la nuit dernière. Michael disparaît de la circulation, ne donne plus de nouvelles. On est vendredi matin, il est censé se marier dans un peu plus de vingt-quatre heures.

Branson sirota une gorgée de café.

— Et puis on a la fiancée, Ashley Harper, ainsi que l'associé, Mark Warren. Et…

Grace le considéra d'un air intéressé.

— Ce qu'on a découvert sur l'ordinateur hier, n'est-ce pas ?

— Un compte bancaire aux îles Caïmans.

Grace poursuivit :

— L'associé n'était pas là pour l'enterrement de vie de garçon, c'est bien ça ?

Branson était systématiquement impressionné par la mémoire qu'avait Grace des détails.

— Exact.

— Parce que son avion a été retardé. Et qu'est-ce qu'il en dit ? Il pense que Michael Harrison aurait pris ses cliques et ses claques pour les îles Caïmans ?

— Roy, tu as vu sa nana. N'importe quel mec normalement constitué serait incapable de la plaquer et de se faire la malle. Elle est sublime, intelligente et…

Branson pinça les lèvres.

— Et quoi?

— Elle ment. J'ai testé ta méthode, le coup des yeux. Je lui ai demandé si elle savait quelque chose pour les îles Caïmans, elle a répondu que non. Elle mentait.

— Elle essayait sûrement de sauver la peau de son fiancé.

Grace se creusa la tête.

— Et toi, qu'est-ce que tu en penses?

— J'ai plusieurs scénarios : ses potes se sont vengés et l'ont attaché quelque part. Ou alors il a eu un accident. Ou bien il a balisé et a pris la poudre d'escampette.

— Ce type, son associé, Mark Warren, il l'aurait su, s'ils prévoyaient un sale coup, comme l'attacher à un arbre…

— Mlle Harper dit qu'il savait qu'il y avait plusieurs plans, mais qu'il ne savait pas celui qu'ils avaient choisi au final.

— Tu as lancé un avis de recherche?

— Ouais, sa photo circule depuis ce matin. Il est porté disparu.

Grace eut l'impression qu'un gros nuage noir venait de s'amonceler juste au-dessus de sa tête. *Porté disparu*. À chaque fois qu'il entendait cette expression, tout lui revenait en bloc. Il pensa à cette femme, Ashley. Son fiancé disparaît la veille de leur mariage. Dans quel état pouvait-elle être?

— Glenn, tu as dit que ce mec était un plaisantin. Tu penses pas qu'il puisse faire une grosse blague et qu'il va débouler, sourire aux lèvres?

— Sachant que quatre de ses meilleurs potes sont morts? Il faudrait qu'il soit sérieusement atteint.

Le portable de Branson sonna.

— Branson, j'écoute. Vraiment? Super. Je suis là dans une heure.

Il raccrocha et posa son portable sur la table.

— Le relevé d'appels du portable de Michael Harrison vient d'arriver. Tu veux venir au poste et me donner un coup de main?

— O.K., répondit Grace. Je viens.

L'EAU continuait de monter. Toute la nuit, Michael avait creusé le couvercle avec la bouteille, comme un fou, et ses bras le faisaient souffrir. Le sillon qu'il avait creusé était profond, mais pas assez pour transpercer le bois.

Toutes les quinze minutes, il appuyait sur le bouton APPEL du talkie-walkie. À chaque fois, seuls les parasites lui répondaient.

On était vendredi, il était 11:03.

Il se remit à creuser, de la poudre de verre lui tombait continuellement sur le visage. Le dernier fragment de verre diminuait à vue d'œil. Plus il frottait, plus il pensait. Quand le verre serait totalement érodé, il aurait la ceinture…

Un son aigu sortit du talkie-walkie, suivi de cette voix qui imitait un accent américain.

— *Hi man*, comment va?

Michael appuya sur le bouton APPEL.

— Davey? C'est toi?

— Je mate les infos à la télé, annonça Davey. Ils parlent de ce crash où je suis allé avec mon père, mardi. Mon pote, c'était une vraie boucherie! Ils sont tous morts – et il y en a un qui a disparu!

Michael se cramponna soudain au talkie-walkie.

— C'était quoi, Davey? C'était quoi, comme voiture?

— Un Ford Transit. Je te promets, c'était trash!

Michael se mit à trembler de façon incontrôlable.

— Ce gars qui a disparu, tu sais qui c'est?

— Ben… Il faut que j'y aille, il faut que j'aide papa.

— Davey, écoute-moi. Ce gars, c'est peut-être moi. Comment est-ce qu'il s'appelle?

— Euh, j'en sais rien. Ils disent juste qu'il devait se marier demain.

Michael ferma les yeux. « Oh non, mon Dieu, non… »

— Davey, l'accident a eu lieu mardi soir, vers 21 heures?

— À la louche.

Michael serra le talkie-walkie contre sa bouche et articula, avec une opiniâtreté nouvelle:

— Davey, ce mec, c'est moi! C'est moi qui me marie demain! Écoute-moi bien.

— Il faut que j'y aille, je te rappelle tout à l'heure.

Michael hurla.

— Davey, ne bouge pas, je t'en prie, ne pars pas!

Seul le crissement statique indiquait qu'il était toujours en ligne.

— Davey ? Il faut que tu m'aides. Tu es la seule personne au monde qui puisse m'aider.

Nouveau long silence. Puis :

— Tu as dit que tu t'appelais comment, déjà ?

— Michael Harrison.

— Ils viennent de dire ton nom à la télé !

— Tu as une voiture, Davey ? Tu sais conduire ?

— Mon père a une dépanneuse.

— Est-ce que tu peux me passer ton père ?

— Euh, je sais pas trop. Il est très speed, là. Il faut qu'on aille remorquer une voiture qui est HS.

Michael cherchait désespérément comment communiquer avec ce genre de personnage.

— Davey, est-ce que tu aimerais être un super héros ? Est-ce que tu aimerais passer à la télé ?

La voix se fit ironique.

— Moi à la télé ? Tu veux dire, comme une star de ciné ?

— Exactement. Passe-moi ton père, et je lui dirai comment faire de toi une star. Passe-lui le talkie-walkie, hein ?

— Je sais pas. C'est que… Il y a un problème. Mon papa ne sait pas que j'ai ce talkie-walkie, et il deviendrait fou s'il l'apprenait.

Pour le flatter, Michael reprit :

— Je pense au contraire qu'il serait très fier de toi s'il savait que tu es un héros.

— Tu le jures ?

— Je le jure.

— Il faut que j'y aille. À plus ! À vous les studios !

Assise dans un fauteuil dans le salon du petit pavillon de la mère de Michael, Ashley, le teint pâle, regardait fixement devant elle à travers un voile de larmes.

— La couturière vient à 14 heures, dit-elle. À votre avis, que dois-je faire ?

Elle se tamponna les yeux avec un mouchoir.

Gill Harrison était assise sur le canapé, en face d'Ashley. Elle portait un tee-shirt blanc, un bas de jogging et des baskets blanches bon marché. Un ruban de fumée s'entortillait autour de ses doigts.

Sa voix rauque était teintée d'un léger accent du Sussex.

— C'est un bon garçon. Il n'a jamais laissé tomber personne. C'est ce que j'ai dit au policier qui est venu. Ça ne lui ressemble pas. Ça n'est pas du tout son genre.

Elle secoua la tête et tira longuement sur sa cigarette.

— Il aime faire des blagues… (Elle eut un rire bref.) Quand il était petit, il semait la terreur, à Noël, avec cette espèce de coussin péteur… Les gens faisaient des bonds. Mais ça ne lui ressemble pas, Ashley.

— Je sais.

— Il lui est arrivé quelque chose. Ses amis lui ont fait quelque chose. Ou alors il a eu un accident, lui aussi. Il ne vous a pas quittée. Il est passé, dimanche dernier. Il m'a dit à quel point il vous aimait, à quel point il était heureux, mon Dieu, vous le rendez si heureux !

Elle tira une nouvelle fois sur sa cigarette et toussa.

— C'est un garçon débrouillard. Depuis que son père… (Elle pinça les lèvres.) Il vous en a parlé ?

Ashley acquiesça.

— Il a pris sa place. Je ne m'en serais pas sortie sans Michael. Il était fort. Fort comme un roc. Pour moi et pour Carly… Vous vous entendrez bien avec Carly. Il lui a payé un aller-retour, pour qu'elle puisse revenir d'Australie et être là pour le mariage. Elle sera là d'une minute à l'autre. Elle m'a appelée de l'aéroport, il y a deux heures.

Ashley lui sourit.

— J'ai fait la connaissance de Carly juste avant qu'elle parte pour l'Australie. Elle était passée au bureau.

— C'est une fille bien.

Gill Harrison se pencha et écrasa sa cigarette.

— Vous savez, Ashley, Michael a travaillé dur toute sa vie. Et puis il s'est associé avec Mark. Personne ne l'a jamais vraiment apprécié, Mark. Il est gentil, mais…

— Mais ?

— Je connais Mark depuis qu'il est petit. Michael et lui étaient inséparables. Mais parfois, je me dis qu'il est jaloux de Michael.

— Je pensais qu'ils formaient une bonne équipe, dit Ashley.

— Je lui ai toujours dit de se méfier de lui. Michael est naïf, il fait trop confiance aux gens.

— Que voulez-vous dire?

— Vous avez une bonne influence sur Michael. Vous ferez atten-tion à lui, n'est-ce pas?

— Michael est fort, répondit Ashley. Il va s'en sortir, tout va s'arranger.

— Bien sûr.

Elle jeta un coup d'œil vers le téléphone, qui était posé sur une table, dans un coin.

— Tout va bien. Il va appeler d'une minute à l'autre.

— Vous avez rendez-vous avec la couturière, maintenez-le. La fête continue. Michael sera là. Vous y croyez, n'est-ce pas?

Après une brève hésitation, Ashley répondit :

— Bien sûr que j'y crois. Tout va s'arranger.

5

DÈS qu'ils entrèrent dans le poste de police de Brighton, Grace fut envahi par la nostalgie. Grace avait adoré bosser ici. L'endroit bruissait, pulsait, et c'était cette agitation qui lui manquait le plus dans ses nouveaux locaux, au siège de la PJ.

Au quatrième étage, Grace suivit Branson dans la pièce qu'il avait transformée en centre opérationnel pour l'affaire Michael Harrison. Six bureaux, avec six ordinateurs. Deux d'entre eux étaient occupés par des policiers qu'il connaissait et appréciait : le lieutenant Nick Nicholl et le commandant Bella Moy. Il y avait un chevalet, un tableau blanc effaçable au mur et, juste à côté, une carte à grande échelle du Sussex, sur laquelle étaient plantées une multitude de punaises de couleur.

Ils s'arrêtèrent devant le bureau de Bella, qui était couvert de tas bien ordonnés. Montrant du doigt les piles, elle dit :

— J'ai les relevés du portable de Michael Harrison entre mardi matin et ce matin, 9 heures. Je me suis dit que ce serait bien d'avoir aussi ceux de ses quatre amis.

Elle montra du doigt l'écran de son ordinateur, sur lequel appa-raissait une carte.

— J'ai référencé les antennes des opérateurs que les cinq gars utilisaient : Orange, Vodaphone et T-Mobile. Orange et T-Mobile fonctionnent à une fréquence plus élevée que Vodaphone, l'opérateur de Michael Harrison. Le dernier signal émis par son portable provient de l'antenne de Pippingford Park, sur la A22. Mais j'ai découvert qu'on ne pouvait pas être sûr que ce soit la plus proche : quand le réseau est occupé, les signaux sont relayés par l'antenne suivante.

Elle ira loin, cette jeune femme, pensa Grace. Étudiant la carte quelques instants, il demanda :

— Quelle est la distance entre deux antennes ?

— En ville, 500 mètres environ. Mais à la campagne, plusieurs kilomètres.

Par expérience, Grace savait que les opérateurs téléphoniques utilisaient un réseau d'antennes qui fonctionnaient comme des balises. Les mobiles, qu'ils soient en communication ou pas, envoyaient constamment des messages vers la balise la plus proche. Il n'était pas difficile de suivre les mouvements d'un utilisateur de portable à partir de ces informations. Mais c'était bien évidemment beaucoup plus facile en ville qu'à la campagne.

Bella se leva et marcha jusqu'à la carte du Sussex accrochée au mur. Elle montra une punaise bleue, au centre de Brighton, entourée de punaises verte, violette, jaune et blanche.

— J'ai symbolisé le téléphone de Michael Harrison par des punaises bleues. Les quatre autres ont une couleur chacun. Les cinq punaises sont restées ensemble de 19 heures à 21 heures. Il y a un pub à chacun de ces endroits. Mais c'est là que ça devient intéressant.

Elle montra un endroit à quelques kilomètres au nord de Brighton.

— Les cinq punaises sont ensemble ici. Puis nous n'en avons plus que quatre, là.

— Où est allée la bleue ? demanda Branson.

— Nulle part, annonça-t-elle avec enthousiasme.

— Ils se sont donc séparés à… 20 h 45 environ ? poursuivit Grace.

— À moins qu'il n'ait laissé son téléphone quelque part.

— Bien sûr. Est-ce que le téléphone continue à émettre des signaux ? demanda Grace.

— Le dernier signal remonte à 20 h 45, mardi soir. Depuis, plus rien. Le portable est soit éteint, soit dans une zone sans réseau, et ce depuis mardi soir.

Grace approuva.

— Ce Michael Harrison est un homme d'affaires ambitieux et très sollicité. Il doit se marier demain matin. Vingt minutes avant un accident de la route mortel pour quatre de ses amis, son téléphone s'évapore. Au cours de cette dernière année, il a discrètement transféré de l'argent de son entreprise sur un compte aux îles Caïmans. Et son associé, qui aurait dû participer à l'enterrement de vie de garçon, échappe à la mort. Tout est correct, pour le moment ?

— Oui, confirma Glenn Branson.

— Il est peut-être mort. Il a peut-être orchestré une superbe disparition. Il faut aller dans tous les pubs qu'ils peuvent avoir fréquentés. Parler à tous ceux qui le connaissent. Tenons-nous en d'abord aux faits.

Le téléphone de Bella sonna. Elle décrocha et son expression trahit immédiatement que c'était important.

— Vous en êtes sûr ? dit-elle. Depuis mardi ? Vous n'êtes pas certain que c'était mardi ?

Quelques secondes plus tard, elle acquiesça.

— En effet, c'est sans doute d'une grande importance. Merci, monsieur Houlihan. Merci beaucoup. Nous vous contacterons.

Elle raccrocha et regarda Grace, puis Branson.

— C'était M. Houlihan, le propriétaire des pompes funèbres où travaillait Robert Houlihan, son neveu. Il vient de se rendre compte qu'un cercueil a disparu.

— Un cercueil a disparu ? répéta Glenn Branson.

Grace lui jeta un regard énigmatique.

— On ne serait pas en présence d'une blague de très mauvais goût, par hasard ?

— Tu veux dire que ses potes l'auraient mis dans un cercueil ? dit Glenn Branson.

— Tu as une meilleure théorie ?

Bella intervint :

— C'était le plus cher de sa gamme. Mais celui-là avait un défaut de fabrication, le bois était voilé, le fond n'était pas étanche, et Houlihan était en pourparlers avec les fabricants à cause de ça.

— Combien de temps peut-on survivre dans un cercueil ? demanda Nicholl.

— Ça dépend si le couvercle est bien fermé, si on a de l'air, de l'eau, de la nourriture. Sans air, pas longtemps. Quelques heures, un jour, peut-être, répondit Grace.

— Ça fait maintenant trois jours, nota Branson.

Grace se souvint d'avoir lu l'histoire d'une victime d'un séisme qui avait été retrouvée vivante dans les ruines de sa maison douze jours plus tard, en Turquie.

— Avec de l'air, au moins une semaine, voire plus, dit-il. Partons du fait que si c'est juste une mauvaise blague, ils lui ont laissé de l'air. Si ce n'est pas le cas, c'est un cadavre que nous cherchons.

Il regarda l'équipe.

— J'imagine que vous avez parlé à Mark Warren, l'associé ?

— C'est aussi le témoin du marié, répondit Nicholl. Il dit qu'il ne sait pas ce qui a pu se passer. Ils devaient faire la tournée des pubs, mais lui dit qu'il a été retardé et qu'il a raté la soirée.

Grace fronça les sourcils, regarda sa montre, conscient que le temps filait.

— Quelqu'un a parlé aux épouses, aux compagnes ?

— Oui, répondit Bella. C'est difficile, parce qu'elles sont en état de choc, mais l'une d'elles était très remontée… Zoé.

Elle prit son bloc-notes et le feuilleta rapidement.

— Zoé Walker, veuve de Josh Walker. Elle dit que Michael n'arrêtait pas de leur jouer des tours, elle est sûre qu'ils avaient prévu de se venger.

— Et le témoin du marié est censé ne pas être au courant ? Je n'y crois pas une seconde, dit Grace. Faire la tournée des pubs, c'est une chose, embarquer un cercueil, ç'en est une autre. On ne décide pas de prendre un cercueil sur un coup de tête, n'est-ce pas ?

Il les regarda dans les yeux, l'un après l'autre.

— Je suis quasiment sûr qu'il ne sait rien. Pourquoi est-ce qu'il mentirait ? fit Nicholl.

Grace trouva inquiétante la naïveté du jeune officier. Mais il avait pour principe de laisser aux jeunes l'occasion de faire leurs preuves. Il n'insista pas sur le moment, mais se promit d'y revenir plus tard.

— La zone est immense, dit Branson en observant la carte. La forêt est dense, il faudrait une centaine de personnes pour la ratisser.

— Il faut essayer de circonscrire nos recherches, fit Grace.

Il attrapa le marqueur qui se trouvait sur le bureau de Bella, dessina un cercle bleu sur la carte et se tourna vers Nicholl.

— Nick, il nous faut une liste de tous les pubs dans ce périmètre. On commence par là.

Il se tourna vers Branson.

— Tu as les photos des gars qui étaient dans le camion?

— Oui. En une douzaine de jeux.

— Bravo. Faisons deux groupes. Le commandant Branson et moi, nous nous occupons de la moitié des pubs, vous deux, vous prenez en charge l'autre moitié.

La lampe n'éclairait plus que très faiblement. Le cercueil baignait dans une lueur vaguement orangée. Michael devait garder la nuque raide pour éviter que l'eau ne couvre ses joues, n'entre dans ses yeux et dans sa bouche.

Il secoua la torche, qui s'éteignit complètement un instant. Puis le minuscule filament brilla quelques secondes.

Il faisait un froid glacial. Frotter était la seule chose qui l'empêchait d'être congelé. Il n'avait toujours pas transpercé le couvercle. *Il le fallait.* Il fallait qu'il y parvienne avant que l'eau... Il essaya de chasser l'impensable de son esprit, mais n'y parvint pas. D'une main, il protégeait le talkie-walkie et le maintenait entre son corps et le couvercle, pour qu'il ne soit pas mouillé.

Le désespoir, comme l'eau, le submergeait. Les paroles de Davey tournoyaient dans sa tête. Un Ford Transit, dans un accident, à un endroit et à une heure qui concordaient, Pete, Luke, Josh, Robbo... Était-il possible qu'ils soient tous morts? Était-ce pour cela que personne n'était revenu le chercher?

Mais Mark devait connaître leur plan. C'était son témoin, putain de merde! Mark était sûrement en train de diriger une équipe pour le retrouver.

Il était 16 h 10. Vendredi après-midi. Que faisait Ashley? Est-ce que les préparatifs avançaient pour le lendemain, comme prévu?

Il y eut un sifflement. Michael reconnut les parasites qui lui étaient désormais familiers. Et cette voix désincarnée, traînante, avec cet accent du Sud des États-Unis :

— Ton histoire de passer à la télé, c'était sérieux, *man* ?

— Davey ?

— Salut, mec, je viens de rentrer. C'était un massacre, mon pote !

— Davey, dans cet accident de mardi dernier... Tu ne connaîtrais pas, par hasard, le nom des victimes ?

À la grande surprise de Michael, Davey débita presque instantanément :

— Josh Walker, Luke Gearing, Peter Waring, Robert Houlihan.

— Tu as une bonne mémoire, Davey, le félicita Michael pour l'encourager. Y avait-il quelqu'un d'autre dans cet accident ? Un certain Mark Warren ?

Davey éclata de rire.

— J'oublie jamais un nom. Si Mark Warren avait été dedans, je le saurais. Je me souviens toujours du nom des gens.

— Tu te souviens où l'accident s'est passé ?

— Sur l'A26. À 3,9 km au sud de Crowborough.

Michael sentit un éclair d'espoir le traverser.

— Je pense que je ne suis pas loin de là. Tu sais conduire, Davey ?

— Tu veux dire, une voiture ?

Michael ferma les yeux.

— Davey, si je te donne un numéro de téléphone, tu pourrais l'appeler ? Il faut que tu dises à quelqu'un où je suis.

— *Man*, on a un problème.

— Lequel ?

— Le téléphone est chez mon père. Je t'explique. Il ne sait pas que j'ai ce talkie-walkie. Je devrais pas l'avoir. C'est notre secret.

— Pas de problème, je peux garder un secret.

— Mon père serait furieux.

— Tu penses pas qu'il serait encore plus furieux s'il savait que tu aurais pu me sauver la vie et que tu ne l'as pas fait ? Je pense que tu es la seule personne au monde à savoir où je suis.

— O.K., je le dirai à personne.

Michael avala une nouvelle gorgée d'eau. De l'eau boueuse, saumâtre. Il cracha. Les muscles de ses bras, de ses épaules, de sa nuque le faisaient souffrir, tandis qu'il essayait de garder la tête au sec.

— Davey, je vais mourir si tu ne m'aides pas. Tu pourrais être un héros. Tu veux être un héros?

— Il va falloir que j'y aille, dit Davey. Je vois mon père, dehors.

Michael perdit patience et hurla :

— Non, Davey, tu ne vas nulle part, bordel! Il faut que tu m'aides. Il faut que tu m'aides, bordel de merde!

Il y eut un silence, très long, et Michael se demanda s'il n'y était pas allé un peu fort.

— Davey? dit-il plus gentiment. Tu es toujours là?

— Je suis toujours là.

La voix de Davey avait changé. Elle était soudain douce, docile. On aurait dit celle d'un petit garçon pris en faute, prêt à s'excuser.

— Davey, je vais te donner un numéro de téléphone. Tu peux le noter et passer un coup de fil? Tu leur diras de me parler avec ce talkie-walkie, que c'est très *très* urgent. Tu peux faire ça pour moi?

— O.K. Leur dire que c'est très très urgent.

Michael lui donna le numéro. Davey lui dit qu'il allait téléphoner et qu'il le rappellerait sur le talkie-walkie juste après.

Cinq interminables minutes plus tard, la voix de Davey sortit de l'appareil.

— Je suis tombé sur un répondeur, dit-il.

Michael serra les poings.

— Tu as laissé un message?

— Non, tu m'avais pas dit de le faire.

Au pub *The King's Head*, sur Ringmer Road, Grace et Branson montrèrent au propriétaire des lieux les photographies des cinq hommes.

— Quand j'ai dix clients en semaine, c'est le Pérou. S'ils étaient venus, je les aurais vus. Je ne les reconnais pas.

Puis ils se rendirent au *Friars*, à Uckfield. La propriétaire était une grande femme blonde à l'allure débraillée, qui n'avait pas l'air tombée de la dernière pluie. Elle observa attentivement les photos.

— Hum, dit-elle. Je les ai déjà vus, tous les cinq. Attendez… Vers 20 heures, mardi soir.

— Vous en êtes sûre? demanda Glenn Branson.

Elle montra du doigt Michael.

— Il avait l'air bien saoul, mais il était adorable. Il m'a dit qu'il allait se marier samedi.

— Les avez-vous entendus parler des plans qu'ils avaient pour le reste de la soirée? demanda Grace.

— Non, mon petit. Ils étaient assis dans le coin, là-bas.

Elle montra du doigt une table et des chaises dans une alcôve.

— Je n'ai pas fait très attention à eux.

— Vous ne savez donc pas où ils sont allés ensuite? demanda Branson.

Elle secoua la tête.

— Ils ont vidé leurs verres et sont partis.

Ils quittèrent le pub, et Grace appela Bella et Nick.

— Comment ça va de votre côté?

— Pas folichon, répondit Nicholl. Il nous en reste deux. Et vous?

— Trois, répondit Grace, tandis que Branson tournait la clé de contact.

Après avoir raccroché, Grace se tut quelques instants et reprit :

— L'accident a eu lieu juste après 21 heures. C'est sans doute le dernier pub qu'ils ont écumé avant de le mettre dans le cercueil.

— Ils ont peut-être réussi à en caser un autre.

Ils questionnèrent les patrons des trois pubs qui figuraient sur leur liste, mais personne n'avait vu les gars. Nick et Bella avaient trouvé un tenancier qui les avait formellement reconnus. Ils étaient partis à 20 h 30, visiblement bien imbibés. Ce pub se trouvait à 8 kilomètres environ. Cette information découragea Grace. Elle ne leur permettait pas de déterminer avec plus de précision la position de Michael Harrison.

— On devrait rentrer et parler avec son associé, dit Grace. C'est son témoin, il doit forcément savoir quelque chose, tu ne penses pas?

— Je pense qu'on devrait fouiller la zone.

— Oui, mais il faut la réduire d'abord.

Branson démarra.

— Tu m'avais parlé, il y a des lustres, d'un vieux schnock qui pouvait retrouver des choses juste en agitant un pendule au-dessus d'une carte.

Grace le considéra avec surprise.

— Je pensais que tu n'y croyais pas?

— Je désespère, Roy. On a perdu un gars qui est censé passer la bague au doigt d'une demoiselle demain, à 14 heures. Et il nous reste… (Il regarda sa montre.) Il nous reste vingt-deux heures pour le retrouver. On a 130 kilomètres carrés à passer au peigne fin et il fera nuit dans quatre heures. Qu'est-ce que t'en dis?

Personnellement, Grace pensait que ce serait une bonne chose de faire appel à Harry Frame. Mais après le fiasco au tribunal, mercredi, il n'était pas sûr que ça vaille le coup de risquer sa carrière.

— Essayons d'abord toutes les autres méthodes, ensuite on verra, O.K.?

— Tu as peur de la réaction de la direction? railla Branson.

— Quand tu auras mon âge, tu commenceras à penser à ta retraite.

— Je m'en souviendrai. Dans trente ans.

Ashley Harper habitait une minuscule maison en mitoyenneté proche d'une voie ferrée dans un quartier qui avait été populaire, mais qui était à présent plutôt branché.

Grace et Branson sonnèrent au numéro 119, devant lequel était garée une Audi TT gris métallisé.

Quelques instants plus tard, Ashley leur ouvrit et adressa à Branson un sourire triste en le reconnaissant.

— Bonjour, Ashley, dit-il. Voici mon collègue, le commissaire Grace. Peut-on entrer et discuter?

— Bien sûr. Vous avez du nouveau?

Ils pénétrèrent dans une oasis tendance et minimaliste. Moquette blanche, mobilier blanc, stores vénitiens gris et grande lithographie au mur.

— Trois témoins certifient avoir vu votre fiancé mardi soir dans des pubs près de la forêt d'Ashdown, lui annonça Glenn Branson. Il se trouvait avec quatre personnes, celles que vous connaissez. Mais nous ne savons pas ce qu'ils projetaient, à part se saouler.

— Michael ne boit pas, répliqua-t-elle d'une voix blanche.

— Parlez-moi de Michael, lui demanda Grace en la regardant avec intensité. Comment l'avez-vous rencontré?

Elle sourit, avait l'air de se détendre.

— C'était au cours d'un entretien d'embauche pour leur cabinet, celui de Michael et de son associé.

— Mark Warren? glissa Grace.

Elle eut un dixième de seconde d'hésitation, à peine perceptible, mais qui n'échappa pas à Grace.

— C'est bien ça.

— Où travailliez-vous, avant? lui demanda-t-il.

— Je travaillais pour une agence immobilière à Toronto, au Canada. Je suis revenue en Angleterre et puis j'ai trouvé ce poste.

— Revenue?

— Je suis originaire d'Angleterre. Mes racines sont ici.

Elle sourit.

— Pour quelle agence, à Toronto?

— Vous connaissez Toronto? demanda-t-elle, légèrement surprise.

— J'y ai passé une semaine, il y a une dizaine d'années. À la DTP de la police montée.

— Je vois. C'était une petite agence membre du groupe Bay.

Grace hocha la tête.

— Donc Michael Harrison et Mark Warren vous ont embauchée.

— Hum, en novembre dernier. C'était un très bon job, bien payé. Je voulais en savoir plus sur les programmes immobiliers, et ils avaient l'air sympas. J'ai… (elle rougit) j'ai tout de suite été attirée par Michael, mais j'étais sûre qu'il n'était pas libre.

— Excusez-moi d'être indiscret, mais quand avez-vous commencé à vous voir, avec Michael?

— Très vite. Quelques mois après notre rencontre. Mais nous n'avons rien dit : Michael avait peur que Mark ne le prenne mal s'il savait qu'il y avait quelque chose entre nous.

Grace acquiesça.

— Et quand Mark l'a-t-il découvert?

Elle rougit.

— Un jour, il est revenu au bureau alors que nous ne l'attendions pas.

Grace sourit. Elle lui était sympathique. Elle dégageait une sorte de vulnérabilité qui donnait envie de la protéger.

— Et ensuite?

— Pendant quelque temps, c'était un peu bizarre. J'ai proposé à Michael de démissionner, mais il m'a convaincue de rester.

— Et Mark?

Grace remarqua la minuscule hésitation.

— Il n'y a pas vu d'inconvénient.

Surveillant ses yeux, Grace lui demanda :

— Saviez-vous qu'ils avaient une société offshore, aux îles Caïmans?

Elle regarda subitement Branson, puis Grace.

— Non. Je... je ne le savais pas.

— Michael parlait-il parfois de paradis fiscal, pour M. Warren et lui-même?

La colère se peignit sur son visage avec une violence qui surprit Grace.

— Qu'est-ce que vous voulez? Vous êtes de la police ou du fisc?

— Si vous voulez nous aider à retrouver Michael, vous devez nous aider à le connaître. Dites-nous tout ce que vous savez, même si *a priori* ça n'a rien à voir avec sa disparition. Votre fiancé ne vous avait pas dit ce qui était prévu pour son enterrement de vie de garçon?

Elle secoua la tête.

— Ils devaient juste boire quelques bières, c'est tout ce qu'il m'avait dit.

— Que ferez-vous s'il ne réapparaît pas avant demain, pour votre mariage? demanda Branson.

Des larmes coulèrent le long de ses joues. Elle sortit de la pièce et revint avec un mouchoir, avec lequel elle se tamponna les yeux. Puis elle se mit à sangloter.

— Je ne sais pas. Je ne sais vraiment pas. Je vous en prie, retrouvez-le. Je l'aime tellement, c'est insupportable.

Grace attendit qu'elle se soit calmée, puis, regardant attentivement ses yeux de nouveau, lui demanda :

— Vous ne vous êtes pas disputés, avec Michael? Rien qui puisse laisser penser qu'il ait pu avoir peur de s'engager?

— Mon Dieu, dit-elle. Non. Jamais de la vie. Je... Il...

— Où allez-vous pour votre lune de miel? demanda Grace.

— Aux Maldives. Michael a réservé dans un endroit fantastique. Il adore la mer, le bateau, la plongée. Ça a l'air paradisiaque.

— Nous avons réquisitionné cent policiers supplémentaires. S'il n'a pas réapparu ce soir, nous organiserons une fouille approfondie de la zone dans laquelle on l'a vu pour la dernière fois. Mais je ne veux pas faire perdre leur temps à une centaine de policiers pour découvrir qu'il bronze aux îles Caïmans aux frais du contribuable. Vous comprenez?

Ashley hocha la tête.

— Parfaitement, dit-elle, amère. C'est une question d'argent. Il ne s'agit pas de retrouver Michael.

— Pas du tout, dit Grace, un ton en dessous. Ce n'est pas une question d'argent. Nous mettrons tout en œuvre pour le retrouver.

— Alors commencez tout de suite.

Elle se tut, puis reprit.

— Je vous reconnais, j'ai lu le papier sur vous dans *l'Argus*. Ils essayaient de vous ridiculiser parce que vous êtes allé chez un voyant, c'est bien ça?

— Oui.

— Moi aussi, j'y crois. Vous ne connaissez personne? Y a-t-il des voyants, des médiums, qui localisent les gens qui disparaissent?

Grace réfléchit prudemment quelques instants.

— Avez-vous quelque chose qui appartient à Michael?

Il sentait Glenn Branson le mitrailler du regard.

— Quoi, par exemple?

— Un vêtement, un bijou, un objet avec lequel il a été en contact.

— Je vais vous trouver ça. Accordez-moi deux minutes.

— Tu as perdu la tête? s'exclama Branson, tandis qu'ils s'éloignaient de la maison d'Ashley.

Tenant le bracelet en cuivre qu'Ashley venait de lui donner, Grace répondit :

— C'est toi qui l'as suggéré.

— Oui, mais je ne pensais pas que tu lui demanderais la permission.

— Tu voulais que je lui pique un truc de son mec?

— Que tu lui *empruntes*. Tu prends des risques, là. Et si elle parle à la presse?

— Tu m'as demandé de t'aider.

Branson lui jeta un regard en biais.

— Alors, qu'est-ce que tu penses d'elle?

— Elle en sait plus qu'elle veut bien nous dire.

— Donc elle essaie de couvrir son mec?

Grace fit tourner le bracelet – trois fils de cuivre soudés ensemble, se terminant chacun par deux petits cercles.

— Qu'est-ce que tu en penses?

— Et voilà, comme d'habitude, tu réponds à une question par une question.

Grace réfléchit quelques instants. Il se repassait la scène chez Ashley. Son anxiété, ses réponses.

Vingt minutes plus tard, ils se garèrent sur la promenade Kemp Town, qui surplombait la plage et la Manche, et descendirent de voiture. À part la traînée grise laissée par un cargo ou un pétrolier à l'horizon, la mer était déserte. À sa droite, Grace distingua la promenade du *Palace Pier*, ses dômes blancs, ses lumières kitsch. Le front de mer était tapissé de jolies façades Régence avec vue imprenable. Le Van Alen était l'un des rares immeubles modernes, une réinterprétation très vingt et unième siècle d'un bâtiment Art déco.

Une voix répondit lorsque Glenn Branson sonna à l'appartement numéro 407, depuis l'entrée hautement sécurisée :

— Oui?

— Mark Warren? demanda Branson.

— Oui, qui est là?

— La police. Nous aimerions vous voir à propos de Michael Harrison.

— Bien sûr. Montez. Quatrième étage.

Une sonnerie retentit et Grace poussa la porte.

— Drôle de coïncidence, dit-il à Branson tandis qu'ils entraient dans l'ascenseur, j'étais là hier soir, pour une soirée poker. Chris Croke a un appartement dans l'immeuble.

— Chris Croke, le type de la circulation? Comment est-ce qu'il peut se payer un appart dans un endroit comme ça?

— Il a épousé un compte en banque. Ou plutôt, il a divorcé d'un compte en banque.

Arrivés au quatrième, ils foulèrent une épaisse moquette bleue jusqu'au numéro 407. Branson sonna.

Quelques secondes plus tard, un homme d'une petite trentaine d'années leur ouvrit, chemise blanche, col ouvert, pantalon de costume rayé et mocassins noirs.

— Messieurs, dit-il affablement. Entrez je vous prie.

Grace eut l'impression de l'avoir déjà vu quelque part, récemment, mais où ? Où avait-il pu le rencontrer ?

Mark Warren les conduisit dans un immense salon, avec deux canapés rouges en L et une table laquée noire, longue, étroite, qui servait à séparer la cuisine de l'espace salle à manger.

Grace nota que l'endroit était comparable, dans son esprit minimaliste, à l'appartement d'Ashley, mais avec un budget autrement plus important. Des tableaux abstraits très classe ponctuaient les murs, et une baie vitrée offrait une vue imprenable sur la mer et le *Palace Pier*.

— Je vous sers quelque chose ? demanda Mark Warren.

Grace l'observa attentivement. Il transpirait l'anxiété. Il était on ne peut plus mal à l'aise, ce qui n'était pas étonnant vu l'épreuve qu'il traversait. Grace savait par expérience que les survivants d'une catastrophe avaient souvent beaucoup de mal à gérer la culpabilité.

— Non merci, lui dit Branson. Nous ne serons pas longs. Nous aimerions simplement vous poser quelques questions.

— Vous avez du nouveau au sujet de Michael ?

Grace lui raconta la tournée des pubs et la disparition du cercueil.

— Je n'arrive pas à croire qu'ils aient pris un cercueil, s'étonna Mark Warren.

— Vous devriez être au courant, répliqua Grace. Ce n'est pas au témoin que revient l'organisation d'un enterrement de vie de garçon ?

— C'est ce que j'ai lu sur Internet, répondit Mark.

Grace fit la grimace.

— Vous voulez dire que vous n'étiez impliqué dans aucun plan, c'est bien ça ?

Mark commença à parler d'une voix bizarre.

— Je… non, ce n'est pas ce que je veux dire. Ce que je veux dire, c'est que… vous savez… On… Enfin, Luke voulait qu'on aille dans une boîte à strip-tease, mais c'est tellement *has been*... On voulait quelque chose de plus original.

— Pour faire payer à Michael Harrison les mauvaises blagues qu'il vous avait faites ?

Mark Warren sembla désarçonné. Puis il se reprit :

— Oui, nous en avons effectivement parlé.

— Mais vous n'avez pas parlé de cercueil ? lui suggéra Grace.

— À aucun moment. Je... Je n'ai jamais entendu parler de cercueil.

— Vous êtes en train de me dire que vous êtes son témoin, mais que vous ne saviez pas ce qui était prévu pour son enterrement de vie de garçon ? Désolé, mais je n'y crois pas une seconde, dit Grace.

Il détecta instantanément un accès de colère.

— Vous m'accusez de mentir ? Je suis désolé, messieurs, mais notre entrevue est terminée. Il faut que je parle à mon avocat.

— C'est plus important que de retrouver votre associé ? lança Grace. Il est censé se marier demain, et vous êtes son témoin.

En le dévisageant de plus près, Grace se rappela soudain dans quelles circonstances il l'avait déjà vu. Du moins, où il *pensait* l'avoir déjà vu.

— Quelle est la marque de votre voiture, Mark ? lui demanda-t-il.

— Une BMW X5, répondit Warren.

— C'est un 4 x 4 ?

— Oui.

Grace hocha la tête sans ajouter un mot. Son cerveau tournait à plein régime.

En attendant l'ascenseur, dans le couloir, Branson demanda :

— C'était quoi, cette histoire de voiture ?

Ils montèrent dans l'ascenseur et Grace appuya sur le bouton du sous-sol. Plongé dans ses pensées, il ne répondit pas.

Branson le regarda.

— Tu aurais dû appuyer sur 0. C'est par là qu'on est arrivés.

Grace ne répondit pas. Ils sortirent au niveau du garage souterrain. Ils passèrent une Ferrari, une Jaguar, une Mazda Sport, jusqu'à ce que Grace s'arrête devant une BMW X5 tout-terrain gris métallisé, étincelante. Des gouttes d'eau brillaient encore sur la carrosserie.

— Belle bête, dit Branson. Dommage que l'arrière soit minuscule. Celui des Range-Rover est bien plus spacieux.

Grace observa les roues, s'agenouilla pour regarder sous le marche-pied.

— Hier soir, quand j'ai récupéré ma voiture, à 0 h 45, j'ai croisé cette BMW qui rentrait, couverte de boue. Je m'en souviens parce qu'elle a failli me renverser. Et ça m'avait semblé un peu bizarre. On voit rarement des 4 x 4 sales dans le centre-ville de Brighton.

— Tu es sûr que c'était *cette* voiture ?

Grace tapota son crâne du bout des doigts.

— La plaque d'immatriculation.

— Ta mémoire visuelle, c'est vrai. Alors, qu'est-ce que tu en dis ?

— Et toi ?

— Un cercueil qui disparaît, une forêt, une voiture couverte de boue, un témoin qui est le seul survivant, qui veut parler à son avocat, un compte aux îles Caïmans… Ça sent pas bon.

— Ça sent pas bon ? ça pue, oui !

— C'est quoi, la suite ? Interroger Mark Warren dans nos murs ?

Grace secoua la tête.

— Il est malin. Il faut être plus malin que lui.

Grace sortit le bracelet en cuivre de sa poche et l'agita.

— La suite, c'est ça.

L'HORLOGE du tableau de bord de la Ford de Branson indiquait 19 : 13 quand, après avoir quitté Kemp Town pour rejoindre la route des falaises, ils parvinrent à Peacehaven.

— Prends à gauche, indiqua Grace.

Il continua à guider Branson dans un dédale de routes vallonnées, jusqu'à un bungalow plutôt miteux.

Arrivés au minuscule porche où tintaient des carillons, ils sonnèrent. Un tout petit homme maigre et nerveux, septuagénaire avéré, portant un bouc et de longs cheveux gris en queue-de-cheval, vint leur ouvrir. Il les salua et serra la main de Grace avec une joie non dissimulée, comme s'il retrouvait un vieil ami.

— Commissaire Grace, je suis tellement heureux de vous revoir !

— Moi aussi, mon ami. Voici le commandant Branson. Glenn, je te présente Harry Frame.

Harry Frame serra la main de Glenn Branson avec une force sans commune mesure avec sa physionomie et son âge, l'observant de ses yeux verts et perçants.

— Quel plaisir de vous revoir. Entrez, entrez…

Ils le suivirent dans un petit hall décoré d'objets ayant trait à la mer. Dans le salon, les étagères ployaient sous le poids des bateaux en bouteille. Quatre chaises en bois étaient disposées autour d'une table en chêne à laquelle ils furent conviés.

— Vous prendrez du thé, messieurs ?

— Volontiers, répondit Grace.

Harry Frame se hâta vers la cuisine. Quelques minutes plus tard, une petite bonne femme aux cheveux gris, enjouée, boulotte, apporta un plateau avec trois tasses de thé et une assiette de biscuits. Son mari arriva avec une carte.

— Alors, messieurs, fit Harry en s'asseyant en face d'eux. Quelqu'un a disparu ?

— Michael Harrison, précisa Grace.

— Le jeune homme dont a parlé *l'Argus* ? Terrible, cet accident. Ils ont été rappelés si jeunes…

— Rappelés ? interrogea Branson.

— Les esprits les ont de toute évidence rappelés à eux.

Branson jeta à Grace un regard que le commissaire prit le parti d'ignorer superbement. Écartant l'assiette de biscuits, Frame déploya la carte de l'East Sussex sur la table.

Grace sortit le bracelet en cuivre de sa poche et le tendit au médium.

— Vous m'avez demandé d'apporter un objet appartenant au disparu.

Frame le prit, l'observa attentivement, et ferma les yeux, sous le regard curieux des deux officiers. Il se mit à hocher la tête. Puis il ouvrit les yeux soudainement, comme surpris de trouver Grace et Branson dans la pièce. Il s'approcha de la carte et sortit de la poche de son pantalon une ficelle au bout de laquelle pendait un poids.

— Voyons voir, dit-il. Voyons, voyons voir…

Grace but une gorgée de son thé. Branson fit de même, et prit un biscuit.

— Voyons voir…

Posant les coudes sur la table, Frame cacha son visage entre ses mains, comme pour prier, et commença à marmonner. Grace évitait de croiser le regard de Branson.

— Yaroum, dit Frame pour lui-même. Yaroummmmmm, brnnnnn. Yaroummmmmm.

Puis il se redressa d'un coup, attrapa la ficelle entre son pouce et son index et fit osciller le poids au-dessus de la carte, comme un pendule. Puis, les lèvres pincées par l'effort de concentration, il la fit tournoyer vigoureusement en petits cercles, parcourant la carte centimètre par centimètre.

— Uckfield? demanda-t-il. Crowborough? La forêt d'Ashdown?

Il interrogea les policiers tour à tour. Tous deux acquiescèrent. Mais Harry Frame secoua la tête.

— Non, on ne me montre rien dans cette zone. Désolé. Je vais essayer sur une autre carte, à plus petite échelle.

Les yeux rivés sur la nouvelle carte, celle du Sussex, Grace observa le pendule rétrécir ses circonvolutions au-dessus de Brighton.

— Le voilà, murmura Frame.

— À Brighton? Je ne pense pas, objecta Grace.

Frame sortit une carte à grande échelle de Brighton et laissa le pendule osciller. Rapidement, celui-ci se mit à faire des petits cercles au-dessus de Kemp Town.

— Voilà, c'est là qu'il se trouve.

Grace osa enfin regarder Branson et eut la sensation de lire dans ses pensées.

— Vous vous trompez, Harry, lâcha-t-il.

— Je ne crois pas, Roy. L'homme que vous cherchez est là-bas.

Grace secoua la tête.

— C'est de là que nous venons, nous avons parlé à son associé. Vous êtes sûr de ne pas être influencé par ça?

Harry Frame saisit le bracelet en cuivre.

— C'est son bracelet? Celui de Michael Harrison?

— Oui.

— Alors, il est là-bas. Mon pendule ne se trompe jamais.

— Quel zarbi, lâcha Branson, tandis qu'ils quittaient la maison de Harry Frame.

Grace, absorbé dans ses pensées, ne répondit rien pendant un long moment. Des rais de lumière déclinante transperçaient les nuages gris qui s'étaient accumulés juste au-dessus de l'horizon.

— Supposons qu'il ait raison. Il a vu juste dans d'autres cas.

— C'est quoi, la prochaine étape, vieux sage ?

Grace regarda sa montre.

— Il est 21 heures, vendredi soir. À part aller dans la forêt d'Ashdown avec une pelle et une lampe de poche, je ne vois pas ce qu'on pourrait faire de plus. Si M. Harrison nous fait la blague du siècle, demain sera le moment de vérité.

— Et sinon ?

— Sinon, on passera au plan B.

— Qui est ?

— Aucune idée.

Grace quitta Branson en lui souhaitant un bon week-end en famille.

Enveloppée dans un peignoir blanc en éponge, avachie sur son lit, Ashley regardait la télévision quand le téléphone sonna. Elle se redressa d'un bond. Le réveil indiquait 23:18.

Dans un souffle, elle lâcha un « Ouiallo ? » chargé d'inquiétude.

— Ashley ? J'espère que je ne vous réveille pas ?

Ashley saisit la télécommande et coupa le son du téléviseur. C'était Gill Harrison, la mère de Michael.

— Non, dit-elle, pas du tout, je n'arrive pas à dormir de toute façon.

— J'aimerais que vous reveniez sur votre décision, Ashley. Je pense que ce serait vraiment mieux d'annuler la réception, demain.

Ashley respira un bon coup.

— Gill. On en a parlé hier et aujourd'hui. On ne se fera rien rembourser, c'est trop tard pour annuler. On a des invités du monde entier. Comme mon oncle, du Canada, qui me conduira à l'autel…

— C'est très gentil de sa part d'être venu. Le pauvre, avoir fait tout ce voyage…

— On s'adore. Il a pris une semaine entière pour pouvoir assister à la répétition de lundi.

— Dans quel hôtel est-il descendu ?

— Il est à Londres. Je l'ai prévenu, mais il a insisté pour venir me soutenir. J'ai réussi à alerter mes amies canadiennes. Quatre devaient venir, elles ont annulé. J'ai aussi pu décommander d'autres amis, à Londres. Mais Michael a invité des amis et des collègues des quatre coins de l'Angleterre. J'ai essayé d'en joindre un maximum, Mark aussi, mais... Nous devons au moins prendre en charge ceux qui se présenteront. Et je crois toujours que Michael va réapparaître.

— Je n'y crois plus, ma chérie. Plus maintenant.

Ashley se mit à sangloter.

— J'essaie de toutes mes forces, mais je n'y arrive pas. Je... continue... à prier pour qu'il revienne. À chaque fois que le téléphone sonne, je pense que c'est lui. Je l'imagine éclater de rire et me dire que c'était juste une très mauvaise blague.

— Michael est un bon garçon. Il n'a jamais été cruel. Ce serait trop cruel. Il ne ferait pas ça. Ça ne lui ressemble pas.

Il y eut un long silence, qu'Ashley finit par rompre.

— Est-ce que ça va ?

— À part le fait que je me fais un sang d'encre pour Michael, ça va. J'ai Carly avec moi. Elle est arrivée d'Australie il y a quelques heures. Je pense qu'elle sera sous le coup du décalage horaire demain.

— Je devrais venir lui dire bonjour.

Elle se tut quelques instants.

— Vous voyez ce que je veux dire. Des gens sont venus du monde entier. Nous devons être à l'église pour les accueillir. Vous imaginez si Michael arrive et que nous ne sommes pas là ?

— Il comprendrait qu'on ait annulé par respect pour ses amis décédés.

— Je vous en prie, Gill, allons à l'église demain, nous verrons bien.

— Essayez de vous reposer, Ashley. Je vous appelle demain matin. Bonne nuit.

— Bonne nuit, conclut Ashley.

Elle replaça le combiné et roula sur son lit, soudain pleine d'énergie, laissant ses seins jaillir de son peignoir entrouvert, et elle regarda langoureusement Mark, qui était nu sous ses draps.

— Quelle idiote, elle ne se doute de rien !

Ses lèvres explosèrent en un immense sourire. Son visage entier rayonnait de joie.

— Rien de rien !

Elle lui passa les bras autour du cou, le serra, l'embrassa passionnément, sur la bouche d'abord, puis entama une descente, lente et régulière.

6

G RACE entama son week-end comme il aimait : par un footing de 10 kilomètres en bord de mer, le long de la côte de Brighton. Il pleuvait de nouveau très fort, mais ça ne faisait rien. Progressant à un rythme soutenu, il eut tôt fait d'oublier la pluie et tous ses soucis. C'était marée basse. Quelques pêcheurs cherchaient des appâts dans la vase.

Les lèvres légèrement salées, il emprunta la rampe qui menait à la plage où les pêcheurs laissaient leurs embarcations. Il passa devant les cafés encore fermés, les salles de jeux vidéo et les galeries d'art, puis sous l'enceinte du *Palace Pier*, où, il y avait dix-sept ans, il avait embrassé Sandy pour la première fois. Il pensa de nouveau au travail, aux dossiers qui semblaient s'accumuler sans fin. Le procès de Suresh Hossain. Et maintenant la disparition de Michael Harrison. Cette affaire-là l'obsédait vraiment.

Il atteignit l'endroit où l'on passe sous la falaise en surplombant la marina, et attaqua les trois derniers kilomètres. Puis il fit demi-tour, les poumons en feu, et courut jusqu'à chez lui.

À 9 h 30, il avait pris une douche, s'était relaxé en parcourant le *Daily Mail* pour son plaisir, et s'était régalé d'œufs brouillés et de tomates grillées. Le petit déjeuner terminé, il se rendit dans le bureau qu'il s'était aménagé dans une petite pièce au fond, qui donnait sur un minuscule jardin envahi par les mauvaises herbes.

Quelques heures plus tard, la voiture de Grace grimpait tranquillement le raidillon qui menait à l'église All Saints, à Patcham, où un certain mariage était prévu pour 14 heures, c'est-à-dire dans trois quarts d'heure.

La pluie torrentielle était devenue une légère bruine. Grace avait garé son Alfa près de l'entrée, sur un bas-côté verdoyant en face de l'église.

Dix minutes plus tard, la BMW gris métallisé de Mark Warren apparut. Il se précipita vers la principale entrée de l'église et s'y engouffra.

Un taxi arriva et un grand homme distingué, jaquette, œillet rouge à la boutonnière, haut-de-forme gris à la main, claqua la portière arrière et se dirigea vers l'église. Puis une Audi TT Sport grise se gara. La porte du conducteur s'ouvrit, et Ashley, protégée par un petit parapluie, en sortit. Elle portait une élégante robe de mariée blanche et les cheveux attachés. Une femme plus âgée sortit du côté passager, vêtue d'une robe bleue ourlée de blanc et ses cheveux gris argentés avaient été arrangés avec soin. Les deux femmes prirent le sentier qui montait à l'église et disparurent à l'intérieur.

À 13 h 55, Grace vit le pasteur couper à travers le cimetière et entrer. Grace quitta sa voiture, traversa la route, et pénétra dans l'église. Celle-ci était magnifiquement fleurie.

Une vingtaine de personnes patientaient, debout, en silence, dans l'aile et dans la nef. Grace balaya rapidement le groupe du regard et fit un signe de tête à Ashley, pâle comme un linge, qui s'accrochait au bras de l'homme élancé en jaquette. Son père, sans doute. À ses côtés se trouvait la femme qu'il avait vue émerger de la même voiture.

D'une voix hésitante, Ashley brisa la glace en le remerciant d'être venu et le présenta à la mère de Michael, effondrée, et au bel homme distingué, qui se révéla être son oncle. Celui-ci serra chaleureusement la main de Grace et se présenta sous le nom de Bradley Cunningham en le regardant droit dans les yeux.

— Ravi de faire votre connaissance, commissaire.

Remarquant son accent nord-américain, Grace lui demanda :

— Vous venez de quel coin des États-Unis ?

L'homme fronça les sourcils.

— Je suis canadien. Originaire d'Ontario.

— Excusez-moi.

— Pas de souci. Les Angliches, vous confondez souvent.

Grace sourit et le complimenta pour sa jaquette.

— Il est toujours agréable de voir quelqu'un qui sait s'habiller pour les grandes occasions.

— En réalité, ce futal me serre à mort, avoua Cunningham. Je l'ai loué chez votre fameux tailleur, Moss Bros, mais la taille ne doit pas être la bonne !

Puis son visage s'assombrit.

— Enfin, c'est quand même terrible, n'est-ce pas ?

— Oui, acquiesça Grace. Terrible.

Ashley les interrompit pour présenter Grace au pasteur, un petit homme barbu, aux yeux injectés de sang et à l'air remonté.

— J'avais dit à Mlle Harper d'annuler complètement. C'est grotesque de s'infliger ce supplice. Et que dire des invités ? Tout cela n'a pas de sens.

— Il va arriver, *j'en suis sûre*, sanglota Ashley. Je le sais.

Elle implora Grace :

— Je vous en prie, dites-lui que Michael est en route.

Grace se tourna vers la fiancée, si triste, si fragile, et dut se retenir de la serrer dans ses bras. Il s'adressa à son tour au pasteur :

— Michael Harrison pourrait arriver d'un instant à l'autre.

À 14 h 20, le révérend Somping entreprit l'ascension de sa chaire et annonça :

— La fiancée, Mlle Ashley Harper, et la mère du fiancé, Mme Gillian Harrison, m'ont demandé de vous informer que ce mariage était ajourné *sine die*, en attendant le retour de Michael Harrison. Personne ici ne sait ce qui lui est arrivé, mais nos pensées et nos prières sont pour lui, sa famille et la future mariée. Mlle Harper et Mme Harrison ont généreusement proposé de maintenir la réception et d'offrir quelques rafraîchissements au *Pavillon royal*. Elles seraient heureuses que vous vous joigniez à elles après cette prière pour le salut de Michael.

Il expédia une courte prière à la hâte et quelqu'un ouvrit les portes de l'église. Grace regarda la nef se vider en silence. Cette cérémonie ressemblait davantage à des funérailles.

UNE heure plus tard, dans la salle Queen Mary du *Pavillon royal*, ne régnait pas cette agitation propre aux mariages. Seules quelques-unes des vingt tables, somptueusement dressées pour accueillir deux cents invités, étaient utilisées. La pièce montée, témoin importun de la raison pour laquelle ces gens étaient là, trônait dans un coin.

Grace, invité par Ashley, avait été retardé par un coup de fil qu'il avait donné à Nick Nicholl et Bella Moy pour leur demander d'augmenter les effectifs de l'équipe. Bella connaissait une jeune débutante qu'elle appréciait et qui était disponible : Emma-Jane Boutwood. Grace lui demanda de l'intégrer immédiatement à l'équipe.

Au cours de la réception, il observa très attentivement Ashley et Mark Warren. Assise à une table, Ashley faisait bonne figure.

— Il va venir, disait-elle. Ça ne tient pas debout. C'est tellement bizarre... Le jour de votre mariage n'est-il pas censé être le plus beau jour de votre vie ? bredouilla-t-elle avant de fondre en larmes.

Grace remarqua que la mère de Michael et l'oncle d'Ashley étaient assis côte à côte à une autre table. Il observa pensivement Bradley Cunningham. Puis il fut interpellé par Mark Warren, œillet blanc à la boutonnière, dont la voix trahissait l'alcool. Une flûte de champagne vide à la main, il se plaça à quelques centimètres du visage de Grace.

— Commandant Grace ?

— Commissaire, le corrigea Roy.

— D-désolé, chavais pas que vous aviez été promu.

— Je ne l'ai pas été, monsieur Warren.

Mark recula et le fixa aussi posément que possible. De toute évidence, sa présence mettait Ashley mal à l'aise. Grace vit qu'elle les surveillait depuis sa table.

— Vous pouvez pas laicher cette jeune femme tranquille ? Vous imaginez pas dans quel état elle est ?

— C'est pour cela que je suis ici, lui répondit Grace calmement.

— Vous devriez être au boulot, en train de chercher Michael, au lieu de traîner ici et de vous rincer le gosier gratis.

— Mark ! appela sévèrement Ashley.

Sans se départir de son calme, Grace dit :

— Mon équipe met tout en œuvre pour le retrouver.

— J'ai pas l'impression. Vous êtes censé boire, pendant votre service ?

— C'est de l'eau minérale.

Mark lorgna vers le verre de Grace.

Ashley se leva et les rejoignit.

— Va faire un tour, Mark !

Grace détecta une certaine tension dans sa voix. Décidément, quelque chose clochait, mais il ne trouvait pas quoi.

Puis Mark lui enfonça son index dans la poitrine et dit :

— Vous savez ce que c'est, votre problème ? Vous n'aimez pas les riches, et vous êtes trop occupés avec vos radars, à flasher les conducteurs. Qu'est-ce que vous en avez à foutre, d'un gosse de riche qui fait des blagues qui tournent mal, hein ? Alors que vous pourriez choper un bon gros bonus en arrêtant des automobilistes ?

Grace baissa d'un ton volontairement, sachant que cela inciterait Mark Warren à en faire autant :

— Monsieur Warren, je n'ai aucun contact avec la police de la circulation, j'essaie simplement de vous aider.

Mark se pencha pour tendre l'oreille.

— Hein ? J'ai rien entendu. Qu'est-ce que vous avez dit ?

Sans élever la voix, Grace poursuivit tranquillement :

— Quand je faisais mes classes, nos supérieurs nous avaient un jour fait défiler pour nous inspecter. J'avais tellement poli la boucle de mon ceinturon qu'elle brillait comme une pièce d'or. Le chef m'avait alors demandé de retirer ma ceinture et avait montré l'autre face à tout le monde. Je ne l'avais pas frottée. Ça m'a servi de leçon. Il ne faut pas se fier aux apparences.

— Vous voulez dire quoi, au chuste ?

— Je vous laisse y réfléchir, monsieur Warren, la prochaine fois que vous faites laver votre BMW.

Grace tourna les talons et s'éloigna.

UNE fois installé dans sa voiture, Grace resta un moment plongé dans ses pensées. Il se concentra de nouveau sur Mark Warren. Il y avait cinq ans de ça, il avait suivi un stage de quinze jours en psychologie médico-légale au centre de formation du FBI, aux États-Unis. Il avait appris à décrypter certains aspects du langage corporel. Et celui de Mark Warren ne tenait pas la route. Cet homme venait de perdre quatre de ses meilleurs amis. Son associé était porté disparu, peut-être mort. Il aurait dû être choqué, sonné, accablé, pas agressif. C'était trop tôt pour la colère.

Et il avait noté sa réaction lors de sa remarque sur la voiture. Il avait touché un point sensible, ça ne faisait aucun doute.

Il sortit son téléphone, composa un numéro et attendit. Un samedi après-midi, il s'attendait à tomber sur un répondeur, mais une femme décrocha, à la voix douce et chaude. Impossible de deviner, à l'entendre, sa profession.

— Institut médico-légal de Brighton, bonjour.

— Cleo, c'est Roy Grace.

— Salut, Roy, comment vas-tu?

La voix de Cleo Morey, qui était habituellement presque hautaine, se teinta soudain d'un accent malicieux.

— On fait aller. Je suis impressionné de te trouver au boulot un samedi.

— Les morts ne savent pas quel jour on est.

— Tu n'as pas l'air en grande forme.

— Je suis juste fatiguée. J'ai assuré, seule, la semaine : Doug est en vacances, on est en sous-effectif en ce moment.

— Les gars qui sont morts mardi soir, ils sont toujours avec toi?

— Affirmatif. Josh Walker aussi. Celui qui est mort après, à l'hôpital.

— Il faudrait que je passe les voir. Je peux venir tout de suite?

— Ils ne bougent pas.

Grace appréciait son humour noir.

— Je suis là dans dix minutes.

Une fois arrivé à l'institut médico-légal, un bâtiment allongé de plain-pied, il se gara derrière une petite MG Sport bleue, celle de Cleo sans doute, et courut vers la sonnette de l'entrée pour échapper à la pluie.

Quelques instants plus tard, Cleo Morey lui ouvrit avec un sourire engageant. C'était une superbe jeune femme blonde, trente ans au grand maximum, blouse chirurgicale verte, épais tablier vert et bottes en plastique blanches. Ils traversèrent l'étroit vestibule, et entrèrent dans le bureau des pompes funèbres, qui faisait aussi office de réception.

— Je t'offre un thé, Roy?

Ses grands yeux bleu clair le fixèrent une fraction de seconde de plus que nécessaire. Des yeux souriants. Incroyablement chaleureux.

— Je rêverais d'une tasse de thé. Joe n'est pas encore là ?

Il avait demandé à Joe Tindall, de l'identité judiciaire, de le rejoindre.

— Pas encore. Tu préfères qu'on l'attende ?

— Ce serait mieux.

Elle appuya sur le bouton de la bouilloire et disparut dans le vestiaire attenant. Elle revint avec une blouse verte, des chaussons bleus, un masque en gaze et des gants blancs en latex, qu'elle lui tendit.

Tandis qu'il les enfilait, elle prépara son thé et sortit une boîte en aluminium remplie de petits-beurre. Il en prit un et le grignota.

— Tu as donc été seule toute la semaine. Ça te déprime pas, de n'avoir personne à qui parler ?

— Je n'arrête pas. On a eu dix admissions cette semaine. Il doit y avoir un truc particulier à la dernière semaine de mai.

Grace passa l'élastique du masque derrière sa nuque, mais le laissa pendre à son cou.

— Tu as eu la visite des familles des quatre garçons ?

Elle acquiesça.

— Et celui qui avait disparu, le futur marié, il a refait surface ?

— Non, répondit-il. C'est pour ça que je suis là.

— Tu veux voir quelque chose, en particulier, concernant les quatre types ?

— Ce sont leurs ongles qui m'intéressent. Dès que Joe arrive, on commence par là.

Suivi de Joe Tindall, qui enfilait ses gants, Grace accompagna Cleo jusqu'à la salle d'autopsie principale.

Celle-ci comptait deux tables en acier, l'une fixe, l'autre sur roulettes, un monte-charge hydraulique bleu et une rangée de portes de frigo allant du sol au plafond. Les murs étaient carrelés de gris et tout autour de la pièce courait une rigole. Un des murs était occupé par un alignement d'éviers, au-dessous desquels s'enroulait un tuyau d'arrosage jaune. En face se trouvaient d'immenses plans de travail en métal et une armoire aux portes en verre remplie d'instruments.

Cleo se dirigea vers la porte 4 et l'ouvrit, révélant, dans un courant d'air glacial, la vision de formes humaines, sur quatre niveaux, sur leurs plateaux coulissants. Elle actionna le monte-charge, tourna la manivelle, approcha la table à roulettes, la déplia complètement, fit glisser le corps et referma la porte de la chambre froide. Puis elle retira le plastique. Apparut un homme blanc, le corps et le visage couverts d'hématomes et de coupures. Ses yeux grands ouverts, malgré leur immobilité cireuse, témoignaient du choc. Grace lut l'étiquette accrochée à son gros orteil. ROBERT HOULIHAN.

Grace s'intéressa immédiatement aux mains du jeune homme. Elles étaient larges, massives, et les ongles étaient crasseux.

— Tu as tous ses vêtements ?

— Oui.

— Très bien.

Grace demanda à Tindall de prélever de la terre sous les ongles.

Le technicien de scène de crime choisit un instrument pointu, gratta soigneusement le bout de chaque doigt, puis remplit le sachet de prélèvement que lui avait donné Cleo, l'étiqueta et le ferma hermétiquement.

Les mains du suivant, Luke Gearing, étaient sévèrement abîmées, mais ses ongles étaient relativement propres. Il n'y avait pas de crasse non plus sous ceux de Josh Walker. Mais les mains de Peter Waring étaient particulièrement sales. Tindall effectua des prélèvements à chaque doigt et les emballa.

Ils examinèrent ensuite leurs vêtements. Il y avait de la boue sur toutes les chaussures, ainsi que des éclaboussures sur les habits de Robert Houlihan et de Peter Waring. Tindall enveloppa chaque pièce séparément.

— Tu vas me maudire, Joe, mais il faut vraiment que tu retournes au labo pour t'y mettre tout de suite. Essaie de trouver de quelle partie du Sussex provient cette terre.

— Génial ! Tu veux que je renonce au concert de U2, que je jette des billets que j'ai payés 50 livres chacun par la fenêtre et que je pose un lapin à ma copine ?

— La vie d'un homme est peut-être en jeu.

Passant sous silence la remarque de Grace, Tindall se déshabilla devant les vestiaires et jeta sa blouse dans une corbeille.

— Profite de ta foutue soirée, Roy !

Puis il claqua la porte derrière lui.

Quelques minutes plus tard, Cleo raccompagna Grace à la

porte. Il était sur le point d'affronter la pluie quand il se retourna vers elle.

— Tu finis à quelle heure, ce soir?

— Dans une heure, environ. Si personne ne meurt d'ici là.

Grace l'observa en se disant qu'elle était vraiment délicieuse. Il s'aperçut qu'elle n'avait pas de bagues. Elle pouvait bien sûr les avoir enlevées pour travailler.

— Je… Je me demandais… Tu fais quelque chose ce soir?

Ses yeux brillèrent.

— J'ai rendez-vous, je vais au cinéma.

Et elle ajouta :

— Avec une vieille amie.

Son assurance naturelle l'ayant complètement abandonné, Grace bafouilla :

— Je ne savais pas si… Si tu étais mariée ou si… Si tu avais quelqu'un… Je…

— Ni l'un ni l'autre, lui répondit-elle avec un regard prometteur.

— Ça te dirait… Un soir… Peut-être… De prendre un verre avec moi?

Elle continua à le fixer et ses lèvres dessinèrent progressivement un grand sourire.

— Ça me plairait beaucoup.

Comme sur un nuage, il traversa le parking pour retrouver sa voiture, sans se rendre compte qu'il pleuvait des cordes.

— ESPÈCE de crétin, dit Ashley à Mark, qui était affalé, dépenaillé, à l'arrière de la limousine à côté d'elle. C'est pas croyable. Pourquoi fallait-il que tu agresses ce flic, nom de Dieu?

Mark lui jeta un regard embué.

— Je voulais brouiller les pistes.

À travers la fenêtre, elle vit qu'ils approchaient du Van Alen. Il était 17 h 30.

— Comment ça : *brouiller les pistes*?

— Je ne serais pas agressif si j'avais quelque chose à cacher, tu crois pas?

L'Interphone cliqua soudain et le chauffeur demanda :

— Entrée principale?

— Ch'est bon, répondit Mark. (Et, se tournant vers Ashley :) Tu montes boire un verre ?

— Je ne sais pas. J'ai plutôt envie de te tuer.

— Quelle comédie, ce mariache…

— C'était une très bonne parodie. Sauf que tu as failli tout faire planter.

Mark dégringola de la voiture et manqua de mordre la poussière. Ashley renvoya le chauffeur et aida Mark à atteindre l'entrée. Quelques minutes plus tard, ils étaient dans son appartement.

— Je ne peux pas rester, Mark, annonça-t-elle.

Il commença à tripoter sa robe de mariée en dentelle. Ashley le repoussa.

— Je vais te faire du café, et tu me raconteras ce que le flic voulait dire à propos du lavage de la BMW.

— Aucune idée.

Mark se pencha vers elle et l'embrassa sur la bouche. Elle lui rendit son baiser un peu à contrecœur, puis le repoussa à nouveau.

— Je ne peux pas rester. Il faut que j'aille chez la mère de Michael jouer le rôle de la future mariée éplorée, ou je ne sais quel putain de rôle. Quel après-midi, mon Dieu, quel cauchemar !

Mark s'affala sur le canapé.

— Tu m'aimes ?

Elle secoua la tête, l'air consterné.

— Oui, je t'aime. À ce moment précis, je me demande bien pourquoi, mais je t'aime.

Il se redressa, chancela jusqu'à elle et la prit dans ses bras.

— Tu sais, s'il n'y avait pas eu cet accident, tu serais Mme Michael Harrison à l'heure qu'il est.

Il la regarda dans les yeux.

— Tu serais en route pour le *Savoy*, à Londres. Tu lui aurais fait l'amour ce soir, pas vrai ?

— C'est ce que les épouses sont censées faire pendant leur nuit de noces.

— Et qu'est-ce que tu aurais ressenti ?

Elle prit son visage entre ses deux mains et chuchota :

— J'aurais pensé à toi.

Il lui fit des baisers dans le cou.

— Tout était prévu, lui rappela-t-elle. On avait un plan A, on est passé au plan B.

— Où ch'est qu'il est, le problème ?

— Le premier problème, c'est que tu es bourré. Le deuxième, c'est que je ne suis pas Mme Michael Harrison, ce qui veut dire que je ne possède pas la moitié de ses parts, le quart de Double-M Properties.

— Le tiers, corrigea-t-il. Eh ben moi oui, selon notre pacte d'actionnaires et notre police d'assurance.

— Si tant est qu'il soit mort.

— Pourquoi tu dis *si tant est* ?

— Tu as bien rebouché le trou laissé par le tube, n'est-ce pas ? Tu as utilisé de la Super Glue, comme je t'ai dit ?

— Ouaich, fit-il en se tortillant.

Elle le fixait durement, semblait lire dans ses pensées :

— Tu en es sûr ?

— Ouaich. Le couvercle était vissé. J'ai tiré sur le tube et j'ai remis une tonne de terre. S'il était vivant, il nous aurait contactés, non ?

Approchant ses lèvres de son oreille, elle lui susurra :

— Si tu m'aimes, tu me diras toujours la vérité, n'est-ce pas ?

Mark ne dit rien pendant quelques instants, puis il lâcha :

— Y a quelque chose qui me tracache depuis plusieurs jours.

— Dis-moi.

— Tu sais que Michael et moi, on utilise nos ordinateurs de poche pour lire nos mails quand on n'est pas au bureau. On a fait attention à pas le mettre en copie, avec les gars, à propos de l'enterrement, mais je crois que j'ai foiré. Je pense que je lui ai envoyé un message par erreur et qu'il a son Palm avec lui.

Elle se dégagea, le fusilla du regard.

— Il l'a avec lui ? Dans la tombe ?

— Je ne l'ai pas trouvé au bureau. Ni chez lui.

— Je n'en crois pas mes oreilles. Tu ferais bien d'aller le chercher. Et vite. Genre, ce soir. *Capisce* ?

En route pour le siège de la PJ, Grace brancha son kit mains libres et appela Glenn Branson :

— Je voulais te demander : tu as vérifié le compte bancaire de Michael Harrison et ses cartes de retrait ?

— On le surveille en permanence. Rien depuis mardi après-midi. Même chose pour son portable. Du nouveau de ton côté ?

— L'hélico patrouille, mais on n'a rien trouvé. Nicholl et Moy bossent tout le week-end, ils font circuler la photo de Michael dans la presse et récupèrent les bandes de vidéosurveillance de la zone suspecte. Il va falloir décider si on demande du renfort et si on fait une recherche approfondie de la région. Certains aspects de la personnalité de Mark Warren me déplaisent de plus en plus. Il nous cache quelque chose. Il faut enquêter sur son passé.

— J'ai une équipe qui s'en occupe déjà.

— Bien joué. Je pense qu'il faudrait se pencher sur leur boîte, Double-M Properties. Voir les termes de leur police d'assurance.

— J'ai des gars là-dessus aussi. Et je fais examiner leur société aux îles Caïmans. Ashley, tu en penses quoi ?

— J'en sais rien. Je ne la cerne pas. Tu en connais beaucoup, toi, des filles de vingt-sept ans qui, le jour de leur mariage, le plus grand jour de leur vie, se débrouillent pour n'avoir qu'un oncle…

— Elle est peut-être orpheline. Il va falloir se renseigner.

— J'irai discuter avec la mère de Michael. Elle doit savoir quelques trucs sur sa future belle-fille.

Il était un peu plus de 19 heures et la pluie s'était calmée quand, accompagné de l'officier Linda Buckley, Grace monta le chemin qui menait au petit pavillon de Gillian Harrison. Ils sonnèrent et, quelques instants plus tard, la porte s'ouvrit. Pieds nus, dégageant une forte odeur de cigarette, le regard embué de larmes, Gill Harrison adressa un sourire fugace à la policière et un regard anxieux à Grace. Il montra sa carte de police.

— Madame Harrison ? Commissaire Grace, de la PJ de Brighton.

— Oui, je me souviens de vous… Vous étiez à la réception, cet après-midi.

— Voici l'officier Buckley, du bureau d'aide aux familles. Pouvons-nous vous parler ?

— Vous l'avez retrouvé ? Vous avez trouvé mon fils ?

Il secoua la tête.

— Non, je suis profondément désolé.

Elle hésita, puis proposa :

— Vous voulez entrer ?

— Merci.

Il la suivit dans le salon et s'assit dans le fauteuil qu'elle lui indiqua, à côté d'une cheminée factice éteinte.

— Vous voulez boire quelque chose ? Un verre de vin ? Du café ?

— Je veux bien un verre d'eau, dit-il.

— Je ne veux rien, merci, dit Linda Buckley.

Grace observa la pièce pendant que Mme Harrison était dans la cuisine. Il y avait une reproduction de *la Charrette à foin*, de John Constable, et une grande photo de Michael Harrison, en smoking, le bras autour de la taille d'Ashley Harper, en robe de soirée. Sur une autre photo, Michael, beaucoup plus jeune, en culottes courtes, se tenait à califourchon sur une bicyclette.

Gill Harrison revint avec le verre d'eau et s'assit en face de lui.

— Je suis navré pour ce qui s'est passé aujourd'hui, madame Harrison, ça a dû être un véritable supplice pour vous, dit-il en avalant une gorgée d'eau fraîche.

Une jeune femme entra dans la pièce. Elle était bronzée, avait un profil légèrement busqué, de longs cheveux blonds, en désordre, et portait un jean et un débardeur.

— Voici Carly, ma fille. Carly, c'est le commissaire Grace, de la PJ, et l'officier Buckley. Carly est rentrée d'Australie pour le mariage.

— Je vous ai vue à la réception, mais je n'ai pas eu l'occasion de vous parler, dit-il en se levant pour lui serrer la main.

Grace se rassit.

— Enchantée, dit la policière.

Carly s'assit à côté de sa mère.

— Je voulais complètement annuler le mariage et la réception, dit Gill Harrison, mais Ashley a insisté. Elle pensait…

— C'est une petite connasse, la coupa Carly.

— Carly ! s'exclama sa mère.

— Excuse-moi. Tout le monde pense qu'elle est (elle battit des mains comme un papillon) a-do-rable, mais moi, je pense que c'est une sale calculatrice. Vous auriez maintenu la réception, vous ?

Grace réfléchit avant de répondre.

— Je ne sais pas, Carly. J'imagine qu'elle était prise entre deux feux. On dirait que vous n'aimez pas Ashley.

— Non, je ne l'aime pas.

— Pourquoi?

— Je la trouve adorable, protesta Gill Harrison.

— Oh arrête, maman! Tu meurs d'envie d'avoir des petits-enfants, c'est tout. Ashley est une manipulatrice de première.

Grace essaya de rester impassible.

— Qu'est-ce qui vous donne cette impression, Carly?

— Ne l'écoutez pas, s'interposa Gill Harrison. Elle est fatiguée et hypersensible.

— N'importe quoi. C'est une sangsue. C'est le fric qui l'intéresse.

— Vous la connaissez bien? demanda Grace.

— Je l'ai rencontrée une seule fois. Une fois de trop.

— Avez-vous rencontré sa famille? s'enquit Grace.

— La pauvre n'a plus que cet oncle canadien, un homme très gentil, répondit Gill Harrison. Ses parents sont morts dans un accident de voiture lors de vacances en Écosse, elle n'avait que trois ans. Elle a été élevée par des parents adoptifs qui étaient de véritables brutes. À Londres d'abord, puis en Australie. Elle les a quittés à seize ans pour rejoindre le Canada, Toronto, où son oncle et sa tante l'ont recueillie. Sa tante est morte récemment, j'ai cru comprendre, et ça l'a beaucoup peinée. Je pense que Bradley et sa femme sont les seules personnes au monde qui lui ont témoigné de l'affection. Elle a fait son chemin toute seule. Je l'admire vraiment.

— Pfui! fit Carly. Je l'ai trouvée fausse dès que je l'ai rencontrée. Et après l'avoir vue aujourd'hui, j'en suis encore plus convaincue. Je ne peux pas dire pourquoi… Mais ce qui est sûr, c'est qu'elle n'aime pas mon frère. Elle voulait peut-être l'épouser à tout prix, mais c'est pas pareil qu'aimer. Si elle l'aimait vraiment, elle n'aurait pas fait ce cirque, cet après-midi, elle aurait été trop triste.

Grace la considéra avec un intérêt grandissant.

Quelques minutes après avoir quitté la maison de Gill Harrison, il décida que l'affaire Michael Harrison serait désormais considérée comme une affaire criminelle. C'était une décision grave, qui impliquait un coût et un investissement énormes en terme de travail, et il aurait immanquablement à se justifier devant le commissaire divisionnaire.

MARK arriva au magasin de jardinage situé derrière le port de Newhaven, à 16 kilomètres de chez lui. Étant donné que le magasin fermait ses portes à 20 heures, et qu'il ne restait guère de temps, Mark se dépêcha d'acheter une pelle, un tournevis, un marteau, un burin, une petite lampe Maglite, des gants de jardinage en caoutchouc et une paire de bottes en plastique.

Il avait descendu trois grandes tasses de café serré dans l'espoir de se dessaouler. Il aurait dû manger quelque chose, mais il avait l'estomac trop noué. Ashley lui en voulait. Il ne l'avait jamais vue en colère, et ça le rendait malade. Quelque chose entre eux s'était brisé. Il fallait qu'il retisse le lien, et le seul moyen, c'était de lui obéir. Et elle avait raison de lui en vouloir. Il avait déconné, avait failli tout foutre en l'air.

Il entra dans une nappe de brume, une fine couche d'humidité se déposa sur le pare-brise. Les arbustes en bordure de forêt lui semblèrent familiers. Il ralentit pour ne pas rater l'entrée du chemin.

Quelques instants plus tard, il passait la première, puis la seconde barrière. La voiture tanguait dangereusement entre les nids-de-poule. Puis il prit à droite, vers la clairière. Il constata avec soulagement que la tôle ondulée, camouflée sous les plantes qu'il avait arrachées, était toujours là. Il éteignit le moteur, mais laissa les feux de route allumés. Il enfila ses bottes neuves, attrapa la Maglite, mit un pied au sol et s'enfonça dans la boue.

Il y eut un instant de silence complet. Puis un faible froissement dans les buissons. Il se tourna et braqua le faisceau de sa torche vers les profondeurs de la forêt. Retenant sa respiration, il entendit un craquement, puis un tintement, comme celui d'une pièce dans une boîte en fer, et un gros faisan battit en retraite entre les arbres.

Il balaya l'espace avec la lampe, de gauche à droite, transi de peur, ouvrit le coffre, enfila les gants, puis sortit les outils qu'il avait achetés et les apporta au bord de la tombe. Il marqua un temps d'arrêt, les yeux rivés sur la tôle ondulée, l'oreille aux aguets. Des gouttes d'eau tombaient des arbres, mais à part ça tout était calme.

Il saisit un bout de la tôle et la déplaça. La tombe apparut, telle une crevasse. Il attrapa la Maglite, se releva et resta quelques instants immobile. Il n'avait pas le courage de faire un pas en avant.

Lentement, centimètre par centimètre, il s'approcha du bord et, dans un geste de panique, pointa la lampe vers la fosse rectangulaire.

— Je suis désolé, vieux, murmura-t-il. Je...

Il n'y avait rien à dire. Il retourna à la voiture et éteignit les phares. Pas la peine de signaler sa présence, au cas où quelqu'un se promènerait dans les bois à cette heure avancée, on ne sait jamais.

Il lui fallut presque une heure de dur labeur avant que la pelle ne heurte le couvercle du cercueil. Il continua à creuser pour dégager la totalité du cercueil et les vis en laiton, à chaque coin. Le minuscule trou pour le tube qu'il avait bouché avec de la terre semblait s'être élargi, allongé. Ou était-ce le fruit de son imagination ?

Il posa la pelle sur le sol, attrapa le tournevis et commença à dévisser le couvercle. Se posa ensuite un problème qu'il n'avait pas prévu : le cercueil occupait la totalité de la cavité, il n'y avait pas de place pour se glisser sur les côtés. Le seul endroit accessible était le couvercle, mais, en montant dessus, il ne pourrait pas le soulever.

Il recula, prit la Maglite entre les dents, le tournevis dans une main, se mit à plat ventre et se pencha au-dessus du vide. En tendant les bras, il atteignait facilement le cercueil.

— Michael ?

Puis plus fort :

— Michael ? Eh ! Michael ?

Puis il cogna plusieurs fois le cercueil avec le manche du tournevis. Il savait que si Michael était vivant, et conscient, il aurait entendu ses pas et les coups de pelle contre le couvercle.

S'il était toujours vivant. Un grand *si*. Cela faisait quatre jours, maintenant. Et, de toute évidence, il n'avait plus d'air. Il remit la Maglite dans sa bouche et la mordit à pleines dents. « Il fallait qu'il le fasse. Qu'il récupère ce putain d'ordinateur de poche. » Parce qu'un jour quelqu'un trouverait la tombe, l'ouvrirait, découvrirait le corps et récupérerait cette saloperie de Palm avec tous les mails dedans. Et ce flic, le commissaire Grave, ou un nom comme ça, tomberait sur le message qu'il avait envoyé à Michael lundi, dans lequel il lui expliquait qu'ils lui réservaient un traitement de faveur, lui donnait des indices, trop cryptés pour que Michael se soit douté de quoi que ce soit, mais suffisamment clairs pour que le flic comprenne tout.

Mark enfonça la pointe du tournevis sous le couvercle, souleva de quelques centimètres et glissa les doigts dans l'interstice. Il reposa le tournevis et, de la main gauche, leva le couvercle le plus haut possible, sans réellement prêter attention à la cavité profonde, irrégulière, qui avait été creusée de l'intérieur.

Dans le faisceau de lumière, il découvrit une étendue d'eau noire, luisante, et les restes ramollis d'un magazine flottant à la surface.

Il hurla. La lampe, qui était dans sa bouche, tomba, l'éclaboussa et heurta le fond du cercueil avec un bruit sourd.

Il n'y avait personne à l'intérieur.

MARK s'agenouilla, s'écarta de la tombe, et fit un tour sur lui-même. Michael était-il là? L'observait-il, prêt à bondir?

Il se leva, courut à sa voiture, et grimpa à l'intérieur. Il appuya sur le bouton de verrouillage centralisé, mit le contact, alluma les phares et écrasa l'accélérateur. La BMW décrivit un grand arc et les feux balayèrent la forêt. Il effectua un cercle complet, puis un deuxième et un troisième.

Mon Dieu. Qu'est-ce qui avait bien pu se passer?

Et il n'avait pas récupéré le Palm. Il fallait qu'il y retourne, qu'il vérifie. Il le fallait.

Comment avait-il bien pu sortir? À moins qu'il n'ait jamais été enfermé? Mais s'il n'avait pas été là-dedans, pourquoi ne s'était-il pas présenté à son mariage? Les pensées se bousculaient dans sa tête. Tout se mélangeait. Il voulait appeler Ashley, mais, bien sûr, il connaissait la question qu'elle lui poserait en premier.

« Tu as le Palm? »

Il roula jusqu'au bord de la tombe. Puis il descendit de voiture, s'allongea sur le ventre et plongea les mains dans l'eau froide. Il sentit le satin, au fond, doux, puis sa main heurta un petit objet métallique rond. Un bouchon de bouteille de whisky. Il replongea les mains dans le cercueil et l'explora sur toute sa longueur. Une page du magazine s'enroula autour de son poignet. Rien d'autre.

Il se releva, replaça le couvercle et la tôle ondulée, jeta sans conviction quelques brins d'herbe dessus, puis se réfugia dans sa voiture. Il fit demi-tour pour rejoindre le chemin de terre. Il accéléra brusquement, passa en force les ornières et autres nids-de-poule, puis les deux barrières, et atteignit la route principale avant de prendre la direction de Brighton.

Il commença à se calmer, à avoir les idées un peu plus claires et tenta de se convaincre que ce n'était plus si grave, désormais. Michael n'était pas là. Il n'y avait pas de cadavre. Personne ne pouvait lui reprocher quoi que ce soit.

Mais bien sûr! C'était du Michael tout craché. Avait-il tout organisé? Michael était intelligent. Était-il au courant, pour Ashley et lui? Est-ce que ça faisait partie de sa vengeance?

Il se remémora le premier jour où Ashley était venue au cabinet, à la suite d'une annonce passée dans *l'Argus* proposant un poste de secrétaire. Elle était entrée avec tant d'allure, si belle. Il n'avait jamais autant désiré quelqu'un. Ils avaient accroché tout de suite, et Michael ne s'en était pas rendu compte. À la fin de la deuxième semaine, à l'insu de Michael, ils avaient commencé à coucher ensemble. Deux mois plus tard, elle annonçait à Mark que Michael avait flashé sur elle et l'avait invitée au restaurant. Elle ne savait pas quoi faire.

Mark avait été furieux, mais ne le lui avait pas avoué. Toute sa vie, depuis qu'il connaissait Michael, il avait vécu dans son ombre. C'était toujours Michael qui ramenait les plus belles filles à la fin des soirées, c'était lui qui avait charmé son banquier, ce qui lui avait permis de fonder une première boîte. Pendant ce temps, Mark gagnait un salaire de misère dans un cabinet de comptables. Quand ils avaient décidé de monter une société ensemble, c'était Michael qui avait fait l'apport initial et pris les deux tiers des parts. Maintenant, leur affaire valait plusieurs millions de livres, et Michael se taillait la part du lion.

Quand Ashley était entrée, ce jour-là, c'était la première fois qu'une femme le regardait en premier. Et l'autre salopard avait osé l'inviter à dîner.

La suite, c'était Ashley qui en avait eu l'idée. Elle n'avait qu'à épouser Michael et manigancer un divorce. Le piéger avec une pute et le filmer avec une caméra cachée, par exemple. Elle serait en possession de la moitié de ses parts, et, avec les 33 % de Mark, ils détiendraient la majorité. Prise de contrôle de la compagnie. *Bye bye*, Michael!

Mortellement simple.

De meurtre, il n'avait jamais été question.

Ashley ouvrit la porte d'entrée et considéra Mark, couvert de boue, avec un mélange d'incrédulité et de colère.

— Tu es fou de venir ici? Il est minuit vingt, Mark!

— Laisse-moi entrer. Je ne pouvais pas prendre le risque de t'appeler. Il faut qu'on parle.

Alarmée par l'urgence de son ton, elle se radoucit, recula, puis vérifia soigneusement que tout était calme dans la rue.

— Tu ne t'es pas fait suivre?

— Non.

Il retira ses bottes en plastique couvertes de boue et les porta à l'intérieur.

Fermant la porte, elle lui jeta un regard inquiet.

— Tu as une mine atroce.

— Sers-moi quelque chose à boire.

— Tu as assez bu pour aujourd'hui.

— Je suis bien trop sobre maintenant.

Elle l'aida à enlever son anorak et lui demanda :

— Je te sers quoi?

— Du whisky, si tu en as.

Elle se dirigea vers la cuisine.

— Alors dis-moi, c'était horrible? Tu as récupéré le Palm?

Mark la fixait, au désespoir.

— Il n'était pas là.

— Pas là? s'exclama Ashley.

— Non... Il... J'en sais rien... Il...

— *Il*, le cercueil? Le cercueil n'était pas là?

Mark lui raconta ce qui s'était passé. La première réaction d'Ashley fut de tirer tous les rideaux. Puis elle lui versa un whisky et se servit un café noir. Ils s'assirent face à face sur les canapés.

— Est-il possible que tu te sois trompé d'endroit?

— Comment ça? Comme s'il y avait deux cercueils? Non. C'est moi qui avais suggéré cet endroit.

— Et le cercueil était vissé, couvert de terre?

Enveloppant sa tasse des deux mains, elle trempa les lèvres dans son café.

— Oui. Tout était exactement comme jeudi, quand j'ai...

— Pris le tube?

Il avala une gorgée de whisky et acquiesça. Elle lui souriait avec empathie maintenant. Il pourrait peut-être rester une heure ou deux. Faire l'amour. Il avait besoin d'oublier ce cauchemar.

Mais son expression s'assombrit.

— Est-ce que tu es sûr qu'il était dans le cercueil quand tu as enlevé le tube ?

— Bien sûr, qu'il y était. Je l'ai entendu crier, nom de Dieu !

— Tu ne l'as pas imaginé ? Tu étais dans un sale état.

— Tu aurais été dans le même état. C'est mon associé. Mon meilleur ami. Je ne suis pas un meurtrier. Je…

Elle le gratifia d'un sourire résolument cynique.

— Je fais tout ça pour toi… parce que je t'aime, Ashley.

Il avala une gorgée.

— S'il n'était pas dans le cercueil, pourquoi est-ce qu'il n'est pas venu au mariage ? Mais quelqu'un y était. Il y a des marques à l'intérieur. Quelqu'un a gratté, pour essayer de s'échapper.

Ashley enregistra l'information sans réagir.

— On sait que c'est un petit plaisantin. Donc, d'une façon ou d'une autre, il sort du cercueil et décide de faire croire qu'il est toujours à l'intérieur.

Mark lui jeta un regard plein de dégoût.

— La bonne blague. Tu penses qu'il est sorti et qu'il sait que j'ai retiré le tube qui lui permettait de respirer ? Il n'y a qu'une raison pour laquelle j'aurais fait ça…

— Tu te trompes. Comment saurait-il que c'est toi ? N'importe qui aurait pu passer par là.

— Ashley, reviens sur terre.

— Je dis juste ce qui me passe par la tête. J'ai une autre idée, dit-elle. Les autres – Pete, Luke, Josh et Robbo – savaient que tu serais en retard. Peut-être que ce sont eux, et Michael, qui voulaient te faire une blague. Et ça a mal tourné.

Mark la regarda fixement. Il se demanda soudain si Ashley n'était pas de mèche avec Michael, s'ils n'avaient pas fomenté ce plan pour le piéger.

Puis il repensa à toutes ces journées et soirées qu'il avait passées avec elle, ces derniers mois, aux choses qu'elle lui avait dites, à la façon qu'ils avaient de faire l'amour, à leur projet de… Il se souvint du mépris avec lequel elle parlait de Michael et évacua complètement l'hypothèse d'un coup monté.

— O.K., dit-il. Supposons que Michael n'était pas dans le cercueil jeudi et que j'ai imaginé ses cris. Alors où est-il, nom de Dieu ? Tu peux me répondre ?

— Non. Sauf si les autres t'ont fait une blague, et à lui aussi. Peut-être qu'il est attaché ou enfermé quelque part.

— Ou qu'il a fait une fugue ?

— Il n'a pas fugué, répliqua Ashley, j'en suis absolument certaine.

— Comment peux-tu en être aussi sûre ?

Elle braqua son regard sur Mark.

— Parce qu'il m'aime. Il m'aime vraiment, éperdument. Tu as tout remis comme c'était ?

Mark hésita, puis mentit pour ne pas avoir à admettre qu'il avait paniqué et s'était enfui.

— Oui.

— Donc soit tu attends, conclut-elle, soit tu le retrouves et tu t'en charges.

— Je m'en charge ?

Son regard était explicite.

— Je ne suis pas un assassin, Ashley. J'ai beaucoup de défauts, mais…

— Tu n'as peut-être pas le choix, Mark. Réfléchis.

Il se tut, pensif.

— Je peux attendre ici ?

Elle se leva, marcha vers lui, posa ses deux mains sur ses épaules et lui massa doucement le dos. Puis lui déposa un baiser dans le cou.

— J'adorerais que tu restes, chuchota-t-elle, mais on aurait l'air de quoi si Michael débarquait ? Ou la police ?

Mark tourna la tête pour l'embrasser. Elle se dégagea.

— Vas-y, fonce ! Et trouve Michael avant qu'il te trouve.

— Je ne peux pas faire ça, Ashley.

— Si, tu peux. Tu l'as déjà fait, jeudi soir. Ça n'a peut-être pas marché, mais tu as prouvé que tu en étais *capable*. Alors vas-y, fais-le.

Il traversa la pièce en chaussettes, l'air abattu, enfila ses bottes et Ashley lui apporta son anorak sale.

— Il faut faire attention à ce qu'on se dit au téléphone. Les flics sont de plus en plus curieux. Partons du principe qu'ils nous ont mis sur écoute, dit-elle.

— Tu as raison.

— Je t'appelle demain matin.

7

DIMANCHE matin, Grace reçut un appel sur son portable.

— Roy Grace, dit-il après avoir décroché.

Une jeune femme répondit :

— Commissaire Grace? Ici l'officier Boutwood.

— Emma-Jane? Salut. Bienvenue dans l'équipe.

— Merci. Le lieutenant Nicholl m'a demandé de vous appeler. Des promeneurs ont trouvé un corps dans la forêt d'Ashdown, à 3 kilomètres à l'est de Crowborough.

Au cœur de la zone suspecte, se dit Grace immédiatement.

— Un jeune homme, poursuivit-elle, vingt-huit, vingt-neuf ans, qui correspond au profil de Michael Harrison. Le Dr Churchman est en route.

— J'y serai dans une heure.

— Merci, monsieur.

UNE voiture de police était stationnée au bord de la route, pour lui signaler l'entrée du chemin. Grace se rangea derrière elle, puis la suivit sur presque 2 kilomètres, sur un chemin détrempé, truffé de nids-de-poule. De la boue giclait au-dessus du capot.

Ils prirent un dernier virage et Grace aperçut un groupe de véhicules et un ruban jaune délimitant la scène de crime.

Il se gara, ouvrit la portière, et descendit de voiture. Joe Tindall se tourna vers lui, un gros appareil photo à la main.

— Salut, lui lança Grace. Tu passes un bon week-end?

— Comme toi, répondit Tindall, amer, en faisant un signe de

tête vers le buisson, derrière lui. Lui non plus ne profite pas de son dimanche.

Grace s'approcha du cadavre. Churchman, bel homme, visage juvénile, était accroupi, un Dictaphone à la main. Grace découvrit un jeune homme légèrement enrobé, coupe en brosse, chemise à carreaux, jean *baggy* et bottes marron, couché sur le dos, la bouche ouverte, les yeux fermés, le teint cireux. Il portait une boucle en or à l'oreille droite. Grace essaya de se souvenir des photos de Michael Harrison qu'il avait vues. La couleur des cheveux était la même, ses traits concordaient, même si Michael lui avait semblé plus beau garçon. Grace se demanda s'il se serait habillé comme ça pour son enterrement de vie de garçon. Il avait imaginé Michael Harrison plus classe.

Nigel Churchman tourna la tête.

— Roy! Comment vas-tu?

— Ça va. Qu'avons-nous là?

Il souleva délicatement la tête du jeune homme avec ses gants en plastique. Il y avait une entaille profonde, irrégulière, à l'arrière du crâne, recouverte par des cheveux emmêlés et du sang coagulé.

— Il a reçu un coup violent avec un instrument contondant.

— Il n'a rien sur lui? Pas de carte, pas de papiers?

— On n'a rien trouvé.

— Tu saurais me dire depuis combien de temps il est là? demanda Grace.

Churchman se redressa.

— Bonne question. Étant donné les conditions climatiques actuelles, plusieurs jours de chaleur humide, il se serait détérioré rapidement. Il est là depuis vingt-quatre heures maxi. Peut-être moins.

Les dates concordaient, l'allure aussi. Il n'y avait qu'un moyen d'être sûr.

— Amenons-le à la morgue, dit Grace. Trouvons quelqu'un pour l'identifier.

UNE serviette autour de la taille, Mark sortit prudemment de la douche. L'écran de son portable l'informa qu'il avait un nouveau message. Il l'écouta. C'était Ashley.

— Mark... Je t'en prie, rappelle-moi, c'est très urgent.

Il devint livide. *Michael avait-il réapparu ?* Il appela Ashley, redoutant le pire.

— Je… Je ne sais pas exactement ce qui se passe, bredouilla-t-elle, bouleversée. Il y a une demi-heure environ, j'ai reçu un coup de fil d'une policière, Emma-Jane Boutwood. Elle m'a demandé si Michael portait une boucle d'oreille. Je lui ai dit que quand on avait commencé à sortir ensemble, il en avait une, mais que je lui avais dit de l'enlever, car je pensais que c'était mauvais pour son image. Tu penses qu'il a pu la remettre pour son enterrement de vie de garçon ?

— C'est possible. Pourquoi ?

— Elle vient de me rappeler. Ils ont trouvé un corps qui correspond à sa description, dans les bois, près de Crowborough.

Elle se mit à pleurer. L'illusion était parfaite, au cas où quelqu'un écouterait leur conversation. Entre deux longs sanglots, elle soupira :

— Ils ont demandé à la mère de Michael d'aller à la morgue pour identifier le corps. Elle vient d'appeler pour me demander d'y aller avec elle.

— Tu veux que je vous y conduise ?

— Ça ne te dérange pas ? Je… Je ne pense pas être en état de prendre le volant, et Gill non plus. Mon Dieu, Mark, c'est horrible.

— Ashley, j'arrive tout de suite. Je passe prendre Gill d'abord. Je serai là dans une demi-heure.

POUR la deuxième fois du week-end, Grace se dirigea vers l'institut médico-légal de Brighton. Il sonna, espérant que Cleo travaillerait aujourd'hui aussi. Quelques secondes plus tard, elle lui ouvrit la porte. Vêtue de son habituelle tenue de travail verte, elle le gratifia d'un grand sourire.

— Salut ! (Puis il ajouta :) On ne peut pas continuer à se voir comme ça…

— Je préfère que tu entres en marchant, plutôt que les pieds devant, plaisanta-t-elle.

Il secoua la tête en souriant.

— Merci beaucoup.

Elle le fit entrer dans son bureau.

— Je t'offre un thé ?

— Tu me servirais le thé comme en Cornouailles ?

— Bien sûr, avec des scones, de la confiture de fraises et de la crème fraîche ?

— Évidemment.

Elle rejeta ses cheveux en arrière, sans le quitter des yeux, flirtant ouvertement avec lui.

— C'est donc ta conception du jour de repos ?

— Absolument. Les gens ne vont-ils pas à la campagne, le dimanche ?

— Si, confirma-t-elle en allumant la bouilloire. Mais en général, ils vont voir des fleurs et des animaux sauvages. Pas des cadavres.

— *Ah bon* ? feignit-il. Je me disais bien qu'il y avait quelque chose qui clochait dans ma vie.

— Dans la mienne aussi.

Un silence s'installa entre eux. Une chance à saisir, se dit-il.

— Tu m'as dit que tu n'étais pas mariée… Tu ne l'as jamais été ?

Elle se tourna et posa sur lui un regard confiant.

— Tu veux dire, un ex, 2,4 enfants, un chien et un hamster ?

— Ce genre de choses.

Grace lui sourit. Il se sentait bien avec elle.

— J'ai un poisson rouge, dit-elle. Ça compte ?

— Vraiment ? Moi aussi.

Puis il saisit sa chance.

— J'imagine que tu n'es pas libre cette semaine pour un verre…

L'enthousiasme de sa réponse le prit par surprise.

— *J'adorerais* !

— Super. Quand est-ce que… Je veux dire : demain, ça te dirait ?

— Le lundi, ça me va très bien.

— Génial !

Il se creusa la tête pour trouver un endroit. Un pub, pour un premier rendez-vous, c'était pas mal, se dit-il.

— Tu habites dans quel coin ? lui demanda-t-il.

— Juste au-dessus du parc The Level.

— Tu connais le pub *The Greys* ?

— Bien sûr !

— O.K. On dit 20 heures ?

— J'y serai.

— Gillian Harrison, la mère de Michael Harrison, est en route pour identifier le corps, annonça Grace, revenant à l'objet de sa visite. Il faut qu'on sache si c'est bien notre homme avant de décider quoi que ce soit.

On sonna à la porte d'entrée.

— On ne va pas tarder à être fixés, dit Cleo en sortant de la pièce.

Quelques instants plus tard, elle revint avec Gill Harrison, pâle comme un linge, et Ashley Harper, le visage fermé. La mère de Michael Harrison n'était plus que l'ombre d'elle-même. Complètement échevelée, elle portait un K-way informe. Ashley, au contraire, semblait avoir mis ses habits du dimanche.

Les deux femmes saluèrent Grace d'un signe de tête et passèrent devant lui. Il se mit en retrait quand elles suivirent Cleo vers la chambre de présentation. Il la vit dire aux deux femmes quelques mots avec un parfait mélange de professionnalisme et d'empathie. Plus il l'observait, plus elle lui plaisait.

Gill Harrison dit quelque chose et se retourna, en sanglots. Ashley lui passa un bras réconfortant autour des épaules.

— Vous en êtes certaine, madame Harrison ? demanda Cleo.

— Ce n'est pas mon fils, ânonna-t-elle. Ce n'est pas lui, ce n'est pas Michael.

— Ce n'est pas Michael, confirma Ashley à Cleo.

Puis elle s'arrêta devant Grace et lui dit :

— Ce n'est pas Michael.

Grace vit que les deux femmes disaient la vérité. Mais il était surpris qu'Ashley ne soit pas plus soulagée que ça.

DEUX heures plus tard, Grace arriva au siège de la PJ du Sussex. Il fut rejoint par Glenn Branson, Nick Nicholl, Bella Moy et Emma-Jane Boutwood dans la salle nommée « CO1 ». C'était là, dans le centre opérationnel, qu'étaient désormais gérées toutes les affaires criminelles. La salle était composée de trois postes de travail, trois bureaux en bois léger en forme de demi-cercle pouvant accueillir jusqu'à huit personnes. Elle disposait d'immenses tableaux blancs effaçables.

Grace sourit pour rassurer leur nouvelle recrue, Emma-Jane. Il passa en revue les événements ayant conduit à la disparition de Michael, puis il évoqua les suspects.

— Pour le moment, nous n'avons pas de preuve qu'un meurtre ait été commis. Je trouve cependant le comportement de Mark Warren, son associé, et d'Ashley Harper, sa fiancée, suspect.

Il fit une pause pour boire un peu d'eau et reprit :

— Ressources humaines. La division d'East Downs a proposé de mettre des hommes à notre service. Nous avons effectué des battues dans la zone de l'accident de mardi dernier et avons intensifié les recherches ces derniers jours. Je demande désormais l'intervention de la police fluviale et des hommes-grenouilles du Sussex, qui inspecteront tous les lacs, rivières et réservoirs de la région. Nous allons également demander un nouveau passage de l'hélicoptère.

Grace rappela que les échantillons de terre recueillis sur les vêtements et les corps des quatre amis décédés étaient en cours d'analyse. Un premier compte rendu serait fourni le lendemain.

Puis il résuma :

— Je propose les hypothèses suivantes : Un. Michael Harrison est retenu quelque part et ne peut pas s'échapper. Deux. Michael Harrison est mort, soit à la suite de sa séquestration, soit par meurtre. Trois. Michael Harrison a délibérément pris la fuite.

Il demanda à son équipe s'il y avait des questions. Glenn Branson leva la main et demanda si le corps non identifié qui avait été découvert dans les bois avait un lien avec les événements.

— À moins qu'il y ait, dans la forêt d'Ashdown, un *serial killer* amateur d'hommes de vingt-huit ans, je ne pense pas.

— Qui va s'occuper de ce crime? demanda Branson.

— La division d'East Downs, répondit Grace. On a assez de pain sur la planche.

— Roy, tu envisages de faire surveiller Ashley Harper et Mark Warren? demanda Branson.

— J'y ai pensé, mais oublie pour l'instant. Ce qu'il faut faire, c'est visionner toutes les bandes de vidéosurveillance de Brighton à partir de jeudi dernier, de l'aube jusqu'au lendemain, vendredi, 1 heure du matin. Mark Warren s'est déplacé avec son 4 x 4 BMW. Les détails sont dans le dossier. J'aimerais savoir où il est allé. (Et il ajouta :) Ah oui! Michael Harrison a un voilier au Sussex Motor Yacht Club. Il faut vérifier qu'il est toujours là. On aurait l'air con d'organiser une chasse à l'homme et de découvrir que le gars a levé l'ancre.

Grace regarda sa montre.

— Demain, à 10 heures, il faut que je sois au tribunal. Je ne sais pas si je serai retenu toute la journée. On se voit donc à 8 h 30.

Puis il leva les yeux vers son équipe.

— Il est presque 19 h 30, dimanche soir. Je pense que vous devriez rentrer chez vous, vous reposer. La semaine qui nous attend risque d'être chargée. Merci d'avoir sacrifié votre week-end.

Branson raccompagna Grace au parking.

— Qu'est-ce que tu en penses, vieux sage?

— Il ne faut pas se fier aux apparences, voilà mon avis.

— C'est-à-dire?

— Je ne peux pas être plus précis. Pour le moment.

Grace lui donna une tape amicale dans le dos et monta dans sa voiture. Pendant quelques délicieuses minutes, il pensa à Cleo Morey. Et sourit. Puis ses pensées le ramenèrent au travail. Il avait un aller-retour à faire dans la soirée. Direction le sud de Londres. Avec un peu de chance, il serait rentré avant minuit.

MARK faisait les cent pas dans son appartement, un verre de whisky à la main, incapable de s'asseoir. Il avait verrouillé sa porte et mis la chaînette de sécurité. Situé au quatrième étage, le balcon ne présentait aucun danger. Michael avait peur du vide de toute façon.

À travers la baie vitrée, il vit la lumière d'un petit bateau danser sur la mer. Il faisait presque complètement nuit à présent. 22 heures.

Il s'assit sur le canapé. Il était complètement déboussolé. Aujourd'hui, Michael et Ashley auraient dû être dans l'avion, en route vers leur lune de miel. Il ne s'était pas demandé comment il aurait supporté la perspective d'Ashley faisant l'amour à Michael, plusieurs fois certainement. Elle et Michael avaient déjà couché ensemble, ça faisait partie du plan. Mais au moins elle lui avait dit que Michael n'était pas une affaire au lit. Sauf si c'était un mensonge.

Il fallait qu'il en discute avec Ashley une fois de plus. Elle l'inquiétait. Elle se comportait envers lui avec une telle froideur… Comme si tout ça était sa faute. Il savait ce qu'elle lui dirait.

Il recommença à arpenter la pièce. Si Michael était vivant, s'il avait réussi à sortir du cercueil, que comprendrait-il à la lecture des mails sur son Palm?

Mark se rendit soudain compte que, dans la panique des derniers jours, il n'avait pas pensé à une façon simple de vérifier : Michael conservait toujours une copie du contenu de son Palm dans le serveur du bureau.

Max Candille était presque trop beau pour être vrai, se disait Roy Grace à chaque fois qu'il le voyait. Vingt-cinq ans, des cheveux blonds peroxydés, des yeux bleus et des traits parfaits : il aurait sûrement pu être mannequin ou star de cinéma. Au lieu de cela, il avait choisi de vivre dans une modeste maison mitoyenne dans la banlieue de Purley et de se consacrer à ce qu'il appelait son *don*.

Assis devant Grace dans un fauteuil rococo chargé, recouvert de satin blanc, se trouvait le médium, col roulé blanc, jean Calvin Klein blanc et bottes en cuir blanches. Il parlait d'une voix qui ne laissait planer quasiment aucun doute sur ses préférences sexuelles.

— Vous avez l'air fatigué, Roy. Vous travaillez trop ?

— Excusez-moi encore de venir si tard, dit Grace.

— Les esprits n'ont pas la même notion du temps que les vivants, Roy. Je ne me considère l'esclave d'aucune horloge. Alors, allez-vous me dire ce qui vous amène aujourd'hui ou dois-je le deviner ?

Candille n'avait pas toujours raison, mais son taux de réussite était élevé. Grace, qui avait de l'expérience dans ce domaine, ne croyait aucun médium capable de tout découvrir, c'est pourquoi il aimait en consulter plusieurs.

Aucun médium n'avait pour le moment pu lui dire ce qui était arrivé à Sandy. Les mois qui avaient suivi sa disparition, il avait rendu visite à tous ceux qui avaient un quelconque renom. Il avait essayé à plusieurs reprises avec Max Candille, qui avait été suffisamment honnête, dès leur premier rendez-vous, pour lui dire qu'il ne parvenait pas à entrer en contact avec elle.

Mais il semblait bien plus catégorique dans le cas de Michael Harrison. Il prit le bracelet qu'Ashley avait donné à Grace et le lui rendit brusquement, comme s'il s'était brûlé les doigts.

— Ça n'est pas lui, dit-il avec conviction. J'en suis absolument certain.

Fronçant les sourcils, Grace protesta :

— C'est sa fiancée qui me l'a donné.

— Alors il faut que vous vous demandiez, et que vous lui demandiez, *pourquoi* elle a fait ça. Ce bracelet n'appartient en aucun cas à Michael Harrison.

Grace l'emballa et le glissa délicatement dans sa poche.

— Que pouvez-vous me dire sur cet homme ? demanda-t-il.

Le médium se leva, sortit de la pièce et revint avec un exemplaire du tabloïd *News of the World*. Il le feuilleta puis tendit la revue à Grace pour qu'il puisse lire le titre d'un article accompagné de la photo de Michael Harrison : LE FIANCÉ PORTÉ DISPARU.

Puis Candille considéra la photo quelques instants. Enfin, il ferma les yeux et se mit à tourner lentement la tête de gauche à droite. Puis il regarda Grace et lâcha :

— Michael Harrison est vivant, j'en suis sûr.

— Vraiment ? Où ? Il faut que je le retrouve. J'ai besoin de votre aide pour ça.

— Je le vois dans un endroit confiné, sombre.

— Un cercueil ?

— Je ne sais pas, Roy. C'est trop flou. Il n'a plus beaucoup d'énergie.

Le médium referma les yeux.

— Son pouls est fuyant, beaucoup trop lent.

— Cet endroit confiné, sombre, se trouve-t-il dans la forêt ? En ville ? Sous terre ou pas ?

— Je ne vois pas, Roy. Je ne sais pas.

— Combien de temps lui reste-t-il ? demanda Grace.

— Pas beaucoup. Je ne sais pas s'il va s'en sortir.

8

— ALORS, Mike, je t'explique. Tout le monde n'a pas son jour de chance le même jour. C'est donc un peu exceptionnel, ce qui nous arrive. Parce que c'est ton jour de chance et c'est mon jour de chance. Ça en fait de la chance, hein ?

Michael, affaibli, tremblant de fièvre, quasi délirant, regardait fixement au-dessus de lui, mais ne distinguait rien dans l'obscurité.

Il ne reconnaissait pas la voix de l'homme. On aurait dit un accent australien avec des intonations du sud de Londres. Davey et l'un de ses accents ? Non, se dit-il. Son cerveau partait en vrille. Confusion totale. Il ne savait pas où il était. Dans le cercueil ? Mort ? Ça cognait dans sa tête, sa gorge était sèche.

— Tu étais dans cet horrible caveau, tout mouillé, vermoulu, maintenant tu es dans un endroit bien au sec, confortable. Tu allais mourir. À présent, peut-être que tu ne vas pas mourir. Mais j'insiste lourdement sur le *peut-être* !

La voix s'éloigna dans l'obscurité. Michael essaya de crier, mais ses lèvres ne voulaient pas bouger. Quelque chose compressait sa bouche. Tout ce qu'il pouvait faire, c'était gémir de peur. Il ferma les yeux, sentit qu'il perdait connaissance. Il sentit une bouffée de chaleur. Il ouvrit les yeux et les referma aussitôt, aveuglé par un faisceau de lumière surpuissant.

— À mon avis, tu ne devrais pas t'endormir maintenant. Il faut rester éveillé, Mike. Je peux pas te laisser mourir, je me suis donné assez de mal comme ça. Je te donnerai de l'eau et un peu de glucose dans un instant, il faut réintroduire les aliments progressivement. Je sais ce qu'il faut faire pour survivre et pour aider les autres à survivre. Tu as de la chance d'être tombé sur moi.

Michael essaya de nouveau de parler. Il essayait de se souvenir de cette sensation d'avoir été sorti du cercueil, d'avoir été allongé sur quelque chose de doux dans une camionnette – ou était-ce le soir de son enterrement de vie de garçon ? C'était peut-être un de ses potes ?

De l'eau froide fouetta son visage par surprise. Il écarquilla les yeux, cligna des paupières dans l'humidité obscure.

— J'essaie juste de t'empêcher de dormir, sans rancune, mec.

L'accent semblait plus australien que londonien à présent.

Michael frissonna. Il essaya de bouger les bras, pour voir s'il était dans le cercueil ou pas, mais il n'y arrivait pas. Il tenta d'écarter les jambes, mais ne le pouvait pas non plus. Comme si elles étaient attachées. Il essaya de lever la tête, mais il n'eut la force de la soulever que de quelques millimètres.

— J'imagine que tu te demandes qui je suis et où tu es.

Michael plissa de nouveau les yeux, ébloui par un faisceau blanc

qui lui brûlait la rétine comme un rayon de soleil. Il émit un grognement.

— C'est bon, Mike, te force pas à répondre. C'est du ruban
adhésif. Pas facile de parler avec ça. Je parle et tu écoutes.

En pleine confusion, Michael fut pris d'une profonde angoisse.
Tout ça n'avait aucun sens. Avait-il des hallucinations ?

— Premièrement, Mike, je te donne les consignes de la maison.
Tu ne demandes pas comment je m'appelle et tu ne demandes pas où
tu es. T'as compris ?

— Mnhhhh.

Michael fixait l'obscurité, essayait de mettre un visage sur cette
voix.

— Je vous écoute depuis cinq jours, toi et ton copain Davey. J'ai
cru comprendre qu'il t'avait pas mal crispé. Ça m'aurait énervé, moi
aussi, si j'avais été à ta place.

L'homme éclata de rire.

— C'est vraiment pas de bol. Tes copains t'enferment, et la seule
personne au monde qui sait que tu es encore en vie, c'est un débile !
Bien sûr, j'étais avec vous, Mike, mais je ne voulais pas vous interrompre. Comment tu te sens ?

Michael sentait son crâne palpiter.

— Tu vas bien. Vingt-quatre heures de plus dans la tombe et tu
aurais pu y rester. Mais je vais te retaper. Tu as de la chance. J'ai été
formé chez les marines australiens. Je sais tout sur les techniques de
survie. Tu n'aurais pas pu mieux tomber, Mike. Et ça, ça vaut bien un
défraiement, qu'est-ce que tu en penses ? Je parle d'argent, Mike.

— Mnhhhh.

— Mais je suis au regret de te dire qu'il va me falloir un certifi-
cat d'authenticité, Mike. Tu vois ce que je veux dire ? Une preuve
que c'est toi. Tu me suis ?

Michael plissa les yeux, aveuglé une nouvelle fois. Puis il les rouvrit et entrevit un éclat métallique.

— Ça va faire un petit peu mal, mais ne t'inquiète pas, Mike.

Michael ressentit une douleur atroce à son index gauche. Il hurla
à la mort, une tornade d'air remonta de ses poumons jusqu'à sa
bouche et il mugit à travers le ruban adhésif, comme un animal à
l'agonie.

COMME UNE TOMBE

Roy Grace arriva à Brighton peu avant minuit, parfaitement réveillé. Sans raison particulière, il décida de faire un petit détour du côté du bureau de Double-M Properties.

Il fut surpris de trouver la BMW de Mark Warren juste devant le bâtiment. Il se gara et leva les yeux. Le troisième étage était éclairé. De nouveau, sur une simple intuition, il marcha jusqu'à l'Interphone et sonna au nom de la société.

Quelques instants plus tard, il entendit la voix métallique, mal assurée, de Mark Warren :

— Oui ?

— Monsieur Warren, commissaire Grace.

Il y eut un long silence, puis :

— Montez.

Le système d'ouverture de la porte grésilla, Grace entra et monta les trois étages. Mark ouvrit la porte en verre dépoli et le fit entrer. Il semblait fort mal à l'aise.

— C'est une sacrée surprise, monsieur, dit-il maladroitement.

— Je passais par là, j'ai vu de la lumière, je me suis demandé si on pouvait avoir une petite conversation. Peut-être aimeriez-vous que je vous communique les dernières nouvelles ?

— Hum, oui, merci.

Mark jeta un coup d'œil anxieux à la porte qui était ouverte derrière lui, qui menait à un bureau dans lequel il était visiblement en train de travailler. Il l'accompagna dans une salle de conférences froide, sans fenêtre, alluma la lumière et lui tendit une chaise.

Mais avant de s'asseoir, Grace plongea la main dans sa poche et en sortit le bracelet qu'Ashley lui avait donné.

— J'ai trouvé ça dans l'escalier. Ça appartient à quelqu'un qui travaille ici ?

Mark le regarda fixement.

— Effectivement, il est à moi. Il a de minuscules aimants aux extrémités. Je le porte pour soigner mon tennis-elbow. Je... Je ne sais pas comment il est arrivé là.

— Vous avez de la chance que je l'aie vu.

— Vous avez raison. Merci.

Mark semblait vraiment embarrassé.

Grace remarqua une rangée de photos encadrées au mur : un

hangar sur le port de Shoreham, une haute maison Régence et un immeuble de bureaux moderne.

— Tout ça est à vous ? demanda-t-il.

Mark tripota son bracelet, puis l'enfila à son poignet droit.

— Oui.

— Impressionnant ! fit Grace. On dirait que les affaires marchent bien.

— Ça va, merci.

Mark faisait visiblement de gros efforts pour être poli.

— Je peux vous servir un café ou autre chose ?

— Rien, merci, répondit Grace. Vous êtes à parts égales ?

— Non. Michael est majoritaire.

— Ah. C'est lui qui a effectué l'apport initial ?

— Oui, enfin, aux deux tiers. J'ai mis le reste.

— Et ça ne pose pas de problème entre vous, ce déséquilibre ?

— Non, monsieur, on s'entend bien.

— Parfait. Eh bien…

Grace étouffa un bâillement.

— Nous renforçons nos recherches dans la zone demain matin. Nous avons eu une fausse alerte aujourd'hui.

— Le corps d'un jeune homme. Qui était-ce ?

— Un gars du coin. Un jeune qui était, m'a-t-on dit, un peu retardé. Pas mal de policiers le connaissaient : son père a une dépanneuse, il travaille souvent avec la circulation.

— Pauvre gars. Il a été assassiné ?

— On dirait, répondit Grace prudemment. Si je ne me trompe pas, vous avez un compte bancaire aux îles Caïmans, avec Michael…

Sans sourciller, Mark répondit :

— Oui, nous y avons une société : HW Properties International.

— Deux tiers un tiers ?

— Exact.

Grace se souvint que Branson lui avait dit qu'il y avait au moins un million de livres sur ce compte. Une somme plus que confortable.

— Quel type d'assurance avez-vous, avec Michael ? Une assurance-vie l'un sur l'autre, en tant qu'associés ?

— Nous avons l'assurance associés classique. Vous voulez voir le contrat ?

— Pourrez-vous me faxer le document demain ?

— Sans problème.

Grace se leva.

— Bon, je ne vais pas vous déranger davantage ce soir. Vous êtes occupé ? Vous travaillez souvent le dimanche après minuit ?

— Le week-end, j'aime bien mettre l'administratif à jour. C'est le seul moment où les téléphones ne sonnent pas.

Grace sourit.

— Je vois ce que vous voulez dire.

Mark regarda la tête du commissaire disparaître dans la cage d'escalier.

Grace n'aimait pas Mark Warren. Ce type était un menteur. Et quelque chose le tracassait. Ashley Harper, elle aussi, était une menteuse. Elle lui avait délibérément donné un bracelet qui n'appartenait pas à Michael. Et qu'est-ce que le bracelet de Mark Warren faisait chez elle, d'ailleurs ?

MICHAEL pleurait de douleur. Du sang gouttait du moignon de son index, tranché à la première phalange. Il fixait les lumières vives qui l'aveuglaient.

— Ça va aller, Mike, relax !

Une main poilue tenait son bras d'une poigne de fer. L'homme portait une grosse montre de plongée. En ombre chinoise contre les lumières éblouissantes, Michael vit enfin la tête de son agresseur : deux yeux derrière une cagoule noire. Puis il vit de la crème blanche sortir d'un tube, et juste après il eut l'impression que son doigt était plongé dans la glace. Il hurla de nouveau. La douleur était intolérable.

— Je sais ce que je fais, Mike. Ne t'inquiète pas. Ça ne s'infectera pas. J'aimerais que tu m'appelles Vic. Compris ? Vic.

— Vhrrr, grommela Michael.

— Très bien. C'est normal qu'on s'appelle par notre prénom. On est associés, d'ac ? Autant s'appeler par le prénom.

Son assaillant sortit une longue bande de gaze blanche et pansa le bout amputé de son doigt en serrant de plus en plus fort, jusqu'au garrot. Puis il colla un morceau de sparadrap pour le maintenir.

— Je t'explique mon point de vue, Mike. Je t'ai sauvé la vie. Je mérite une récompense, non ? Et d'après ce que j'ai lu dans les journaux et vu à la télé, tu m'as l'air blindé. Pas moi, c'est toute la différence. Tu veux de l'eau ?

Michael hocha la tête. Il essayait d'avoir les idées claires, mais la douleur lancinante dans son doigt rendait la chose difficile.

— Si tu veux boire, il va falloir que j'enlève le ruban adhésif que tu as sur la bouche. Je le fais seulement si tu ne cries pas. Promis ?

Il hocha la tête.

Un bras traversa son champ de vision. L'instant suivant, Michael eut la sensation qu'on lui arrachait la moitié du visage. Sa bouche s'ouvrit pour gober l'air. Son menton et ses joues étaient en feu. Puis la main s'approcha de nouveau, avec une bouteille d'eau minérale ouverte, et fit couler un filet dans la bouche de Michael. C'était froid, c'était bon. Michael happa goulûment.

La bouteille disparut. Il se sentit plus vaillant. L'air était froid et humide, ça sentait l'huile de moteur, comme s'il se trouvait dans un parking souterrain. Levant les yeux vers la cagoule, il demanda :

— On est où ?

— Tu as la mémoire courte, Mike. Je t'ai dit de ne jamais demander où tu es, ni qui je suis.

— Vous… Vous avez dit Vic… Que vous vous appelez Vic.

— Pour toi, Mike, je m'appelle Vic.

Un silence s'installa entre eux. Les idées plus claires, Michael commença à avoir de plus en plus peur de cet homme. Il était plus terrifié que dans le cercueil.

— Comment… Comment m'avez-vous trouvé ?

— Je passe mes journées dans mon camping-car, Mike. Je vérifie les antennes relais des opérateurs téléphoniques dans toute l'Angleterre. Avec mon kit CB, je peux capter tout ce que je veux : les portables, les conversations des flics, tout. Donc mercredi, après le boulot, je suis tombé sur cette gentille conversation que tu avais avec Davey. J'ai enregistré la fréquence et j'ai capté pas mal de vos discussions. J'ai lu le journal, j'ai entendu parler du cercueil. Je suis donc allé au bureau d'urbanisme de Brighton pour chercher le nom de ton cabinet, et – nom de Dieu ! – je découvre que vous avez demandé un permis de construire pour un terrain forestier que vous avez acheté l'année dernière, juste dans le coin où vous faites votre tournée des grands ducs. Et puis j'ai pensé que tes copains étaient de gros fainéants. Qu'ils n'auraient pas envie de te traîner trop loin. Qu'ils choisiraient un chemin accessible en voiture, par exemple.

— C'est là que j'étais? demanda Michael.

— Et tu y serais encore, mec. Maintenant parle-moi de cet argent que tu as planqué aux îles Caïmans.

— Que voulez-vous dire?

— Je t'ai dit : je capte les conversations des flics sur ma radio. Tu as du blé aux îles Caïmans, n'est-ce pas? Un peu plus d'un million, si j'ai bien compris. Ne serait-ce pas une récompense raisonnable, pour t'avoir sauvé la vie?

LA réunion de 8 h 30 au siège de la PJ fut brève. Toute l'équipe savait déjà que le corps avait été identifié comme étant celui de Davey Wheeler, et il n'y avait rien eu de nouveau pendant la nuit – sauf ce qu'il avait glané auprès de Max Candille, et qu'il gardait pour lui, et sa visite au cabinet Double-M.

Ensuite, Grace se rendit au tribunal de Lewes, où devaient se poursuivre les audiences du procès de Suresh Hossain. Dans l'ensemble, la journée fut calme jusqu'au briefing de 18 heures sur l'affaire Harrison, au centre opérationnel. Il comprit immédiatement, à voir les visages de ses collègues, qu'il s'était passé quelque chose. C'est Bella Moy qui lui annonça la nouvelle.

— Je viens de recevoir un coup de fil de Phil Wheeler, le père du garçon assassiné. Il a dit qu'il ne savait pas si c'était important, mais que son fils lui avait dit qu'il discutait avec Michael Harrison par talkie-walkie. Depuis jeudi.

ASHLEY passa derrière Mark, qui, scotché devant son ordinateur, essayait de rattraper le retard accumulé. La veille au soir, après la visite du commissaire, il avait repris la tâche qu'il avait entamée : lire toutes les sauvegardes de Michael, remonter des semaines en arrière et supprimer toutes les allusions à l'enterrement de vie de garçon.

Ashley avait fait la même chose sur les ordinateurs portables de Peter, de Luke, de Josh et de Robbo, en faisant croire à leur famille qu'elle cherchait des indices sur la disparition de Michael.

Elle glissa ses bras autour de son cou.

— Je t'aime, dit-elle.

Il sentit le parfum frais, entêtant, de son eau de toilette estivale et les notes citronnées de ses cheveux.

— Je t'aime aussi, Ashley.

— Tu n'as pas été très démonstratif, ces derniers jours, le gronda-t-elle.

Elle lui mordilla l'oreille, puis déboutonna la chemise de Mark.

Mark se retourna, cherchant à l'aveugle les boutons du chemisier d'Ashley, glissa les mains et dégrafa son soutien-gorge. Quelques minutes plus tard, ils étaient complètement nus, allongés à même la maigre moquette en Nylon du bureau.

Puis la sonnerie métallique de l'Interphone retentit.

— Merde! fit Mark, affolé. Qui ça peut être, putain?

Ashley lui lacéra le dos de ses ongles.

— Ne réponds pas! ordonna-t-elle.

— Et si c'est Michael qui vient voir s'il y a quelqu'un?

— Quelle mauviette! dit-elle en relâchant son emprise.

Ignorant la remarque, Mark se remit sur pied et clopina jusqu'à la réception, où Ashley travaillait habituellement, et regarda dans le petit moniteur noir et blanc relié à la caméra de la porte d'entrée. Il vit un homme avec un casque de moto, qui tenait un paquet. Il appuya sur l'Interphone.

— Oui?

— J'ai un pli pour M. Warren, il me faut une signature.

Mark pesta.

— Je descends tout de suite.

Il enfila ses vêtements et envoya un baiser à Ashley.

— Je reviens tout de suite.

— Ne t'en fais pas pour moi, dit-elle sans sourire.

Il descendit les escaliers quatre à quatre, ouvrit la porte et prit la petite enveloppe matelassée que lui tendit le coursier. Il signa le récépissé et remonta les escaliers.

Il l'ouvrirait plus tard. À l'instant précis, il n'avait qu'une idée en tête : Ashley.

Revenu dans le bureau, il la trouva rhabillée, vérifiant son maquillage dans son miroir de poche, comme si elle s'apprêtait à sortir.

Mark s'approcha d'elle.

— Ashley, ma chérie, je suis désolé. Je n'aurais pas dû m'occuper du coursier. J'ai trop de trucs dans la tête en ce moment. On est tous les deux tendus. On devrait partir quelques jours, tu crois pas ?

— Ben voyons, ça ferait bonne impression.

— Je veux dire, quand tout ça sera terminé.

Elle lui lança un regard perçant et rangea son miroir dans son sac à main.

— Mark, mon chéri, ce ne sera jamais terminé tant que Michael sera vivant. On le sait tous les deux. On s'est grillés, jeudi soir, quand tu as enlevé le tube respiratoire.

Elle lui déposa un rapide baiser sur la joue.

— À demain.

— Tu t'en vas ?

— Oui, je pars toujours, à la fin de la journée. Ça pose problème ? Je croyais qu'on était censés sauver les apparences…

— Oui, tu as raison, mais je…

Elle le fixa quelques secondes.

— Ressaisis-toi, par pitié. Compris ?

Il hocha la tête sans conviction. L'instant d'après, elle était partie.

Il resta encore une heure, répondit à quelques mails, puis décida d'emporter quelques dossiers chez lui.

Se dirigeant vers la sortie, il prit au passage le paquet qu'il avait réceptionné un peu plus tôt et le déchira. Il y avait à l'intérieur un petit objet soigneusement emballé dans de la Cellophane, et scotché.

Il pensa d'abord que c'était une blague, un de ces doigts en plastique qu'on trouve dans les boutiques de farces et attrapes. Puis il vit le sang.

— Non ! cria-t-il horrifié, soudain pris de vertige. Non, non !

GRACE quitta la route principale pour s'engager sur un chemin, dans la grande périphérie de Lewes. Il vit un haut grillage dominé par un fil de fer barbelé sur lequel on lisait WHEELER, DÉPANNAGE.

Dans la cour, où gisaient une dizaine de carcasses de voitures, une impressionnante dépanneuse bleue émergeait du chaos.

Il y avait aussi un mobile home décrépi et un bungalow en bois.

Grace entra, éteignit le moteur et entendit les féroces aboiements d'un chien de garde rompre le silence de cette chaude soirée. Il resta prudemment dans sa voiture, s'attendant à voir surgir un molosse. La porte du bungalow s'ouvrit, mais c'est une armoire à glace qui en sortit, la cinquantaine, des cheveux gras se raréfiant, une barbe de trois jours et une imposante brioche.

— Monsieur Wheeler? demanda Grace en s'approchant.

— Oui?

Le bonhomme avait un visage doux, de grands yeux tristes.

Grace sortit sa carte de police.

— Commissaire Grace, de la PJ du Sussex. Toutes mes condo-léances pour votre fils.

L'homme resta impassible.

— Vous voulez entrer? proposa Phil Wheeler d'une voix hési-tante.

— Si vous avez quelques minutes, j'aimerais bien vous parler.

Grace suivit Phil Wheeler dans un salon miteux, meublé d'un canapé, de deux fauteuils et d'un vieux poste de télévision. Chaque centimètre carré du sol et du mobilier était couvert de pochettes de vinyles et de magazines de moto, de country et de western.

Phil Wheeler débarrassa un fauteuil de ses pochettes de disques.

— Davey aimait ces trucs. Il les écoutait tout le temps. Il aimait collectionner…

Il se tut brusquement et sortit de la pièce.

— Thé? cria-t-il.

— Ça va, répondit Grace.

Une audition de ce genre aurait pu être confiée à quelqu'un d'autre, mais Grace était un fervent partisan du terrain. C'était l'un des aspects de son travail qu'il trouvait le plus gratifiant. Mais pas aujourd'hui. Parler à des personnes qui viennent de perdre un être cher avait toujours été, selon lui, la pire tâche à accomplir.

Phil Wheeler revint quelques minutes plus tard et balaya d'un revers de la main une pile de magazines pour s'asseoir sur le canapé.

— Monsieur Wheeler, on m'a dit que votre fils avait discuté avec une personne portée disparue, Michael Harrison, par talkie-walkie. Pouvez-vous m'en dire davantage sur leurs conversations? Sur ce talkie-walkie?

— Je me suis énervé contre lui, disons… vendredi ou samedi. Je ne savais pas qu'il avait ce truc. Il a fini par me dire qu'il l'avait trouvé près de ce terrible accident, mardi, avec les quatre gars.

Grace acquiesça.

— Il n'arrêtait pas de parler de son nouveau copain. Pour être franc, je n'ai pas fait très attention. Davey passait son temps à discuter avec les personnes imaginaires qu'il avait dans la tête. Il fallait parfois que je décroche, pour ne pas devenir dingue.

— Vous souvenez-vous de ce qu'il a dit sur Michael Harrison ?

— Il était tout content – je crois que c'était vendredi –, il me racontait qu'il était la seule personne au monde à savoir où quelqu'un se trouvait et qu'il allait devenir un héros. Il adorait les séries policières américaines, à la télé, il rêvait de devenir un héros. Je n'ai pas fait le lien.

— Vous avez le talkie-walkie ?

Il secoua la tête.

— Davey a dû le prendre avec lui.

— Savait-il conduire ?

— Non. Il avait un VTT, c'est tout.

— On l'a retrouvé à 10 kilomètres d'ici. Pensez-vous qu'il soit allé à la recherche de Michael Harrison ? Pour essayer d'être un héros ?

— Samedi après-midi, j'avais une voiture à remorquer. Il n'a pas voulu venir, il m'a dit qu'il avait un truc important à faire.

Philip Wheeler haussa tristement les épaules.

— Je ne comprends pas comment quelqu'un a pu vouloir faire du mal à mon petit. C'était le garçon le plus gentil du monde. Il était un peu lent, mais tout le monde l'aimait.

— Pourrais-je voir la chambre de votre fils ?

Phil Wheeler tendit le doigt par-dessus l'épaule de Grace.

— Dans le mobile home. Davey s'y plaisait bien. Vous pouvez y aller. Ne m'en voulez pas si je… je…

— C'est normal, je comprends.

Grace traversa la cour et entra dans le mobile home. Le sol était presque entièrement recouvert par des chaussettes, des slips, des tee-shirts, une boîte de McDonald's. Un lit et une télévision occupaient la plus grande partie de l'espace. Les murs étaient couverts de pubs qui semblaient avoir été arrachées à des magazines. Toutes concernaient les États-Unis : voitures, armes, nourriture, vacances…

Il enjamba la boîte de hamburger et se pencha sur un très vieil ordinateur Dell qui partageait l'espace qui servait de bureau avec un grand bloc-notes ligné sur lequel se trouvaient quelques mots griffonnés au Bic. L'écriture était celle d'un enfant.

Grace s'approcha et s'aperçut qu'il s'agissait d'une sorte de plan. Il y avait deux lignes à côté : « A26. Nord Krowburg. 2 bariere. 3 kim. Ferme blan ». En dessous, une succession de chiffres : 0771 52136. On aurait dit un numéro de portable. Grace le composa, mais rien ne se passa. Il prit le bloc-notes et le montra à Phil Wheeler.

— Davey vous a-t-il parlé de ça ?

Phil Wheeler secoua la tête.

— Non.

— Est-ce que ces indications vous disent quelque chose ?

— Deux barrières, 3 kilomètres, ferme blanche ? Non, ça ne me dit rien.

— Le numéro ? Vous le reconnaissez ?

Il lut les chiffres à haute voix.

— Non, ça ne me dit rien non plus.

Grace décida qu'il avait obtenu du bonhomme tout ce qu'il pouvait en tirer pour ce soir. Il se leva, le remercia et lui présenta de nouveau ses condoléances.

— Attrapez le bâtard qui a fait ça, commissaire. Faites au moins ça pour Davey et pour moi.

LITTÉRALEMENT en nage, Mark Warren entra dans son appartement, verrouilla la porte derrière lui et passa la chaînette de sécurité.

Il ouvrit sa sacoche et sortit l'enveloppe matelassée, sans vraiment oser la regarder. Il la posa sur une table noire laquée à l'autre bout de la pièce, prit le mot qu'il avait déjà lu au bureau, avala une longue gorgée de whisky et s'assit.

Le mot était bref, imprimé depuis un ordinateur : « Si tu fais analyser l'empreinte digitale par la police, tu découvriras que c'est celle de ton ami et associé. Toutes les vingt-quatre heures, je couperai un morceau plus important de son corps. Jusqu'à ce que tu fasses exactement ce que je te dis. »

Ce n'était pas signé.

Mark finit son verre de whisky et relut le mot. Puis l'Interphone sonna, le plongeant dans une crise de panique. Mark se dirigea vers l'écran de contrôle en priant pour que ce soit Ashley. Quand il avait essayé de la joindre, du bureau, il était tombé directement sur son répondeur.

Mais ce n'était pas Ashley. C'était le visage d'un homme qu'il commençait à voir trop souvent à son goût : le commissaire Grace. Il se demanda s'il ne valait pas mieux l'ignorer, le laisser partir. Mais peut-être avait-il du nouveau. Il décrocha le combiné et dit à Grace de monter. Il appuya sur le bouton pour ouvrir la porte. Il avait à peine eu le temps d'attraper au vol le mot et l'enveloppe à bulles et de les fourrer dans un placard que Grace frappait déjà.

— Ça ne vous dérange pas si j'entre quelques minutes ou êtes-vous occupé?

— Jamais trop occupé pour vous, commissaire. Quelles sont les nouvelles? Puis-je vous servir quelque chose à boire?

— Un verre d'eau, s'il vous plaît, dit Grace.

Ils s'installèrent l'un en face de l'autre dans de profonds canapés en cuir, et Grace observa Mark quelques instants. Le bonhomme avait l'air dans tous ses états.

— Qu'avez-vous mangé, à midi? lui demanda Grace.

Les pupilles de Mark obliquèrent vers la gauche, puis revinrent au centre.

— J'ai mangé un sandwich à la dinde aux canneberges acheté à l'épicerie du coin. Pourquoi?

— C'est important de bien se nourrir. Surtout quand on est stressé.

Il gratifia Mark d'un sourire d'encouragement et sirota un peu son verre d'eau.

— J'ai une énigme à résoudre, Mark, et je me demandais si vous pourriez m'aider.

— Bien sûr… Je vais essayer.

— Un certain nombre de caméras de contrôle ont remarqué une BMW X5 immatriculée à votre nom entre Brighton et Lewes dans la nuit de jeudi.

Grace sortit son BlackBerry de sa poche.

— À 0 h 29, puis à 0 h 40.

Il se pencha en avant.

— Vous avez fait une balade nocturne vers la forêt d'Ashdown, peut-être?

Il surveillait attentivement les yeux de Mark. Au lieu d'aller vers la gauche, le côté *mémoire*, ils oscillaient, irrésolus, de droite à gauche, de gauche à droite, puis se fixèrent à droite. Mode *imagination*. Il avait décidé d'opter pour le mensonge.

— C'est possible, répondit-il.

— *Possible*? Aller dans une forêt à minuit, n'est-ce pas quelque chose d'inhabituel, dont vous devriez vous souvenir un peu plus précisément?

— Ce n'est pas inhabituel pour moi, répondit Mark en prenant son verre, changeant soudain d'attitude. Voyez-vous, c'est là-bas que se trouve notre prochain gros projet. Nous avons déposé un permis de construire pour vingt maisons, il y a quelques mois, sur un terrain de 20 000 mètres carrés au cœur de la forêt d'Ashdown. Et maintenant, nous travaillons sur les détails. Je fais des allers-retours sans arrêt, nuit et jour, pour observer les facteurs environnementaux. Une grande partie de mon travail concerne l'impact sur la vie nocturne des animaux sauvages. Je prépare un rapport exhaustif pour défendre le bien-fondé de notre projet.

Grace sentit son cœur flancher. Il avait l'impression qu'on lui avait coupé, très rapidement, très habilement, l'herbe sous le pied. Comment avait-il pu ne pas savoir ça? Comment Glenn et les autres avaient-ils pu ne pas le savoir?

Il essaya de reprendre le contrôle de ses pensées.

Puis, pour la troisième fois, il vit les yeux de Mark Warren se diriger irrésistiblement vers un point, à l'autre bout de la pièce, comme si quelqu'un s'y trouvait. Grace jeta un coup d'œil dans la direction que Mark fixait. Mais il ne vit rien de particulier. Juste une chaîne hi-fi haut de gamme, quelques œuvres d'art moderne et des placards.

— J'ai appris pour le jeune homme de la morgue. J'ai lu le journal, aujourd'hui. Très triste, dit Mark.

— Ça aurait pu se passer sur votre terrain, lâcha Grace, pour le tester.

— Je ne sais pas exactement où c'est arrivé.

Ses yeux rivés aux siens, se souvenant des notes dans la chambre de Davey, Grace dit :

— Si vous prenez l'A26 après Crowborough, que vous passez une petite ferme blanche, puis deux barrières, c'est là?

Mark n'eut pas besoin de répondre. Grace vit tout ce qu'il avait besoin de voir dans le changement de couleur de son visage.

— C'est… possible… oui.

Tout s'éclaircissait.

— Si vos copains avaient eu l'idée d'enterrer leur pote vivant, dans un cercueil, ça aurait été logique de le faire sur un terrain qui vous appartient, non? Un endroit que vous connaissez bien…

— Je… Je pense.

— Vous soutenez toujours que vous n'avez jamais entendu parler d'un projet de mettre Michael Harrison dans un cercueil?

Les pupilles de Mark oscillèrent dans tous les sens.

— Absolument.

— Bien. Merci.

Grace regarda son BlackBerry.

— J'ai aussi un numéro et je me demandais si vous pouviez m'aider, monsieur Warren.

— Je vais essayer.

Grace lut à haute voix les chiffres qui figuraient à côté du plan.

— 0771 52136, répéta Mark.

Ses yeux obliquèrent instantanément vers la gauche. Mode *mémoire*.

— On dirait le numéro de portable d'Ashley. Pourquoi me demandez-vous ça?

Grace termina son verre d'eau d'un trait et se leva.

— Je l'ai trouvé dans la chambre de Davey Wheeler, le garçon assassiné. Ainsi que les indications que je vous ai données.

— Quoi?

Grace se dirigea vers la fenêtre, fit coulisser la baie vitrée et sortit sur le balcon. S'accrochant à la rambarde en métal, il regarda la rue grouillante, trois étages plus bas. Ce n'était pas haut, mais suffisamment pour lui. Il avait toujours eu le vertige.

— Comment ce garçon a-t-il eu le numéro d'Ashley et le plan d'accès à notre terrain? demanda Mark.

— J'aimerais beaucoup le savoir moi aussi.

Mark jeta de nouveau un regard oblique à travers la pièce. Grace se demanda si c'était vers le placard ou quelque chose à l'intérieur. Mais quoi ?

Il les trouvait tellement louches, lui et Ashley Harper, qu'il avait envie de demander un mandat de perquisition pour pouvoir passer leur domicile et le cabinet au peigne fin. Mais pour le moment, ses soupçons à l'encontre de Mark Warren et d'Ashley Harper n'étaient fondés que sur une intime conviction. Pas sur des preuves.

— Votre terrain est-il facile à trouver ?

— Il faut connaître l'entrée du chemin, qui n'est signalée que par quelques piquets – on ne voulait pas attirer l'attention.

— À mon avis, c'est là-bas qu'il faut chercher votre associé. Et on ferait bien de se remuer, vous ne croyez pas ?

— Absolument.

— Je vais transmettre l'information aux policiers de Crowborough, qui fouillent déjà la zone, mais j'ai l'impression qu'il serait indispensable que vous soyez là. Au moins pour leur montrer le terrain. Je demande à quelqu'un de passer vous prendre dans une demi-heure ?

— Bien. Merci. Et euh… Combien de temps pensez-vous que ça va durer ?

Grace fronça les sourcils.

— Eh bien… J'ai juste besoin de vous pour nous montrer l'endroit où tourner. Peut-être une heure en tout.

— Bien sûr, enfin, je ferai ce que je peux.

MARK referma la porte sur Grace, courut aux toilettes, se mit à genoux et vomit dans la cuvette. Une fois, puis deux. Il se leva, tira la chasse et se rinça la bouche à l'eau froide. Ses vêtements étaient trempés de sueur, ses cheveux plaqués contre son crâne. Avec le bruit de l'eau du robinet, c'est à peine s'il entendit la sonnerie de son téléphone fixe.

Il décrocha le combiné juste avant que le répondeur se déclenche.

— Allô ?

Une voix d'homme avec un accent australien lui répondit :

— Êtes-vous Mark Warren ?

Quelque chose dans le ton éveilla la méfiance de Mark.

— Ce numéro est sur liste rouge. Qui êtes-vous ?

— Je m'appelle Vic. Je suis avec votre ami, Michael. C'est lui qui m'a donné votre numéro. Et d'ailleurs, il aimerait vous dire quelques mots. Je vous le passe?

— Oui.

Mark plaqua le combiné contre son oreille en tremblant. Puis il entendit la voix de Michael, c'était lui, aucun doute, mais Mark n'avait jamais entendu un cri comme celui-là. On aurait dit l'explosion d'une douleur inhumaine, un hurlement de l'âme.

Puis il entendit de nouveau Michael gémir et crier.

— Non, je vous en prie, non, non. NON!

Puis revint la voix de Vic.

— Je parie que tu te demandes ce que je lui fais, à ton pote, hein, Mark?

— Que voulez-vous? demanda Mark en tendant l'oreille, sans toutefois entendre Michael.

— Il faudrait que tu transfères l'argent que vous avez sur votre compte aux îles Caïmans sur un compte dont je te donnerai bientôt le numéro.

— Ce n'est pas possible. Même si je le voulais. Il faut deux signatures pour toute transaction. Celle de Michael et la mienne.

— Dans le coffre-fort de votre cabinet, vous avez des documents signés de vous deux, qui donnent procuration à un notaire aux îles Caïmans. Vous les avez déposés l'année dernière. Vous étiez partis une semaine en mer et espériez conclure une affaire immobilière, qui ne s'est pas faite, aux Grenadines. Vous avez oublié de détruire ces documents. Moi je dis, tant mieux.

« Putain, comment cet homme sait-il tout ça? » se demanda Mark.

— Je veux parler à Michael.

— Tu lui as suffisamment parlé pour aujourd'hui. Je vais te laisser réfléchir, Mark, on s'en reparle plus tard, tranquillement. Oh, Mark, j'oubliais : pas un mot à la police, ça pourrait m'énerver sérieusement!

Et la ligne sonna dans le vide.

Mark appuya immédiatement sur la touche rappel, mais sans surprise il fut accueilli par une voix enregistrée : « Le numéro que vous demandez n'est pas disponible. »

Il essaya de joindre Ashley une nouvelle fois. À son grand soulagement, elle répondit.

— Alléluia, dit-il. Tu étais où ? J'ai pas arrêté d'essayer de te joindre.

— Je me suis fait masser, si tu veux savoir. L'un de nous doit garder la tête froide, O.K. ? Ensuite, j'ai fait un saut chez la mère de Michael et je rentre chez moi.

— Tu peux passer par ici, je veux dire tout de suite, dans la seconde ? Il s'est passé quelque chose, il faut *absolument* que je te parle.

— On en parlera demain.

— Ça ne peut pas attendre.

L'urgence de sa voix la convainquit. À contrecœur, elle dit :

— O.K., mais je ne suis pas sûre que ce soit une bonne idée que je vienne chez toi. On pourrait se retrouver dans un lieu public. Qu'est-ce que tu dirais d'un bar ou d'un restaurant ?

— Génial, pour que tout le monde nous entende ?

— On parlera doucement, O.K. ? C'est mieux qu'on ne me voie pas venir dans ton appartement.

Mark réfléchit quelques instants. Une voiture de police passerait le prendre dans une demi-heure. Il y avait une demi-heure de route, peut-être juste dix minutes sur place, puis une demi-heure pour revenir. Il était 20 heures, lundi soir. Les restaurants seraient calmes. Il suggéra 22 heures, dans un italien, près du théâtre royal.

À sa grande surprise, le restaurant était bondé. On lui désigna une place exiguë dans un coin. Ashley n'était pas encore arrivée.

L'aller-retour à Crowborough s'était passé sans histoire.

Mark avait indiqué à deux jeunes officiers l'entrée du chemin. Peu de temps après, plusieurs minibus, derrière un Range Rover de la police, étaient arrivés en convoi. Mark était sorti de la voiture, leur avait expliqué jusqu'où ils devaient aller, mais n'avait pas proposé de se joindre à eux. Il n'avait pas voulu être là quand ils trouveraient la tombe.

Il avait désespérément besoin de boire. Il commanda une bière et regarda le menu. Et Ashley arriva.

— Tu es encore en train de boire ? le sermonna-t-elle en lieu et place de bonsoir.

Sans l'embrasser, elle se glissa en face de lui.

Elle était plus belle que jamais, se dit Mark. Elle portait un chemisier crème très tendance, et un petit foulard. Elle avait attaché ses cheveux, semblait fraîche et détendue. Elle portait un parfum voluptueux.

Il sourit :

— Tu es sublime.

Elle jetait des regards impatients à travers la pièce, cherchant des yeux un serveur.

— Merci. Toi, tu es dans un état lamentable.

— Tu vas comprendre pourquoi dans un moment.

L'ignorant à moitié, elle leva le bras et un serveur finit par se précipiter vers eux. Sur un ton autoritaire, elle commanda une San Pellegrino.

— Tu veux du vin ? demanda Mark. Je vais en prendre.

— Je pense que tu devrais te mettre à l'eau. Tu bois beaucoup trop ces jours-ci. Il faut que tu arrêtes, que tu te ressaisisses, O.K. ?

Mark glissa sa main vers la sienne, mais elle retira ses deux mains, se cala très droite, les bras croisés.

— Avant que j'oublie, demain, c'est l'enterrement de Pete. 14 heures, église du Good Shepherd, Dyke Road. Alors, c'est quoi, ce truc super important que tu dois me dire ?

Le serveur revint avec la bouteille d'eau et ils passèrent commande. Quand il fut parti, Mark lui parla du doigt coupé.

Elle secoua la tête et dit d'une voix blanche :

— Mark, c'est horrible, c'est pas possible !

Mark avait apporté le mot et le lui tendit. Ashley le lut attentivement, plusieurs fois, comme si elle n'en croyait pas ses yeux. Puis une flambée de colère passa dans ses pupilles et elle le regarda d'un air accusateur.

— Ne me dis pas que c'est toi ?

— Quoi ? Tu penses que je pourrais séquestrer Michael et lui couper un doigt ? C'est vrai que je ne l'aime pas beaucoup, mais…

— Tu ne vois aucun inconvénient à le laisser s'asphyxier dans un cercueil, mais tu ne lui ferais pas quelque chose d'aussi abject que lui trancher un doigt ?

Mark regarda autour de lui, alarmé par la façon qu'elle avait eu

de hausser le ton, mais personne n'avait remarqué. Il était décontenancé par son ton accusateur.

— Ashley, qu'est-ce qui t'est passé par la tête? On est dans le
même bateau, toi et moi. On s'aime. On fait équipe, pas vrai?

Elle se radoucit, regarda autour d'elle, puis se pencha en avant et
prit sa main.

— Mon chéri, dit-elle à voix basse. Je t'aime tellement. Je suis
juste en état de choc. J'imagine qu'on gère le choc, le stress, différemment, enfin…

Il hocha la tête, porta sa main à ses lèvres et l'embrassa tendrement à son tour.

— Il faut faire quelque chose pour Michael.

Elle secoua la tête.

— On se contente de ne rien faire! Cet homme – Vic – pense
que tu es inquiet parce que tu es son associé. C'est parfait, tu ne vois
pas?

— Non. Je ne t'ai pas tout dit.

Il vida son verre d'un trait et lui raconta le coup de téléphone de
Vic et les hurlements de Michael.

Ashley écouta en silence.

— Mon Dieu, pauvre Michael. Il…

Elle se mordit la lèvre et une larme roula sur sa joue.

— Enfin… Oh merde, oh merde!

Elle ferma les yeux quelques instants, puis les rouvrit.

— Comment… Putain, comment a-t-il fait pour trouver
Michael?

Mark décida de ne pas mentionner la visite de Grace pour le
moment.

— À mon avis, il a dû découvrir la tombe par hasard. Elle n'était
pas particulièrement bien camouflée. Je l'avais dissimulée un peu
mieux, mais un promeneur aurait pu la voir facilement.

— Ce type n'est pas un promeneur.

— Peut-être qu'il a eu un coup de pot. Il trouve Michael, il comprend, d'après le tapage médiatique, que c'est le mec riche que tout
le monde cherche – la chance de sa vie. Il l'enlève, le séquestre et nous
envoie une demande de rançon – et la preuve qu'il a Michael.

Une généreuse assiette de mozzarella, tomates et avocats arriva pour Ashley et un grand bol de minestrone pour Mark. Quand le serveur fut parti, Ashley dit :

— Tu veux appeler la police, Mark ? Raconter cette histoire à Grace, le fin limier ?

Mark considéra cette possibilité sous toutes les coutures, tandis qu'Ashley commençait son plat. S'ils allaient voir les flics et que le type mettait sa menace de tuer Michael à exécution, c'était une élégante solution au problème. Sauf que la douleur inhumaine qu'endurait Michael le hantait. Jusqu'à présent, rien ne lui avait semblé tout à fait réel. Les garçons morts dans l'accident. Se rendre sur la tombe et retirer le tube respiratoire. Même quand Michael avait crié, dans le cercueil, ça ne l'avait pas affecté. Pas comme son hurlement de douleur le tourmentait maintenant.

— Michael doit avoir son Palm. S'il s'en sort, il saura que je savais où il était enterré.

— Depuis l'accident, il n'a jamais été question qu'il s'en sorte, dit-elle.

Puis elle ajouta un grinçant « N'est-ce pas ? ».

Mark gardait le silence. Lui qui était d'ordinaire si rationnel, si concentré, n'arrivait pas à mettre de l'ordre dans ses idées. Ils n'avaient jamais voulu faire de mal à Michael, avec la blague de l'enterrement. Ils voulaient juste le faire payer pour tous ses coups foireux. Et dans le plan qu'il avait monté avec Ashley pour prendre le contrôle de la société, il n'avait jamais été question de s'en prendre physiquement à lui non plus.

Pourquoi, nom de Dieu, n'avait-il rien dit la nuit où il était rentré de Leeds, dès qu'il avait entendu parler de l'accident ? Pourquoi ?

Il le savait, bien sûr. Par jalousie. Il n'avait jamais supporté qu'Ashley parte en lune de miel avec lui – et la solution lui était tombée toute cuite.

— N'est-ce pas, Mark ? répéta Ashley, interrompant le cours de ses pensées.

— N'est-ce pas quoi ?

— Oh, réveille-toi ! Il n'a jamais été question qu'il s'en sorte vivant, hein ?

Elle le fixait droit dans les yeux, sans ciller.

— Non, bien sûr que non.

9

MICHAEL gisait dans l'obscurité, le noir total. Son cœur cognait comme un gong dans sa poitrine, le sang battait à ses tempes et au bout de l'index sectionné.

Mais ce supplice n'était rien par rapport à l'angoisse lourde, froide, qui le hantait. Il tremblait, essayait de ne pas se disperser, déterminé, d'une façon ou d'une autre, à survivre. À retourner auprès d'Ashley. À l'accompagner devant l'autel. C'était tout ce qu'il souhaitait. Dieu qu'il se languissait d'elle !

Il ne pouvait bouger ni les bras ni les jambes. Après lui avoir fait avaler du pain et du ragoût en boîte à la petite cuillère, son ravisseur lui avait rescotché la bouche.

Il essaya de deviner où il se trouvait. L'air était humide, ça sentait le moisi et vaguement l'huile de moteur. Il était allongé sur une surface dure et quelque chose de pointu saillait dans le bas de son dos. Il souffrait le martyre.

Il lutta contre ses liens. Et sentit quelque chose céder. Il avait gagné un tout petit peu de mou. Il recommença, contracta les bras, puis poussa vers l'extérieur. Enfin, il réussit à bouger le bras droit. Très peu, mais il pouvait le bouger ! Et encore un peu plus !

Il roula sur le côté, puis sur le ventre. Ses narines furent assaillies par une odeur d'huile de moteur. Il avait maintenant le visage dans la substance visqueuse, mais peu importait : la douleur en bas de son dos avait cessé.

Il tourna le poignet et sa main toucha quelque chose.

C'était le haut de son portable !

Il le saisit et le sortit de la poche arrière de son pantalon. Son cœur battait la chamade. Il avait été immergé, dans le cercueil. Même s'il était censé être waterproof, Michael doutait qu'il fonctionne encore. À tâtons, il trouva le bouton de la mise en marche, tout en haut, et appuya.

Il y eut un très faible bip. Puis un semblant de lueur, suffisante pour que Michael voie de hauts murs autour de lui et une sorte de trappe au-dessus. Il essaya de bouger la main, de la libérer de son étau et d'approcher le portable de son visage, mais les liens étaient trop serrés. Il fallait qu'il trouve une solution.

Texto. Il pouvait envoyer un Texto.

« Réfléchis ! Tu allumes ton téléphone et qu'est-ce qui se passe ? D'abord, on te demande le code. » Comme pour la plupart des gens, le sien était simple : 4444, son chiffre fétiche. Il effleura le clavier. 4 se trouvait au bout, à gauche, deuxième rang. Il appuya et entendit un bip. Puis un autre à chaque fois. Incroyable ! Le truc marchait !

L'étape suivante était plus difficile. Il allait devoir se souvenir des lettres sur les touches. Sur 1, il n'y avait pas de lettre. Sur 2, il y avait ABC. Il calcula. L'alphabet entier figurait par groupes de trois lettres, sur deux chiffres, il y en avait quatre.

Il essaya de se souvenir de la marche à suivre. Le bouton *menu* était en haut à gauche. En appuyant une fois, on arrivait à *messages*. En appuyant une deuxième fois, c'était *écrire un message*. La troisième fois, *écran vide*. Puis il tapa ce qu'il espérait être les bonnes lettres. *Vivant. Appelle police.* Le clic suivant, s'il se souvenait bien, correspondait à *envoyer*. Celui d'après : *numéro*. Il composa celui d'Ashley. Encore un clic pour *envoyer*. Il appuya et, à son immense soulagement, il entendit un bip de confirmation : le message était parti !

Puis il paniqua. Même si elle le recevait, que pourrait-elle faire, elle ou la police ? Comment pourraient-ils le retrouver, avec un message ? Mais il refusa d'abandonner. Il devait y avoir un moyen. « Réfléchis ! »

Ses doigts effleurèrent le clavier. Il compta 123456789. Il composa le numéro des urgences, puis appuya sur *appeler*. Il entendit une faible sonnerie, puis une voix féminine, très lointaine.

— Ici les urgences, quel service souhaitez-vous contacter ?

Il essaya de parler, mais ne put émettre qu'un vague grognement. Il entendit la voix dire :

— Allô ? Il y a quelqu'un ? Allô ? Est-ce que tout va bien ? Pouvez-vous me dire votre nom ? Allô ? Vous avez besoin d'aide ?

Il raccrocha, refit le numéro et entendit une autre voix féminine. Il raccrocha de nouveau. À force, ils finiraient par comprendre. Ils comprendraient, n'est-ce pas ?

Au *Grey's*, Grace commanda, pour Cleo Morey, une vodka *cranberry* et, pour lui, un Coca *light*. Il allait devoir retourner au centre opérationnel le soir même et devait garder les idées claires. Ils étaient assis à une table d'angle. Cleo était splendide, ses cheveux lâchés. Elle portait une petite veste en daim sur un débardeur beige, un pantacourt en jean blanc tendance qui laissait voir ses chevilles fines et des mules blanches toutes simples. Grace avait foncé de l'appartement de Mark Warren au centre opérationnel pour faxer le schéma de Davey à l'équipe, puis avait filé directement au pub, ce qui ne l'avait pas empêché d'avoir une heure de retard. Bien sûr, il n'avait pas eu le temps de se changer. Il portait le costume bleu marine qu'il avait mis, tôt ce matin. À côté d'elle, il se trouvait négligé.

— Je ne t'avais jamais vue en civil, plaisanta-t-il.

— Tu aurais préféré que je vienne avec mon tablier vert et mes bottes en plastique ?

— Je pense que ça aurait eu un certain je-ne-sais-quoi…

Elle lui adressa un grand sourire et leva son verre.

— Tchin !

Elle était incroyablement belle. Il adorait ses yeux bleus, son joli petit nez, sa fossette au menton, son corps élancé. Elle rayonnait de féminité, et tous les hommes du pub la reluquaient du coin de l'œil.

Il leva son verre en retour.

— Je suis content de te voir.

— Moi aussi. Alors, raconte-moi ta journée.

— Je préfère t'épargner ça, vraiment.

Elle se pencha en avant. Son langage corporel indiquait qu'elle était dans d'excellentes dispositions à son égard.

— J'insiste, dit-elle. Je veux un rapport détaillé, minute par minute !

— Et si je te faisais un résumé ? Je me suis levé, j'ai pris une douche, je suis sorti et j'ai rejoint Cleo au pub. Ça te va ?

Elle rit.

— O.K. C'est un bon début. Maintenant dis-moi ce qui s'est passé entre.

Il lui fit un bref résumé, conscient qu'il n'avait pas beaucoup de temps. Il était 21 h 15. Dans une heure, il devait être de retour au centre opérationnel.

— Ça doit être dur d'interroger une personne endeuillée, dit-elle. En sept ans, j'aurais dû m'habituer à voir des gens qui viennent d'apprendre, souvent quelques heures auparavant, qu'un être cher est décédé, mais non : je redoute toujours chacun de ces moments.

— Ça peut sembler cynique, dit Grace, mais voir les personnes en deuil dans les premières heures est le meilleur moyen de les faire parler. Quand les gens apprennent la mort de quelqu'un, ils sont sous le choc. Tant qu'ils sont dans cet état, ils parlent. Mais douze heures plus tard environ, quand la famille et les proches se rassemblent autour d'eux, ils commencent à se fermer, comme des huîtres.

— Tu aimes ce que tu fais ? demanda-t-elle.

Il sirota son Coca.

— Oui. Sauf quand des collègues manquent d'ouverture d'esprit…

Il fut interrompu par la sonnerie de son téléphone. S'excusant auprès de Cleo, il répondit avec un « Allô ? » plus sec que d'habitude.

C'était le lieutenant Boutwood, du centre opérationnel.

— Désolée de vous déranger, commissaire. Il y a du nouveau. Vous êtes sur le chemin du retour ?

Il regarda Cleo Morey, désespéré de devoir la quitter, et dit, plus qu'à contrecœur :

— Oui, je suis là dans un quart d'heure.

QUAND Grace arriva au centre opérationnel, Nick Nicholl, Bella Moy et Emma-Jane Boutwood étaient installés à la table de travail.

— Salut, quoi de neuf ? lança-t-il.

Tous les trois levèrent simultanément la tête. L'officier Boutwood prit la parole en premier.

— Commissaire, ils ont trouvé le cercueil dans une tombe camouflée sur le terrain de Double-M Properties – grâce au schéma que vous avez apporté.

— Génial ! C'est une excellente nouvelle !

Puis il se rendit compte que les trois paires d'yeux étaient braquées sur lui et que quelque chose n'allait pas.

— Et ensuite ?

— Je pense que ce n'est pas une si bonne nouvelle, commissaire. Il n'y a personne à l'intérieur.

— Un cercueil vide ? Dans une vraie tombe ?

— Si j'ai bien compris, commissaire, c'est ça.

— Est-ce qu'il y avait… Je veux dire, est-ce qu'il y a eu quelqu'un à l'intérieur ?

— Apparemment, des signes sur le couvercle – à l'intérieur – indiquent que oui, commissaire.

— Oubliez le *commissaire* et appelez-moi Roy, O.K. ?

— Oui, commissaire. Je veux dire… Roy.

Il esquissa un sourire.

— Quel genre de signes ?

— Des preuves que quelqu'un a essayé de creuser, de gratter pour sortir.

— Et Michael Harrison, ou celui qui s'y trouvait, aurait réussi ?

— Le couvercle était ouvert, mais, apparemment, la tombe était recouverte d'une tôle ondulée.

Las, Grace posa ses coudes sur la table de travail.

— On a affaire à qui, nom de Dieu ? Un prestidigitateur ?

— Ça ne tient pas debout, ajouta Nicholl.

— Le gars, Michael Harrison, est connu pour ses blagues. Ça tient parfaitement debout, répliqua Grace, amer.

Il aurait voulu retourner dans le pub et discuter avec Cleo Morey.

Il sortit de la pièce et, dans le couloir, s'acheta à un distributeur un double expresso et un Mars.

Quand il revint, en mâchonnant son Mars, Emma-Jane lui tendit le téléphone.

— Ashley Harper. Elle veut absolument vous parler. Elle dit que c'est très urgent.

Grace avala précipitamment ce qu'il avait dans la bouche et prit le combiné.

— Allô ? Oui, commissaire Grace !

— C'est Ashley Harper, dit-elle, complètement affolée. Je viens juste de recevoir un Texto de Michael. Il est vivant !

— Que dit-il ?

— « *Vivant, appelle police.* » L'orthographe est un peu bizarre.

Réfléchissant à toute vitesse, Grace demanda :

— Depuis son téléphone portable ?

— Oui, c'est son numéro.

— Ne bougez pas. J'arrive tout de suite.

MARK fixait son triste reflet dans le miroir fumé de l'ascenseur qui le menait au quatrième étage du Van Alen. Tout, autour de lui, semblait partir à vau-l'eau.

Qu'est-ce qu'il arrivait à Ashley ? Ces derniers mois, ils avaient été incroyablement proches.

Alors pourquoi était-elle si désagréable avec lui, maintenant ? Cette discussion sur Michael et son allusion au meurtre l'inquiétaient vraiment. Il n'avait jamais été question de meurtre. Jamais. À présent, elle en parlait comme si c'était ce qui avait été prévu depuis le départ. Ses mots, à la trattoria, résonnaient dans sa tête.

Il n'a jamais été question qu'il s'en sorte vivant, n'est-ce pas ?

Oui, il avait accepté le plan d'Ashley. Pas celui de tuer Michael, juste de… de… Pas de le tuer. De meurtre, il n'avait jamais été question.

Le meurtre, c'est quand on prévoit les choses, n'est-ce pas ? Quand il y a préméditation ? Tout ça n'était que le fruit des circonstances. L'enterrement de Michael, puis l'accident.

Le plan, c'était Ashley qui en avait eu l'idée. Mark n'avait pas eu d'état d'âme, sauf pour la lune de miel. Et c'était pour ça, il le savait intimement, qu'il était allé dans la forêt, jeudi dernier, et avait retiré le tube respiratoire. Mais de là à laisser ce malade mental mutiler et torturer son ami « à mort » ? Il n'était pas sûr d'avoir le cœur suffisamment bien accroché pour ça.

Il ouvrit la porte de son appartement et, dès qu'il eut mis le pied à l'intérieur, le téléphone fixe sonna. Il claqua la porte, courut à travers la pièce et regarda l'écran : pas de numéro.

— Allô ?

La même voix à l'accent australien dit :

— Salut, mec. C'est Vic. J'aimerais bien savoir qui c'était, ce flic qui t'a rendu une petite visite tout à l'heure. Je croyais t'avoir demandé de ne pas parler à la police…

— Je n'ai rien dit, répondit Mark. C'est le commissaire qui enquête sur la disparition de Michael. Je ne savais pas qu'il viendrait.

— Je ne sais pas si je dois te croire ou pas, mec. Tu veux discuter avec Michael ou est-ce qu'on la joue cool ?

Essayant de saisir ce qu'il voulait dire, Mark répondit :

— On la joue cool.

— Donc, tu vas faire ce que je te dis. Tu vas aller au bureau, tout de suite, ouvrir le coffre, sortir les documents qui donnent procuration au notaire aux îles Caïmans, Julius Grobbe, signés par Michael et par toi, et les lui faxer. En même temps, tu appelles Julius Grobbe et tu lui dis de transférer 1 253 712 livres de votre compte sur le numéro de compte au Panamá que je lui ai faxé. Je t'appelle ici dans une heure exactement et tu me diras comment ça s'est passé. Si tu ne décroches pas, ton ami perd une nouvelle partie de son corps et celle-là fera *vraiment* mal. *Capito* ?

— *Capito*.

1 253 712 livres, c'était exactement ce qu'il y avait sur leur compte commun.

Roy Grace et Glenn Branson – qui était revenu au siège de la PJ au moment où Grace s'apprêtait à en partir – étaient assis dans le salon d'Ashley et étudiaient l'étrange Texto qu'elle avait reçu. *viVant. *£ aPellle ponlice.*

Assise en face d'eux, Ashley se tordait les mains. Elle donnait l'impression d'être sortie, en début de soirée. *Où ? Avec qui ?*

— Vous avez essayé de le rappeler ? demanda Grace.

— Oui, et je lui ai envoyé un SMS. Son téléphone sonne, puis on tombe sur la messagerie.

— C'est mieux qu'avant, fit remarquer Grace. Jusqu'à présent, il ne sonnait pas, la boîte vocale se déclenchait immédiatement.

Branson tripotait le téléphone.

— Ce message a été envoyé par Michael Harrison, +44797134621, annonça-t-il. À 22 h 28, ce soir.

Grace et Branson regardèrent leur montre simultanément. Ça faisait un peu plus d'une heure.

Elle avait attendu vingt minutes avant de les appeler, nota Grace. Pourquoi avait-elle attendu vingt minutes ?

Glenn Branson composa le numéro et porta le téléphone à son oreille. Grace et Ashley l'observèrent avec attention.

Quelques secondes plus tard, Branson dit :

— Bonjour Michael Harrison, ici le commandant Branson de la PJ du Sussex. Je fais suite au Texto que vous avez envoyé à Ashley Harper. Rappelez-moi, ou envoyez-moi un SMS, au 0789 965018. Je répète : 0789 965018.

Et il raccrocha.

— Ashley, est-ce que Michael a l'habitude de vous envoyer des messages ?

Elle haussa les épaules.

— Pas énormément, mais oui… Vous savez, des petits mots d'amour, ce genre de choses.

Elle sourit, et soudain son visage s'éclaira.

Grace regarda de nouveau les mots : *viVant. *£ aPellle ponlice*. On aurait dit ceux d'un enfant, pas d'un adulte. Sauf s'il était pressé ou au volant.

— Quelles informations pouvez-vous tirer de ce message ? demanda Ashley.

Grace faillit lui dire la vérité, puis se ravisa.

— Très peu, je le crains. C'est une bonne nouvelle en un sens, puisque nous savons qu'il est vivant, mais c'est une mauvaise nouvelle, car il est de toute évidence en danger.

Il lui raconta, dans les détails, la découverte du cercueil.

— Donc il s'est échappé, c'est ce que vous pensez ?

— Peut-être, dit Grace. Ou alors, il n'a jamais été à l'intérieur.

— Bon sang, réveillez-vous !

— Ashley, nous sommes tout à fait réveillés, lui répondit Grace calmement. Nous avons une centaine de policiers sur le terrain, en train de chercher Michael Harrison. Nous faisons absolument tout ce qui est en notre pouvoir.

Elle eut soudain l'air contrit d'une petite fille perdue, effrayée.

— Je suis désolée, murmura-t-elle. Je ne voulais pas vous agresser. Vous avez été tellement remarquables, tous les deux. Je suis juste… juste…

Elle se mit à trembler, cherchant visiblement à refouler un torrent de larmes.

Grace se leva d'un air gêné et Branson en fit autant.

— C'est bon, dit Grace, on va y aller, ne bougez pas.

Il s'y était repris à cinq fois pour envoyer ce foutu fax. La première fois, dans la précipitation, il avait mis la lettre de travers et avait provoqué un bourrage. Il avait perdu dix précieuses minutes à débloquer la machine sans déchirer la feuille. Ensuite, il avait appelé le notaire.

Il avait pris sa voiture, ce qui était stupide vu qu'il avait bu, mais le bureau était trop loin pour qu'il y aille à pied et qu'il revienne à temps. Et il n'avait pas voulu prendre le risque de ne pas trouver de taxi.

Son portable émit un bip sonore, tandis qu'il ouvrait à toute volée la porte de son appartement, moins de trois minutes avant l'heure limite. Nouveau message. Il le sortit de sa poche et fixa l'écran.

Bien joué, mec! Pile poil à l'heure.

Le téléphone tressautait dans sa main tant il tremblait. Putain, il était où, ce Vic?

Il appuya sur *options* pour voir d'où venait le SMS. C'était un numéro qu'il ne connaissait pas. Maladroitement, il répondit : *On est quitte, maintenant?* Puis il appuya sur *envoyer*.

Il se dirigea d'un pas mal assuré vers le bar, mais avant qu'il l'ait atteint, le téléphone sonna de nouveau. Message arrivé.

Va sur ton balcon, mec, et regarde en bas, dans la rue!

Mark se dirigea vers la baie vitrée, l'ouvrit et avança sur le balcon. Il posa ses mains sur la balustrade et regarda en bas. De la musique se faisait entendre d'une discothèque un peu plus bas dans la rue. Un couple marchait bras dessus bras dessous. Un flot continu de voitures se déversait. Il regarda tout au bout de la rue, se demandant si c'était l'endroit dont parlait Vic.

Troisième message : *Je suis juste derrière toi!*

Mais avant qu'il ait pu se retourner, une main empoigna fermement l'arrière de sa ceinture et une autre le col de sa chemise. Une fraction de seconde plus tard, ses deux pieds ne touchaient plus le sol. Il lâcha son téléphone pour essayer désespérément de se cramponner à la balustrade, mais il était trop haut et ses doigts n'agrippaient que le vide.

Avant qu'il ait eu le temps de crier, il bascula et plongea vers le trottoir.

GRACE et Branson entendirent l'annonce faite sur la radio de la police, dans la voiture, quelques minutes avant d'arriver au siège de la PJ. Quelqu'un s'était apparemment suicidé en sautant du Van Alen, sur Kemp Town.

Ils échangèrent un regard. Grace sortit le gyrophare de la boîte à gants, le fixa sur le toit et appuya sur l'accélérateur.

En arrivant au Van Alen, ils furent accueillis par une myriade de lumières bleues. Une foule avait envahi les lieux et deux ambulances venaient d'arriver. Tous deux surgirent de la voiture et se frayèrent un passage parmi les badauds. Deux urgentistes, maintenant inutiles, étaient debout à côté d'un homme qui gisait, étendu sur le dos, dans une mare de sang.

Sous la lumière ambrée des réverbères, Grace vit le visage de l'homme : c'était Mark Warren.

— Est-ce que quelqu'un connaît cet homme ? demanda-t-on.

— Ouais, je le connais, répondit une voix. C'est mon voisin !

Et Grace d'enchaîner :

— Je le connais aussi. Enfin, le connaissais, rectifia-t-il.

Robert Allison, un commandant dur à cuire – et ancien champion de billard de la police du Sussex –, que Grace connaissait bien, émergea de la porte d'entrée du bâtiment. Grace et Branson allèrent à sa rencontre.

— Roy ! Glenn ! les salua Allison. Qu'est-ce que vous faites là ?

— Je le connais, répondit Grace. Je l'ai interrogé en début de soirée. C'est l'associé du jeune homme qui a disparu – l'enterrement de vie de garçon, les quatre gars tués la semaine dernière.

Allison hocha la tête.

— Je vois.

— On peut monter dans son appartement ?

— J'en viens. Le concierge a une clé. Vous voulez que je vous accompagne ?

— Bien sûr, pourquoi pas ?

Quelques minutes plus tard, Grace, Branson et Allison entraient dans l'appartement. Le concierge attendit à l'extérieur.

Grace traversa le salon à grands pas et se dirigea vers le balcon, sur lequel il s'était rendu quelques heures auparavant.

Grace savait par expérience que ceux qui survivaient à des

accidents étaient souvent rongés par la culpabilité, que certains pouvaient être détruits. Mais Mark Warren avait-il sauté de son balcon pour cette raison ?

La nuit où il était rentré tard, avec de la boue sur sa voiture, avait-il fait un pèlerinage sur le lieu de l'accident dans lequel il aurait dû mourir avec ses amis, pour se repentir ? Possible. Un témoin du marié qui ne connaît pas le programme de l'enterrement de vie de garçon – comment pouvait-il être crédible ?

Il rentra dans l'appartement.

— Prenons quelques minutes pour faire le tour, dit-il en se dirigeant vers le placard que Mark, quelques heures plus tôt, avait regardé fixement.

Mais celui-ci ne contenait que des vases poussiéreux. Sans relâcher son attention, il passa en revue chaque placard, ouvrit chaque porte et chaque tiroir. Puis Grace se dirigea vers le frigo, dans la cuisine, et l'ouvrit. Jetant un coup d'œil à travers les packs de lait et les nombreux bourgognes blancs, il faillit ne pas voir l'enveloppe à bulles sur la troisième étagère. Il la sortit et regarda à l'intérieur en fronçant les sourcils. Puis il saisit du bout des doigts le petit sachet en plastique et le posa sur le plan de travail en marbre noir.

— Bon sang ! fit Grace en fixant la phalange.

— O.K., dit Robert Allison. Je commence à comprendre. J'ai trouvé un mot sur la victime quand je cherchais ses papiers d'identité, poursuivit-il en sortant de sa poche une feuille, qu'il tendit à Grace.

Grace et Branson le lurent ensemble : « Si tu fais analyser l'empreinte digitale par la police, tu découvriras que c'est celle de ton ami et associé. Toutes les vingt-quatre heures, je couperai un morceau toujours plus important de son corps. Jusqu'à ce que tu fasses exactement ce que je te dis. »

— À mon avis, ça nous dit deux choses, conclut Grace. Premièrement, je pense que nous n'avons pas affaire à un suicide. Deuxièmement, ce serait un miracle de retrouver Michael Harrison vivant.

LE téléphone sonnait de nouveau ! Pour la troisième fois ! À chaque fois, il avait tripoté l'appareil, pour essayer de l'éteindre au cas où Vic l'entendrait. Puis il s'était débrouillé pour appeler sa messagerie, mais la voix féminine n'avait pas été fichue de lui dire autre chose que : « Vous n'avez pas de nouveau message. »

Mais cette fois, elle disait autre chose : « Vous avez un nouveau message. » Puis il entendit : « Bonjour, Michael Harrison, ici le commandant Branson de la PJ du Sussex. »

Michael n'avait jamais entendu musique aussi douce à ses oreilles. Il essaya de nouveau, à l'aveugle, de répondre par Texto, cerné par l'humide obscurité.

Puis une lumière éclatante l'aveugla.

— Tu as un téléphone et tu ne m'as rien dit, Mikey ? Le vilain garçon... Je pense qu'il vaut mieux que je te le confisque avant que tu ne t'attires des ennuis.

— Urrrr, fit Michael à travers le ruban adhésif.

Puis Vic lui arracha le téléphone des mains. Et sa voix s'éleva, lourde de reproches.

— Tu ne joues pas fair-play, Mike, je suis très déçu. Tu aurais dû me dire, pour le portable.

— Urrrr, marmonna Michael.

Il voyait les yeux briller dans les fentes de la cagoule, à quelques centimètres de son visage, de grands yeux verts comme ceux d'un chat sauvage.

— Voyons voir qui tu appelais, d'accord ?

Michael entendit, au loin, la voix de l'officier, à travers le haut-parleur du téléphone.

— Si c'est pas mignon..., dit l'Australien. Il appelait sa fiancée. Mignon, mais vilain. Je pense que c'est l'heure de la punition.

— Noorrrr.

— Désolé, mec, mais il faut que tu fasses un effort pour articuler. Au fait, ton copain Mark est super mal élevé. Il faut que tu saches qu'il ne dit jamais au revoir.

Michael plissait les yeux dans la lumière. Il ne comprenait pas de quoi Vic voulait parler. Mark ? Il se demanda vaguement où Mark pouvait être allé.

— Je te propose de réfléchir à ce million deux que tu as mis à gauche aux îles Caïmans. C'est un beau pécule, tu trouves pas ?

S'il le libérait, il pouvait l'avoir, cet argent, jusqu'au dernier penny. Michael essaya de le lui dire.

— Urrrrr. Vuuuuupvaaaarrrr.

— C'est gentil, Mikey. Je ne comprends pas ce que tu essaies de me dire, mais j'apprécie grandement les efforts que tu fais. Mais je t'explique : le problème, c'est que je me suis déjà servi. Ce qui veut dire que je n'ai plus besoin de toi.

PEU avant minuit, Grace entra dans le parking de la Sussex House et, suivi à contrecœur par Branson, se dirigea vers l'entrée principale pour prendre l'escalier.

Dans le centre opérationnel, il n'y avait plus qu'Emma-Jane Boutwood. Grace vit ses traits tirés et lui donna une petite tape amicale sur l'épaule.

— Je pense que vous devriez y aller aussi. La journée a été longue.

— Accordez-moi une minute, Roy. J'ai quelque chose qui, je crois, va vous intéresser tous les deux. Vous m'avez demandé de vérifier le passé d'Ashley Harper…

— Affirmatif. Qu'est-ce que vous avez trouvé ?

— Pas mal de choses, en fait.

Elle tourna quelques pages de son carnet couvert de son écriture régulière et dit, en s'appuyant sur ses notes :

— Je disposais des informations suivantes : Ashley Harper était née en Angleterre, ses parents étaient morts dans un accident de voiture en Écosse alors qu'elle avait trois ans, elle avait été élevée par des parents adoptifs, à Londres d'abord, puis en Australie. À seize ans, elle était partie au Canada, où elle avait été recueillie par son oncle et sa tante. La tante était morte récemment. L'oncle s'appelle Bradley Cunningham.

Parcourant ses notes, elle poursuivit :

— Ashley Harper est revenue en Angleterre, son pays d'origine, il y a environ neuf mois. Vous m'avez dit qu'elle avait travaillé dans l'immobilier, à Toronto, et que ses employeurs faisaient partie du groupe Bay.

— Exact, répondit Grace.

— J'ai appelé aujourd'hui le directeur des ressources humaines du groupe Bay, à Toronto – vous savez sans doute qu'il s'agit d'une des plus grandes chaînes de magasins au Canada. Ils n'ont pas de filiale immobilière et Ashley Harper n'a jamais travaillé pour eux.

— Intéressant, dit Branson.

— Ça va devenir encore plus intéressant, dit-elle. Il n'y a pas de Bradley Cunningham dans l'annuaire de Toronto, ni dans celui de l'Ontario. J'ai une amie journaliste au *Glasgow Herald*. Elle a vérifié dans les archives des principaux journaux écossais. Quand une petite fille de trois ans devient orpheline à la suite d'un accident de voiture, les quotidiens en parlent, non?

— En général, oui, dit Grace.

— Ashley prétend avoir vingt-huit ans. J'ai demandé à mon amie de remonter vingt-cinq ans en arrière, puis cinq ans de plus et cinq ans de moins. Le nom Harper n'apparaît nulle part.

— Elle a peut-être pris celui de ses parents adoptifs, dit Branson.

— Possible, acquiesça Emma-Jane Boutwood. Mais ce que je vais vous montrer réduit sérieusement les probabilités. J'ai entré le nom d'Ashley Harper dans le réseau Holmes, comme vous me l'avez demandé, dit-elle.

Holmes-2 était la seconde version de la base de données électronique relative aux crimes, qui reliait tous les bureaux de police de Grande-Bretagne et Interpol et, depuis peu, d'autres réseaux de police à l'étranger.

— Rien n'apparaît sous le nom d'Ashley Harper, dit-elle. Mais c'est maintenant que ça devient intéressant. Quand on prend les initiales AH et qu'on les associe à la catégorie « immobilier », Holmes propose ceci. Il y a dix-huit mois, une jeune femme du nom d'Abigail Harrington épouse Richard Wonnash, un riche promoteur immobilier à Lymm, dans le Cheshire. La passion du mari, c'est la chute libre. Trois mois après le mariage, son parachute ne s'ouvre pas et il meurt. Il y a quatre ans, à Toronto, au Canada, une femme qui se fait appeler Alexandra Huron épouse un promoteur immobilier du nom de Joe Kerwin. Cinq mois après le mariage, il se noie en faisant de la voile sur le lac Ontario. Il y a sept ans, Ann Hampson se marie à Julian Warner, promoteur immobilier à Londres. Six mois après son mariage, il se suicide au gaz dans un parking souterrain.

— Mêmes initiales, dit Branson, mais qu'est-ce que ça prouve?

— Les escrocs de haut vol gardent souvent les mêmes initiales quand ils changent de nom, dit-elle. Ça ne prouve rien en soi, mais voilà où ça devient passionnant.

Elle tapota sur son clavier, et la photo noir et blanc d'une jeune femme, cheveux bruns coupés très court, extraite d'un journal, apparut. C'était le visage d'Ashley Harper – ou de son double.

— C'est l'article de l'*Evening Standard* sur la mort de Julian Warner, dit-elle.

Grace et Branson étudièrent longuement la photo en silence.

— On dirait vraiment elle, fit Branson.

Sans rien dire, Emma-Jane tapa quelques lettres sur son clavier. Une autre photo surgit, en noir et blanc également. Il s'agissait d'une femme aux cheveux mi-longs, blonds. Son visage ressemblait encore plus à celui d'Ashley Harper.

— C'est extrait du *Toronto Star*, il y a quatre ans, au sujet de la mort de Joe Kerwin.

Abasourdis, Grace et Branson ne répondirent rien.

— La prochaine est extraite du *Cheshire Evening Post*, il y a dix-huit mois. Elle illustre un article sur la mort de Richard Wonnash : ABIGAIL HARRINGTON, LA BELLE VEUVE EN DEUIL. Une nouvelle photo apparut, en couleurs. La femme, rousse, avait une élégante coupe au rasoir. Le visage était pourtant, de nouveau, sans l'ombre d'un doute, celui d'Ashley Harper.

— Bon sang de bonsoir ! s'exclama Branson.

Grace fixa le visage longuement, pensivement, puis dit :

— Bien joué, Emma-Jane.

— Merci, Roy.

Grace se tourna vers Glenn Branson.

— Bon, fit-il. Il est 0 h 40. Quel magistrat aurais-tu le courage de réveiller ?

— Pour un mandat de perquisition ?

— Tu as trouvé ça tout seul, mon grand ?

Ignorant la grimace de Branson, Grace se leva.

— Emma-Jane, rentrez vous coucher. Dormez un peu.

Branson bâilla.

— Et moi, j'ai pas le droit d'avoir sommeil ?

Grace lui mit une main sur l'épaule.

— Désolé, mon ami, mais ta journée ne fait que commencer.

À 2 HEURES, le mandat de perquisition signé en main, Grace rentra chez lui, programma son réveil pour 4 h 15 et sombra dans le sommeil.

À 5 heures du matin, il était de retour à la Sussex House et se sentait incroyablement dispos. Bella et Emma-Jane étaient déjà là, ainsi que Ben Farr, un officier au visage rond, barbu, la quarantaine bien entamée, qui devait venir d'un laboratoire de police scientifique, et Joe Tindall. Glenn Branson arriva quelques minutes plus tard.

Grace les briefa, tandis que les uns et les autres prenaient leur café. Puis, peu après 5 h 30, équipés de gilets pare-balles, ils s'installèrent dans une fourgonnette et une voiture de police : Branson prit le volant, Grace à ses côtés.

Arrivés dans la rue d'Ashley, Grace demanda à Branson de s'arrêter à côté de l'Astra banalisée de Nick et baissa sa vitre.

— Tout est calme, l'informa Nicholl.

— Impeccable, dit Grace en remarquant que l'Audi TT d'Ashley Harper était à sa place habituelle, devant la maison.

Dirigeant le groupe, Grace avança vers la porte d'entrée et sonna. Personne ne répondit. Il sonna de nouveau, puis une troisième fois, une minute plus tard. Il fit un signe de tête à Ben Farr, qui retourna vers la fourgonnette et prit le bélier, de la taille d'un gros extincteur. Il le leva, le cogna violemment contre la porte, qui céda.

Grace entra en premier.

— Police, cria-t-il. Il y a quelqu'un ? Police !

Le silence et les lumières clignotantes de la chaîne hi-fi le saluèrent. Suivi par le reste de son équipe, il monta l'escalier et marqua un temps d'arrêt sur le seuil du premier étage.

— Il y a quelqu'un ? cria-t-il. Mademoiselle Harper ?

Silence.

Il ouvrit une porte qui donnait sur une petite salle de bains. La porte suivante était celle d'une minuscule chambre d'ami qui semblait n'avoir jamais été utilisée. Il hésita, puis poussa la dernière porte, qui donnait sur une grande chambre avec un lit double, dans lequel, de toute évidence, personne n'avait dormi.

Pas d'Ashley Harper.

— Retournez-moi cet appartement, dit-il d'une voix lasse à son équipe. Remuez ciel et terre, trouvez à qui appartient cet endroit, à qui appartiennent les téléviseurs, la chaîne hi-fi, l'Audi dehors, les tapis, les prises murales. Je veux tout savoir sur Ashley Harper. Tout le monde a bien compris ?

APRÈS deux heures de recherches, personne n'avait rien trouvé. C'était comme si Ashley Harper avait passé un aspirateur surpuissant dans son appartement.

Glenn Branson s'approcha de Grace, qui était occupé à soulever le matelas du lit dans la chambre d'ami.

— Dis, c'est bizarre, c'est comme si elle savait qu'on allait débarquer, tu vois ce que je veux dire ?

— Alors pourquoi ne savait-on pas qu'elle allait filer ? répondit Grace.

— Roy, regarde ! Je ne sais pas si ça peut t'intéresser…

Nicholl fit irruption dans la pièce avec un reçu du magasin Century Radio, sur Tottenham Court Road. Le ticket indiquait : AR5000 Cyber Scan – 2 437,25 livres.

— Il était où ? demanda Grace.

— Dans une poubelle au fond du jardin, répondit fièrement Nick.

— Quel genre de scanner coûte autant ? s'étonna Grace. Un scanner pour ordinateur ?

Grace regarda la date. Mercredi dernier. Heure d'achat : 14 h 25. Le mardi soir, son fiancé disparaît, et le mercredi elle va s'acheter un scanner à 2 500 livres ? Ça ne tenait pas debout.

— Je ne sais pas à quelle heure ouvre Century Radio, mais il va falloir se renseigner sur le scanner, dit-il.

— Tu as ta petite idée ? lui demanda Branson.

— J'en ai plein, répliqua Grace. J'ai trop, beaucoup trop d'idées.

Puis il ajouta :

— Je dois être à 9 h 45 au tribunal, à Lewes.

— Pour ton cher ami Suresh Hossain ?

— Il ne faudrait pas que je lui manque… Et si on prenait un petit déj' ? Des œufs, du bacon, des saucisses, la totale ?

— Pense à ton cholestérol, mec, c'est pas bon pour ton cœur.

— Tu sais quoi ? En ce moment, tout est mauvais pour mon cœur.

10

GRACE entra dans le tribunal de Lewes, dans la grande salle d'attente où patientaient les personnes impliquées dans trois procès différents.

Il bâilla. Il avait l'impression que son corps était lesté. « C'est bizarre, se dit-il. Il y a une semaine, ce procès occupait chacune de mes pensées. Maintenant, il est devenu secondaire. Tout ce qui compte, c'est retrouver Michael Harrison. »

Quelque temps plus tard, Grace fut appelé à la barre, et l'audience se poursuivit pendant deux heures sans rebondissements particuliers. Puis la séance fut ajournée. Un nouveau témoin inattendu était apparu, et Grace eut soudain l'impression que le verdict qu'il désirait si ardemment était à portée de main. Tout à coup, sa fatigue s'envola.

Il était un peu plus de midi quand Grace arriva au centre opérationnel.

L'équipe au complet était réunie, plus deux assistants, un jeune agent et une femme. Grace leur proposa de rester pour le briefing.

Nick Nicholl entama la réunion.

— Roy, concernant le reçu qu'on a trouvé chez Mlle Harper ce matin, j'ai les informations de Century Radio.

Il tendit à Grace quelques feuilles imprimées d'un site Internet.

— Nous l'avons tous lu. C'est un scanner radio très performant. Le genre de truc qu'utilisent les fondus de CB pour se faire de nouveaux amis, pour intercepter les communications radio de la police ou les conversations sur portables.

Grace hocha la tête. Il regarda la photo en couleurs du scanner.

— Alors, mardi, son fiancé disparaît. Mercredi après-midi, à 14 h 30, elle se met en route pour Londres et achète un scanner radio pour 2 500 livres. Pourquoi? Quelqu'un a une idée?

— Elle devait savoir que Michael Harrison avait un talkie-walkie. Peut-être a-t-elle essayé de communiquer avec lui? proposa Emma-Jane Boutwood. Ou peut-être voulait-elle écouter si quelqu'un entrait en communication avec lui, qu'est-ce que vous en dites?

Grace était impressionné.

— Très bonne réflexion.

Il les regarda tous.

— O.K., mettons ça de côté pour le moment. D'autres nouvelles?

— Oui, dit Nick Nicholl. Après que vous avez quitté la maison d'Ashley Harper, nous avons trouvé une enveloppe pleine de reçus derrière une commode. Elle est peut-être tombée accidentellement ou avait été cachée là. La plupart des tickets de caisse sont sans intérêt, sauf celui-ci, que vous devriez regarder.

Le montant s'élevait à 1 500 livres, la société s'appelait Conquest Escorts et se trouvait à Londres, sur Maddow Street. Sous le nom, il y avait la légende suivante : « Escorte, homme ou femme, charmante, discrète, pour toute occasion. » Deux dates figuraient : le samedi, le jour prévu pour le mariage d'Ashley Harper, et le lundi d'avant.

— Tourne-le, Roy, fit Nicholl. Regarde au dos.

Grace le retourna et vit, écrit au Bic, le nom de Bradley Cunningham.

— Elle s'est inventé un oncle? dit-il, intrigué.

— Elle a inventé beaucoup plus qu'un oncle. Emma-Jane va t'expliquer dans quelques instants, fit Branson. Mais regarde ça d'abord.

Il tendit à Grace la photocopie d'un fax envoyé à une banque installée à Grand Caïman, demandant le transfert de 1 253 712 livres sur un compte au Panamá. Le document était signé de Michael Harrison et de Mark Warren. La date, inscrite en haut, était celle de la veille, l'heure, 11 h 25.

Grace lut le document deux fois et fronça les sourcils.

— C'est vingt minutes à peu près avant qu'il se jette de son balcon, dit-il à Branson.

— Absolument. Ils ont trouvé ça dans son bureau.

— Il est donc allé transférer cette somme pour sauver la vie de son ami, et ensuite il s'est suicidé?

— Panamá peut être de mèche avec la mafia colombienne… Peut-être étaient-ils dans de sales draps? Ils épongent leur dette et Mark Warren se suicide?

— C'est une théorie qui se tient, concéda Grace. Mais ces deux gars ont un gros projet à Ashdown – vingt maisons –, qui peut rapporter plusieurs millions. Pourquoi se jeter par la fenêtre pour beaucoup moins ?

— Ou alors, il effectue le transfert et se fait tuer.

— C'est une théorie qui me plaît beaucoup plus, dit Grace. Je viens de parler à Cleo Morey, de la morgue. Un de leurs médecins légistes est en route. On devrait en savoir un peu plus dans la journée.

Bella Moy informa Grace que l'opérateur téléphonique lui avait transmis des informations. Vodaphone avait enregistré des appels émis par le portable de Michael Harrison entre 10 h 22 et 11 h 00, la veille, dont plusieurs aux urgences. À chaque fois, l'opératrice n'avait rien entendu et personne n'avait répondu à ses questions.

— Et qu'indique l'antenne relais ?

— Vodaphone a été très coopératif ce matin, et nous l'avons déjà localisée, ajouta-t-elle. La mauvaise nouvelle est que l'antenne relais se trouve dans le centre-ville de Newhaven, et l'antenne couvre toute l'agglomération.

— Bon, c'est déjà pas mal, fit Grace. Vous pensez que c'est une coïncidence que Newhaven soit un port ?

— J'ai donné l'alerte dans tous les ports, précisa Emma-Jane. Sous les noms d'Ashley Harper et d'Alexandra Huron. Elle utilisait le second au Canada, il y a quatre ans.

Comme elle avait visiblement d'autres choses à ajouter, Grace la laissa poursuivre.

— J'ai vérifié sa voiture, l'Audi TT. Elle l'a louée en crédit-bail, sous son nom, à un concessionnaire d'Hammersmith il y a un an. Tous les paiements sont à jour, tout est O.K. Même chose pour la maison, louée en crédit-bail, mais le contrat expire à la fin du mois.

— Ce qui coïncide avec le mariage ? suggéra Branson.

— Très possible, dit Emma-Jane. Sur une intuition, j'ai demandé à nos nouvelles recrues de contacter toutes les sociétés de location de véhicules de la région et de leur donner tous les noms utilisés par Ashley Harper. Rien à signaler sous ce dernier patronyme, mais, à minuit dix, aujourd'hui, une femme s'est présentée sous l'identité d'Alexandra Huron pour louer une Mercedes à l'agence Avis de l'aéroport de Gatwick. Elle a réglé avec une carte de crédit Toronto Dominion Bank of Canada. La personne qui lui a remis les clés l'a formellement identifiée à partir d'une photo d'Ashley Harper.

— Caméra de surveillance, dit Grace. Je veux...

Glenn Branson leva la main.

— On est déjà sur le coup. On visionne toutes les bandes entre Gatwick et Newhaven depuis l'heure où elle a pris la voiture.

— Elle a quitté son domicile une heure avant que tu arrives, Nick, dit Grace à Nicholl.

— Oui.

— On sait comment elle est allée à l'aéroport?

— Non.

Grace se tut. Il essayait de reconstituer la chronologie des événements de la nuit dernière. Il avait vu Mark Warren. Avec Branson, ils avaient rendu visite à Ashley. Mark Warren était allé dans la forêt aider à localiser la tombe. L'argent avait été transféré. Mark Warren était mort. Ashley avait loué une voiture sous une fausse identité. Il savait maintenant à quel jeu elle jouait. C'était suffisamment clair. Et il savait qu'il fallait qu'il la retrouve. Et vite. Si ce n'était pas déjà trop tard.

— Bon sang, Alex, quatre valises... Qu'est-ce qui te prend? Tu peux pas laisser cette merde derrière toi, acheter des trucs neufs à Sydney? Ils ont des magasins, là-bas, t'es au courant?

Ashley, tailleur-pantalon Prada en jean et talons hauts, était plantée devant ses valises dans le salon de la petite maison de Newhaven. Les mains sur les hanches, dans une posture de défi, elle regardait fixement par la fenêtre. La vue de la maison isolée louée sur une colline embrassait pratiquement toute la ville et la majeure partie du port.

Elle se tourna vers lui, de plus en plus mordante.

— Sans blague? Ils ont des magasins à Sydney? Tu veux dire des endroits où tu peux acheter des trucs? Pourquoi est-ce que je les laisserais ici? C'est toute ma vie.

— Tu veux dire, que ça, c'est ta vie?

Avec son mètre soixante-huit, Vic n'avait qu'un centimètre de plus qu'Ashley, mais il lui avait toujours semblé beaucoup plus grand. Il avait le physique, la musculature et le caractère d'un combattant, avec ses bras tatoués, sa coupe en brosse et son visage carré, attirant. Ses vêtements accentuaient son côté militaire. Aujourd'hui, il portait une veste de combat sur un tee-shirt noir, un pantalon en toile *baggy* kaki et ce qui ressemblait à des bottes noires.

— Tu veux dire que Michael et Mark, c'est ta vie? J'ai raté un chapitre? Je croyais que c'était moi, ta vie!

— Je le croyais moi aussi, dit-elle les lèvres serrées, retenant ses larmes.

— Alors qu'est-ce que ça veut dire, putain?

— Rien.

Il la saisit par les épaules et lui fit faire volte-face.

— Relax, Alex, O.K.? On y est presque. Retour à la base. On se calme maintenant.

— Je suis parfaitement calme. C'est toi qui pètes un câble.

Il l'attira vers lui. Plongea dans ses yeux verts.

— Je t'aime, dit-il. Je t'aime tellement, Alex.

Elle lui passa les bras autour du cou, colla ses lèvres aux siennes et l'embrassa passionnément.

— Je t'aime aussi, Vic. Je t'ai toujours aimé.

— Et tu n'as eu aucun problème à baiser Mark et Michael. Et des tas de mecs avant eux. Tu n'as pas idée à quel point ça me ronge, Alex, d'être sur la touche, de savoir que, cette année, tu baisais avec Michael et Mark, que tu as baisé avec ce con de Richard, dans le Cheshire, sans parler de Joe et de Julian.

— Vic, j'arrive pas à croire que tu me parles de ça. Je l'ai fait parce que c'était ma part dans notre contrat, O.K.? Qu'est-ce qui t'arrive?

— Ce qui m'arrive, c'est qu'on a merdé cette fois, voilà. O.K.? Un ridicule million deux. Six mois de notre vie pour ça.

— Aucun de nous n'aurait pu prévoir ce qui s'est passé – l'accident.

— Tu aurais pu faire sortir Michael, l'épouser, et on aurait eu sa moitié et celle de son associé.

— Ça aurait pris des mois, Vic. Peut-être des années. Le projet n'était qu'au stade de développement. Là, on a eu un résultat rapide. Et si tu n'avais pas flambé au jeu la moitié de ce qu'on avait, on n'en serait pas là pour commencer, O,K.?

D'un air penaud, il regarda sa montre.

— Il faut se mettre en route si on veut attraper l'avion. On en reparle dans la voiture, j'ai un dernier truc à régler avant qu'on y aille.

Il traîna les valises d'Ashley dans le hall d'entrée, puis revint dans le salon et tira le canapé à travers la pièce, avant de soulever un coin de la moquette.

— Vic, dit-elle.

Il leva les yeux.

— Quoi?

— On peut pas juste le laisser? Il n'ira nulle part, pas vrai? Il ne peut pas sortir, il ne peut même pas parler, tu m'as dit.

— Je vais le finir, l'achever.

— Pourquoi tu ne le laisses pas?

Il la fusilla du regard.

— Tu n'as jamais vu d'inconvénient à ce que je me débarrasse des autres. Qu'est-ce qu'il a de particulier, le p'tit Mikey?

— Il n'a rien de particulier.

Vic laissa retomber le coin de moquette, se leva et remit le canapé à sa place.

— Tu as raison, Alex, il n'ira nulle part. Et pourquoi faire preuve de mansuétude? On n'a qu'à le laisser crever dans ses propres ténèbres. T'es contente?

Elle hocha la tête.

Cinq minutes plus tard, la Mercedes était chargée à bloc avec les quatre valises d'Ashley et le gros fourre-tout de Vic. Il ferma la porte d'entrée et mit les clés dans sa poche.

Elle ne dit rien, attacha sa ceinture et regarda la maison une dernière fois. C'était une maison bizarre, parfaite pour ce qu'ils avaient eu à y faire, car isolée. Bâtie dans les années 1930 sur un terrain vague, elle donnait l'impression d'être la siamoise d'une maison qui n'aurait jamais été construite. À l'origine, il y avait eu un garage attenant, mais il y avait quelques années celui-ci avait été reconverti en ce qui était désormais le salon.

Il démarra. Dans une heure, ils seraient à l'aéroport de Gatwick. Demain, ils seraient de retour en Australie. Chez eux. La pluie crépitait sur le pare-brise, ce qui n'empêcha pas Ashley de chausser ses nouvelles lunettes noires Gucci. Vic lui avait coupé les cheveux – pas le temps d'aller chez le coiffeur –, et ce matin elle avait mis une perruque brune, courte. Si son signalement avait été transmis à l'aéroport, ils rechercheraient Ashley Harper. Le risque était infime qu'ils cherchent Alexandra Huron. Mais en regardant le passeport qu'elle avait dans son sac à main, qui était encore valable deux ans, elle sourit. Personne ne s'intéresserait à Ann Hampson.

— Vic ?

— Ouais ?

Il accéléra violemment en descendant la route défoncée.

— Qu'est-ce que t'as ? Il te manque déjà, ton petit chéri ?

— Tu sais quoi ? Il est meilleur que toi, au lit !

Il se tourna vers elle et la gifla brutalement, la voiture fit une embardée sur le bas-côté, puis revint sur la route.

— Ça te fait du bien de me frapper ? Ça te fait du bien de torturer quelqu'un comme Michael ?

Ils arrivèrent à un croisement. Il la foudroya du regard et s'engagea sur la route principale.

Tout se passa très vite. Il y eut un fracas énorme. Elle sentit une violente secousse. Ses oreilles se bouchèrent. L'habitacle se remplit de quelque chose qui ressemblait à des plumes avec une odeur de poudre.

— Merde, merde, merde !

Vic cognait le volant. L'airbag côté conducteur pendait au niveau du volant.

— Tu n'as rien ? demanda-t-il à Ashley.

Elle secoua la tête en fixant le capot de la voiture, qui était redressé et tordu.

Il y avait une autre voiture, blanche, immobilisée en travers de la route, quelques mètres plus loin, l'avant en grande partie enfoncé.

Vic inspecta les dégâts sur la Mercedes. La roue avant était écrasée et gauchie. Aucune chance de repartir.

— Espèce de connasse ! hurla-t-il en direction de l'autre conductrice.

Ashley vit une autre voiture arriver.

— Vic, cria-t-elle, affolée, il faut faire quelque chose, bon sang !

Au même moment, au centre opérationnel, Nick Nicholl hurla soudain à Grace :

— Roy! Ligne 7, décroche, décroche!

— Allô! Ici Roy Grace...

C'était un commandant du bureau de police de Brighton.

— Roy, la Mercedes que tu recherches vient d'être impliquée dans un accident à Newhaven. Les occupants, un homme et une femme, ont détourné un véhicule.

Grace se redressa brusquement.

— A-t-on une description des deux individus?

— C'est pas très détaillé pour l'instant. L'homme est costaud, de type européen, coupe en brosse, quarante-cinq ans. La femme, cheveux courts, brune, trente ans.

Grace attrapa un stylo et demanda :

— Dans quel véhicule ont-ils pris la fuite?

— Un Land Rover vert. Whisky-sept-neuf-six-Lima-delta-Yankee.

— Un contact a-t-il été établi avec cette voiture pour le moment?

— Pas encore.

Grace briefa rapidement son équipe, puis réfléchit quelques instants. Les routes à l'est de Newhaven menaient à Eastbourne et à Hastings. Vers le nord, c'était l'aéroport de Gatwick et Londres. Vers l'ouest, Brighton. Ils iraient sans doute vers le nord. Se tournant vers le commandant Moy, il dit :

— Bella, fais décoller l'hélico et demande-lui de couvrir les routes entre 15 et 25 kilomètres au nord de Newhaven.

— D'accord.

— Emma-Jane, appelez la police de la circulation et mobilisez des véhicules sur l'A23 pour rechercher le Land Rover immédiatement. Ensuite, prévenez les polices du port de Newhaven et des aéroports de Gatwick et de Shoreham.

Il vérifia mentalement s'il n'avait rien oublié. *Gares, ports, aéroports, routes.* Il savait que, souvent, les gens qui détournaient un véhicule parcouraient une courte distance, l'abandonnaient et en prenaient un autre.

Grace appela l'état-major pour l'informer qu'il prenait la situation en main.

Vic écrasa violemment la pédale de frein, tandis qu'ils entraient dans un virage à droite serré sur une route de campagne sinueuse. Les roues avant se bloquèrent, et, pendant quelques angoissantes secondes, ils foncèrent tout droit, vers un peuplier.

— Ralentis, Vic, je t'en prie! cria Ashley.

Apparut devant eux un poids lourd qui se traînait et qu'il leur était impossible de dépasser.

Exaspéré, Vic martelait le volant de ses poings.

Tout avait foiré. « C'est donc ça, l'histoire de ma vie », se dit-il. Son père alcoolique était mort alors qu'il était ado. Peu avant son dix-huitième anniversaire, il avait tabassé l'amant de sa mère parce qu'il la traitait mal. Et sa mère n'avait rien trouvé de mieux que de le mettre à la porte.

Il s'était retrouvé dans l'armée par esprit d'aventure et s'était immédiatement senti chez lui parmi les marines. Sauf qu'il avait pris goût à l'argent. Ou plutôt s'était habitué à ce que l'argent coule à flots. Il aimait les fringues, les voitures, le jeu.

Il avait fait équipe avec Bruce Jackman, un intendant militaire de troisième classe véreux, chargé de l'approvisionnement de l'artillerie, et avait trouvé un moyen rapide de faire de l'argent en revendant des armes et des munitions. Quand ils avaient été sur le point de se faire prendre, il avait étranglé Bruce Jackman et l'avait laissé pendu dans sa chambre avec une lettre expliquant les raisons de son suicide.

La vie, c'est un jeu : seuls les plus forts survivent. Il ne connaissait que la loi de la jungle.

Ce qui ne voulait pas dire qu'on ne pouvait pas aimer. Il était immédiatement, irrésistiblement tombé amoureux fou d'Alex. Elle avait tout : une vraie classe, une beauté incroyable, un corps de rêve. Elle avait tout ce qu'il attendait d'une fille, voire beaucoup plus. Et elle était ambitieuse. Elle avait un objectif – faire fortune jeune et passer le reste de sa vie à en profiter – et un plan pour l'atteindre. Mortellement simple.

Maintenant, tout ce qu'ils avaient à faire, c'était arriver à l'aéroport de Gatwick et attraper un avion.

Vic glissa sa main gauche sur la cuisse d'Ashley, trouva sa main et la pressa.

— Tout va bien se passer, mon ange.

Elle lui serra la main en guise de réponse.

Ils passèrent devant la cour d'une ferme. Vic tourna à gauche dans un chemin empierré, puis ils arrivèrent sur une route très fréquentée.

— C'est l'A27, elle mène à l'A23, directement à Gatwick, non?

— Je sais, mais on ne peut pas prendre la route principale.

— Je cherche le meilleur moyen…

Tous deux entendirent le claquement des pales d'un hélicoptère. L'engin bleu foncé descendait droit vers eux, suffisamment bas pour que Vic puisse lire, en lettres blanches peintes au pochoir sur le cockpit : POLICE.

Il prit donc à gauche, accéléra violemment devant une Jaguar, qui lui fit un appel de phares et klaxonna. Il l'ignora, les yeux rivés devant lui, son cerveau en mode panique. La circulation était ralentie devant eux. Merde, ils allaient être complètement à l'arrêt! Une voiture bloquait la route et il y avait une grande barrière bleue marquée POLICE de chaque côté du véhicule. Mais Vic n'était pas d'humeur à s'arrêter.

— Ils viennent de forcer un barrage de police au rond-point de Beddingham, annonça Jim Robinson, de l'état-major. Ils se dirigent vers l'ouest, sur l'A27.

— L'hélicoptère les a toujours en vue?

— Il est juste au-dessus d'eux.

Grace regarda sa montre. 13 h 45. Mardi. La circulation serait relativement dense, et il fallait prendre en considération les autres automobilistes. Il allait falloir être le plus prudent possible. Les encercler constituait la meilleure solution : une voiture devant, une derrière et une de chaque côté pour les forcer à ralentir. Ce serait le cas d'école idéal.

Sauf qu'il n'avait pas connu beaucoup de *happy ends* depuis qu'il était trop vieux pour apprécier les contes de fées.

FONÇANT sur la voie rapide, l'aiguille flirtant avec les 190 km/h, dans une longue pente en courbe, Vic savait que dans une minute environ, ils arriveraient à l'embranchement avec l'A23 et qu'il aurait un choix à faire. Ces dernières minutes, conscient de l'ombre portée par l'hélico, il n'avait pensé qu'à une chose : *si j'étais flic, quels sont les lieux que je ferais surveiller ?*

Les aéroports, à coup sûr. Les ports aussi. Mais il y avait une chose à laquelle les flics n'avaient pas pensé – sans doute parce qu'ils ne la connaissaient même pas. Pour y arriver, il fallait qu'il se débarrasse de ce maudit hélicoptère. Il y avait un endroit, à quelques kilomètres, où il pourrait le faire. La double voie gravissait une côte raide. Tout droit, à quelques kilomètres, une haute cheminée signalait leur destination finale : le port de Shoreham.

Un petit vieux lambinait sur la file la plus lente dans une Toyota quatre portes qui devait bien avoir dix ans. Parfait !

Le tunnel serait en vue d'un instant à l'autre. De mémoire, il devait être long de 400 mètres. Ils passèrent le panneau INTERDICTION DE DÉPASSER et entrèrent dans le tunnel faiblement éclairé à environ 170 km/h. Vic se rabattit immédiatement sur la file la plus lente, écrasa le frein, ralentit à 30 km/h et alluma ses feux de détresse.

— Vic, mais qu'est-ce que tu…

Il ne lui prêta pas attention. Il fixait le rétroviseur, tandis que des voitures les doublaient à toute allure. La Toyota approchait. Tendu, Vic savait que le timing allait devoir être parfait. La Toyota mit son clignotant pour doubler et commença à déboîter quand les appels de phares et le coup de Klaxon d'une Porsche l'obligèrent à freiner et à se rabattre derrière eux.

Merveilleux !

Vic serra le frein à main aussi fort que possible, sachant que ses feux arrière ne signaleraient pas son ralentissement soudain.

— Accroche-toi ! cria-t-il en relâchant le frein et en accélérant.

Des pneus crissèrent derrière eux, mais, au moment où la Toyota les heurta, ils avaient déjà repris de la vitesse. L'impact fut négligeable – une petite secousse qu'il sentit à peine et un bruit de verre brisé.

— Sors ! hurla Vic en ouvrant sa portière.

Il sauta et courut observer les dégâts. Tout ce qui l'intéressait, c'était l'avant de la Toyota. Il avait l'air en état. La calandre était enfoncée, un phare était cassé, mais il n'y avait ni écoulement d'huile ni fuite d'eau.

— Prends les sacs ! hurla-t-il à Ashley, qui marchait vers lui, interdite. Les putain de sacs, allez !

Il ouvrit la portière du conducteur de la Toyota. L'homme avait quatre-vingts ans bien sonnés, les cheveux rares et des lunettes avec des verres épais comme des culs de bouteille.

— Eh ! Qu'est-ce que… Mais où vous croyez…, bafouilla le vieil homme.

Vic détacha sa ceinture, et lui enleva ses lunettes pour le désorienter.

— Je vais te mettre dans une ambulance, mec.

— Mais je n'ai pas besoin de…

Vic sortit le bonhomme, le mit sur son épaule, le déposa sur le siège arrière du Land Rover et ferma la portière. Puis ils chargèrent en hâte le fourre-tout de Vic et les valises d'Ashley dans la Toyota et sautèrent à l'intérieur. Vic trouva la fonction *drive* et, dépassant le Land Rover, accéléra en direction de la lumière qui indiquait la fin du tunnel.

Ashley le regardait fixement, les yeux écarquillés.

— Ça, c'est bien joué, dit-elle.

— Tu vois le putain d'hélico ? demanda-t-il en plissant les yeux quand ils furent en pleine lumière.

Elle tendit le cou.

— Il ne suit pas ! s'exclama-t-elle. Il attend à la sortie du tunnel.

— Super !

Un kilomètre plus loin, Vic prit la première sortie, pour Shoreham.

— O.K., et où on va maintenant, Vic ?

— Michael et Mark ont un bateau, tu sais, un vrai yacht. Tu es déjà montée dessus ?

— Oui, je t'en avais parlé. J'ai fait quelques balades avec eux.

— Il est assez grand pour traverser la Manche, c'est bien ça ?

— Le gars qui le leur a vendu a traversé l'Atlantique avec.

— Très bien. Toi et moi, on sait naviguer.

Ashley se souvint des vacances qu'ils avaient passées sur un voilier, les rares moments de sa vie où elle avait été heureuse, en paix.

— On va prendre leur bateau ?

— À moins que tu aies une meilleure idée. On lèvera l'ancre quand il fera nuit.

Ils se trouvaient à présent sur une voie très fréquentée. Vic ralentit à l'approche d'un feu rouge. Tout à coup, son visage se décomposa. Il entendit le son aigu d'une sirène deux tons et vit un éclair bleu. Un motard apparut à sa fenêtre et lui fit signe de sortir.

Au lieu de ça, Vic écrasa l'accélérateur et grilla le feu, brûlant la priorité à un camion.

Quelques instants plus tard, sirène allumée, la moto était de nouveau à ses côtés, le flic se faisant plus menaçant. Mais Vic donna un violent coup de volant à droite, renversa délibérément la moto et l'envoya dans le décor. Dans le rétro, il entrevit le flic tomber et glisser sur le flanc.

Vic aperçut une rue adjacente, qui avait l'air calme, s'y engagea précipitamment puis accéléra. Il s'était remis à pleuvoir.

— Tu sais où on est ?

— Le port ne doit pas être loin, répondit-il.

Ils se trouvaient dans un labyrinthe de ruelles résidentielles, calmes, puis arrivèrent soudain dans une rue étroite, très fréquentée.

— Là ! (Vic tendit le doigt.) C'est le port !

Au bout de cette artère principale, ils aboutirent à la route qui longeait le port de Shoreham, puis suivait la rivière Adur.

— Il est de quel côté, le bateau ?

— Au Sussex Motor Yacht Club, dit-elle. Il faut tourner à gauche.

Un bus arrivait à vive allure. Vic allait le laisser passer quand, à sa grande stupeur, il vit une moto de la police slalomer dans le flot de circulation, derrière eux.

Il tourna devant le bus, dans un crissement de pneus. Et quelques secondes plus tard, sortie de nulle part, apparut, dans son rétro, une BMW noire avec un gyrophare bleu sur le toit. Elle dépassa le bus en trombe et lui fit une queue de poisson, l'obligeant à piler. Au-dessus du pare-chocs arrière clignotait, en rouge, les mots : POLICE STOP.

Dans son affolement, Vic fit un demi-tour, fila dans l'autre direction en slalomant entre les voitures qui roulaient au pas à l'approche d'un rond-point. La moto le talonnait. Il atteignit l'intersection à gauche, un pont aux poutrelles métalliques enjambait la rivière.

Il s'y engagea, la moto collée à son arrière-train, et accéléra autant que la Toyota le permettait. En contrebas, la mer s'étant complètement retirée, la rivière n'était plus qu'un mince filet d'eau entre deux rives boueuses. Des bateaux gisaient sur le flanc.

De l'autre côté du pont, la voie était libre.

Vic tourna à droite, sur une route étroite. Il avait désormais un mur en béton d'un côté et la rivière, réduite à l'état de vase, de l'autre. La moto et la voiture le talonnaient. Vic était conscient que la Toyota ne pouvait pas lutter contre la BMW et la moto.

Ils arrivèrent à un croisement en T avec une petite route qui ressemblait plutôt à un chemin. Il tourna à droite et écrasa la pédale, l'œil dans le rétroviseur. Le chemin était trop étroit pour que la BMW les dépasse. Ils étaient à 100, 110, 120 et approchaient d'un pont en bois qui enjambait la rivière.

Au moment où ils l'atteignirent, deux enfants à vélo apparurent à l'autre bout, en plein milieu de la route. Vic hurla en écrasant la pédale de frein et en appuyant sur le Klaxon. Mais c'était trop tard. Il n'arriverait pas à s'arrêter et il n'y avait pas de place pour passer. Ashley hurlait. La voiture se déporta vers la droite, vers la gauche, vers la droite. Elle heurta la barrière droite du pont, rebondit, cogna contre celle de gauche, fut renvoyée comme une boule de flipper, puis se renversa sur le toit, rebondit, défonça la structure du pont en bois, pulvérisant les planches comme des allumettes, et plongea, à l'envers, vers la vase, molle et traître comme des sables mouvants.

Le policier descendit de moto. Traînant la jambe à cause de l'accident dont il avait été victime quelques minutes auparavant, il boita jusqu'à l'endroit où le pont avait été éventré et regarda en contrebas.

N'émergeait de la boue que le ventre sale, noir, de la Toyota. Le reste de la voiture avait sombré. Tandis qu'il regardait fixement le dessous du véhicule, et les roues qui tournaient à vide, la boue se mit à faire des bulles, comme un chaudron qui bouillonne. En quelques secondes, le ventre et les roues s'enfoncèrent, et la vase se referma sur le véhicule.

La marée montante ne facilitait pas le travail. Une grue avait été installée sur le pont. Grace et Branson suivaient les opérations.

Grace avait le pressentiment que cette voiture avait quelque chose à leur révéler. Deux valises avaient été récupérées dans le Land

Rover, mais elles ne contenaient que des vêtements féminins. Pas un seul bout de papier qui puisse les renseigner sur Michael.

Lentement, sous leurs yeux, lavée par l'eau, la Toyota s'éleva dans les airs, coffre ouvert. De la boue suintait de tous les encadrements de fenêtre. La voiture avait subi un choc violent et le châssis était tordu.

La boue se détachait progressivement. Les silhouettes des deux passagers apparurent d'abord, puis, finalement, leurs visages inanimés.

La grue déposa la voiture, à l'envers, sur la rive. Plusieurs pompiers détachèrent les crochets et remirent lentement la voiture à l'endroit. Quand elle retomba sur ses roues, les deux corps à l'intérieur basculèrent comme des mannequins.

Grace et Branson s'approchèrent pour regarder à l'intérieur. Ils reconnurent Ashley Harper, cela ne faisait aucun doute. Ses yeux étaient grands ouverts, fixes.

Mais qui pouvait bien être l'homme aux allures de voyou assis à ses côtés, à la place du conducteur ?

— Regarde si tu trouves quelque chose sur elle, dit Grace en ouvrant la portière du conducteur et en fouillant les poches trempées, remplies de boue, de l'homme.

Il sortit un gros portefeuille en cuir de sa veste et l'ouvrit. Il y trouva un passeport australien.

La photo était celle de l'homme au volant. Il s'appelait Victor Bruce Delaney et avait quarante-deux ans. Sous la rubrique *personne à contacter en cas d'urgence* figuraient le nom de M*me Alexandra Delaney* et une adresse à Sydney.

Glenn Branson frotta la boue d'un sac à main jaune, ouvrit la fermeture Éclair et sortit également un passeport, britannique celui-là, qu'il montra à Grace. Il contenait une photo qui était, sans l'ombre d'un doute, celle d'Ashley Harper, mais cheveux bruns, coupés court, et au nom d'Ann Hampson. Sous la rubrique *personne à contacter en cas d'urgence* ne figurait rien.

Il y avait des cartes de crédit dans le portefeuille de l'homme et dans le sac à main, mais rien d'autre. Aucun indice sur la provenance ou la destination des deux passagers.

— Vieux, on a un problème, dit Branson calmement, sans humour.

— Comme tu dis.

Grace se releva et se tourna.

— Et il est tout d'un coup beaucoup plus sérieux qu'il y a deux heures.

— Comment est-ce qu'on va retrouver Michael Harrison, maintenant ?

— J'ai une idée, répondit Grace. Mais elle ne va pas te plaire.

UNE heure et demie plus tard, Grace aidait le frêle Harry Frame à attacher sa ceinture de sécurité dans la Ford de service qu'il avait prise, avec Branson, cet après-midi.

Portant queue-de-cheval et bouc, le médium avait déplié une carte de Newhaven sur ses genoux et tenait dans la main droite un fil au bout duquel pendait un anneau en métal. Grace avait décidé de laisser Glenn Branson en dehors de tout ça. Il ne voulait pas d'ondes négatives, car il savait Harry Frame éminemment sensible.

— Vous m'avez apporté quelque chose, comme je vous l'avais demandé ? demanda Harry tandis que Grace prenait place au volant.

Grace sortit de sa poche une boîte, qu'il tendit au médium. Frame l'ouvrit et vit une paire de boutons de manchette en or.

— Il est certain qu'ils appartiennent à Michael Harrison, je suis passé les prendre dans son appartement avant de venir.

— Parfait.

Tandis que la voiture longeait la côte vers l'est, Harry Frame serrait les boutons de manchette dans son poing.

— Newhaven, vous avez dit ?

— Une voiture qui nous intéresse a été impliquée dans un accident à Newhaven en début de journée. Et c'est là-bas qu'ont été enregistrés les signaux émis par le portable de Michael Harrison. J'ai pensé que nous pourrions aller sur le lieu de l'accident et voir si vous captez quelque chose.

— Je capte déjà quelque chose. On n'est pas loin du tout.

Ils approchaient de Newhaven. Grace suivit les indications qui lui avaient été données. Des traces de freinage, des taches d'huile et quelques éclats de verre témoignaient de l'accident. Il se rangea sur le bas-côté et s'arrêta.

— O.K., dit-il. C'est ici que l'accident a eu lieu ce matin.

Tenant les boutons de manchette dans sa main gauche, Harry Frame commença à faire osciller le pendule au-dessus de la carte en respirant de plus en plus profondément. Il ferma les yeux.

— Continuez, Grace, continuez tout droit, lentement.

Grace obéit.

— On approche ! s'exclama Frame. Je suis formel. Je vois une bifurcation à gauche, plus très loin. Ce n'est peut-être pas une route, juste un chemin.

Cent mètres plus loin, ils arrivèrent en effet à l'entrée d'un chemin, sur la gauche, qui traversait un terrain vague envahi par les broussailles et balayé par les vents. Vu d'ici, il semblait ne mener nulle part.

— Tournez à gauche, Roy !

Grace jeta un coup d'œil pour voir si le médium ne trichait pas et n'ouvrait pas les yeux subrepticement. Mais s'il regardait quelque chose, c'était la carte, sur ses genoux. Grace s'engagea sur le chemin, parcourut 300 mètres et une vilaine maison isolée, ramassée, apparut, tout en haut de la colline.

— Je vois une maison isolée. Michael Harrison est dedans, dit Frame d'une voix encore plus aiguë, sous le coup de l'excitation.

Grace s'arrêta.

— Ici ?

Sans ouvrir les yeux, Harry Frame confirma :

— Ici.

Le pendule faisait de petits cercles rapides, et Harry Frame, les yeux toujours clos, tremblait comme s'il avait mis les doigts dans une prise.

Grace le laissa dans la voiture, s'arrêta devant la porte et observa la pelouse à l'abandon et les parterres de fleurs qui n'étaient qu'un enchevêtrement de mauvaises herbes. Il y avait quelque chose de bizarre, dans l'allure de cette maison, mais Grace ne savait pas vraiment quoi. Son architecture était étrange, comme de guingois.

Il emprunta une allée faite de dalles de ciment et appuya sur la sonnette de la porte d'entrée. Un bruit strident retentit, mais personne ne vint ouvrir. Il appuya une seconde fois. Pas de réponse.

Il fit le tour de l'habitation en regardant à travers chaque fenêtre. La maison avait l'air abandonnée, négligée, à l'intérieur comme à l'extérieur. Les meubles devaient avoir vingt ou trente ans, tout comme la conception et l'équipement de la cuisine. Puis il remarqua, à sa grande surprise, un tas de journaux sur la table de la cuisine.

Il regarda sa montre. Il était un peu plus de 18 heures. Il savait qu'un mandat de perquisition s'imposait. Mais ça prendrait encore quelques heures de plus, et chaque minute les chances de retrouver Michael Harrison vivant diminuaient. À quel point faisait-il confiance à Harry Frame? Le médium avait vu juste en de nombreuses occasions, par le passé. Mais il s'était trompé dans autant de cas. Il soupira.

Il trouva une brique dans le jardin, cassa une vitre de la fenêtre de la cuisine, enveloppa sa main dans son mouchoir, trouva la poignée, ouvrit et se glissa à l'intérieur.

— Il y a quelqu'un? cria-t-il. Ohé? Il y a quelqu'un?

L'endroit avait l'air miteux et sentait le renfermé. La cuisine était propre, et, à part les journaux datés de la veille, rien n'indiquait que quelqu'un l'ait utilisée récemment. Grace vérifia chacune des pièces du rez-de-chaussée. Le vaste salon était ringard au possible, avec ses paysages marins au mur. Grace remarqua qu'il y avait des traces sur la moquette, comme si quelqu'un avait récemment déplacé le canapé. La salle à manger était sombre, avec une table en chêne et quatre chaises.

Le premier étage était tout aussi peu habité et peu cosy. Il y avait trois chambres et une petite salle de bains. Rien d'intéressant de ce côté-là.

Il ouvrit chaque placard, chaque armoire de la maison. À l'étage, le linge de maison était plié et rangé. En bas, les placards de la cuisine contenaient des produits de première nécessité – café, thé, quelques boîtes de conserve, mais rien d'autre. Aucun signe de Michael Harrison. Rien. Nulle part.

Il fallait qu'il trouve à qui appartenait ce pavillon et quels en avaient été les derniers occupants.

Grace sortit par la porte de derrière et se rendit sur le côté de la maison, où se trouvaient deux poubelles. Il souleva le couvercle, et y trouva des coquilles d'œufs, des sachets de thé usagés, un pack de lait vide portant comme date limite de consommation celle du jour.

Plongé dans ses pensées, il fit le tour de la maison pour revoir la façade. Tout à coup, il comprit ce qui lui avait paru bizarre. À la place de cette affreuse fenêtre en plastique, à droite de la porte d'entrée, aurait dû se trouver un garage attenant. Tout était clair, maintenant. Les briques n'étaient pas exactement de la même couleur que celles du reste de la maison. À un moment donné, le garage avait été converti en salon.

Il eut soudain un souvenir d'enfance : son père aimait réparer lui-même sa voiture, la vidanger, changer les garnitures de frein. Grace se souvint de la fosse, dans le garage, où il avait passé tant d'heures heureuses, enfant, à aider son père à réparer les Ford successives qu'il achetait, à revenir couvert d'huile, de graisse.

Puis il repensa aux traces sur la moquette, dans le salon, au canapé qui avait dû être déplacé.

Sur une intuition, pas plus, il rentra dans la maison et fonça directement vers le salon. Il poussa la table basse sur le côté et remarqua que le coin de la moquette rebiquait légèrement. Il s'agenouilla, tira, et la moquette céda facilement, beaucoup trop facilement, révélant un matériau qui n'était pas celui qu'on utilisait généralement sous les moquettes. Il savait exactement ce que c'était : un isolant acoustique.

Il souleva le matériau lourd, gris, et découvrit une grande planche de contreplaqué. Il glissa les doigts sur les côtés, non sans difficulté, et la déplaça.

Il fut immédiatement assailli par une puanteur terrible, mélange d'urine et d'excréments. Retenant sa respiration et appréhendant ce qu'il allait trouver, il fixa la fosse, qui faisait 1,80 m de profondeur, et distingua une silhouette floue tout au fond, pieds et poings liés, la bouche entravée par du ruban adhésif.

Il pensa d'abord que le corps était sans vie. Puis il vit les yeux cligner.

Il était vivant ! Grace fut envahi par une joie quasi irrépressible.

— Michael Harrison ?

Un « Mnhhhh » étouffé lui répondit.

— Commissaire Grace, PJ du Sussex, fit-il en se glissant dans la fosse, sans plus se soucier de l'odeur, extrêmement inquiet quant à l'état du jeune homme.

S'agenouillant à côté de lui, Grace retira délicatement le ruban adhésif de ses lèvres.

— Êtes-vous Michael Harrison?

— Oui, répondit celui-ci d'une voix rauque. De l'eau, s'il vous plaît.

Grace lui pressa amicalement le bras.

— Je vais vous en chercher tout de suite. Et je vais vous sortir de là. Tout va bien se passer, maintenant.

Grace se hissa hors de la fosse, se précipita dans la cuisine et fit couler le robinet, tout en appelant une ambulance par radio. Puis il redescendit en serrant un grand verre d'eau.

Il l'inclina vers les lèvres de Michael Harrison, qui le but avidement, d'un trait, en ne faisant couler que quelques gouttes sur son menton. Quand Grace releva le verre, Michael le regarda et lui demanda :

— Comment va Ashley?

Grace le considéra un instant, réfléchit rapidement, puis lui sourit gentiment.

— Elle va bien, dit-il.

— Dieu merci.

Grace serra de nouveau son bras.

— Vous voulez encore un peu d'eau?

Michael hocha la tête.

— Je vais vous en chercher, et puis je vous détacherai.

— Dieu merci, elle va bien, répéta Michael d'une voix faible et tremblante. Je n'ai pas arrêté de penser à elle. Elle est, elle est tout…

Grace se dégagea de la fosse. À un moment donné, il allait devoir tout lui raconter, mais il sentait que ce n'était ni le moment ni l'endroit.

Et il ne savait pas par où commencer.

PETER JAMES

Après des études de cinéma, Peter James a fait carrière en tant que producteur et scénariste pour la télévision et le cinéma britanniques. Sa fascination pour le paranormal lui est venue après qu'il eut assisté à une séance de spiritisme. « À la fin de la séance, raconte-t-il, le médium s'est approché de moi pour me dire qu'un homme lui était apparu, derrière moi. Quand il me l'a décrit, jusqu'à sa veste en tweed, je n'ai eu aucun doute : il s'agissait de mon père, alors décédé. » Cette expérience fut décisive : « De son vivant, mon père m'avait toujours encouragé à écrire. Je suis persuadé qu'il était là pour me soutenir dans cette voie. » Peter se mit à l'œuvre, et *Possession*, le thriller qu'il publia peu après, en 1987, rencontra un vif succès. Ce fut le premier best-seller d'un auteur dont on dit aujourd'hui qu'il est le « Stephen King anglais ». Pour le personnage de Roy Grace, héros de *Comme une tombe*, Peter James s'est inspiré d'un inspecteur de la police du Sussex qui l'a autorisé à jouer les observateurs au sein de son équipe. Natif de Brighton, James ne quitterait pour rien au monde son cher Sussex. Il y habite une maison réputée hantée, mais il avoue que les morts lui font moins peur que les vivants.

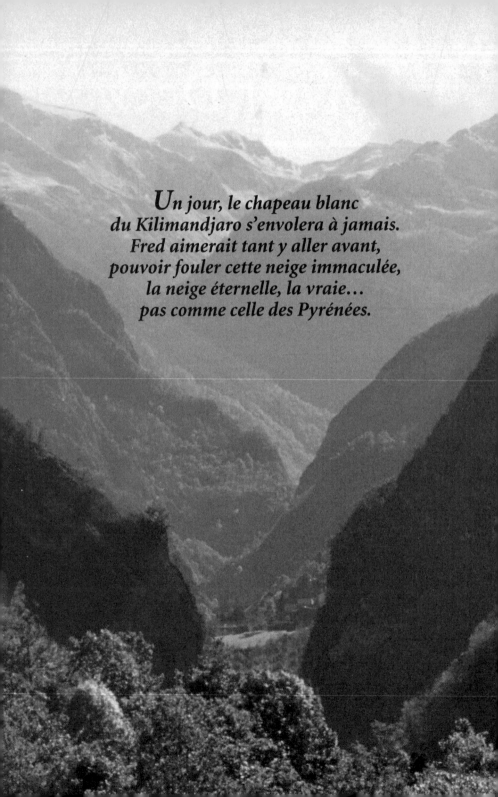

Un jour, le chapeau blanc
du Kilimandjaro s'envolera à jamais.
Fred aimerait tant y aller avant,
pouvoir fouler cette neige immaculée,
la neige éternelle, la vraie…
pas comme celle des Pyrénées.

LES pneus du bus crissèrent avant de s'immobiliser devant la baraque de l'ancien terminus ferroviaire. Tout au fond d'un vallon de Chalosse. La porte du véhicule soupira, en se repliant comme un accordéon. Fred sauta sur le bitume craquelé, rongé d'herbes et de lichens. Un couple de tourterelles et une volée de piafs, qui picoraient dans les parages, s'égaillèrent.

Deux gars et une fille, un peu plus âgés que Fred, descendirent à leur tour. Flanqués de petits sacs à dos, pantalons larges au ras des fesses, casquettes, démarche balancée. Ils s'éloignèrent dans la direction du village, en se retournant de temps en temps, avec des commentaires imperceptibles.

Fred se sentit soulagé. Il avait échangé quelques regards tendus avec ceux-là. Surtout le plus costaud, un rouquin à mâchoire carrée qui roulait des mécaniques. Si le voyage avait duré davantage, les œillades de défi auraient tourné au vinaigre. Fred connaissait ce genre de petit caïd. Toujours à chercher des noises.

Cheveux bruns, frisés. Bonnet noir enfoncé jusqu'aux yeux.

Peau caramel au lait. Tee-shirt lâche par-dessus le jean. Chaussures de sport neuves, qui lui faisaient de grands pieds disproportionnés. Fred allait sur ses treize ans. Sous un bras, un skateboard. Sous l'autre, l'anse de son sac à dos. Il portait des lunettes de soleil qui dissimulaient son regard et lui prêtaient des airs de petit frimeur. Téléphone à la ceinture et, pour compléter la panoplie, un baladeur CD lui expédiant au fond des oreilles le tintamarre haché d'une musique.

Campé sur ses jambes, le garçon adressa un regard semi-circulaire et un peu dépité au décor de verdure.

On le sifflait, depuis une minute. Il n'entendait pas. Les écouteurs lui pressaient la tête dans un étau de musique.

Antoine, soixante-dix balais rangés dans une armoire rustique, était appuyé sur la butée où le trajet de la micheline venait quotidiennement mourir, au temps où marguerites et herbes folles ne se disputaient pas le ballast. Il siffla plus fort, entre ses doigts cette fois.

— Ma parole, il est sourd comme un pot! maugréa le vieil homme. Petit! Oh, petit!

L'intéressé perçut enfin la voix et ôta les écouteurs. Il se retourna et vit l'homme qui approchait en poussant une brouette.

— Je rêve! dit Fred comme s'il croquait les mots.

Aux pieds du garçon, Antoine lâcha la brouette. Soudain, peut-être intimidé, il prit un air embarrassé.

— Frédéric… c'est bien toi, petit?

— Ben oui, ça se voit pas?

— Ben non, ça se voit pas. Je suis Antoine, dit le vieux en plongeant la main dans sa poche, à l'instant même où le gamin allait la lui empoigner. Antoine, ton grand-père.

Fred considéra son interlocuteur comme un animal rare. Assez rebutant.

Les choses s'engageaient mal.

— Ah, c'est vous mon grand-père, m'sieur?

— M'sieur? fit Antoine en écarquillant les yeux et serrant le poing dans sa poche. Qui ça, moi, m'sieur?

— … On s'connaît pas.

Antoine désigna la brouette d'un coup de menton.

— Mets ton sac là-dedans et grimpe!

— Je grimpe où? Dans la brouette? s'esclaffa le garçon. Non mais vous êtes pas bien ou quoi? Que moi je grimpe dans la brouette? Attends, vous voulez me griller d'entrée dans tout le quartier ou quoi?

— Hein? fit Antoine en faisant un effort de décryptage.

— Laissez tomber, pas grave.

Avec un air de dépit, Fred lança son sac dans la brouette et fit signe au grand-père de prendre les devants.

— Allez-y, allez-y, je vous suis.

Tout en se disant que, si le bus avait été encore là, il aurait déjà renvoyé ce merdeux et son paquetage chez sa mère, Antoine engagea la brouette sur le talus où couraient les vieux rails. Fred, maudissant le ciel, l'été, la campagne et ses parents, traînait ses chaussures de sport neuves et multicolores sur le ballast ébouriffé, tapant avec rage sur les touches de son téléphone.

— En plus, y a pas de réseau, ici… mais c'est quoi ce pays?

Ils longèrent le chemin de fer avant d'emprunter un sentier qui grimpait à flanc de colline, sous les noisetiers. Ils parvinrent à une route étroite, la traversèrent pour gagner une piste creusée d'ornières qui fluait entre les prairies jusqu'à la ferme d'Antoine. Une bâtisse ancienne et sa cour de terre, ceinte de hangars et de cabanons déglingués où perchaient des poules curieuses et pétochardes.

Antoine s'arrêta au pied du grand chêne qui ombrait la cour.

— Ça te plaît? demanda le vieil homme.

— C'est sale! répondit Fred.

Puis, après un silence, le garçon demanda :

— Et… vous vivez où?

— Ici, pardi!

— Dans cette ruine?

— Comment ça, ruine? Y a quatre cents ans qu'elle est debout, et elle sera encore debout quatre cents ans après toi, petit!

— Et mes pompes?

— Quoi, tes pompes?

— Voulez pas que je patauge là-dedans avec mes pompes neuves?

— C'est sec, tu risques rien. Sinon, vas-y pieds nus!

Fred se demanda chez quelle sorte de dingue il était tombé.

— Attendez, m'sieur... je vais monter dans la brouette!

— Je te dis que c'est sec. T'as peur de la poussière?

Antoine réfléchit un instant.

— Bon, attends-moi là!

Il disparut sous un appentis. Fred n'osait pas bouger de place. Le grand-père revint avec de vieux bleus de chauffe, beaucoup trop amples, et une paire de bottes en caoutchouc ayant appartenu à sa femme.

— Tu chausses du combien?

— 42!

— Quoi? Incroyable, des arpions pareils! T'as de la chance, Francine avait de grands pieds. Tu dois pouvoir les enfiler.

— Vous rigolez?

— Enfile ça, je te dis, comme ça tu te saliras pas.

— Pas question!

Antoine renonça. Du coup, Fred parut un peu ennuyé.

— Francine? demanda-t-il en changeant de ton.

— Quoi, tu connais pas le prénom de ta grand-mère?

— M'en rappelais plus.

Antoine abrégea en invitant Fred à faire le tour des lieux. Il allait lui montrer le décor de son séjour au vert.

Remises et appentis étaient encombrés d'outils et d'objets hétéroclites, pour la plupart antédiluviens. Dans l'ombre d'une grange, une vieille Renault 4 se desquamait lentement.

Le bâtiment principal était couvert d'un toit à deux pentes. La porte de la cuisine ainsi que sa fenêtre étaient situées sur la partie gauche de la façade. Au centre, à l'aplomb de la faîtière, s'ouvrait une porte cintrée, assez large et haute pour permettre le passage d'une charrette. Dans la vaste pièce, qui traversait la maison de part en part, s'entassaient des meubles criblés par les vrillettes.

— Y a plus que des saloperies là-dedans, dit Antoine.

Un tracteur, des outils agricoles perclus, étranges insectes de ferraille. Antoine fouinait de temps à autre dans ce fatras, pour récupérer une pièce mécanique, un morceau de ferraille, toute chose utile au bricolage. Au-dessus de la porte arrondie, une petite fenêtre. Celle par laquelle on montait le foin au grenier.

Sur la partie droite s'ouvrait une porte à deux battants rectangulaires. L'étable. Les stabulations vides. Les abreuvoirs automatiques rouillés. Il persistait là une odeur de bétail.

Antoine se contenta d'ouvrir la porte pour que Fred jetât un œil.

— Je n'y ai plus mis les pieds depuis que j'ai vendu le troupeau.

— Pourquoi?

Aucune réponse ne vint. Antoine n'avait jamais voulu destiner l'étable à une autre utilisation. Cette partie de la maison, figée, vidée de sa substance, était abandonnée.

DANS la grange, Antoine plongea la main au fond d'un sac de maïs concassé puis appela les poules en imitant leur caquet. Elles déboulèrent du grenier, de la cour et même de l'intérieur de la 4 L, pour se jeter à bec précis sur les éclats jaunes et blancs de pitance. Le grand-père indiqua à Fred quelques nids où les poules pondaient.

Ils ne collectèrent pas beaucoup d'œufs. Mieux valait passer le soir, pour ça.

Après les poules, on visita le cochon dans son enclos.

— Vous avez un cochon? demanda Fred, comme si la chose paraissait aussi improbable que de posséder un tyrannosaure d'appartement. Un cochon vrai de vrai? Rose et tout?

— Ah… rose? T'aurais préféré rose, fit Antoine très sérieux. Non, le mien est bleu!

— Bleu? Un cochon bleu? Il mord?

— Oui, surtout quand il connaît pas! Les cochons et les oies font d'excellents gardiens, tu sais.

Fred jeta un œil prudent par-dessus le muret.

— Beuh, il est pas bleu, n'importe quoi!

— Ah non? s'étonna Antoine en regardant à son tour. Il a dû pleuvoir un peu, cette nuit. Le cochon, ça déteint.

— Ouais, d'accord! Ça sert à quoi?

— Quoi?

— Un cochon… avoir un cochon chez soi, ça sert à quoi?

— À faire joli!

— Vous trouvez que ça fait joli? Vous avez vu la gadoue dans laquelle il vit, votre cochon?

— Les cochons, ça aime la boue!

— Qu'est-ce que vous en savez? Il vous l'a dit?

— Je le sais. Pas besoin d'être allé longtemps à l'école pour savoir certaines choses. T'as qu'à mettre un cochon dans un endroit propre, tu verras, ça loupe pas… il déprime et il maigrit.

— Il pue, votre cochon!

— Il sent le cochon!

— Eh bien ça pue! C'est parce qu'il pète?

Fred éclata de rire.

— Eh… tu serais pas un peu délicat, toi? dit Antoine.

Mains dans les poches, le grand-père secoua la tête plusieurs fois et s'en alla vers la maison, suivi de Fred qui tournait sur lui-même en se déhanchant légèrement, au rythme de la musique dont il avait monté le volume, au point que son hôte s'en alerta.

— Tu te bousilles les oreilles, petit!

Comme Fred ne regardait pas dans sa direction, il n'entendit rien.

— Après tout, tu fais ce que tu veux de tes esgourdes, commenta Antoine en se déchaussant au tire-bottes, devant la porte qui donnait sur la cuisine.

Il enfila des pantoufles dont les trous et la lassitude intriguèrent Fred, puis invita le gamin à se déchausser à son tour avant d'entrer.

Sɪᴛôᴛ à l'intérieur, la chaleur prenait aux joues. Une vapeur odoriférante s'échappait du couvercle d'un faitout posé au coin de la cuisinière à bois. Fred coupa la musique de son baladeur et dit qu'on étouffait, là-dedans. Le grand-père baissa le tirage de la cuisinière et ouvrit la fenêtre, qui donnait sur un pré où paissaient des vaches pie. Fred demanda à Antoine si elles lui appartenaient. Il répondit que non, c'en était fini de l'esclavage des bêtes. Tous les jours en piste, toute l'année, toute la vie. Une corvée!

— Les mamelles, ça connaît pas les congés payés!

Il prêtait ses prairies à Pierrot et Marie, des fermiers voisins. Les derniers à posséder un troupeau. Après eux, fini. Plus que des vieux, des citadins et des étrangers, dans les fermes.

Le vieil homme servit deux assiettes de soupe qu'il posa sur la table, en mesurant ses gestes. Puis il alluma le téléviseur qui trônait sur le réfrigérateur. L'écran s'illumina, comme un gros œil qui s'ouvre.

— Une heure, les infos, dit-il.

Fred n'osait pas bouger. Il découvrait le décor de la cuisine avec un air à la fois dégoûté et étonné.

— On se croirait à l'ancien temps. Je suis allé au Salon de l'agriculture avec l'école, l'an dernier… J'ai vu des photos qui ressemblaient à ça… J'en reviens pas que ça existe encore !

Antoine s'assit, déplia sa serviette et l'enfila par un coin dans le col de sa chemise.

Fred se moqua de lui.

— Vous mettez une bavette ?

— Assieds-toi et mange, tant que c'est chaud !

— Vous auriez pas un truc frais, plutôt ? dit Fred en ouvrant la porte du réfrigérateur. Mais, il est vide, votre frigo ! Beuh, et tout moisi !

— Il est débranché… il sert que pour poser la télé. Attrape le vin dans le buffet, s'il te plaît.

Sur le meuble étaient entreposés les vieux journaux qui servaient à allumer le fourneau. Au milieu, il y avait une panière d'osier. Un plateau de cuivre au décor ciselé était dressé derrière, appuyé à la verticale. À droite de la panière, une photo dans un cadre.

— C'est qui ? demanda Fred.

— Ta grand-mère. Elle avait quarante ans. Comme ta mère, aujourd'hui.

— Elle est moins belle que ma mère !

— Ta grand-mère était très belle !

— Ouais… elle savait pas s'habiller. Remarque, ajouta-t-il en regardant Antoine, vous êtes pas mieux… ça vient de chez Emmaüs ?

— Je connais pas.

— Un curé qui prend des fringues aux riches pour les donner aux pauvres… vieilles, les fringues, je vous jure ! Y a un magasin à côté de chez moi, mais les jeunes y vont pas.

— Pourquoi ?

— C'est nul.

Renonçant à comprendre, Antoine se servit un verre. Il sortit de sa poche une boîte dans laquelle il prit une pilule blanche, qu'il avala avec un trait de vin.

— Le plateau, reprit Fred, on a le même chez nous, juste à peine plus petit. On l'a rapporté de vacances. Vous êtes déjà allé en vacances au Maroc, vous aussi ?

Antoine se pencha sur sa cuillère à soupe.

— Bon, tu t'assois ou non ?

Secouant la tête, Fred fouilla dans son sac à dos, posé près de la porte. Il en sortit un paquet de biscuits salés et une bouteille de soda.

Sur l'écran du téléviseur, on voyait l'image déformée du journaliste, dont la voix incompréhensible grésillait au milieu d'un crachouillis de parasites. Antoine se leva et bougea l'antenne, posée sur le poste, jusqu'à l'obtention d'une image et d'un son à peu près corrects. Puis il reprit sa place et continua de manger, en émettant de forts bruits d'aspiration. Fred, paquet de biscuits coincé sous le bras, bouteille à la main, grignotait tout aussi bruyamment, planté devant la télé.

— Vous voulez un Crokster's ? proposa-t-il, la bouche pleine, en tendant le paquet sans pour autant lâcher l'image des yeux.

— Non, répondit le grand-père. Pousse-toi de là, t'es pas transparent ! Et puis tu peux pas faire un peu plus de bruit avec tes biscuits, tant que t'y es ?

Fred n'en revenait pas. Il allait lui dire, à ce vieil emmerdeur, qu'il ferait mieux de s'écouter quand il mangeait sa soupe. On aurait dit un aspirateur tombé dans une baignoire… Mais autre chose l'avait soudain accaparé. Il se figea.

— E… elle est où, la couleur ?

Il montrait le téléviseur.

— Quelle couleur ? demanda Antoine.

— Votre télé, elle a pas la couleur ? Elle est déréglée ?

— Elle est noir et blanc… ça t'avancerait à quoi, de voir sa tronche en couleurs, à celui-là ?

— Ben… dit Fred.

Et sa phrase mourut là. Il but une gorgée de soda, au goulot.

Antoine versa un peu de vin dans le fond de son assiette, puis, la soulevant des deux mains, lui imprima un mouvement rotatif, avant de la porter à sa bouche.

— Vous mélangez le vin et la soupe, m'sieur? demanda Fred avec une grimace d'écœurement.

Le vieil homme fronça les sourcils et monta le ton :

— Arrête de m'appeler m'sieur, petit!

— Arrêtez de m'appeler petit, m'sieur!

Antoine se leva en ronchonnant et reversa dans le faitout l'assiette de soupe qu'il avait servie à Fred. Il retira ensuite le récipient de la plaque brûlante.

— Tu dois pourtant pas en manger souvent, de la soupe comme ça.

Antoine réchauffa une casserole dans laquelle il restait un fond de café. Il patienta debout devant la cuisinière en attendant que le liquide frémît, tandis que Fred mettait le nez à la fenêtre et meuglait pour voir si les vaches lui répondaient.

— Tu ferais mieux d'appeler chez toi, dit Antoine en regagnant sa place. Ta mère doit s'inquiéter. Dis-lui au moins que t'es bien arrivé!

Il remplit son verre de café, ajouta deux sucrettes et commença de siroter en regardant la télé.

— Le réseau passe pas, ici, dit Fred.

— Quoi?

— Mon téléphone marche pas. Vous faites comment, vous? Signaux de fumée?

— Le téléphone est dans le couloir. Pas trop longtemps, ça coûte cher!

— Je vais leur dire de me rappeler. C'est quoi, votre numéro?

— J'en sais rien, moi, je m'appelle jamais.

— Putain, on se croirait à la préhistoire, ici, grommela Fred pour lui-même, en sortant de la pièce.

Le garçon décrocha le combiné du poste posé sur une commode.

D'où il était, il apercevait la salle à manger. Les volets de la pièce étaient clos. Tous les meubles étaient protégés par des draps blancs. Fred ressentit un malaise, devant ce décor figé où semblaient rôder des fantômes.

La voix de son père se fit entendre, à l'autre bout du fil.

LORSQUE Fred revint dans la cuisine, Antoine s'était assoupi. Il ronflait. Le garçon s'approcha sur la pointe des pieds et s'amusa à lui grogner dans les oreilles en imitant le cochon. Le grand-père ouvrit les yeux.

— Eh, vous ronflez comme votre cochon !

— T'as parlé à tes parents ?

— Mon père…

— Tu lui as dit que t'étais bien arrivé ?

— Je lui ai demandé ce qui leur a pris de m'envoyer ici !

— T'es pas bien, chez moi ?

— C'est Jurassic Park ! Je dors où ?

Antoine se leva en rouspétant. Il alla jusqu'au fond du couloir. Il ouvrit la chambre où Fred devait s'installer. Il lui expliqua que c'était autrefois la chambre de sa mère. Il désigna des affaires d'enfant, deux poupées et des livres sur les étagères d'un meuble-bibliothèque, en disant qu'elles appartenaient à Aline. Que rien n'avait bougé. Le lit était très haut, recouvert d'un épais édredon. Fred s'y allongea, sans ôter son bonnet. Il posa le baladeur sur son ventre, mit la musique en marche et augmenta le volume.

Antoine haussa les épaules et retourna dans la cuisine. Il reprit sa place à table, sortit la blague à tabac et le papier à rouler. Il se demandait ce qu'il allait faire du gamin. Et combien de temps on comptait le lui coller en pension. Il voulait bien rendre service, montrer la vie à la campagne à un petit de la ville… mais fallait pas abuser, quand même, pas six mois ! D'abord, il n'avait plus l'âge d'élever des gosses et puis les habitudes allaient en prendre un coup. Si dans une semaine Aline n'avait pas donné signe de vie, il l'appellerait. Ah non ! il ne l'appellerait pas ! Il y avait plus de dix ans qu'elle était partie de la maison… voyons, même treize ou quatorze ans… Antoine n'avait jamais téléphoné, depuis. Elle avait choisi. Il l'avait prévenue. Et quand Antoine disait quelque chose ! De temps en temps, Aline appelait pour prendre des nouvelles de son père. Lui, jamais.

Pendant ce temps, Fred marinait dans un état d'esprit sensiblement équivalent. Allongé sur le lit, mine renfrognée, bras croisés, il se disait qu'il ne ferait pas long feu dans les parages. Si dans trois jours les parents ne l'avaient pas rapatrié, il aviserait.

Le coq s'égosillait. Son triomphe se répercutait dans les vallons, courait au travers des bois, caracolait de prairie en prairie, franchissait les talus et les haies, jusqu'à d'autres fermes où d'autres coqs lançaient à leur tour l'alerte du matin.

La tronçonneuse d'Antoine rageait, non loin de là.

Dans sa chambre, Fred tomba du lit et regarda par la fenêtre dont les volets étaient restés ouverts. Le ciel dégagé promettait une journée de canicule. Un chat tricolore – noir, blanc et marron clair – chassait près d'un séchoir à maïs. Fred sauta dans son jean, enfila le tee-shirt et s'encastra dans le bonnet avant de revêtir son exosquelette : lecteur portable, téléphone, montre et lunettes de soleil.

Les yeux encore gonflés de sommeil, il alla fouiner dans la cuisine. Comme il avait boudé tout ce qu'Antoine avait proposé à manger, son ventre sonnait creux.

Il ouvrit machinalement le réfrigérateur, sans espoir puisqu'il l'avait trouvé vide et débranché la veille. Il s'étonna d'y découvrir une bouteille de lait. Plus de traces de moisissure, impeccable. Sur la table, on avait disposé un grand bol, une cuillère, une serviette et une boîte de fer émaillé. À l'intérieur, soigneusement alignés, il découvrit des biscuits à la crème de lait, encore tièdes. Ses papilles frémirent. Il se servit un plein bol de lait et dévora cinq ou six biscuits.

Le grondement de la tronçonneuse cessa.

Antoine venait de la poser au sol. Il déboucha le réservoir et fit le plein, au moyen d'un jerrican. Il contrôla le niveau d'huile de chaîne et tira deux ou trois fois sur le cordon pour redémarrer.

La bouche encore pleine de biscuit, Fred passa l'angle de la remise.

— Salut ! dit-il simplement.

— Salut, petit, déjà debout ? demanda Antoine.

— Trop de boucan. On peut pas dormir, ici !

— Si tu veux, on va attendre que tu te réveilles pour commencer à travailler… Bah, je blague. On s'y fait, tu verras !

— J'espère que je serai parti avant d'avoir vu !

Antoine tira encore deux ou trois fois sur le cordon et la tronçonneuse redémarra. Au bout des bras épais du vieil homme, la machine tonitruante paraissait minuscule. De puissants jets de sciure giclaient de l'entaille, où la lame pénétrait le bois.

Par une échelle appuyée contre le tronc du chêne, Fred grimpa jusqu'aux premières branches. Là-haut, Antoine avait construit une plate-forme de planches. Un poste de chasse. Cette espèce de braconnier devait flinguer les oiseaux en toutes saisons, de son mirador.

Fred retira le téléphone de son étui et composa le numéro de chez lui. Son père décrocha. Oui, je sais… il est tôt. T'es déjà debout, tu vas au boulot, non? Maman est déjà partie? Hein? Non, pas du tout, y a pas d'ordi et sa télé n'est même pas en couleurs! T'y crois, toi? Quoi? Elle sera pas là pour mon anniv? Tu rigoles? Quoi? J'entends pas bien, à cause de la tronçonneuse…

La communication s'interrompit. Fred secoua le téléphone. Il répéta plusieurs fois allô! allô! sans succès. Il composa de nouveau le numéro. Réseau non disponible.

En bas, le grand-père posa la tronçonneuse et saisit une lourde hache dont la lame impeccable luisait. Il la souleva très haut au-dessus de sa tête et l'abattit avec force sur une bûche posée sur un billot. Sa puissance et sa précision étonnèrent Fred, qui se mit à observer ses gestes, avec un sentiment assez admiratif.

Les bûches éclataient littéralement, sous les chocs de la cognée. Des copeaux blancs étaient projetés à plusieurs mètres. À chaque effort, Antoine poussait un grognement. La sueur coulait au bout de son nez, ruisselait sur ses bras. Les muscles de son dos roulaient sous le tissu crasseux du débardeur.

Du haut de la plate-forme, Fred n'en revenait pas.

Le soleil s'élevait au-dessus de la ligne des coteaux. La chaleur s'accentuait. L'air épaississait. La fraîcheur se repliait dans le fond des vallons, près des ruisseaux et plus au sud, vers le Béarn et le creux sombre de la vallée du Gave.

Antoine décréta une pause. Il prit appui sur le manche de la hache. Il avait du mal à retrouver son souffle. Puis il se frotta le ventre en grimaçant. La fringale lui provoquait des brûlures. Il s'installa sur le tas de bûches, déplia près de lui un torchon qui enveloppait un bout de pain

et un morceau de fromage. Ses joues rosirent d'une lueur de gourmandise. Au fond de la poche de son pantalon, il prit un canif, avec
lequel il découpa consciencieusement une tranche fine de fromage.

Sans lever le nez, car il savait bien que le garçon l'observait, il dit :

— T'en veux, petit ?

La tentation était grande. Or accepter de partager le casse-croûte
d'Antoine aurait constitué un premier pas indubitable vers la paci-
fication des relations.

— Vous… vous mangez quoi ? demanda Fred en exagérant le
ton méfiant.

— Allez, descends !

Fred dégringola le long de l'échelle et vint s'asseoir près
d'Antoine, qui lui tendit une fine tranche de fromage, sur la lame du
couteau.

— Elle est chouette, votre lame, dit Fred.

— Un homme doit toujours avoir un couteau à la poche. T'en
as un, toi ?

— Non !

Antoine se contenta d'enfourner un morceau de pain dans sa
bouche, où les dents devenaient rares.

— Donc je suis pas un homme, si je comprends bien, dit Fred.
C'est ce que vous pensez, là, hein ?

— À ton âge, moi…

— … moi j'avais déjà mon couteau ! devança Fred en caricatu-
rant la voix et les mimiques de son grand-père.

Ce dernier interrompit sa mastication. Il tourna la tête vers le
gamin, le considéra un instant.

— Toi, dit-il, t'as une sacrée grande gueule !

APRÈS avoir mangé, Antoine reparla de l'abattage des arbres. Il
expliqua que les arbres avaient été coupés à la lune noire de février,
quand la sève était en bas. C'était très important, de faire tomber à
la bonne lune, sinon le bois se consumait sans brûler.

— Ceux qui disent qu'il n'y a pas de fumée sans feu n'ont jamais
allumé le feu avec du bois coupé à la mauvaise lune ! ajouta-t-il.

Puis il cracha dans ses mains, les frotta l'une contre l'autre et se
releva.

— Tu sais manier la hache ?

— Euh… non !

— Viens, approche, je vais te montrer.

Fred répondit qu'il n'avait pas envie d'essayer. Il avait envie de solitude. Quelque chose lui pesait sur la poitrine. Il demanda à Antoine de lui indiquer un endroit pour faire du skate. Du goudron pas trop défoncé ou du béton. Antoine lui montra le départ d'un sentier qui descendait tout droit à la route.

MUNI de sa planche, Fred suivit l'itinéraire indiqué. Il s'immisçait sous des chênes et des châtaigniers dont les feuillages cachaient le ciel.

Il parvint à la route. Le goudron était couvert de gravillons, par conséquent impropre à la pratique du skate. Il descendit jusqu'au bourg, espérant y découvrir une aire adéquate.

De rares passants allaient et venaient. Se croisant, ils s'arrêtaient, échangeaient quelques mots puis reprenaient leur chemin. Le galimatias d'une radio filtrait d'une fenêtre aux volets mi-clos. Les tourterelles roucoulaient dans le feuillage des platanes. La place de l'église offrait une surface bien régulière et propre, en effet.

Un scooter bleu était stationné en plein milieu. Fred le descendit de sa béquille et le poussa sur le côté. Il allait enfin s'élancer quand une camionnette de boucher vint se garer exactement où se trouvait le scooter une minute auparavant. Fred étouffa un juron. La camionnette corna plusieurs fois. Le boucher releva le capot de son étal. Il ceignit un tablier blanc. Il arrangea les morceaux de viande sous la vitrine puis passa au fusil un large couteau, dans l'attente du premier chaland. Il détaillait Fred avec insistance, de la tête aux pieds. Il le salua. Fred baissa les yeux et prit sa planche sous le bras.

LE rouquin sortit d'un porche. Fred le reconnut aussitôt. Il détourna le regard et remonta vers la rue qui conduisait au pied de la colline. Le rouquin s'approcha de la camionnette et conversa un instant avec le boucher.

Fred, qui pressentait quelque chose, se retourna. Le boucher était en train de le désigner, de la pointe du couteau.

L'air furieux, le rouquin monta sur le scooter, démarra en

trombe. À grands coups d'accélérateur, il remonta jusqu'à Fred, pour lui barrer le chemin avec son engin.

— Dis, qui t'a permis de bouger mon scoot?

— Eh, tranquille! dit Fred en présentant la main devant lui, en signe d'apaisement. C'était juste pour dégager la place, pour faire du skate. J'ai rien cassé.

Le rouquin mit son scooter sur béquille et s'approcha, la dégaine menaçante. Fred avait l'habitude. Il savait se défendre. Il posa sa planche et se prépara à recevoir des coups et à répliquer. L'autre sentit sa détermination. Il pointa un index menaçant.

— Tu touches plus à mon scoot, pigé? Sinon, je t'éclate la tête!

Fred continua de calmer le jeu.

— O.K., O.K.! Je m'en fous de ton scoot.

Le rouquin opina. Il enfourcha le scooter et démarra pleins gaz.

« Quel con! » dit Fred pour lui-même.

Décidément, songeait-il, il ne voulait pas de ce pays et ce pays ne voulait pas de lui.

LE tas de bûches fendues avait doublé de volume. Antoine se tenait immobile, hache levée au-dessus de la tête. Il avait soudain interrompu son mouvement pour tendre l'oreille. Au loin, vers le nord, montait le sifflement de la turbine d'un hélicoptère. L'engin survolait la chênaie et se rapprochait. Les vaches, dans le pré, levèrent le mufle et cessèrent de mâchonner. Antoine ficha la hache dans le billot. Il scruta le ciel au-dessus des collines.

Lorsque le vacarme du rotor fut tout proche, les vaches s'effarouchèrent et dévalèrent la pente, pattes écartées. L'appareil déboucha soudain au-dessus de la ferme. Antoine se mit à hurler, à déverser un flot d'insanités. Il tenait à bout de bras une mitrailleuse imaginaire et tirait en criant : « Takatakata! Takatakata! » Le copilote, là-haut, lui adressa en retour un doigt d'honneur.

Fred se bidonnait. Vraiment, le vieux était complètement fêlé.

L'hélicoptère s'éloigna. Antoine balança encore une volée d'injures, avant de remarquer le garçon.

— Ils viennent chaque semaine, pour s'exercer. S'exercer, tu parles… emmerder le monde, plutôt.

— Vous avez vu, le pilote… il vous a fait un doigt! dit Fred, cédant au rire.

— On se connaît, depuis le temps. Ils font le détour rien que pour moi!

Antoine raconta qu'un jour il avait tiré au fusil de chasse sur un hélico de l'armée qui insistait un peu trop. « Carrément, oui! Ces cons-là, s'ils viennent trop souvent, les poules ne pondent plus et le cochon maigrit! » L'épisode lui avait valu un passage devant le juge, une amende, un mois de prison avec sursis et la confiscation du fusil pendant un an. « Les salauds, tu te rends compte, un an sans chasser! » Heureusement, Antoine gardait le flingot de son propre père, planqué dans la souillarde. Mais l'incident avait tempéré ses ardeurs. Depuis, il se contentait de ne tirer que des bordées d'insultes.

On le connaissait bien à la base militaire. Pour tous les élèves pilotes, Antoine était l'attraction.

LE timbre d'une bicyclette interrompit la conversation.

— Ah, dit Antoine, voilà Marie!

Marie poussa sa bicyclette jusqu'à la maison. Elle l'appuya contre la façade. Sur le porte-bagages, elle transportait un panier d'osier.

Antoine et Fred vinrent à sa rencontre.

Le temps n'avait su effacer une certaine fraîcheur du visage épanoui de Marie. Elle avait peu ou prou le même âge qu'Antoine, mais ses joues replètes lui faisaient grâce des rides.

Marie regarda Fred.

— Alors c'est toi, le petit Frédéric!

Fred conserva un visage fermé. Qu'on l'appelât « petit », déjà, ne lui plaisait pas, mais « le petit Frédéric »… on frisait l'insulte. Elle lui voulait quoi, cette vieille bique?

Elle entra dans la maison, Antoine la suivit.

Marie semblait chez elle. Elle savait où étaient rangés le café, le sucre, les cuillères, tout. En attendant que la bouilloire chantât, elle raconta à Fred, qui n'avait rien demandé, des histoires anciennes.

Elle se souvenait de la mère du garçon, lorsqu'elle était petite. Aline venait tous les jours chercher le lait à la maison.

— Oh, Aline, mon Aline, quelle brave petite! Toujours le sourire. Comme ta grand-mère.

De plus, Marie avait été l'amie d'enfance de Francine, la grand-mère de Fred. Après leurs mariages respectifs, les deux femmes avaient eu la chance de vivre en voisines.

Pendant ce temps, Antoine vidait le panier, qui contenait des victuailles. Marie avait apporté du bouillon dans une bouteille et une cocotte en fonte dont le couvercle avait été ficelé.

— Tu n'as presque plus de pain ni de fruits, Antoine. Tu veux que je t'en prenne? Je dois descendre chez Marcel, tantôt.

— Non, merci, Marie. Je vais y envoyer le petit.

Fred ouvrit des yeux ronds. Voilà qu'Antoine le prenait pour un pigeon. Non mais, il n'avait qu'à y aller, lui!

— Tu es content de passer des vacances chez ton grand-père, mignon?

— Je m'appelle Fred, madame! répondit l'intéressé en contenant son agacement.

Marie, surprise par la réplique, bafouilla un peu avant de se reprendre.

— Eh bien d'accord, Fred… tu peux m'appeler Marie! Tu as aimé les biscuits, ce matin?

— Oui, merci!

— Je t'en ferai d'autres, quand tu auras fini ceux-là.

— J'ai presque fini.

— Déjà?

Marie dit qu'elle récupérerait la boîte à biscuits, quand elle serait vide.

— Je n'ai pas assez de crème de lait pour en refaire une fournée. Tu attendras un jour ou deux.

— J'aurai pas l'occasion d'en manger deux boîtes! bougonna Fred.

— Et pourquoi ça?

— Je vais pas moisir assez longtemps chez lui!

— Lui? fit Marie.

Elle demanda à Antoine s'il savait combien de temps le petit resterait. Il ne savait pas. La mère n'avait rien dit.

— Tu la connais, Aline, toujours à n'en faire qu'à sa tête.

Marie approuva. Elle vérifia le fonctionnement du réfrigérateur, prit son panier et souhaita un bon appétit.

— La cocotte, c'est pour ce soir, dit-elle en s'adressant à Antoine. Tu n'as qu'à lui faire frire une tranche de jambon et deux œufs, ce midi. Allez, bonne journée!

Elle s'en alla.

— Eh, elle est comme votre femme, Marie! dit Fred sur un ton malicieux.

Le grand-père bredouilla des mots insaisissables, avant de changer brusquement de conversation. Il demanda au garçon d'aller chercher des œufs dans la 4 L.

Fred s'étonna :

— Dans la 4 L?

— Oui, dans la grange. T'as bien vu, la vieille 4 L.

— Tu t'en sers de poulailler? Elle marche plus?

— Je conduis plus depuis longtemps! J'ai plus confiance, à cause du cœur. Les poules pondent sur les sièges. Tu verras, j'y ai mis un peu de foin. Plus confortable, non? Le Skaï, c'est froid en hiver et chaud en été! Allez, va, je vais couper du jambon.

— Je veux pas de jambon!

— Mais il est de la maison, tu crains rien!

— Deux œufs, ça ira.

— Avec quoi, les œufs?

— Vous avez pas des nouilles?

— Des nouilles? Pour quoi faire?

— Rien, laissez, dit Fred en quittant la pièce.

La carcasse de la 4 L reposait sous une croûte de poussière. On entendait des craquements et des frottements. Fred pensa à des rats. Il activa la manœuvre. Il passa le bras par la vitre ouverte et ramassa trois œufs, sur le siège couvert de foin.

Il sursauta. Un animal venait de bondir, là, derrière un arrosoir cabossé et troué par la rouille. Fred retint sa respiration. Ça attaque, les rats? La bestiole quitta le couvert et sauta sur le capot de la 4 L. Ouf! Le chat tricolore. Fred se dépêcha de sortir.

L'instant d'après, jambon et œufs crépitaient dans la poêle. La cuisine embaumait. Antoine, de la pointe d'une fourchette, recouvrait régulièrement les œufs d'huile chaude, pour que la fine pellicule transparente d'albumen blanchît, sur le jaune.

— Ça attaque, les rats?

— Les rats, t'as vu des rats?

— J'ai cru en voir.

— Ils bouffent les œufs… mais, hé, hé, le chat est imbattable, pour les rats…

— Alors, ça mord ou pas?

— Des fois… si t'y mets la main dessus par mégarde.

— Et… y en a beaucoup, ici?

— Mais non! Je t'ai dit que le chat veille.

Fred regarda la photo, sur le buffet.

— Elle est morte quand, ma grand-mère?

À l'aide d'un tisonnier, Antoine souleva une plaque de la cuisinière. Des flammes s'élevèrent par l'orifice ainsi dégagé. Il demanda à Fred de lui passer une bûche.

— C'est cuit, dit le grand-père.

Ils s'installèrent à table.

— Vous voulez pas en parler? Pourquoi personne ne veut jamais me parler, à moi?

— Elle est morte peu après ta naissance, petit.

— De quoi?

— Elle était très malade. Elle est morte, point.

Fred n'insista pas.

Dans l'après-midi, Fred songea que l'idée d'aller faire les courses n'était pas mauvaise. Il achèterait de quoi grignoter des choses civilisées. Et avec un peu de chance, la place serait libre pour faire du skate. Il descendit par le sentier sous les châtaigniers.

L'épicerie était encore fermée. Il joua sur la place, jusqu'à l'heure de l'ouverture. Les escaliers du parvis offraient un obstacle de choix à franchir. Un moment plus tard, il entendit rouler le rideau de fer de la boutique.

Blouse blanche, front large et dégarni, crayon sur l'oreille, l'épicier l'accueillit avec des yeux inquisiteurs. Fred n'y prêta aucune attention. Il prit un panier de plastique, à la disposition de la clientèle, et se faufila entre les rayons. Chocolat, biscuits, sodas. Il en amassa suffisamment pour tenir un siège.

— Vous avez des Crokster's?

— Au fond, en haut…, fit l'épicier avec un coup de tête, sans lâcher le cageot de légumes qu'il transportait.

— Vous prenez la carte?

— La carte… de crédit?

— Ben oui, la Carte bleue, quoi.

— T'es pas un peu jeune pour avoir une Carte bleue, dis?

— Ma mère m'a laissé la sienne pour les vacances.

— Tiens donc, elle est du genre confiant, ta mère.

— Normal, je suis son fils!

— Oui, ben, normal ou pas, je la prends pas, la carte.

— Alors vous marquez ce que je dois, et mon grand-père passera vous payer.

— Ton grand-père?

— Antoine…

— Ah, t'es donc le petit d'Antoine? fit l'épicier hypocritement. Remarque, j'aurais pu m'en douter, pas vrai? Hé, hé…

— Le petit d'Antoine?

— Je me suis trompé, t'es pas le petit d'Antoine?

— Si, si, dit Fred en allongeant la mine.

L'épicier ouvrit un cahier à spirale dont certaines pages étaient arrachées, à force de manipulations.

— Alors, pas trop grincheux avec toi, le vieux?

Fred n'avait pas envie de bavarder avec ce type. Et puis, de quoi se mêlait-il, d'ailleurs? Il bredouilla une réponse inintelligible, salua, sortit de la boutique.

ENTRE-TEMPS, le rouquin et sa bande s'étaient installés sur la place. Ils étaient trois.

Le chef trônait sur son scooter et la fille s'appuyait contre lui. Il posait un bras de propriétaire sur ses épaules dénudées. Tous deux fumaient une cigarette qu'ils se passaient, entre deux patins. Le troisième, un grand échalas confit d'air niais, caressait un jeune chien noir qui jouait à le mordiller.

Fred évita de regarder dans leur direction.

Avec ses copains, le rouquin jouait davantage les durs. Il se sentait plus fort.

Fred posa le sac au pied d'un arbre, salua le groupe en gardant l'air distant, avant de reprendre ses acrobaties sur roulettes. Les autres l'observaient. Les chocs de la planche sur les marches d'escalier résonnaient dans les rues et cet écho roulait jusqu'au cœur des siestes.

Un vieillard acariâtre se pencha à sa fenêtre et rouspéta.

— Tu réveilles les vieux, connard! lança le rouquin.

Mieux valait opter pour le large. Fred ne se sentait pas de taille à affronter toute la bande.

Lorsqu'il arriva à la ferme, Antoine revenait des champs, le visage perlé de sueur. Il avait rafistolé une partie de la clôture. À force de brouter sous le fil, les vaches de Marie finissaient par le distendre, ensuite il touchait les herbes hautes et le courant ne passait plus.

Antoine s'installa à la table de la cuisine et se servit un verre d'eau.

— T'as pensé au pain?

— Oui, j'ai ce qu'il faut.

— T'as payé cher?

— Je sais pas.

— Ah, t'es comme les riches, toi, tu demandes pas le prix…

— T'iras payer, il prend pas la carte, Marcel.

— Moi? fit Antoine en cachant mal son embarras.

— Maman te remboursera, t'inquiète. Eh, c'est qui, les jeunes?

— Les jeunes, quels jeunes?

— Les jeunes du village! Le rouquin au scoot bleu et ses potes.

— T'as dû tomber sur Marco, le neveu de Fernand. Tu leur as parlé?

— Non, ils sont pas très causants.

— Ne fréquente pas trop cette bande de vauriens, un conseil.

— Il me cherche, le rouquin.

— Passe ton chemin, vaut mieux. Ils font toutes les conneries imaginables. Toujours pareil. Et pendant les vacances, n'en parlons pas. Ils s'ennuient, alors ils traînent sur la place. Une fois par semaine, ils vont en ville par l'autobus. Je sais pas ce qu'ils y trafiquent. Chercher des noises, sûr. Un jour, on les a vus revenir dans le fourgon des gendarmes. Ils devaient en avoir fait de belles, pour que les gendarmes s'en mêlent.

Fred essaya d'imaginer Antoine au temps de sa jeunesse.

— Vous avez fait comment, vous, pour aller à l'école? Y avait le bus?

— Non, à l'époque, on allait à l'école communale, au village. Et puis moi, j'ai pas eu le choix… à quatorze ans, hop, au boulot! La ferme revenait à mon frère aîné, normal. Je suis devenu mécano et, quand mon frère est mort, j'ai repris du collier ici.

— Il est mort à la guerre?

— Tué par les Frisés. À la Libération. Quand ils ont décampé, il y a eu du grabuge. Mon frère a cru bon de faire du zèle. La dernière balle de la guerre a été pour lui.

Il laissa son regard glisser par la fenêtre, puis s'en aller très loin.

Vêtu de propre, casquette sur le crâne, Antoine s'apprêtait à sortir. Fred avait fait le tour des nids. Il rapportait une dizaine d'œufs. Il exhiba assez crânement sa collecte.

— Tu vas où, tout endimanché?

Antoine répondit qu'il descendait au bistrot du village. Une habitude, en fin de journée. Il s'inquiéta pour le garçon.

— Tu vas pas t'ennuyer?

— Non, non, je vais regarder la télé. Enfin, si j'arrive à la régler!

Chaque semaine, à la même heure, Fred regardait un documentaire sur la nature et la vie sauvage. Pour rien au monde il ne l'aurait laissé passer. L'Afrique, les animaux, le fond des mers, les volcans…

Le soleil flanchait sur l'ouest. Depuis le seuil de la maison, Fred regarda son grand-père s'éloigner dans la lumière dorée qui jouait sur sa nuque et ses larges épaules, au rythme de son pas légèrement claudicant.

Le téléphone sonna. Fred courut jusqu'au fond du couloir. Aline venait aux nouvelles. Enfin! Fred demanda aussitôt la date de son retour. Elle formula une réponse évasive. Un colloque à la fac, beaucoup de travail… L'explication mit le garçon en rogne. Elle tenta de le calmer, mais dut écouter la liste des lacunes de sa terre natale. Après quoi, elle demanda si Antoine pouvait prendre le combiné. Fred répondit qu'il était parti chez une poule.

— Une poule?

— Oui, il est sorti en faisant des mystères… soi-disant qu'il allait au bistrot.

— Ne te moque pas de ton grand-père, je te prie! Il a ses habitudes. Il allait déjà au *Café de l'Église* quand j'étais petite, alors tu vois. Tu n'as pas oublié ton émission?

— Bien sûr que non, m'man, c'est sacré, ça! Eh, tu sais quoi? J'arrive pas à lui dire « tu »!

— Mais qu'est-ce que tu racontes? Ton grand-père, quand même, tu peux le tutoyer!

— Oui ben j'y arrive pas! Des fois ça m'échappe, mais après, je recommence à le vouvoyer.

Ensuite, Aline lui demanda comment ils s'entendaient, tous les deux. Il rechigna à avouer que cela ne se passait pas si mal. Moins il affichait de contentement, plus vite on le rapatrierait.

— Maman, dit Fred, pourquoi tu ne m'avais presque jamais parlé de lui? Et de ma grand-mère?

Un silence embarrassé succéda à la question.

— Je… je te dirai plus tard, quand on se verra.

Fred ne comprenait pas les raisons de toutes ces cachotteries.

— T'avais honte, parce que c'est des paysans?

Aline affirma que le problème n'était pas là, mais elle ne voulait pas en parler au téléphone, trop long, trop compliqué. Elle devait raccrocher, plus de batterie. Elle dit qu'elle rappellerait.

Le bourg n'avait plus son bistrot depuis plusieurs années. Les hommes du pays le déploraient. Un village sans bistrot ressemble à un homme sans cœur. Ça ne palpite pas, ça ne vit pas.

À la mort de son mari, Jeanne avait tiré le rideau du *Café de l'Église*. Pour s'accouder à un zinc, il fallait courir à plus de dix kilomètres.

Mais Jeanne n'avait jamais osé dire aux habitués de toujours que son troquet était fermé. Les amis de son Félix, il ne fallait pas y toucher. Pour eux, elle relevait chaque soir le store. Pas complètement, jusqu'à mi-hauteur. Elle tournait la clef dans la serrure. Discrètement. Inutile d'alerter les touristes de passage. Seuls les initiés avaient le droit de franchir le paillasson. Marcel l'épicier arrivait le premier, avec une bouteille de muscat prélevée dans ses rayons. Puis venait Octave, le curé à la retraite, et enfin Antoine. Tous trois se cotisaient pour rembourser la bouteille à Marcel, ça coûtait trois fois rien à chacun. Jeanne était invitée. Elle fournissait les verres et les cendriers. Plus question de commerce, entre eux. Plus que de l'amitié. Des habitudes. Un passé toujours plus vaste. Un avenir qui s'amenuisait comme un glaçon aux soleils de la mémoire.

Antoine insulta le rideau qui obligeait à courber l'échine.

Il eut l'impression désagréable d'interrompre un débat nourri. À son arrivée, le fil de la conversation s'était curieusement coupé. Ensuite, on parla de tout et de rien, avec un soupçon perceptible de gêne, comme pour éviter un sujet que tous désiraient aborder, sans trop savoir par quel biais. Plusieurs fois, il y eut des blancs.

Antoine se sentit mal à l'aise.

— Vous n'êtes pas bavards… j'ai interrompu votre conversation ? Vous disiez peut-être des choses qui ne me concernent pas…

On le rassura, sans être trop précis.

Puis Octave y vint.

— Alors, il est comment, le petit ?

Antoine cessa de rouler sa cigarette.

— Le petit ? Quel petit ?

Tous le bassinèrent. Marcel lui dit qu'il avait vu Fred à l'épicerie.

Antoine saisit l'opportunité pour reprendre la main :

— Alors toi, tu l'as trouvé comment ?

Marcel noya la réponse dans une gorgée de muscat.

Antoine lécha sa cigarette, la colla puis l'alluma.

— Il est très gentil, le petit, si vous voulez savoir !

Antoine en rajoutait un poil, mais il fallait bien clouer le bec de ces concierges.

Marcel reprit, disant qu'il ne l'avait pas trouvé si… si quoi, après tout ? Si… si bronzé que ça.

— Bronzé? reprit Antoine en montrant son avant-bras grillé par l'été, je suis cent fois plus bronzé que lui!

— On a eu peur que tu le foutes dehors, dit Jeanne, pas vrai, messieurs?

— Quoi, qui? Moi, foutre dehors mon petit-fils, mais vous plaisantez? Vous me prenez pour un sauvage?

— C'est-à-dire que… quand on te connaît, dit le curé.

— Et nous, on te connaît depuis longtemps, ajouta Marcel.

— Bande de…

Son visage devenait rutilant, ce qui annonçait un scandale retentissant, si la discussion ne changeait pas de cap.

— Vous croyez quoi? dit-il. Que je vais fermer la porte à mon petit-fils, sous prétexte qu'il est… qu'il est… qu'il est pas normal?

— Calme-toi, dit Octave tout à son rôle d'apôtre, mais si l'on se fiait à tout ce que tu nous as dit sur les… enfin à propos des étrangers… mais laissons cela, si tu veux, nous appartenons tous au même troupeau, Dieu possède cent noms mais il est unique…

Le verre d'Antoine claqua si fort que l'on crut qu'il avait brisé la table. Il se leva.

— Madame, messieurs, je vous ai assez entendus, salut!

Il enfonça la casquette sur son front et se dirigea vers la porte.

— À demain, glissa subrepticement Jeanne, manière très délicate et féminine de mesurer l'ampleur de la colère d'Antoine et d'en évaluer les conséquences sur un avenir proche.

Juste avant de passer sous le rideau, il se retourna et dit :

— Peut-être…

Un « peut-être » que l'on s'accorda à interpréter positivement, après son départ.

LORSQUE Antoine revint à la maison, le documentaire était en cours de diffusion. Antoine se servit un verre de vin et s'installa à côté du garçon.

— Regarde! Le Serengeti, dit Fred en roulant de grands yeux.

Fred se mit à lui parler de la migration des gnous. Il en rajoutait sur le commentaire en désignant l'écran, ajoutant ici un complément d'information, là un doute sur la véracité de ce qu'affirmait le narrateur et, surtout, il décrivait les couleurs que le téléviseur ne retransmettait pas, précisait que là c'était bleu, là ocre, là rouge, tu vois?

— Je vois, je vois que, finalement, ça sert à rien, un poste en couleurs…, dit Antoine en allant prendre ses lunettes.

— Après, dit Fred, on va voir le Ngorongoro! Un cratère de volcan où vivent des rhinos, des lions, de tout… vous allez halluciner!

— T'as l'air de t'y connaître, toi, là-dedans…

— Ouais, j'adore! Le Ngorongoro est un sanctuaire, le dernier endroit du monde où ça ressemble au début.

— Au début de quoi?

— Ben, du monde! Y a mille ans, c'était pareil!

Un plan balaya longuement la savane pour s'achever d'un coup de zoom sur le Kilimandjaro.

— Regarde, la neige!

— La neige éternelle, fit Antoine.

— On dit « les neiges éternelles »! reprit Fred.

— Pourquoi, y a qu'une neige!

Fred en eut la chique coupée.

— C'est vrai ça, vous, enfin… tu dois avoir raison.

Fred demanda au vieil homme s'il n'aimerait pas voir la neige éternelle.

— Moi, je connais un coin où il y en a, de la neige éternelle, fit Antoine. Quand j'avais ton âge, je passais mes étés à la montagne, pour garder des brebis. Eh ben, au-dessus de nous, à l'abri des roches, il y avait un névé qui résistait tout l'été sans fondre! Tu vois, tu as devant toi un type qui a vu, de ses yeux vu, de la neige éternelle, ça t'en bouche pas un coin?

Fred dit à Antoine que son plus beau rêve serait de voir la vraie neige éternelle, pas celle des Pyrénées, celle d'Afrique. Il lui expliqua des choses très compliquées sur le réchauffement climatique et sur la fonte des glaciers. Un jour, le chapeau blanc du mont Kilimandjaro s'envolerait à jamais, comme arraché par une rafale de vent chaud. Fred rêvait d'y aller avant. Il voulait marcher dans la neige du Kilimandjaro. Antoine fredonna une mélodie, avec un petit mouvement d'accompagnement de la main.

— Y avait pas une chanson qui s'appelait comme ça?

Fred dit qu'il ne savait pas.

— T'es trop jeune.

Fred haussa les épaules et reprit son explication. À l'école, les professeurs leur parlaient souvent des animaux et de la planète. Des dangers de la pollution et de l'exploitation des ressources naturelles par l'homme. Fred nourrissait une profonde passion pour la vie sauvage. Ses parents lui offraient souvent des CD-Rom. Il restait des nuits entières devant l'ordinateur, il apprenait tout par cœur. Pourquoi? Parce que, plus tard, il deviendrait sauveteur de la nature.

— Ah bon, c'est un métier?

— Bien sûr que c'en est un! dit Fred.

Entre-temps, Antoine avait posé le plat préparé par Marie sur la plaque de la cuisinière. Il remuait doucement avec une cuillère en bois. Il demanda ce qu'était ce machin, un cédé chépas quoi. Fred eut quelques difficultés à fournir une explication. Il finit par dire que c'était comme un livre qui passait à la télé. Le documentaire montrait à présent des lionnes qui chassaient. Fred ne pouvait plus parler. Silence, on regarde!

Le sauté de veau parfuma bientôt l'air de la cuisine. Fred avait faim. Il trouva le plat délicieux. Il trempa vaillamment le pain dans la sauce, se régala des petits champignons (que Marie faisait revenir avec du jambon), des patates fondantes, gorgées de graisse d'oie.

— Ça me fait plaisir de te voir manger.

— Hyper-bon!

— Marie est un vrai chef cuistot. Tu vois, je lui prête la prairie pour ses vaches, en retour elle s'occupe un peu de moi. On s'arrange.

— Mouais, dit Fred en jetant son bonnet sur une chaise libre.

Le sauté de veau, ça donnait chaud. Mais il en voulait bien une deuxième fois, oui, du plat de Marie. Un vrai régal!

— Quoi « mouais »? fit Antoine en versant une louche de sauce dans l'assiette du gamin. Quoi « mouais »? Tu insinues quoi, là?

— Rien, rien…

— Dis, à propos… enfin… et toi, t'as une fiancée?

— Et pourquoi moi je ferais des confidences si toi t'en fais pas. Je suis sûr que t'as un faible pour Marie.

— Tu dis n'importe quoi. Autrefois, je dis pas. Mais maintenant.

— On tombe plus amoureux, quand on est vieux?

— Pff! on a d'autres soucis.

— Zacharias, mon deuxième grand-père, il était plus vieux que toi quand il est mort, et il aimait toujours sa femme.

— Tu l'as connue?

— Non, elle était déjà morte quand je suis né. Mais il en parlait tout le temps. Des fois, il avait même la larme à l'œil. Alors tu vois, l'amour, c'est pas qu'un truc de jeunes. T'aimes plus ta femme, toi, maintenant qu'elle est morte?

— Je... j'ai pas réfléchi à ça, moi.

— Y a rien à réfléchir, en amour. T'aimes ou t'aimes pas. Moi, j'ai souvent parlé d'amour avec maman. Elle me demande toujours si j'ai une copine. Elle est aussi curieuse que toi. Elle veut savoir si je suis amoureux, ce que je ressens. Elle te manque, ta femme, ou pas?

Le visage d'Antoine se ferma. Il fronçait les sourcils.

— De temps en temps, je regarde la photo et j'y pense.

— T'es triste, quand t'y penses?

— Elle te cuisine quoi, maman?

Ce fut au tour de Fred d'être surpris. Il préféra ne pas insister. Il expliqua qu'Aline n'était pas fortiche aux fourneaux. En outre, il mangeait souvent seul, la gastronomie se résumait à des choses simples.

— Seul? Tu manges seul?

— Oui, toi aussi tu manges seul, non? Sauf que moi j'ai pas ma Marie... Il y a toujours des pizzas ou du tajine au congélo. Papa cuisine très bien, mais il a jamais le temps. Il connaît pleins de recettes de tajines. Il en fait pour deux ou trois fois. Suffit de réchauffer au micro-ondes. T'as déjà mangé du tajine?

— Ah, ne m'en parle pas! Ce truc avec la semoule, là!?

— Bah, fit Fred en riant, tu confonds avec le couscous! T'es nul!

Après trois verres de vin, Antoine n'aimait pas qu'on le contrarie. Et toutes ces questions le contrariaient. Il devait faire un effort sur lui-même pour ne pas envoyer bouler le petit. Il se rendit compte qu'il avait oublié son comprimé. Fred lui demanda pourquoi il prenait des cachets tous les jours.

— Le palpitant, répondit Antoine en se tapotant la poitrine.

La discussion avait apparemment mis le vieil homme de méchante humeur.

On s'en tiendrait là.

Lorsque Fred mit le nez dehors, il perçut la fraîcheur vaporisée dans l'air. Pendant la nuit, la terre chaude avait exhalé un brouillard dont les voiles persistaient au gré du paysage comme des lambeaux de linges flous. Le soleil cherchait à percer l'écran blanchâtre des brumes.

Le tas de bois à fendre avait considérablement réduit. Celui de bûches, impeccablement agencé, avait doublé de volume. Antoine avait débardé un nouveau tronc, encore attaché à l'arrière du tracteur par une chaîne.

— Bonjour !

— Salut, mon petit.

Fred bâilla en regardant le tronc coupé et ébranché.

— Heureusement que t'habites pas en Amazonie !

— Pourquoi ?

— Y a longtemps que la forêt vierge aurait disparu. Tu vas en couper beaucoup, comme ça ? T'es un vrai fléau !

— Il faut toujours du bois d'avance. J'ai abattu les arbres cet hiver, à la bonne lune. Et puis, il faut fendre.

— Ah bon !

Antoine finit de casser la croûte. Il prépara une cigarette. Il proposa à Fred d'apprendre à rouler. L'idée amusa le garçon qui observa son grand-père. Ensuite, il s'y essaya et ne se tira pas trop mal de l'affaire. Mais la cigarette était trop serrée, impossible d'aspirer la fumée. Antoine dit qu'il fallait quelque temps pour rouler correctement. Il roulait son tabac depuis l'âge de douze ans.

Fred sortit de la poche de son survêtement un paquet de cigarettes blondes. Il en proposa une à son grand-père.

— Tiens, les miennes sont quand même plus pratiques.

— Quoi? Tu… tu fumes toi?

— Tu viens de me dire que tu fumes depuis que t'as douze ans! Moi, j'en ai bientôt treize!

Antoine renonça. Il alluma son briquet à essence et tendit la flamme à son petit-fils.

— T'as remarqué? demanda Fred.

— Remarqué quoi?

— T'as rien remarqué depuis quelques jours, quand je te parle?

— Heu… non!

— T'as même pas remarqué que je te dis plus vous?

— Ah, si, maintenant que tu le dis…

Fred rejeta la tête en arrière et fit des ronds de fumée. Puis il continua :

— J'ai encore un problème.

— Quel problème?

— Je sais pas comment t'appeler.

Antoine regarda sa cigarette, tenue entre le pouce et le majeur. Il fit tomber la cendre avec le petit doigt de la même main.

— Tu crains pas le chaud? s'étonna Fred en constatant que la cendre ne lui brûlait pas le doigt.

— C'est pas chaud, répondit Antoine avant d'ajouter : papy.

— Papy? Fred secoua les épaules en riant. Papy? Pourquoi pas pépé, tant que t'y es? Moi, j'ai pensé à Tony. T'en penses quoi, Tony?

— Ah non, pas question! Tony, ça fait anglais!

— Ah t'aimes pas les Anglais, non plus? Pourtant ça te va bien, Tony…

Antoine posa sur Fred un regard de gorille prêt à écraser une mouche.

— Bon, attends, je vais réfléchir. Zacharias, je l'appelais simplement Zacharias.

— Et il s'appelait comment, en vrai?

— Ben, Zacharias! T'as de drôles de questions, parfois.

— Je savais pas qu'on pouvait s'appeler comme ça, moi.

— Alors toi, ce sera Antoine. Logique.

— Si tu veux, fit Antoine en jetant son mégot. Bon, y a du boulot! Allez, secoue un peu tes puces! dit-il en bousculant le gamin.

Antoine se leva et décrocha le tronc d'arbre du tracteur avant d'inviter Fred à grimper sur le siège d'aile. Le « débosquage » n'était pas fini. Il restait un tronc coupé au bois de la Source. Fred sermonna encore le vieil homme. Il lui parla de l'état de la forêt dans le monde, mais Antoine lui rétorqua que tout ça c'étaient des bêtises, les arbres, ça repoussait. Même trop, parfois. Il expliqua que les propriétés qu'on ne cultivait plus étaient envahies par les saules en moins de cinq ans. Et les talus, n'en parlons pas. Tout y venait : l'acacia, le noisetier, le houx, les ronces.

— Les ronces, un truc du diable. Moi, je débroussaille tous les ans, trois, quatre fois. Et encore, je ne suis plus exploitant !

La piste de terre passait devant une ferme. Antoine précisa que c'était chez Marie et Pierrot.

Marie entendit le tracteur pétarader, elle sortit sur le pas de la porte et adressa un bonjour, puis des signes de la main. Antoine opina ostensiblement en disant : « Au retour ! »

Fred ne comprenait rien. Antoine lui expliqua, en criant pour couvrir le bruit du moteur qui forçait dans la pente, que Marie les invitait à prendre le café, tout à l'heure.

Le chemin louvoyait parmi les croupes vertes des collines. Au sud, la chaîne des montagnes apparaissait dans des lumières translucides.

— Tu te rends compte, cria Antoine en désignant les lointains, on marchait jusque là-bas, autrefois, quand les brebis transhumaient !

Fred hocha de la tête. Il se rendait compte.

— Maintenant, ajouta le grand-père, les troupeaux voyagent en camion.

Fred observait son grand-père, solidement accroché au volant, qui ne s'en laissait pas conter par les trous et les ornières. À leur passage, les vaches relevaient le mufle. La mastication leur donnait des airs de commères qui maugréaient entre leurs dents.

Puis le tracteur atteignit l'orée sombre d'un bois qui, aux yeux de Fred, semblait impénétrable. Il ressentit une espèce de crainte.

— Tu t'es jamais perdu, là-dedans ? demanda-t-il.

Il n'eut, pour toute réponse, que la mine amusée de son grand-père, qui secouait la tête de gauche à droite.

Une heure plus tard, ils ressortaient du bois, tractant le tronc d'un chêne qui soulevait un nuage de poussière en raclant le chemin. Antoine immobilisa le convoi devant la ferme de Marie.

Lorsque le moteur se tut, le silence de la campagne s'alourdit.

— Allez, dit Antoine, un p'tit café !

Il descendit de sa machine avec précaution, tandis que Fred sautait directement au sol, du haut de l'aile.

Marie, fraîche et joviale, les accueillit dans sa cuisine, où Pierrot son époux somnolait, attablé devant son journal. Quand Marie éteignit la télé, il sursauta. Voyant les visiteurs, il dit à sa femme de préparer des verres. Elle commença par proposer du café. Fred accepta une limonade. Antoine et Pierrot échangèrent quelques propos, tandis que Fred observait des douilles d'obus et de balles de cuivre qui ornaient la poutre de la cheminée. Les deux hommes s'attaquèrent à la bouteille d'eau-de-vie. Le nez de Pierrot brillait comme une fraise. Fred ne tarda pas à s'ennuyer. Marie le remarqua et lui proposa de venir au potager où elle devait cueillir des fèves. Fred demanda s'il verrait aussi un arbre à tomates, comment on dit, un tomatier ? Antoine entendit du coin de l'oreille et se mit à rire en trinquant avec Pierrot.

— Tu vois, le jeune, il connaît mieux les lions que toi les vaches, il te parle de l'Amazonie comme s'il y était né, il est intelligent comme nous trois, mais il croit que les tomates poussent dans les arbres !

Tous s'esclaffaient, sauf l'intéressé.

— Ben quoi, ça pousse où, si ça pousse pas dans les arbres ?

Faisant preuve de plus de mansuétude et de sens pédagogique que les deux hommes, Marie colla un panier dans les bras de Fred et l'entraîna vers le jardin en lui disant qu'elle allait lui montrer tout ça… En moins d'un quart d'heure, Fred constata que l'étendue de son ignorance maraîchère était bien plus vaste que le plus vaste des potagers. Il découvrit tout à trac que les patates et les carottes poussaient sous terre, les petits pois dans des gousses, et l'ail avec de longues feuilles vertes comme les poireaux.

— Tu vois, dit Marie, tout le monde en mange, mais tout le monde ne sait pas comment ça pousse au jardin.

Lorsqu'ils revinrent à la cuisine, Antoine et Pierrot étaient passablement éméchés. Marie confisqua la bouteille de gnôle en leur disant que, s'ils n'écoutaient pas les conseils du D\u1d3f Galé, il finirait par leur arriver des bricoles.

Antoine fit une grimace en regardant Fred, signifiant que Marie n'était pas commode.

SUR le chemin du retour, le grand-père raconta en riant que Pierrot appuyait un peu, comme on disait. Il tenait la même cuite du lundi au dimanche et du dimanche au lundi. Avant, il venait chez Jeanne, tous les soirs, mais maintenant, il n'avait plus la permission.

— Jeanne ? demanda Fred.

— Oui, Jeanne, la bistrote. Je te présenterai. Elle, elle te connaît déjà. Mais t'es un peu jeune pour elle… La Jeanne, c'était un sacré numéro, tu sais.

Comme il roulait un peu vite, le tracteur faisait des embardées.

— Fais attention, on va finir dans le fossé !

— Moi, finir dans le fossé ? Je voudrais bien voir ça !

Il accéléra. Fred, sur son siège d'aile, sautait comme un paquet mal arrimé, en se tordant de rire. Le tronc raclait et tressautait, laissant derrière eux une nuée de poussière beige.

— Eh, Antoine, tu t'es tapé toutes les nanas du quartier, dans ta jeunesse ! lança Fred en pouffant de rire.

Le grand-père ne détacha pas les yeux du chemin. Il se contenta de composer une moue mi-dubitative, mi-fière, qui ne confirmait rien mais laissait toutefois planer un doute gentiment vaniteux.

Dans l'après-midi, Antoine tronçonna et fendit le tronc. Fred se balada dans les alentours, avant qu'il lui vînt l'idée de bricoler des bouts de branchages et de planches pour confectionner une mitrailleuse. Il monta l'engin sur l'affût du chêne, qui se transforma en poste de tir militaire. Du haut de son guet, Fred donnait des ordres par radio, échangeait quelques salves, lançait une grenade, se jouait tout un cinéma, toute une bataille à lui seul. Dans l'imagination du gamin, la ferme était devenue un camp fortifié.

Sur les coups de six heures, Antoine sortit.

Lorsqu'il se retrouva tout seul, Fred recommença de se sentir mal. Il prit son téléphone et composa le numéro de la maison. Personne. Il essaya le portable de sa mère, mais elle l'avait déconnecté. Ensuite, le voyant de charge lui signala que la batterie était à plat. Il alla fouiller dans son sac, pour constater qu'il avait oublié de prendre le chargeur. Il abandonna le téléphone.

Le grand-père lui avait dit que, si le temps semblait long, il pouvait se rendre chez Marie chercher du lait. Sans oublier de rapporter le pot vide, qui se trouvait au cellier. Fred alla prendre le pot à lait.

Le trajet à pied prenait à peine une dizaine de minutes. L'air sentait la campagne et le bétail. Le troupeau venait de rentrer à la ferme. Marie sortit sur le pas de la porte en s'essuyant les mains au tablier.

— Tu ne m'as pas rapporté la boîte à biscuits?

— Heu, non, on m'a rien dit. J'ai oublié.

— Je t'en ai préparé une nouvelle fournée.

Fred entra dans la cuisine. Marie lui proposa de s'asseoir un moment. Les biscuits n'étaient pas encore cuits. Cinq minutes de patience. Fred dit qu'il avait le temps, Antoine était descendu au village. Marie l'interrompit. Elle savait bien où se trouvait Antoine, à cette heure. Fred devina un brin d'agacement et un autre de jalousie, dans la voix de Marie. Tout à trac, il se mit à parler des biscuits.

Ce parfum de crème de lait cuite, c'était à vous donner le vertige. L'estomac de Fred manifestait son impatience.

— Tu ressembles beaucoup à ta mère, fit Marie.

Elle rinçait le pot à lait sous l'eau du robinet.

— Vous trouvez?

— Oui, tu dois aussi ressembler à ton père, sans doute… mais je vois Aline, quand je te regarde.

Elle ne le regardait pas, justement.

— Vous ne connaissez pas mon père?

Marie ferma le robinet et saisit un torchon. Elle coinça le pot contre sa hanche et y fourra le torchon pour en essuyer vigoureusement l'intérieur. La question l'embarrassait.

— Il n'est jamais venu ici, dit-elle.

— Pourquoi?

Marie sortit de la cuisine et hurla le prénom de son homme.

— Pierrot! Viens chercher le pot à lait!

Pierrot cria quelque chose de peu amène, en guise de réponse.

Elle pesta, jeta le torchon sur une chaise et alla porter le pot à l'étable, en râlant, celui-là, pour qu'il se déplace, il lui faut le tracteur! Quand il s'agit de lever le coude, là, il est pas fainéant.

Tous deux revinrent un instant plus tard. Fred s'étonna de l'odeur du lait.

— Il sent fort, le lait de tes vaches!

— Tu ne connais que le lait en bouteille, ne pas confondre avec le vrai lait. Le lait, il sent comme ça! Le lait, le vrai lait, il a une odeur. Et la crème aussi. Tu vois, je fais monter le lait, je récupère la crème et je prépare des biscuits.

Quant à Pierrot, lui, il avait fini la journée. Donc soif.

— Tu vas nous servir un coup, Marie, avant qu'on agonise?

Elle venait d'ouvrir le four et contrôlait la cuisson des biscuits. Un nuage de vapeur s'échappa, qui chargea l'air d'un parfum allé-chant.

— Voilà, nous y sommes! dit-elle en extrayant la plaque de cuis-son, d'une main protégée par un torchon humide.

En se brûlant le bout des doigts de l'autre main, elle fit glisser les biscuits sur la table, pour accélérer leur refroidissement.

— Bon, alors, ce coup, il vient, ou va falloir qu'on descende chez Jeanne, avec le petit? demanda Pierrot.

— Laisse-la où elle est, Jeanne!

Marie servit un verre de vin rouge à Pierrot, puis s'enquit genti-ment de ce que désirait Fred. Il n'avait pas encore répondu, Pierrot affirmait déjà que l'invité boirait du vin, il était assez grand. Embar-rassée, Marie l'enjoignit de laisser parler l'intéressé, affirmant de façon anticipée qu'il ne prendrait sûrement pas de vin. Fred dit qu'en effet il n'en avait jamais bu, mais il ne put achever sa phrase, Pierrot ajoutait que l'occasion était excellente pour commencer!

Fred songeait que le vieux commençait à être lourdingue.

Marie haussa le ton :

— Moi, je te dis que le gamin est trop jeune pour boire du vin!

Elle remplit de limonade le verre de Fred. Elle emballa les biscuits dans un cornet de papier journal et les plaça, ainsi que le pot de lait, dans un panier où se trouvait déjà une boîte hermétique contenant un plat bien mitonné. Fred finit son verre sans tarder et prit congé avant que la pépie reprît Pierrot, vexé pour l'instant.

Après qu'il fut sorti, il entendit la voix de Marie qui disait : « Tu comprends rien à rien, toi, vraiment… »

La suite de la conversation lui échappa, Fred marchait déjà sur le chemin de terre en admirant les arbres qui se paraient des couleurs fruitées du soir.

Fʀᴇᴅ attendit que l'occasion se présentât pour en savoir davantage sur sa grand-mère. La question le taraudait. Toutefois, il n'osait pas l'aborder avec Antoine. Il vivait chaque jour en présence du visage de cette inconnue vaguement familière. En tout cas, bien plus proche qu'une simple image en noir et blanc posée sur le buffet de la cuisine. La photo faisait éclore au fond de lui des questions qu'il ne s'était jamais posées jusque-là. Il désirait en savoir davantage. D'autant que tout le monde éludait le sujet.

Aɴᴛᴏɪɴᴇ avait appris à Fred la façon de capturer les grillons en les débusquant de leurs terriers grâce à une paille. Accroupi dans l'herbe, le garçon tendait l'oreille pour repérer la stridulation la plus proche, quand il perçut le timbre d'une bicyclette que l'ornière cahotait. Marie venait sur le chemin.

Il se redressa et la salua. Elle mit pied à terre et se porta à sa rencontre, le félicitant pour sa bonne mine. Marie coucha la bicyclette sur l'herbe et s'installa à même le talus, sous un châtaignier. Du revers de la main, elle coinça sa jupe entre ses genoux. Ils parlèrent tout d'abord du beau temps, avant que Fred en vînt à ce qui l'intéressait.

— L'autre soir, vous avez commencé à parler de ma grand-mère…

— Je pensais à elle parce que tu lui ressembles.

— Vous étiez sa meilleure amie…

Marie baissa les yeux et cueillit un brin d'herbe dont elle fit des nœuds.

— Nous nous connaissions depuis toujours, avec Francine! Je suis née à deux kilomètres d'ici, et elle, au village. Alors tu vois.

— De quoi elle est morte? demanda Fred sans détour.

Marie réfléchit. Puis elle expliqua que Francine était atteinte d'une maladie de la tête. Elle perdait la mémoire, elle confondait les gens, se levait la nuit, dormait le jour. Un mal courant. Courant et incurable. On ne pouvait rien y faire.

— Et puis Antoine s'est fâché avec ta mère. Alors Francine a fini de perdre la boule. Elle est morte à l'hôpital, sans jamais avoir revu sa maison. Ni sa fille. Elle priait toute la journée.

— Pourquoi ils se sont fâchés, Antoine et ma mère?

Marie répondit qu'elle l'ignorait. Fred discernait le mensonge dans ses paroles. Elle ne voulait pas en parler. Il décida de la respecter, de ne pas insister. Peut-être venait-il de comprendre qu'avec certaines gens on obtenait davantage de choses par le silence.

Alors il se mit à écouter le silence, qui lui disait : « Attends. »

LA vie campagnarde de Fred prenait quelques plis.

Il vaquait chaque jour à des balades ou à des jeux qui finissaient par se répéter et rythmaient le temps. Fred s'adonnait même à des activités paysannes qui lui devenaient agréables. Ramasser les œufs, accompagner le troupeau de vaches avec Marie, tailler les ronces, les herbes qui touchaient le fil électrique des clôtures. Il prêtait volontiers la main à tout. Sauf à nourrir le cochon.

Curieusement, alors que le garçon s'installait dans une forme de train-train, Antoine bousculait sensiblement le sien. Quand le soir de la fameuse émission sur les animaux revint, le grand-père ne fit qu'un passage éclair chez Jeanne. Les habitués finirent la bouteille de muscat sans lui, ce qui abreuva largement la discussion. Que l'Antoine était moins terrible qu'il ne voulait le paraître, et le petit basané pas un voyou, pas pire que les morpions du village.

— Puis faut pas croire, dit Jeanne, regarde Marco, il est bien du village celui-là, et il vaut pas un clou!

— Quand même, observa Marcel, je sais pas si vous avez remarqué, mais le boucher se tient sur ses gardes. Il ne sort plus de son camion, quand le petit joue sur la place avec sa planche à roulettes. Comme s'il se méfiait.

— Pff! Il a toujours été raciste, celui-là, conclut Octave.

LORSQUE la porte de la cuisine s'ouvrit, Fred sursauta.

— C'était fermé, chez Jeanne? demanda-t-il, surpris de voir son grand-père revenir à la ferme de si bonne heure.

Le garçon était assis en bout de table, à la place habituelle du vieil homme. Il s'était servi un grand bol de lait froid dans lequel il trempait des biscuits à la crème.

Antoine cherchait ses mots. Il bougonna, lâcha quelques vagues prétextes et finit par demander s'il ne dérangeait pas, s'il pouvait regarder l'émission avec lui.

Fred se mit à rire.

— Antoine, t'es chez toi, ici. C'est ta télé!

Ils s'installèrent côte à côte, face à l'écran. Fred, aiguillonné par la passion, expliquait à son grand-père le régime alimentaire de l'hyène rieuse, la pointe de vitesse du guépard et le rôle des charognards dans la pyramide alimentaire et… Antoine fumait en hochant la tête, les yeux braqués sur l'écran.

Ils reparlèrent de la neige.

— Avec ce soleil, demanda le vieil homme, comment ça se fait qu'elle ne fonde pas? Tu m'as dit qu'il faisait une chaleur à crever, là-bas.

— Parce que, tout en haut, il fait froid! Par exemple, dans les Andes, ou dans l'Himalaya, quand on voit des images des sommets, il y a de la neige, même en plein soleil. Cherche pas à comprendre.

— Je vois pas comment il peut faire chaud et froid à la fois, moi… Dis, Fred, tu travailles bien à l'école?

— Ça dépend des matières. Par exemple, en math… moyenbon. En français… des hauts et des bas. Des fois on fait du théâtre, ça j'adore! En biolo et en histoire, c'est moi le meilleur, la star! Avec papa, on fait des concours, à qui peut citer le plus de dates. Les batailles, les rois de France, les guerres… il dit toujours qu'il est très important de bien connaître l'histoire. En sciences nat, là, c'est un tueur!

Les informations commençaient. Antoine se leva pour monter le volume de la télévision. On montrait la basilique de la Nativité de Bethléem assiégée par l'armée israélienne.

— Ça fait drôle, les chars devant une église, quand même! En plus, devant celle-là… c'est là qu'est né Jésus!

— Ah, je croyais qu'il était né dans une étable! dit Fred.

Mais Antoine n'écoutait pas. Il pestait après les Palestiniens, les attentats, les Arabes.

— Putains de bougnouls!

— Quoi?

Antoine dévisagea Fred, d'un air brusquement ennuyé.

— Ils te disent quoi, à l'école?

— Quoi, ils me disent quoi?

— Ben, que tu sois… enfin, de ta couleur, quoi.

— Eh, je suis français, comme toi!

Cette fois, le vieil homme craqua :

— Mais non, t'es pas français comme moi, t'es français qu'à moitié, tu le sais bien!

— Ah, si tu vas par là, dans mon école, y a pas de Français. Y a des Noirs, des Indiens, même des Chinois!

— Quoi, des Chinois? Des bridés? À Toulouse?

Fred tira le coin de ses yeux et imita le timbre de voix des Asiatiques.

— Oui, honorable étranger… comme dans *Lucky Luke*!

— Et les Français, alors?

— Mais c'est des Français, comme toi!

— Mais ton père, Fred, c'est un Arabe!

— Il est né à Joinville! Joinville c'est la France, ça, t'es d'accord?

— Comme quoi, on peut naître en France et ne pas être français! Voilà!

— Oui, voilà, et moi je suis la moitié de ton petit-fils!

— Je voulais pas dire ça…

Fred se leva, les yeux rouges.

— Vieux con!

— Petit con! répliqua le grand-père.

Puis il se renfrogna, regretta, chercha des mots d'apaisement, n'en trouva aucun. Il renonça, lippe boudeuse, et se mit à rouler une cigarette.

FRED sortit. Les étoiles scintillaient comme dans les films. Il chercha à les compter, puis abandonna. Il n'avait jamais vu un ciel de nuit avec autant d'étoiles. L'odeur puissante du tabac gris lui signala la présence d'Antoine. Le grand-père était planté à quelques mètres en arrière, le nez en l'air, pognes au fond des poches.

Fred mit les écouteurs. Il s'engagea sur le chemin de la ferme des voisins, en gigotant légèrement au rythme de la musique qu'il s'envoyait à fond dans les oreilles. Antoine suivait à quelques pas.

Le chant des alytes rebondissait sur le fronton de la nuit, comme des petites balles sonores. Ils se répondaient de loin en loin. Trois notes claires et distinctes, toujours répétées à l'identique.

Devant la ferme de Marie et Pierrot s'élevaient deux palmiers. Deux hautes silhouettes noires, incongrues dans un paysage de feuillus exubérants. Fred enleva son casque, coupa la musique. Il se retourna vers Antoine, qui regarda la pointe de ses chaussures.

— Bizarre, ces palmiers.

— Il y en a dans toutes les fermes, dit Antoine.

— Pas chez toi.

— Mon père en avait planté un à la naissance de mon frère et un à la mienne, mais je les ai coupés au retour du Maroc.

— Ah, tu vois, tu connais le Maroc. J'ai des cousins au Maroc.

— On s'en serait douté.

Il ajouta, pour lui-même : « Je connais, le Maroc, pour connaître je connais ! »

Pendant un moment, ils écoutèrent encore la nuit.

— C'est chouette, ce calme, dit Fred.

— Oui, t'as raison, dit Antoine, comme s'il le remarquait pour la première fois.

Le vieil homme émit un soupir de lassitude.

— Bon, je rentre, je vais me coucher.

— Moi aussi, dit Fred.

Sur le chemin du retour, un oiseau poussa un cri étrange, comme un hurlement de femme. Fred en eut des frissons. Il accéléra le pas pour se rapprocher d'Antoine. Celui-ci perçut le trouble du garçon.

— C'est une effraie, dit-il. Faut jamais tirer dessus, ni les chasser des greniers. Elles portent bonheur. Et elles bouffent les souris.

Ils revinrent à la maison, Sans un mot.

Près d'un méandre où le cours d'eau s'évasait, Antoine posa sa besace dans l'herbe et annonça qu'il était l'heure de casser une petite graine. Fred se moquait de lui depuis un bon quart d'heure.

— Tu parles d'une cueillette ! T'avais prédit des kilos de champignons… Résultat : pas un !

— Ça m'est jamais arrivé, se défendit le grand-père. Je trouve des cèpes de mai à novembre, d'habitude. Tu me portes la guigne !

À cet endroit, le ruisseau s'attardait. L'eau était claire, calme et assez profonde. Fred enleva son pantalon, se mit torse nu et y entra jusqu'à la taille. Il s'aspergea la nuque, puis il plongea et nagea jusqu'à l'autre berge, à quelques mètres à peine.

Pendant ce temps, Antoine mit la bouteille de rouge au frais dans le ruisseau, et prit place contre le tronc d'un saule.

— On mange ? Regarde ça, Marie a préparé du poulet froid, puisque Monsieur ne voulait ni jambon ni saucisson… t'es plutôt du genre compliqué, toi. Si t'avais connu les restrictions…

— Les restrictions ? dit Fred en revenant à la brasse.

— Quand y a pas à bouffer pour tout le monde, pendant la guerre, on appelle ça les restrictions. Ceinture, quoi.

Fred se livra à un rapide calcul mental.

— T'étais trop petit pour t'en souvenir, non ?

— J'étais petit, mais je m'en souviens ! Genre de chose qu'on n'oublie pas.

— Je sais, Zacharias parlait souvent de la guerre.

— Il a fait la guerre, celui-là ? demanda Antoine en ouvrant la boîte qui contenait le poulet.

Fred sortit de l'eau. Il se présenta face au soleil, pour se réchauffer au plus vite. Sa peau étincelait.

— Zacharias a fait la guerre en Afrique et en Italie. Il en parlait tout le temps.

— Il est où ?

— Sous la terre.

— Ah…

— Il sent bon, le poulet, dit Fred.

Ils mangèrent. Ensuite, Fred piqua encore une tête, en dépit des recommandations d'Antoine, qui lui conseillait d'attendre d'avoir digéré. Le vieil homme n'insista pas. Il s'autorisa un roupillon dans l'herbe, casquette rabattue sur les yeux.

Quand il se réveilla, Fred s'était rhabillé.

Antoine coupa une branche de sureau et la sculpta avec son canif. Il fabriqua une petite flûte bien droite dont il tira pourtant un son tordu. Fred n'en revenait pas. Antoine lui tendit la flûte, en lui disant qu'il la lui offrait.

— Tiens. C'est un berger qui m'a appris à fabriquer les flûtes de sureau. Tu t'ennuies jamais, avec une flûte. Tu n'as qu'à essayer de jouer.

— Moi, je sais jouer du pipeau. On nous apprend, en musique.

Il emboucha l'instrument, mais il n'en tira qu'un vilain souffle.

— Ah, tu vois, c'est autre chose que le pipeau de l'école, ça !

Vexé, le garçon recommença, sans parvenir à sortir la moindre note. Le grand-père lui montra de nouveau comment s'y prendre. Fred l'observa plus attentivement. À la troisième tentative, il réussit à jouer une note aiguë, au timbre grêle. Mais c'était un début. Antoine lui indiqua comment placer les doigts, et dans quel ordre boucher ou déboucher les trous pour jouer la mélodie. Explications assez imprécises, pour la simple raison que le vieil homme n'avait lui-même qu'une très vague idée de ce qu'il faisait.

— Si tu t'entraînes de temps en temps, t'y arriveras.

Puis ils prirent le chemin du retour.

En arrivant à la maison, Fred aussi savait jouer un petit air tordu avec la flûte.

Soudain le grand-père demanda au garçon de cesser de jouer. Il tendait l'oreille. L'hélico ! L'hélico se dirigeait par ici. Antoine changea de visage, la panique s'empara de lui. Il trottina jusqu'au pied du chêne en se disant : « C'est pas leur jour, pourtant. Ils doivent avoir du carburant à griller. » Fred se précipita sur l'échelle et grimpa à la plate-forme où il arma sa mitrailleuse de bois.

— Planque-toi, Antoine, tu vas voir ce que je vais lui mettre !

Antoine se dissimula derrière le tronc du chêne. L'hélicoptère surgit. Les feuillages tremblaient en tous sens. L'engin resta stationnaire un instant, comme s'il cherchait sa cible. Fred ouvrit le feu en criant : « Takatakatakata ! » Là-haut, le pilote regardait en direction de la ferme. Il ne les apercevait guère au travers du feuillage. L'hélicoptère s'immobilisa quelques secondes puis bascula sur l'avant et s'éloigna, emportant avec lui son vacarme à déchirer les tympans.

— Il se dégonfle, il s'en va, hurla Fred en levant les bras. On l'a eu, on l'a eu !

Antoine ne répondait pas. Fred regarda vers le bas.

— Eh, Antoine, tu m'entends ? Je l'ai eu, il s'est débiné !

Le garçon descendit.

Il trouva le vieil homme accroupi, le visage enfoui dans les mains.

— Antoine, ça va pas ?

Toujours pas de réponse. Fred prit peur. Il saisit les poignets de son grand-père pour les écarter, voir ses yeux. Soudain Antoine le repoussa violemment, d'une main sur le torse. Fred tomba sur son postérieur. Il ne trouva pas un mot à dire. Antoine se redressa et lui tendit la main pour l'aider à se relever.

— Pardonne-moi, petit. Pardonne-moi.

Le soir, en mangeant les restes de poulet froid, ils reparlèrent de la petite flûte de sureau. Antoine avait rapporté de la balade un bout de branche pour expliquer comment creuser le tuyau, tailler le bec, percer les trous. Fred était fasciné par l'habileté des mains épaisses de son grand-père.

Et puis il essaya. Sa flûte à lui ne jouait pas des notes très claires, mais il allait s'entraîner. Il en sculpterait une autre. Le grand-père lui raconta qu'autrefois il jouait de la flûte de sureau en gardant le bétail.

— Pourquoi tu gardais les vaches ? Y avait pas de clôtures ?

— À cette époque, je gardais des moutons.

— Ah, t'as eu des moutons, aussi ?

— Non, c'étaient pas les miens. Je t'en ai déjà parlé. L'hiver, nous gardions les bêtes d'un berger montagnard. Et l'été, le troupeau remontait dans les montagnes. Moi, je faisais la transhumance avec lui, et je restais là-haut jusqu'à début septembre. Et puis je revenais ici.

La pendule sonna. Fred regarda l'heure et demanda à Antoine si son téléphone fonctionnait normalement. Antoine se leva et alla décrocher le combiné. On entendait une tonalité.

Antoine revint dans la cuisine et alla près du buffet.

— Dis, petit, t'as une pièce de monnaie dans tes poches?

— Non, je suis à plat. Chez Marcel c'est cher! Il m'a ruiné!

Antoine lui tendit une pièce de vingt centimes.

— Mets ça dans ta poche.

— Qu'est-ce que tu veux que je fasse de vingt centimes? Ils sont même plus valables!

— Mets ça dans ta poche, je te dis!

Antoine demanda ensuite au garçon d'ouvrir le frigo. Ce qu'il fit. Il y avait un gâteau. Un gâteau rond nappé de sucre glace.

— C'est quoi? demanda Fred.

— Ben, tu le vois bien, ce que c'est! C'est pas une roue de secours! Allez, apporte-le sur la table.

Fred posa délicatement le gâteau au milieu de la table. Il sentait le beurre cuit, l'orange et le sucre.

Le grand-père fouilla dans la poche de son pantalon, pour en sortir un petit objet enveloppé dans du papier journal. Il le tendit à Fred.

— Tiens. Bon anniversaire!

Le visage du gamin se figea. Il paraissait moins sûr de lui. Il prit l'objet d'une main hésitante, bredouilla deux ou trois mots inintelligibles et déchira le papier. Le paquet contenait un canif. Le même que celui d'Antoine, mais tout neuf. Fred resta interdit.

— Allez, Fred, donne-moi une pièce et coupe le gâteau, maintenant que t'es outillé. Treize ans, t'es un homme!

Fred redonna la pièce de vingt centimes à son grand-père.

— Quand on t'offre un couteau, tu dois toujours donner une pièce en échange, sinon ça porte malheur, ça coupe le fil de l'amitié. Tu savais ça?

— Non, répondit Fred en dépliant la lame du canif.

Ils dégustèrent le fondant à l'orange en parlant du chiffre 13. Antoine disait qu'il portait malheur, Fred prétendait l'inverse.

Pour finir, le vieil homme proposa même à son petit-fils une goutte de gnôle. Toujours au prétexte qu'à treize ans on peut boire de la gnôle. Et Fred accepta.

Antoine avait coiffé sa casquette et s'apprêtait à sortir.

Fred boudait, depuis le début de l'après-midi. À regarder les vaches du haut de la plate-forme du chêne. Antoine n'avait pas réclamé d'explications détaillées sur les causes de cette humeur maussade. Inutile. Il comprenait la détresse du petit. Aline n'avait pas téléphoné, pour son anniversaire. Antoine pensa qu'il mettrait les points sur les « i », à l'occasion. Quant à l'autre, le père, rien d'étonnant au fait qu'il ne se manifestât pas.

Passant près du chêne, Antoine songea que Fred ferait tout aussi bien de venir avec lui, plutôt que de rester seul à la ferme. Il le héla.

— Tu viens avec moi?

— Où?

— Au village, chez Jeanne! Viens, plutôt que de rester tout seul à ruminer.

— Non. J'ai pas envie!

— Alors reste, salut, moi j'y vais!

La carcasse du grand-père roula en direction du raccourci. Fred le regarda qui s'éloignait, avant de se raviser.

— Attends, cria-t-il en dévalant l'échelle, attends-moi, j'arrive!

« C'est bien le fils de sa mère, celui-là! » pensa le vieil homme.

Octave et Marcel furent un peu surpris du débarquement d'Antoine accompagné de son petit-fils.

Antoine n'y alla pas par quatre chemins.

— Voilà, comme ça vous le connaîtrez! Vous direz moins de choses dans mon dos!

— Nous? fit Octave en reculant le buste contre le dossier de la chaise, mains posées sur la poitrine.

— Non, pas toi… le pape! Je vous présente Fred, mon petit-fils! Fred, voici Jeanne la patronne, Octave le curé défroqué et Marcel, celui qui t'a ruiné!

— Retraité, pas défroqué! objecta Octave.

— Comment ça, ruiné? dit Marcel en même temps.

— Le petit dit que tu vends beaucoup plus cher qu'en ville!

— Allons, allons, messieurs, dit le curé, ne nous chamaillons pas devant cet enfant, il est notre invité…

— Vous voulez que je sorte quelque chose à grignoter, un pâté? proposa Jeanne.

— Non, non, s'empressa de réparer Antoine, il n'aime pas le pâté, Jeanne!

— Comment, insista-t-elle, comment il aime pas le pâté? Il ne l'a jamais goûté, mon pâté, il peut pas savoir s'il l'aime ou pas!

— Ben moi, je te dis qu'il ne l'aime pas!

— Alors, mon garçon, dit Octave, si tu nous disais ce qu'il en est.

Fred détestait le ton mielleux du curé. « Cet enfant », « mon garçon ». Il n'avait pas envie de répondre. Antoine le fit à sa place.

— Le petit est musulman…

— Quoi? sursauta Fred, retrouvant la parole. Qui est musulman?

— Toi, pardi!

— Moi? N'importe quoi, je suis pas musulman!

Le curé en rajouta :

— Tu sais, mon garçon, il n'y a pas de honte, il n'y a qu'un Dieu, quel que soit le nom que les hommes lui donnent.

— Mais, m'sieur, puisque je vous dis que je suis pas musulman!

— Alors, dit Marcel, pourquoi tu mangerais pas de cochon, puisque t'es français?

Le curé redevint instituteur, le temps d'une leçon.

— Cher Marcel, vous mélangez les chèvres et les moutons, si je puis me permettre… on peut tout à fait être français et musulman.

Antoine était intrigué par la réponse du petit.

— Mais ton père, il est musulman, lui, non?

— Pas du tout, répond Fred. Mon père, il a même pas lu le Coran!

— Ben moi, j'ai pas lu la Bible et pourtant je suis chrétien, ça veut rien dire, fit Marcel.

— Et il ne mange pas de cochon non plus, ton père? demanda Jeanne.

— À la maison, on n'en mange jamais. Papa n'aime pas ça. Quand il était petit, on ne lui en donnait pas. Et à moi non plus! Rien n'interdit de pas aimer le cochon, que je sache!

— Alors, dit Jeanne, mon pâté, je l'ouvre ou je l'ouvre pas? Non mais vous imaginez, si les gens n'aimaient pas le cochon? Comment on aurait fait, pendant la guerre? Le cochon, c'est notre sauveur…

Octave cherchait à recentrer le débat, pour éviter la bagarre.

— Bon, bon, bon… Après tout, on peut être chrétien et ne pas aimer le cochon. Tu sais, mon enfant, le cochon représente toute une culture, à la campagne. Tu peux comprendre cela, n'est-ce pas? Un cochon mange les restes, les épluchures et, en retour, il t'offre une belle viande bien grasse, et des saucisses, des pâtés, des graisserons.

Antoine s'impatientait.

— Vous allez lui foutre la paix, avec vos histoires de cochon? On le mangera plus tard, ton pâté, Jeanne, laisse tomber! Tiens, Fred, parle-leur de l'Afrique, des animaux, le pacocher et les gmous. Il en connaît plus que vous sur la question des animaux, vous allez voir. Allons, raconte la transhumance des vaches, tu sais, au truc du yéti.

Fred corrigea :

— Au Serengeti. La migration des gnous?

Antoine regarda les autres en opinant.

— Vous voyez, qu'est-ce que je vous disais?

Il s'adressa à Marcel.

— Tu connaissais cette race de vache, toi? Non, toi, tu connais rien à part ta camelote et ton tiroir-caisse…

— Monsieur croit tout savoir sur les vaches sous prétexte qu'il était maquignon, se défendit l'épicier. Tiens, tu connais le zébu de Madagascar, toi?

— Bah, ça existe pas! répondit Antoine en portant le verre à sa bouche.

— Mais si, reprit Fred, il a une bosse sur le cou. Le zébu est même un signe de richesse, là-bas. Plus t'en as, plus t'as des thunes!

— Ah! triompha l'épicier.

— Oui, non… je voulais dire : ça existe pas ici! dit Antoine en rallumant son mégot. Si, un matin, tu trouves l'une de tes vaches avec une bosse comme tu dis, appelle le véto vite fait!

— J'ai pas de vaches, répliqua l'épicier.

— Oui, mais si t'en avais…

Fred ne comprenait plus rien à la conversation. Il se mit à promener son regard sur le décor.

Derrière le comptoir, des étagères vides. Des porte-bouteilles sans bouteilles. Dans la salle, toutes les chaises étaient posées sur les tables. Jeanne remarqua l'attention du garçon pour son bistrot. Elle lui expliqua qu'elle n'ouvrait la porte qu'à ces trois chamailleurs. Et au boucher, une fois par semaine, pour le café du matin. Puis elle parut ennuyée de donner ces explications. Elle fit remarquer à la compagnie que l'heure tournait.

— Allez, sifflez la dernière goutte, histoire de me laisser les verres propres!

FRED marchait à côté de son grand-père, dans la venelle qui, après la dernière maison du village, se glissait entre les haies de ronces, les jardins et les vergers.

À l'approche du soir, les rumeurs du vallon s'apaisaient. La musique des grillons et des alytes allait bientôt remplacer celle, plus brillante, du jour.

— C'est quoi, des thunes? demanda Antoine.

— Du fric, des sous.

— Ah, fit simplement le vieil homme en abaissant la commissure des lèvres tout en haussant le menton et les sourcils.

— T'as jamais eu des chevaux?

— Jamais! Toujours des vaches…

— Pourquoi? Moi, je préfère les chevaux!

— Les chevaux sont traîtres! Tu finis toujours par en prendre une, avec les chevaux.

— Une quoi?

— Une valse… un coup de pied, si tu préfères.

— Moi, j'ai vu un reportage où ils disaient qu'autrefois les paysans coupaient la queue des chevaux. Pas que les poils, l'os et tout. C'était vraiment dégueulasse. Tu comprends ça, toi?

— Bien sûr que je comprends! Queue coupée, on leur voit mieux le cul, à la vente. Et puis comme ça, ils se coincent pas les crins dans les harnais. Avec la charrette ou la charrue, la queue gêne. Tu piges?

— Pourquoi pas lui faire une tresse, lui attacher la queue comme un chignon. Je vois pas la différence.

— Du boulot en plus, la voilà la différence! Tu lui coupes la queue une bonne fois pour toutes et basta!

Antoine reprit la marche. Avec son visage tanné par les saisons, Fred pensa qu'il ressemblait à un vieux chef indien.

Le garçon ramassa un caillou et le lança en direction d'un noyer.

— Après, faut pas t'étonner! dit-il.

— M'étonner de quoi? demanda Antoine.

— Qu'il te frappe.

— Pourquoi tu dis ça?

— Ben… t'aurais envie qu'on te coupe la queue, toi?

— Je sais pas… j'ai pas de queue, moi!

Ils s'arrêtèrent, se regardèrent et se mirent à rire, ensemble.

— Imbécile! dit Antoine en voulant flanquer une bourrade au garçon qui esquiva en s'esclaffant de plus belle.

— T'es plus assez rapide, Tony!

La lumière du soleil lançait des rayons cinglants qui forçaient Fred à plisser les paupières. Il marchait en direction de la ferme de Marie, le pot à lait balançant au bout des doigts. Il sifflotait un air qui ressemblait à celui que jouait Antoine avec la flûte de sureau.

Au travers des géraniums qui ornaient le rebord de la fenêtre de la cuisine, Marie aperçut le visiteur. Elle lui dit d'entrer.

À l'intérieur, la fraîcheur.

— Tu sais faire les gâteaux, Fred?

Il s'assit à l'envers sur une chaise, dossier devant lui. Il appuya le menton sur ses avant-bras croisés et se mit à observer Marie.

Elle venait d'ouvrir un tiroir du vaisselier, pour y prendre un couteau. Elle s'installa à la table, au centre de laquelle se trouvait une coupe de porcelaine, remplie de pommes vertes et jaunes. Elle déplia une feuille de papier journal et saisit un fruit.

La pomme dans la main gauche, tenue délicatement, tournait au bout des doigts cependant que la droite appliquait la lame entre la chair et la peau, le pouce pour levier. Une pelure s'allongeait jusqu'au papier journal. Marie déshabilla la pomme d'un seul geste, le ruban de la peau chut sur le papier, se recroquevilla, comme pour retrouver la forme qu'il venait de perdre. Puis, de la pointe de la lame,

Marie extirpa la queue, coupa la pomme en deux, cala tour à tour chaque moitié au creux de sa main pour extraire le cœur et les pépins. Enfin, contre son pouce, elle trancha de fines lamelles qu'elle réserva dans une assiette creuse.

— Veux-tu apprendre à faire la tarte aux pommes ? proposa-t-elle.

— Je fais pas la cuisine, moi ! se défendit Fred. C'est les meufs qui font la cuisine !

— Les quoi ?

— Les meufs, les belettes, quoi ! précisa-t-il.

Marie n'en demanda pas davantage. Elle se leva, saisit la boîte d'allumettes, en craqua une et tourna le bouton du four.

— Mais tu n'as pas de sœur, Fred. Alors, qui va perpétuer les recettes de ta mère, si tu ne t'y mets pas ? Moi, j'ai appris avec ma mère et ma grand-mère.

— Moi, ça risque pas… ma mère, quand les copains viennent manger, elle sort une ou deux pizzas, micro-ondes et hop !

Marie insista et Fred accepta de regarder d'un peu plus près la façon dont elle s'y prenait. Puis Marie voulut absolument qu'il mît la main à la pâte mais il résista.

— Il fait trop chaud aujourd'hui, Marie. Trop chaud pour rester le nez devant le four.

— Tu as raison. Mais si je ne le fais pas aujourd'hui, les pommes se perdront. Je n'aime pas le gaspillage.

Versant la farine sur la table, Marie se soucia de l'état des vêtements de Fred. Toutes ses affaires devaient être sales, maintenant. Fred dit qu'il s'en fichait mais, cassant un œuf au-dessus du tas de farine, elle lui demanda de prendre la bicyclette et d'aller chercher son linge tout de suite, allez, ouste !

Dix minutes plus tard, il revenait le panier plein de linge sale.

— Il était temps, quelle infection ! Allez, pousse-toi de là.

Elle sortit de la cuisine, emportant le panier.

Fred se retrouva seul dans la pièce où ronronnait le four. Le parfum du beurre cuit, des pommes qui caramélisaient, lui firent secrètement regretter de ne pas s'être intéressé de plus près à la recette. Préoccupé, Fred repéra le téléphone. Il décrocha et composa le numéro du portable de sa mère, en guettant le retour de Marie. Il tomba sur le répondeur. Lorsqu'il raccrocha, sans avoir laissé de message, l'appareil émit un timbre. Marie pénétrait dans la cuisine. Elle regarda le garçon qui semblait embarrassé.

— Tu n'es pas obligé d'attendre que j'aie le dos tourné, Fred.

Il rougit.

— Tu l'as eue? demanda Marie.

— Qui ça? bougonna Fred en regardant le carrelage à damier noir et blanc qui couvrait le sol.

— Ne fais pas l'ignorant. Je sais que ta mère ne t'a pas appelé pour ton anniversaire.

— Je m'en fous!

— Vraiment?

Fred s'approcha de la fenêtre.

— Je comprends rien, dit-il. Depuis que je suis ici, j'ai pu leur parler qu'un peu les premiers jours et après, impossible!

Marie craignit d'avoir brusqué le gamin. Elle dit que la tarte aux pommes était le gâteau préféré de sa grand-mère, autrefois. Aline aussi l'adorait, quand elle était petite.

Fred se retourna et regarda Marie fixement.

— Pourquoi on vient jamais ici, Marie? Pourquoi ma mère vient jamais voir Antoine? Tu trouves ça normal, toi, qu'elle ait pas envie de voir son père… quand même.

Ce fut le tour de Marie de regarder le carrelage. Elle noua un torchon autour de ses doigts, pour se protéger, et ouvrit le four. Un nuage de vapeur s'éleva. L'odeur de la tarte chaude s'accentua.

— Aline et son père ont aussi mauvais caractère l'un que l'autre. Quand ta mère a annoncé qu'elle se mariait avec un étranger, Antoine est devenu fou. Il l'a fichue dehors. Il lui a dit qu'il ne voulait plus la voir. Il n'a plus parlé à personne pendant plusieurs mois. Peut-être plus d'un an. Pierrot a fini par lui faire entendre raison. Ta grand-mère a beaucoup souffert de cette querelle. Elle n'allait pas bien, mais cette histoire a fini de la rendre dingue. Elle a complètement perdu la boule. Il a fallu la mettre dans une maison spécialisée.

Marie se tut. Retint un sanglot.

— C'était terrible. C'était plus elle. Antoine a attribué ce malheur à ta mère. Il disait que c'était de sa faute. Et que si elle se pointait avec son Arabe, il sortirait le fusil et bousillerait tout le monde.

Fred écouta Marie. Il dit simplement :

— Mais c'est un salaud !

À quoi Marie ajouta, tout aussi simplement :

— Il a ses raisons, Fred.

Aussitôt, elle se ressaisit.

— Promets-moi de ne rien dire de ce que tu viens d'entendre. Sois indulgent avec ton grand-père. Il est vieux. Plus fragile qu'il ne le laisse voir, tu sais. Il est malade. Son cœur ne va pas bien et il ne fait rien pour que ça aille. Quand ta mère lui téléphone, il est bien content, au fond de lui.

— Et lui, il n'appelle jamais ?

— Jamais.

— Quelle bourrique !

Fred fixait Marie. Les mots rebondissaient dans sa tête. Il promit de ne rien répéter de ce qu'il avait entendu lors de cette conversation.

LORSQU'il revint à la maison, il aperçut Antoine qui rangeait les bûches de bois. Un sentiment curieux le parcourait. Il avait du mal à croire que ce vieillard, qu'il apprenait chaque jour à aimer comme un grand-père, était celui dont Marie parlait un quart d'heure aupa-ravant.

Antoine remuait les bûches avec une espèce d'agacement. Fred lui demanda ce qui n'allait pas.

— Les rats ont bouffé les œufs, dit-il.

— Je croyais que ton chat…

— Oui, ben là, non ! coupa Antoine. T'as déjà tiré au fusil ?

— Qui, moi ? Non ! dit Fred avec une malice retrouvée. Tu m'apprends ?

— Tu vas comprendre de quel bois je me chauffe ! Viens, on va manger de bonne heure et après, tu vas voir ce que tu vas voir !

À la nuit tombée, ils ressortirent pour aller se poster derrière le tas de bois, d'où l'on apercevait les abords de la remise. Antoine posa le fusil et une cartouchière devant lui. Il indiqua au garçon un ou deux endroits où il avait repéré le passage des rats.

— Il fait clair. Bon pour nous, pas pour eux, dit-il.

Il installa deux bûches en guise de sièges et entreprit d'expliquer à Fred le maniement du fusil.

— Faut y faire très attention. Tu l'as pour toute la vie. Parfois même, il peut te la sauver, la vie.

— Quand ?

— Pendant la guerre, par exemple.

Fred objecta que les soldats n'utilisaient pas de fusils de chasse. Antoine s'empêtra dans des explications fumeuses, disant que si, parfois, il arrivait que l'on tirât au fusil de chasse pendant la guerre. Et qu'est-ce qu'il en savait, Fred, de la guerre ? Fred tenta d'argumenter en parlant de la télé, des livres qu'il avait lus. Antoine l'envoya promener en disant qu'il ne fallait pas confondre la guerre de la télé et des bouquins avec la vraie guerre ! Tu crois tout connaître, toi, avec ta télé ! La guerre, tu la connais pas !

— T'as peur de la guerre ?

— Le genre de question qu'on pose pas ! Nous, les vieux, on a grandi avec la guerre. Les conversations, en famille, c'était la guerre. Les souvenirs, les morts, c'était la guerre. Le passé, c'était la guerre. L'avenir, c'était la trouille qu'elle revienne. Et puis, et puis…

Il se débarrassa du sujet par un :

— T'as eu ta mère ?

— Non, j'ai plus de batterie !

— T'aurais pu appeler de la maison ! Qu'est-ce qu'elle manigance, ta mère ? Et ton père, il s'inquiète pas plus pour toi, celui-là ?

— Ils vont pas me laisser là dix ans, quand même ! J'aime pas cette ambiance.

— T'es pas bien, ici ?

— Si, enfin…

Fred ne se sentait plus tout à fait aussi à l'aise avec Antoine. Il fut tenté de lui jeter au visage ce qu'il savait, ce qu'avait révélé Marie. Mais il se souvenait de sa promesse.

— Mais quoi ? fit Antoine.

— Mais rien, non, rien…

— Chut ! baisse-toi.

Fred retint son souffle, essaya d'apercevoir l'endroit que visait Antoine. La déflagration déchira la nuit.

Le grand-père se précipita vers la remise en exultant.

— Ha, ha, salopard, voilà ce que j'en fais, moi, de la racaille ! Pas de quartiers !

Il saisit par la queue le cadavre sanguinolent d'un rat.

— Bêh! dit Fred avec une moue d'écœurement.

Ils reprirent leur poste. Antoine expliqua à Fred comment tenir le fusil, viser et tirer. Il s'étonna de voir le petit épauler l'arme comme un vrai chasseur. Fred lui dit qu'à la télé on voyait souvent des types tirer au fusil, alors à force…

— Toi et ta télé… tu me saoules, dit Antoine. Applique-toi, si t'en vois un!

Une heure plus tard, aucun rongeur n'avait osé pointer le museau hors de son trou. La fraîcheur s'infiltrait sous les vêtements de Fred. On s'en tint là, pour l'exercice de tir.

Toute la nuit, le gamin rêva de batailles, d'assauts, de combats dont il était le héros intrépide, infaillible et armé jusqu'aux dents.

MARCEL, blouse grise, crayon sur l'oreille, contrôlait l'étiquetage des pâtes, sans quitter des yeux le miroir où l'on voyait Fred qui traînaillait au fond du magasin.

— Tu cherches quoi?

Fred regarda directement dans le miroir.

— Des piles, pour mon Walkman.

— Elles ne sont pas là, au milieu du chocolat et des biscuits!

Marcel se dirigea vers la caisse. Il tendit un paquet de piles à Fred.

— 1,5 volt?

— Vous pouvez le mettre sur le compte de mon grand-père? J'ai pas reçu les sous! Ma mère va m'en envoyer.

Marcel regarda Fred et prit un air embarrassé.

— Ça commence à bien faire… Je veux bien, je veux bien moi… faire crédit, mais je vais pas commencer à ouvrir des comptes à tout le monde! Déjà qu'Antoine n'est jamais pressé d'honorer ses dettes. En plus, on ne le voit plus chez Jeanne! Il est malade? Il se cache?

— Non, il va très bien!

— Bon, je marque tes piles, mais dis-lui de passer, hein!

Fred prit sa planche de skate, la lança sur le sol et s'y jucha d'un bond qui fit craindre à Marcel une chute.

— Tu vas te casser le cou, avec cet engin de malheur !

— Pas de problème, Marcel, j'assure !

Il franchit la marche en faisant sauter la planche, s'éloigna en relançant le mouvement d'un pied.

PENDANT ce temps, à la ferme, Antoine se frottait les yeux au pied de son lit, après avoir cédé aux exigences d'un coup de flagada.

La sonnerie du téléphone retentit. Il sursauta.

— Y va me faire péter le palpitant, cet engin !

Il décrocha. C'était Aline. Aussitôt, il se mit à la sermonner.

— T'as oublié l'anniversaire du petit, ça ne se fait pas, heureusement que j'étais là…

Elle ne put placer un mot pendant près de cinq minutes. Puis, quand il se fut calmé, elle lui dit :

— Papa… Je suis partie !

— Partie où ? demanda-t-il.

— De la maison. J'ai quitté Hassan.

Aussitôt, Antoine monta sur ses grands chevaux.

— Quoi, t'as quitté ton mari ? T'auras donc jamais fini de te distinguer ? Et pourquoi tu l'as quitté ?

— Je ne peux pas t'expliquer, papa, trop long, tu ne comprendrais pas.

— Traite-moi de gâteux !

— Non, papa. Nous allons sans doute divorcer. Enfin, je crois…

— T'es même pas sûre ?

— Si, si, enfin, tu sais, ces décisions-là ne se prennent pas à la légère. Je ne t'en ai pas parlé pour ne pas…

Il coupa :

— Et le petit, il sait ?

— Non, il ne sait pas. Je lui en parlerai quand je m'en sentirai le courage.

Antoine fouillait dans sa tête, le front boudeur.

— Voilà pourquoi tu me l'as envoyé, hein ?

Il y eut un silence. Puis elle reprit :

— Je dois te demander un service. Tu dois garder Fred encore quelque temps. Je ne suis plus à la maison. J'ai besoin de calme, de me retrouver, de prendre du recul. J'ai attendu volontairement les vacances. Ensuite, je viendrai, je lui expliquerai. Tu peux faire ça pour moi ? Invente un prétexte, quelque chose. T'es d'accord, papa ?

— J'ai le choix ?

— Dis-lui que j'ai appelé, que je l'embrasse. Dis-lui aussi que mon portable est en panne, que je suis prise par un colloque, à la fac, dis-lui que je dois m'occuper des profs invités, que nous rentrons tard… que son père a dû partir à New York pour un congrès… Je ne sais pas… Occupe-le en attendant que je rappelle, O.K. ? O.K., papa ?

— D'accord, d'accord… je vais me débrouiller. Dis…

— Je t'écoute.

— Il n'a plus de sous, je crois et…

— Je lui ai laissé une carte de crédit, papa, il peut retirer des sous.

— Et où ?

De nouveau, Aline s'énerva.

— J'en sais rien, moi, prenez le bus et allez à la banque ! Je dois te laisser, j'ai plein plein de choses à régler, là. Je t'embrasse.

Elle raccrocha.

Antoine sortit de la maison. Sur le pas de la porte, il se roula une cigarette. Il l'alluma et, mains dans les poches, fit quelques pas sur le chemin, en direction de chez Marie.

Skate sous le bras, Fred apparut. Il tenait une plaque de chocolat à demi dépaquetée, dans laquelle il croquait à pleines dents.

— Je te croyais fauché, dit Antoine.

— Je l'ai empruntée à Marcel, claironna Fred.

Ils marchèrent côte à côte, revenant vers la maison.

— Marcel m'a dit que tu devais passer le voir.

— Ah bon ? Y veut quoi ?

— Des sous, je crois.

Antoine haussa le ton.

— Il attendra un peu, j'ai pas une planche à biffetons, moi !

— Il est dur, Marcel. Je croyais que vous étiez potes.

— Marcel, il a ni femme ni amis. Il a que des clients ! Tiens, donne-moi de son chocolat, du coup ! dit Antoine.

Fred partagea ce qui restait de la plaque, en racontant comment il avait trompé la vigilance de l'épicier. Antoine s'amusait bien.

Devant la remise, le vieil homme s'arrêta. Il réfléchit.

— T'aimes la mécanique?

— Je sais pas faire grand-chose.

— Tu veux que je t'apprenne?

Fred posa son skate contre le mur et répondit sans enthousiasme.

— Si tu veux…

Antoine ouvrit en grand les portes de la remise.

— On va rafistoler la « cacugne »!

— La « cacugne »? Ta caisse pourrie?

— Mollo avec la « cacugne », dit Antoine, drapé dans une dignité de théâtre, l'index en l'air. J'ai fait faire le tour du département à ta grand-mère, avec elle. Je suis même allé à la montagne trois ou quatre fois, pour acheter du pastis de contrebande à la frontière! Alors, respect, comme tu dis!

— J'aurais voulu voir ça, ta guimbarde dans la montagne!

— Et quoi, elle grimpe à l'aise, qu'est-ce que tu crois? Bon, ça te dit ou pas?

— Et les poules? Elles vont pondre où, les poules?

— Bah, elles se débrouilleront. Elles manquent pas de place pour pondre, ici!

Ils se mirent au travail sur-le-champ, en commençant par déblayer les abords du véhicule. Cela les conduisit d'emblée à une constatation fâcheuse : il manquait les roues arrière. Antoine se souvint qu'il les avait données à Pierrot pour bricoler une remorque de tracteur. Première opération : récupérer les roues.

Le crépuscule approchait.

— Viens, c'est la bonne heure pour se pointer là-bas.

Antoine adressa une œillade complice à Fred. Ils refermèrent la remise et partirent sur le chemin.

Ils passèrent la soirée chez Marie et Pierrot. Comme d'habitude, elle avait cuisiné des choses qui embaumaient la maison. Pierrot se réjouissait toujours de recevoir de la visite. Cela fournissait un prétexte pour déboucher une bouteille. Fred accepta un fond de verre de vin et Pierrot s'excita à l'idée de cet adoubement.

Dès la première gorgée, Fred grimaça. Il demanda de l'eau.

Marie dit : « Tu vois, tu le forces ! » à son époux qui soupira pour exprimer son ennui.

Elle avait préparé du salmis de palombe. Fred se régalait.

Sur l'écran du téléviseur, on voyait des chasseurs. Antoine, dont l'oreille durcissait, demanda à Marie de monter le son.

Une vallée montagnarde. Des versants raides recouverts de forêt.

Un gendarme fournissait des explications en désignant divers points du paysage.

Autour de la table, tout le monde prêta intérêt au reportage.

La nouvelle tomba comme une pierre sur la tête de Fred. Un chasseur venait d'abattre Cannelle, la dernière ourse des Pyrénées. Fred posa sa fourchette. Derrière lui, Antoine faisait des commentaires sur les écolos qui ne comprennent rien à la nature. Pierrot ajouta qu'on n'allait pas en faire un plat… Marie ne disait rien. Elle voyait le désarroi de Fred. Les déclarations se succédaient. Témoins, chasseurs, bergers, hommes politiques. Chacun donnait son avis. Le pastoralisme, la réintroduction d'ours yougoslaves, la chasse, le tourisme, tout y passait. Pierrot et Antoine profitaient de la diversion pour écluser plus raide qu'à l'accoutumée. Ils ne mégotaient pas sur les commentaires à l'emporte-pièce, la vie rurale gérée depuis Bruxelles, les touristes, les étrangers et les citadins qui faisaient la loi dans les campagnes.

Marie attira discrètement l'attention des deux hommes. Des larmes coulaient sur les joues du gamin. Ils cessèrent de dégoiser.

— Sois pas triste, petit, c'est pas grave, dit Antoine avec maladresse.

— C'est pas grave ? reprit Fred en sanglotant. Tu piges vraiment rien à rien, toi. Tu respectes rien. Je suis sûr que t'es un braconnier !

Pierrot étouffa un petit rire, suivi d'un hoquet.

— Qu'est-ce que ça change pour toi, un ours de plus ou de moins ? dit Antoine en haussant la voix.

— Ben, Cannelle, c'était pas un ours de plus ou de moins, justement. Au collège, tout le monde la connaissait.

— À Toulouse ?

— Et qu'est-ce que tu crois ? On a étudié les ours des Pyrénées en classe, cette année, je te l'ai expliqué. J'ai même préparé un exposé sur la vie de l'ours sauvage. Petit à petit, les chasseurs les ont tous tués. On a même retrouvé des plombs dans la graisse de Papillon, le plus vieil ours soi-disant mort de vieillesse. De vieillesse, tu parles, si vous lui aviez foutu la paix.

— Qui ça, nous ? fit Antoine. Mais on n'a jamais chassé l'ours, nous !

— Parce qu'il y en a pas dans ton coin ! Si y en avait, vous vous gêneriez pas !

— Et s'il t'attaque, t'es bien obligé de te défendre, non ?

— L'ours est timide. Si tu lui fous la paix, il n'a aucune raison de t'attaquer.

— Et s'il attaque ton troupeau ?

— Si le berger est là avec ses chiens, il attaquera pas.

— Et qu'est-ce que t'en sais ?

— Je l'ai lu !

Antoine prit à témoin Pierrot, qui avait du mal à suivre.

— Voilà, Monsieur a lu, Monsieur regarde la télé, Monsieur fait des études, Monsieur sait tout. Et nous, on passe notre vie auprès des bêtes et dans la campagne, et on est des couillons, on comprend rien.

— J'ai pas dit ça, reprit Fred en adoucissant le ton.

Les yeux du garçon luisaient tristement.

— Cannelle avait un petit. Il se retrouve seul, maintenant. Comment tu veux qu'il s'en sorte ? Il n'y aura plus jamais d'ours dans les Pyrénées.

— Mais si, puisqu'ils vont en remettre !

— Et tu trouves ça pareil, toi ? dit Fred. Des ours qui viennent d'ailleurs. Mieux que rien, tu me diras, mais le mieux du mieux, ç'aurait été de conserver les vrais ! Tu peux pas comprendre, toi. Tu tires sur tout ce qui bouge, un ours, un rat, une mouette, un moineau.

Fred repoussa son assiette.

— J'en veux plus, de votre salmis. Je suis sûr que ces palombes sont braconnées.

Marie se vexa.

— Il y a cinq minutes, tu le trouvais délicieux.

— Braconnées, braconnées… maugréait Antoine.

— J'en ai marre de vous, marre, marre !

Marie baissa le son de la télévision, qui était passée aux résultats sportifs.

Fred se leva.

— Moi, je rentre.

Il claqua la porte.

Antoine grogna.

— Une vraie bourrique, ce morveux, comme sa mère.

Ils prêtèrent attention aux résultats du championnat de basket, Antoine évoqua les roues de la 4 L. Pierrot dit qu'il ne se servait plus de la remorque, qu'il démonterait les roues le lendemain, en revanche il ne garantissait pas l'état des pneus. Antoine dit que ce n'était pas grave, on verrait pour les pneus. Et puis, il faudrait sûrement une batterie, aussi. La vieille serait sans doute foutue. Pierrot dit à Antoine qu'il n'aurait qu'à en acheter une. Antoine se rembrunit. Une batterie neuve coûtait cher. Marie rappela à Antoine qu'il n'avait plus conduit depuis plusieurs années. Entraîner le petit dans ce tombeau roulant pouvait avoir des conséquences qu'il convenait de mesurer. Antoine minimisa.

— C'est juste histoire de se balader par ici, sur les chemins, te fais pas de bile, mère poule !

— Je me méfie de toi.

La conversation s'étiola et Pierrot ne tarda pas à s'assoupir sur sa chaise. Marie le lui fit remarquer, il se vexa d'être toujours la cible des remontrances de sa femme, se leva et souhaita une bonne nuit à la compagnie.

Une émission de variétés commençait. Marie proposa à Antoine de rester avec elle pour la regarder. Il accepta.

En revenant chez lui, Antoine trouva Fred assis au pied du chêne. Il s'approcha, tirant sur sa cigarette, cherchant ses mots.

— T'y tenais tant que ça, à ton ours ?

— Si t'as pas encore pigé que j'aime la nature… Parlons d'autre chose, je veux plus penser à ça.

Antoine s'assit sur une racine, à côté du garçon.

— C'est peut-être pas vraiment le moment de te dire ça, mon garçon, mais ta mère a appelé, et…

Fred fit mine de s'en fiche. Alors Antoine dit qu'il avait une nouvelle pas joyeuse à annoncer. Oh, rien de grave, t'inquiète pas, enfin…

— Elle s'est barrée? demanda Fred.

Ces mots clouèrent Antoine sur place. Il chercha le regard de son petit-fils. Cependant, le grand-père ne distinguait rien de son expression. Fred gigota sur place et parut ennuyé. Soudain pudique. Meurtri. Le chagrin restait prisonnier en lui.

— Je m'en doutais depuis le début, dit-il finalement, tu me prends pour un âne? C'était pas normal qu'on m'envoie chez toi! Moi, je m'en fous qu'on me souhaite mon anniversaire ou pas. Je préférerais que mes parents soient bien ensemble. Y a un moment que ça déraille, entre eux! Les colloques de l'un, les congrès de l'autre, les conférences, le boulot, ils ne se voient jamais. Ils s'engueulent, ils se rabibochent, ils s'engueulent de nouveau… Tu le sais bien, non?

Antoine trouva à peine le souffle de bredouiller :

— Ben ça, non, je sais pas, non, je savais pas. Et comment veux-tu que je sache?

— C'est vrai, Antoine, tu pouvais pas deviner… ça risque pas.

Antoine resta interdit. Le garçon se leva et se dirigea vers la maison. Le vieux le regarda s'éloigner.

Fred se retourna. Il était devant la porte, maintenant. Il ne voyait pas son grand-père. Il hurla, la gorge pleine de rancœur :

— Tu pouvais pas deviner, non, tu pouvais pas!

La voix de Fred perça la poitrine d'Antoine, comme une balle.

LE Dr Galé rédigeait l'ordonnance sur la table de la cuisine. Le médecin n'était pas content du tout.

— On avait dit pas d'efforts, pas trop d'alcool, plus de tabac du tout, Antoine. Excusez l'expression, mais vous déconnez!

Les remontrances du Dr Galé irritaient Antoine au plus haut point. Il dit qu'il fallait bien vivre, quand même.

— Si vous ne m'écoutez pas, ça ne va pas durer longtemps.

Antoine bougonna :

— Faut bien crever de quelque chose.

— Moi, je vous envoie chez un cardio. Vous devez vous retaper tous les examens.

— Pas question ! J'en veux plus de leurs machins !

Galé plia l'ordonnance et la poussa au milieu de la table.

— Allez-vous m'écouter et vous taire un peu ! dit-il en pliant ses lunettes. Vous êtes plus assommant qu'un gamin de dix ans.

Il se leva, rangea le stéthoscope et referma son sac.

— Je vous dois combien, docteur ?

— Laissez, Antoine, ne vous inquiétez pas. Je passais juste en coup de vent, je dois voir Pierrot. Marie m'a téléphoné pour dire qu'il recommençait à picoler comme un trou.

Le Dr Galé sortit dans la cour. Ses yeux s'attardèrent sur le tas de bois impeccablement rangé.

— Elle m'a également dit que vous faisiez le bois…

— Mon petit-fils est là pour me donner un coup de main.

Il désignait Fred, en train de dégager tous les outils, les cartons, qui encombraient la remise, afin de pouvoir sortir la 4 L dans la cour et entreprendre un lessivage à grande eau de la carrosserie. Après quelques jours de bricolage, la remise en état touchait à sa fin.

Galé monta dans sa voiture et baissa la vitre électrique.

— Appelez-moi quand vous aurez les résultats du cardiologue. Quant à toi, Fred, tu pourrais essayer de raisonner ton grand-père, j'ai l'impression que, de vous deux, le gamin n'est pas celui qu'on croit.

Un peu plus tard, Fred remarqua l'ordonnance, sur la table de la cuisine. Il la lut. Antoine le surprit et se mit à l'engueuler.

— Non mais de quoi je me mêle ? T'es comme moi, t'y piges rien à ces trucs-là, toi ! Donne-moi ça !

— Tu prends les mêmes médicaments que ceux que prenait Zacharias ! Lui aussi n'en faisait qu'à sa tête, résultat… Papa dit que s'il avait été plus sérieux, il serait peut-être encore en vie aujourd'hui. Et encore, il buvait pas d'alcool.

Antoine arracha l'ordonnance des mains de Fred puis la rangea dans le tiroir du vaisselier.

UNE partie de la nuit qui suivit, ils guettèrent les rats.

Fred tira son premier vrai coup de fusil. Il loupa le rat mais fit un gros trou dans le mur de la remise. Ils parlèrent de la 4 L, en attendant les rats. Antoine expliqua que le principal problème qui restait à régler était la batterie. L'ancienne avait rendu l'âme. Il n'avait pas les moyens d'en acheter une neuve.

Et puis Fred reparla du Dr Galé.

— T'es sûr que tu vas bien? Je veux pas que tu sois malade. Tu veux pas qu'on appelle chez moi, pour te faire soigner à Toulouse?

— Appeler chez toi? Tu crois que c'est le moment? Je vais bien, petit, répondit le grand-père avec douceur. La pendule est plus toute jeune, tu sais. Elle en a sonné, des matins.

Fred appuya le fusil contre le tas de bûches qui leur servait de casemate. Il s'assit à côté d'Antoine.

— Des fois, je me sens bien avec toi, dit Fred en proposant une cigarette.

— Moi aussi je me sens bien, petit. Tu devrais pas fumer, t'es trop jeune!

— T'aimes pas qu'on te sermonne, mais tu te gênes pas pour sermonner les autres, toi.

— Galé me connaît, tu sais. Il me bassine, comme ça il a la conscience tranquille. Mais il sait bien que je vais pas arrêter de fumer à mon âge.

— Moi, je crois que t'arranges tout à ta sauce. Un jour, papa m'a parlé de la cigarette. Il en connaît un rayon, tu sais. Je crois qu'il s'était rendu compte que je fumais, ça devait sentir la clope.

— Et alors, il t'a encouragé?

— Bien sûr que non!

— Et t'as pas obéi.

— Bien sûr que non.

— T'es comme ta mère. Un caboche dure comme le caillou.

— Tu peux parler, toi! T'es plus têtu qu'elle et moi réunis. Tu voudrais pas venir à la maison, à Toulouse? On leur ferait la surprise, peut-être que ça calmerait l'ambiance.

— Si c'était si simple…

— Dis, tu viendrais?

— Ben… non.

— Pourquoi? Tu veux toujours pas voir mon père?

— Et pourquoi je voudrais pas voir ton père?

— Parce qu'il est basané et que t'aimes pas les basanés.

— Qui t'a parlé de ça?

— Personne. Il suffit de t'écouter pour comprendre.

Antoine rentra la tête dans les épaules.

— Tu te fais des idées, tu dis des conneries.

— Et pourquoi t'es jamais venu chez nous? Et pourquoi on n'est jamais venu chez toi?

— Allez, au lit, on commence à se cailler. Et toi, tu commences à me plaire.

Il se leva et marcha vers la maison. Fred regagna sa chambre sans saluer son grand-père.

Le bruit de la 2 CV d'Octave monta jusqu'à la ferme.

— Nous avons la visite du curé, dit Antoine. Jamais à l'heure des coups de bourre, tu peux en être sûr!

La matinée s'achevait. La 2 CV entra dans la cour et s'immobilisa.

Octave mit pied à terre en faisant la grimace, tandis que les suspensions du véhicule compatissaient en geignant aussi. Antoine sortit sur le pas de la porte et houspilla le curé.

— Toujours à l'heure de l'apéritif, jamais à l'heure de traire!

— Tu n'as plus de vaches depuis belle lurette, mon ami.

Octave salua Fred en lui ébouriffant les cheveux. Fred détesta. Tous trois s'attablèrent dans la cuisine. La télévision montrait des images de voitures en feu, dans la banlieue d'une ville. Octave dit qu'on avait encore de la chance, dans les campagnes. Antoine demanda au petit s'il connaissait tout ce dont on parlait aux informations, tous ces voyous. Il n'osa pas prononcer le mot « Arabe », mais le cœur y était. Fred répondit que non. Que ses parents vivaient dans un quartier résidentiel. Tranquille. Puis il demanda à son grand-père s'il n'avait pas fait le con, lui, au temps de sa jeunesse. Antoine sourit, comme réjoui par d'anciennes photographies retrouvées par hasard au fond d'un tiroir. Il évoqua le souvenir de bagarres d'anthologie contre ceux du village voisin, à chaque fête patronale. Octave aussi se souvenait. Ils convoquèrent un peu l'ancien temps, en descendant un verre ou deux.

Imaginer le curé en train de castagner divertissait beaucoup Fred. Quant à Antoine, vu la baraque, il ne devait pas faire bon en prendre une de sa part !

— Tu sais, Antoine, dit Octave, on commence à s'inquiéter chez Jeanne. Il y a plus d'une semaine que tu n'es pas venu !

— Je m'occupe du petit ! Il a des tas de choses à apprendre.

Octave but un trait de vin.

— Ah mais attention ! ne me fais pas dire ce que j'ai pas dit, il en redemande ! dit Antoine. Un vrai paysan, maintenant. Il se plaît ici, qu'est-ce que tu veux, je vais pas le foutre dehors quand même. Tant qu'il voudra rester, il restera ! Pas vrai ?

Fred acquiesça en soulevant une épaule.

— Bon, bon, bon, fit le curé, te fâche pas… on est tous très contents qu'il y ait un jeune de plus au village. À part le boucher qui râle à cause de la planche à roulettes.

— Eh, je lui ai rien fait à lui ! protesta Fred.

— Laisse dire ! Il prétend que tu lui casses les oreilles en sautant les margelles du parvis.

— Il n'a qu'à aller la vendre ailleurs, sa viande ! dit Antoine. La place appartient au petit autant qu'à lui.

— Allez, dit Octave, il y a de la place pour tout le monde ! Il est bon, ton petit vin, ajouta-t-il en avançant son verre vide.

Antoine lui servit une rasade.

Le Dr Galé avait touché deux mots de l'ordonnance à Octave. Celui-ci proposa à Antoine de prendre les médicaments à la pharmacie. Et de s'occuper du rendez-vous chez le cardiologue.

— Je pars pour une semaine à Pau visiter la famille, comme tous les ans. Le docteur m'a dit qu'il ne te restait plus beaucoup de pilules. Je te ramènerai ce qu'il faut.

Antoine se leva et sortit l'ordonnance du tiroir du buffet. Il la tendit à Octave.

— Tu pars avec la « deuche » ? demanda-t-il.

— Non, je prends le bus de vendredi matin. On ne peut plus rouler en 2 CV maintenant. Sur les petites routes, passe encore, mais sur les voies rapides, je crée des embouteillages. Je n'imagine même pas de prendre l'autoroute. Je ne me sers plus de la 2 CV qu'ici, mais attention, elle tourne comme une montre !

Depuis longtemps déjà, le bouchon avait tendu la ligne en suivant le courant. Fred ne le surveillait plus. Une fois convaincu qu'il rentrerait bredouille, il s'était baigné, avait dormi un moment au soleil, avant de renfiler son pantalon. Antoine l'avait laissé partir à la rivière. Une permission toutefois assortie d'un flot de recommandations.

Fred jouait la petite mélodie tordue, enrichie de fioritures personnelles, avec une flûte de sureau fraîchement taillée. Il goûtait sur la peau de son torse encore un rayon de soleil, encore un, pour calmer le mal-être qui l'envahissait implacablement au fil des jours.

Quand une voix le surprit :

— Regardez qui est là !

Fred sursauta. Il ramassa sa chemise et la jeta sur ses épaules.

Marco, la fille et le grand échalas le toisaient avec des sourires et des œillades pleins de morgue. Depuis le premier regard échangé, dans l'autobus, Fred craignait cet instant.

— Mais c'est pudique, ces choses-là…

Marco lâcha la fille qu'il tenait par la main et approcha de Fred. Le grand se plaça sur le côté de façon à couper la retraite. Les choses étaient claires.

— Tu nous joues quoi avec ta flûte ? Un truc de charmeur de serpents ? Y a des charmeurs de serpents dans ton pays, non ?

Fred pensait déjà à la bagarre, sans prononcer un mot. Il avait senti le faible courage de Marco, le jour où il avait bougé son scoot. Il devait considérer au plus vite la situation et trouver un stratagème pour se tirer du piège dans lequel il était tombé.

L'autre s'adressa à la fille, tout en regardant le bas-ventre de Fred.

— Eh, Fab, tu veux pas lui charmer son crotale, au petit Arabe ? Il paraît qu'ils ont de très jolis serpents bien vifs…

Puis il parla de nouveau à Fred.

— Ça te dit ? Si tu payes, elle t'en taille une. Tu connais pas encore ça, à ton âge ? T'as bien trois ronds dans les poches, hé ?

— Laisse-moi, dit Fred en regardant Marco droit dans les yeux.

Marco cilla deux ou trois fois. Le regard de Fred l'avait atteint. Le trouble dilua les mots qu'il s'apprêtait à prononcer.

L'échalas au regard creux vint en renfort et se mit à glousser :

— T'es pédé ou quoi ?

— Ouais, dit Marco, les Arabes, ils sont tous pédés, y paraît…

— Eh ben alors, on va se l'faire, reprit l'échalas.

Tous y allèrent d'un mauvais éclat de rire.

— Tu vois, dit Marco, on venait se baigner nous aussi. On adore se baigner à poil tous les trois. T'aimes pas te baigner à poil, toi ? Mais maintenant que t'as pollué l'eau de notre piscine, on n'est pas contents. Pas contents du tout…

Toujours du rire plein d'acide.

Fred savait qu'il n'avait pas le choix. Il fallait frapper vite et fort.

Dès que Marco se trouva à portée, il lui balança un coup de pied entre les jambes, de toute sa force. Le gaillard s'effondra en poussant un couinement, se recroquevillant sur lui-même. Fred se mit alors à courir vers la fille. Elle tenta de lui barrer le passage, l'insulta, mais l'insulte s'interrompit, écrasée dans la bouche par un coup de poing. Le sang gicla des lèvres. L'escogriffe n'osa pas intervenir. Marco pleurait et se plaignait, tandis que la fille hurlait :

— Il m'a pété les dents, ce fils de pute, il m'a pété les dents !

Fred courait. Le ciel tremblait. Ses oreilles bourdonnaient. Il courait, il courait sans se retourner. Près du pont, le scooter bleu. Les clefs. Marco avait laissé les clefs. Fred démarra. Les pneus arrachèrent des gravillons. Fred fonçait. Il fuyait, il partait de ce pays, fini.

Le vent sifflait à ses oreilles. L'air cisaillait ses yeux d'où glissaient des larmes qui roulaient le long de ses joues.

TROIS heures plus tard, dans la cuisine d'Antoine.

Fred se tenait tête baissée entre deux gendarmes. Le grand-père, front sévère, écoutait le récit de l'affaire.

Ils avaient arrêté le garçon à dix kilomètres du village. Il roulait sans casque. Tout s'était enchaîné : le scooter volé, les deux blessés, les plaintes.

Lorsque le gendarme en eut terminé, Antoine proposa à tout le monde de prendre place autour de la table.

— À trois contre un, dit-il, t'aurais fait quoi, toi, Joseph ?

Le gendarme posa son képi sur la table et composa une moue embarrassée.

— Un maquereau! dit Fred sans lever le nez. Il a reçu ce qu'il méritait.

— Dis, fit l'autre gendarme en s'adressant au gamin, tu la fermes, hein, on t'a assez entendu pour aujourd'hui!

Le grand-père sortit papier et tabac gris.

— Vous allez pas me l'arrêter? Ce Marco est un vaurien, un maquereau, le petit a raison. Il a le don de s'attirer les noises, tout le monde le sait et vous les premiers! Ça lui fait pas de mal de se faire remettre en place.

— Y a façon et façon de remettre en place, tout de même!

Le gendarme se tourna vers la fenêtre. Il se frotta le menton.

— Les jeunes prétendent qu'il ne s'agissait que d'un jeu. Un jeu qui aurait mal tourné. Frédéric s'est énervé, il a perdu son sang-froid.

Antoine s'appliquait à défendre son petit-fils.

— Il a eu raison de ne pas se laisser emmerder, non mais des fois! Si je le croise, le Marco, je lui passe la deuxième couche!

— N'en rajoute pas, Antoine, dit le gendarme, on va couper la poire en deux. La bande à Marco n'en est pas à son coup d'essai, certes, mais si ton petit reste ici, ça va recommencer. Tu le sais très bien. Demain matin, on viendra le chercher.

— Pour quoi faire? Tu vas pas le coffrer pour s'être défendu?

— On le ramène chez lui!

— Non! répliqua Antoine en cognant la table du poing; ce voyou de Marco emmerde le monde depuis trop longtemps. Il faut le mettre en taule! Je te jure que si je le coince, je le casse en deux morceaux!

— Sauf que là, qui a ramassé une torgnole? Il va marcher les jambes arquées pendant un moment, avec ce qu'il a pris dans les roubignolles. Le Dr Galé a dit que ç'aurait pu être très grave.

— Donc, pas si grave. Et puis, on va pas pleurer. Attends que je lui mette la main dessus, je te dis!

— Et moi je te dis de ne pas en rajouter! De toute façon, il ne perd rien pour attendre. D'après ce qu'on sait, il fait des choses pas très claires avec la petite Fabienne. T'as le numéro de portable de ta fille, je suppose…

— Elle a pas de portable!

— J'ai téléphoné chez eux, je suis tombé sur le répondeur. Tu sais où elle est passée ? Et le père, où est-il ?

Antoine écarta les mains devant lui, pour signifier son ignorance.

— J'en sais rien.

— On verra bien. Si on se casse le nez, on le laissera à la gendarmerie, chez les collègues. Ils sont bien quelque part, les parents… pas volatilisés, tout de même.

Joseph saisit son képi par la visière.

— Bon, entendu. Demain matin, huit heures.

Les deux gendarmes se dirigèrent vers la sortie.

— C'est mieux comme ça, dit encore Joseph, avant de claquer sa portière.

ANTOINE siffla cul sec un verre de gnôle. Il tournait et retournait les idées dans sa tête.

— T'as envie de rentrer chez toi ?

— Ouais.

— T'en as marre de moi ?

— Non, crois pas ça.

— Ta mère a foutu le camp, ton père, on sait jamais où il est passé…

— Justement, je dois y aller. C'est eux mes parents, pas toi.

Antoine se gratta le crâne. Il remplit son verre.

— Le docteur t'a dit qu'il fallait plus que tu boives.

— Pour un ou deux verres… Je m'en fous de ce que dit le docteur. Je vais même m'en fumer une, pour la peine.

Fred sortit le paquet de blondes de la poche de son survêtement.

— Tiens, goûte les miennes.

— Non, y a plein de saloperies dans ces trucs-là. Le tabac gris, au moins, c'est naturel.

— T'inquiète pas, j'ai bien aimé rester avec toi. Je reviendrai.

Fred avait posé la main sur l'avant-bras de son grand-père. Celui-ci haussa les épaules.

— Je serai peut-être mort, d'ici là.

— Pourquoi tu dis ça ?

Antoine balança la tête de droite à gauche et vida son verre.

— On va partir d'ici avant eux.

— Avant qui?

— Les flics...

— Tu dis quoi, là? J'y comprends rien. Tu délires?

— Non, je dis qu'on va foutre le camp d'ici avant qu'ils ne viennent te chercher.

— Ah ouais, cool! dit Fred. La poursuite infernale. Je grimpe dans la brouette et tu me pousses?

— Non. J'ai trouvé une batterie pour la 4 L.

Fred dévisagea son grand-père.

— Vrai? T'as pas une thune... t'as taxé une batterie?

Antoine pencha la tête sur le côté, porta une allumette au bout de sa cigarette, enveloppant la flamme du creux de l'autre main, comme s'il était dehors un jour de vent. Puis il tira de grosses bouffées, pour lancer la combustion.

— Enfin, disons que... j'ai juste emprunté celle de la « deuche » d'Octave. Comme il nous a dit qu'il partait pour la semaine...

Fred sourit. Une cavale avec son grand-père, ça changeait tout!

— Et... on va où?

— Tu voulais pas voir la neige éternelle?

— Ha, ha, tu m'emmènes en 4 L en haut du Kilimandjaro?

La nuit fut courte. Avant l'aube, ils s'en allèrent.

Un moment, ils gardèrent le silence. Ils ressentaient une certaine excitation à l'idée de se cavaler au nez des gendarmes. Plusieurs fois Antoine se trompa, ils durent rebrousser chemin. Il observait le paysage, les collines. Tout avait changé, depuis la dernière fois qu'il avait voyagé dans le pays. De temps en temps, le vieil homme reconnaissait un pont, un élément caractéristique du relief, une ferme.

Quand la voiture passa au sommet d'une butte, Fred aperçut la frange sombre des montagnes, plein sud.

— Tu vois, je passais mes étés là-haut, quand j'avais ton âge, dit Antoine.

— T'y allais pendant les vacances?

— Je t'ai déjà expliqué... les vacances, on savait pas ce que c'était. Pendant l'hiver, on gardait le troupeau d'un berger des montagnes. Il venait à pied avec ses brebis. Il restait chez nous tout l'hiver et, à la fin du printemps, il remontait. Et moi, je remontais avec lui.

— Dur dur, non? demanda Fred, encore étonné que l'on puisse parcourir une telle distance en marchant.

— Évidemment. Quatre cents brebis, trois chiens et nous. Quatre jours à pinces, presque sans arrêt!

COMME une buée noire repoussée par le soleil, la nuit se retirait du ciel.

Contrôlant la conduite avec un genou, le grand-père préparait une cigarette. Au passage d'un nid-de-poule, le tabac sauta du papier à rouler et se dissémina sur ses cuisses. Il jura.

— Tu préfères pas que je t'en allume une? proposa Fred.

Le grand-père maronna. Fred interpréta le grognement comme une réponse affirmative. Il alluma une blonde et la lui tendit.

— Dis, pourquoi t'as pris le fusil?

— Faudra bien qu'on mange, non?

— Ah, j'avais pas pensé à ça. Tu comptes tirer sur les lapins?

— À quoi t'avais pensé?

— Je croyais que c'était pour les flics.

Antoine n'ajouta rien. Il souleva le couvercle du cendrier, tapota la cigarette avec l'index et fit tomber la cendre.

Maintenant, les montagnes apparaissaient en franges bleues, dégradées vers les lointains.

— On voit pas la neige, dit Fred. Elles sont trop basses, tes montagnes.

Antoine se défendit. Il répéta qu'il se souvenait d'une plaque de neige qui résistait au soleil tout l'été. Elle se trouvait tout en haut d'une combe, dans une faille où la lumière ne pénétrait jamais. Autrefois, quand le troupeau lui en laissait le temps, il montait jusqu'à ce névé pour faire des glissades.

— Tu verras, dit-il, je vais te la montrer, moi, la neige éternelle!

À L'ENTRÉE d'une vallée dont les fonds étaient encore obscurs, Antoine décida de s'arrêter un moment. Il sortit de la voiture et s'étira, avant d'aller s'asseoir sur un rocher. Près de là bouillonnait un torrent. Fred levait le nez, tournait sur lui-même. Il n'en revenait pas. La montagne lui semblait plus belle que jamais.

— Là, j'y crois pas, j'y crois pas, répétait-il. Regarde les crêtes, elles sont toutes rouges.

— Ben quoi, on dirait que t'as jamais vu la montagne.

— Tu crois qu'il est là, le petit de Cannelle? demanda Fred en parcourant du regard l'immense versant couvert de hêtres et de sapins.

— Et ça changerait quoi, qu'il y soit ou pas?

— Tout, ça changerait tout.

— T'as pas faim? demanda Antoine en découpant une tranche de pain avec son canif. Tiens, j'ai du fromage!

— Il pue trop, ton fromage. Pire que ton cochon!

— T'as qu'à te boucher le nez. Va bien falloir que tu manges quelque chose!

Fred s'approcha et sortit le canif de sa poche. Il se sentait fier de trancher le pain avec son propre couteau, mais affectait l'air détaché de celui qui fait ça depuis toujours.

— T'es un vrai homme, maintenant.

— Grâce à toi, hein? Avant de te connaître, j'étais une gonzesse… mais grâce à toi…

— Le couteau, c'est essentiel pour un homme.

— La bite et le couteau! lança Fred en riant, la bouche pleine.

— Mais comment tu connais ça, toi? Allez, goûte le fromage. Quand j'étais berger, je mangeais du fromage matin, midi et soir!

Ils remontèrent dans la voiture.

— Je peux conduire, si t'es fatigué.

— Quoi? Mais ça va pas, non!

— Je rentre souvent la bagnole de papa dans le garage. Une fois, il m'a même laissé le volant jusqu'au bureau de tabac!

— Lui c'est lui, moi c'est moi!

— Oh là là… je sais que tu l'aimes pas, mon père.

— Qui t'a mis ça dans la tête?

— Personne.

— Marie?

Fred hésita avant de parler.

— Elle m'a tout dit. Elle m'a dit que t'as viré maman parce qu'elle s'était mariée avec un Arabe !

Fred pensa à sa promesse. Il venait de trahir sa promesse.

— Tu m'emmerdes, à la fin.

— Et tu comptes leur faire la gueule toute ta vie ? Maintenant, t'es bien content que maman se soit barrée de la maison ! Tu te trompes sur papa. Moi, je suis sûr que tu l'aimerais bien et qu'il t'aimerait bien.

— Tu m'emmerdes, je te dis ! Tais-toi ! Et dis pas que je suis content, parce que c'est pas vrai !

Antoine était furieux. Fred regrettait de s'être laissé aller à des reproches. La crainte de retourner bientôt chez lui, de trouver la maison silencieuse, lui courait sous la peau. L'inquiétude le tenaillait de plus en plus douloureusement. Il sentait que cette aventure finirait mal. Qu'il ne pouvait pas en être autrement.

Tout à coup, Antoine pila. Une fois la 4 L immobilisée, il posa son front sur le dos de ses mains qui tenaient le haut du volant. Le vieil homme trouvait difficilement son souffle. Il se redressa, fouilla dans la poche de son pantalon. Mais ce qu'il cherchait ne s'y trouvait pas.

— J'ai oublié mes pilules, dit-il.

— T'as oublié tes pilules ?

— Il ne m'en restait plus beaucoup, et je les ai oubliées à la maison. Octave s'est chargé de m'en rapporter, tu sais.

— On va faire comment ? Faut trouver un docteur !

— Non, non, laisse, ça va aller.

Antoine cherchait son souffle. Il montra à Fred comment passer les vitesses et lui laissa le volant. Fred s'appliqua. Les pignons crissèrent, mais il réussit à lancer le véhicule.

APRÈS une longue ascension, la route quittait la forêt pour aborder un plateau d'altitude dont les prairies s'élevaient en pentes douces et cabossées jusqu'aux rochers.

Fred gara la voiture. Le vieil homme descendit et observa le paysage. Ses mâchoires restaient serrées. Il aperçut, au loin, la combe où se trouvait la cabane de pierre qui avait abrité les nuits estivales de son enfance. Il la montra à Fred. Une piste de terre conduisait jusque-là. Une piste qui n'existait pas, jadis.

Les sonnailles des troupeaux tintaient de loin en loin. Fred demanda si les bergers occupaient la cabane. Antoine répondit par la négative. Les hommes ne restaient plus avec les bêtes, dans ce coin de montagne. Ils dormaient chez eux, dans la vallée, et montaient deux fois par jour en voiture, pour la traite. Il montra un enclos qui se prolongeait par un couloir étroit, en tubulure métallique ronde.

— Ils enferment le troupeau là-dedans pour traire. Ensuite, ils redescendent.

Antoine souleva le hayon arrière, prit le fusil en bandoulière et suspendit une gibecière à son épaule.

— Allez, dit-il en indiquant l'amont, on y va.

Ils se mirent en marche sur l'ancien sentier qui suivait peu ou prou la même direction que la piste carrossable.

LA porte basse de la cabane ouvrait sur une pièce unique, sans fenêtre. Le sol, de terre battue. Une table et un banc. Près de la cheminée, un tas de bois sec. Des bougies, dans une boîte de conserve rouillée, et du papier journal.

Antoine posa le fusil en appui sur le mur de pierre et prépara le feu. Fred ressortit pour admirer le paysage. Il scrutait les sommets qui rosissaient de nouveau, alors que l'après-midi glissait vers le soir.

— Elle est où, ta neige?

Le grand-père sortit. Il plissa les paupières, pour ajuster sa vue. Puis il entra chercher une paire de jumelles dans la gibecière. Il scruta les cimes, mais ne parvint pas à retrouver le névé.

Il dit simplement qu'ils monteraient vers les crêtes le lendemain matin.

La nuit tomba. Antoine et Fred s'installèrent sur le banc, près du feu.

— Tu sais, dit Fred, la planète s'est réchauffée depuis que t'étais jeune, ta neige, elle a peut-être fondu.

— M'étonnerait…

— Même en haut du Kilimandjaro, elle fond.

— Je croyais qu'elle était éternelle, là-haut!

— Avant, oui.

— Comment ça, « avant » ? Quand on est éternel, c'est pour la vie, non ?

Fred n'insista pas. Le reflet de la flamme sur le canon du fusil attira son attention. Il se leva et saisit l'arme. Il épaula et se tourna vers son grand-père.

— Arrête, fit celui-ci, ne pointe jamais une arme vers quelqu'un !

Fred continuait de le viser.

— T'as déjà tué quelqu'un, toi ?

— Laisse, je te dis !

Antoine se leva, saisit l'arme par le canon et l'arracha des mains du garçon.

— Refais jamais ça, hein, jamais !

Il paraissait à la fois en proie à la colère et à une grande frayeur.

— Bon, bon, tranquille, dit Fred. C'était pour rigoler…

Le grand-père posa le fusil près de lui. Il était contrarié.

— Je rigole pas avec ça !

— Qu'est-ce que t'as ? T'es pas comme d'habitude. T'es crevé ?

Antoine fourgonnait dans les braises.

— Non, j'ai… j'ai trop chaud maintenant.

Il y avait du vin, dans la gibecière. Ils le burent. Ils fumèrent, aussi. Ils observèrent en silence les volutes de fumée des cigarettes.

On entendait le bruissement d'une source, non loin. Les sonnailles tranquilles. De temps en temps, le cri d'un oiseau.

Et puis, Fred posa de nouveau cette question :

— T'as déjà tué quelqu'un, oui ou non ?

Antoine ne quitta pas les flammes des yeux.

— T'as fait la guerre, toi aussi, je le sais. Maman m'en a parlé, je me souviens. Elle m'a dit que t'avais encore peur de la guerre.

Les questions de Fred se perdaient dans le silence. Il sentait que quelque chose clochait.

Il y eut un moment sans paroles. Le bois craquait dans le feu. De temps en temps, Fred regardait Antoine. Il le trouvait vieilli.

ENFIN, de lui-même, le vieil homme se mit à raconter.

À raconter ce qu'il n'avait jamais raconté. À personne. Ce fardeau qu'il portait à l'intérieur de lui-même, depuis longtemps. Il ne lui était jamais venu à l'idée que des mots puissent sortir de sa bouche pour exprimer cette brûlure. Homme de terre, il n'était pas un familier des mots. Pourtant, il avait maintenant envie de dire à Fred ces heures de terreur enfouies dans les années de silence.

Le Maroc. L'embuscade, dans le bled. Une montagne aride, désolée, sauvage. C'était la guerre. Il n'avait pas compris pourquoi ni comment il se retrouvait là. Un hélicoptère les avait largués loin de tout. Un hélicoptère qui faisait un bruit infernal, à te déchirer les tympans. Ils marchaient depuis deux ou trois jours, sous un soleil sans faille, à la poursuite d'un groupe de rebelles. Antoine connaissait à peine le maniement d'un fusil de guerre. Il n'avait pas du tout l'intention de l'utiliser. Il s'était dit qu'en cas de coup dur il tirerait en l'air pour ne pas s'attirer les réprimandes du chef. Le lieutenant Cazenave, un gars du pays, à peine plus âgé. Un type bien, intelligent et tout. Un matin, il devait être dix ou onze heures, tout a basculé. Le piège. À découvert, en plein vent. D'un coup, ça s'est mis à canarder dans tous les sens. Les soldats criaient, s'affolaient. C'était la panique. Antoine a tiré à l'aveuglette. Pas vers le ciel comme il se l'était juré, non, dans le tas, droit devant. Sans viser. Tirer, tirer jusqu'à ce que ça cesse. Tirer pour ne pas se laisser crever comme un lapin. Tirer en gueulant comme un fou. Après une heure de feu, le calme est revenu. Autour de lui, le carnage. Cazenave lui était tombé dessus. Il sentait son corps tressauter contre lui. Le sang du lieutenant lui coulait sur le visage. Alors Antoine a fait le mort. Le lieutenant a eu un soubresaut un peu plus fort que les autres, une espèce de hoquet, et puis plus rien.

Les Arabes ont attendu un moment avant de se montrer. Une fois persuadés que tout danger était écarté, ils sont sortis de leurs abris. Antoine a pensé au pays. Il a cru que c'était fini. Ces salauds ont tiré une balle dans la nuque de tout le monde. Lui, il était tellement plein de sang qu'ils n'ont pas cru bon de l'achever. Il a entendu une détonation pas loin de sa tête. Il a senti le choc de la balle qui cognait le corps sans vie de Cazenave. Il se souvenait encore du goût du sang de Cazenave, mêlé à la poussière du djebel.

Ils ont pris les armes et les chaussures de leurs victimes. Et les montres de ceux qui en avaient. Antoine a continué à faire le mort. Il est resté là, la gueule dans la poussière, un temps infini. Sans oser bouger, sans oser regarder. Bien après que les Arabes furent partis.

Comme le soleil tapait, ses avant-bras et ses mains brûlaient. Il fut la proie de rêves étranges. Ses forces l'ont abandonné. Il a perdu connaissance, pour ne se réveiller que sur un lit d'hôpital.

Pour lui, la guerre s'acheva ainsi.

ANTOINE semblait affaibli par l'effort que lui avait demandé le récit. Au fond de lui, il se sentait un peu soulagé. Fred comprendrait mieux certaines choses, désormais. Le grand-père regarda le garçon, intensément. Il inspira, comme pour recommencer à parler, mais aucun mot ne sortit de sa bouche. Il se ravisa. Il dit simplement qu'il n'aimait pas raconter ces choses-là.

— Je suis trop vieux, je rabâche. Allons nous coucher. Il faudra se lever tôt pour grimper à la fraîche jusqu'au névé.

LA montagne basculait lentement vers l'aube.

Antoine et Fred marchaient depuis bientôt une heure. Ils suivaient un sentier imprécis dessiné par le bétail en direction d'un col. Antoine s'arrêtait souvent. Il scrutait le paysage avec les jumelles. Il regardait en arrière, aussi. Comme s'il craignait d'être suivi.

Ils abandonnèrent l'herbe pour traverser un éboulis. Puis il n'y eut plus que du rocher sous leurs pieds.

— Il me semblait bien que c'était de ce côté-ci, quand même…

— Elle a fondu, je te l'avais dit…

— Pas possible. J'ai juré que je te montrerais la neige éternelle, je te la montrerai !

— Passe-moi le fusil, je vais le porter. T'es essoufflé, papy.

— Non, t'es un vrai danger avec un fusil dans les mains !

ILS accédèrent aux crêtes. Au-delà, le paysage tombait abruptement vers le sud. On apercevait d'autres chaînes de montagnes, au loin.

— L'Espagne, fit Antoine.

— Regarde ! dit Fred en tendant le doigt.

Un grand rapace, ailes déployées, passa au-dessous d'eux, glissant sur le vide avec élégance.

— Un vautour fauve, comme en Tanzanie ! T'as vu ça, on est plus hauts que les oiseaux !

Antoine reprenait son souffle. Il regardait, en arrière, la faille qu'ils avaient franchie pour accéder aux crêtes.

— C'était là, j'en suis sûr, dit-il, les yeux posés sur un cône d'éboulis.

— T'inquiète pas, un jour je prendrai l'avion et j'irai voir le Kilimandjaro. C'est beau, ici. On s'en fout de la neige éternelle !

Le vieil homme braquait de nouveau les jumelles vers le nord.

— T'as peur de quoi ? Pourquoi tu fais que regarder la 4 L ?

— On aurait dû la planquer.

— Pourquoi ?

— À cause des poulets !

— Et s'ils nous trouvent, on fait quoi ?

Antoine prit le fusil, et le pointa vers la vallée.

— Voilà ce qu'on fait !

— Tu vas quand même pas plomber les keufs, ça va pas non ?

Antoine ne l'écoutait plus.

— Quoi, tu veux qu'ils nous embarquent ? Tu veux qu'ils nous foutent en taule ? Ils te mettront pas le grappin dessus, je te le dis !

Le visage d'Antoine était livide.

— Attends, attends… il faut que je me repose un peu.

Il s'assit et cala son dos contre un rocher. Son menton s'affaissa lentement. Il s'assoupit. Comme au coin de la table de sa cuisine.

ILS retrouvèrent la cabane à la tombée du jour. Même s'il ne se plaignait pas, Antoine était fatigué. Fred proposa de passer une deuxième nuit dans la montagne. Antoine rouspéta un peu pour le principe, faisant remarquer qu'ils n'avaient pas emporté assez de nourriture. Fred dit qu'ils allaient se contenter de ce qui restait.

— T'en as vu d'autres! ajouta-t-il d'un ton légèrement moqueur, pour essayer de détendre l'atmosphère.

Antoine ne releva pas. Il entra dans la cabane et s'allongea.

— Je vais roupiller cinq minutes, dit-il. J'ai plus mes jambes d'autrefois.

Fred lui glissa une couverture sur le corps, avant de ressortir.

La lisière de la forêt de hêtres et de sapins n'était qu'à un quart d'heure de marche vers l'aval. Il partit d'un pas franc chercher du bois. Son regard fut irrésistiblement attiré par la beauté et l'ampleur du paysage qui plongeait dans les lueurs du couchant. Au loin, on percevait le murmure d'un torrent.

Quand il fut sous les arbres, où la nuit installait déjà son campement d'ombres, Fred sentit son humeur chavirer. Des pensées inquiètes envahirent son esprit. Sa mère. Son père. Que faisaient-ils à cette heure? Ils devaient s'inquiéter, les flics avaient dû les alerter de la fugue. On devait le rechercher partout. Il s'en voulut de n'avoir pas su retenir Antoine de les lancer dans cette frasque. Déjà que la situation était bien triste et compliquée pour la famille, qu'avait-il besoin d'en rajouter en jouant les évadés?

Tout en se baissant pour ramasser des bouts de bois mort, il réfléchissait. Il mesurait à quel point, avec son grand-père, ils s'étaient fourrés dans le pétrin. S'ils revenaient au village, Antoine pouvait s'attendre à des ennuis. Fred, lui, ne risquait rien. Après tout, une bagarre entre jeunes n'avait rien de rare ni de grave. En revanche, le grand-père pouvait parfaitement se retrouver dans le rôle de l'accusé. Accusé d'enlèvement, de mauvais traitements, l'actualité regorgeait de ce genre d'histoires. Il imaginait ce colosse d'Antoine mains menottées et tête basse, entre les gendarmes. Maintenant, la forêt lui semblait menaçante. Dans l'ombre des arbres, il se sentait plus fragile, plus vulnérable. Les bras chargés de bois, il décampa.

Lorsqu'il fut à une centaine de mètres de la cabane, il remarqua que son grand-père était sorti. Le vieil homme avait récupéré de son coup de fatigue. Il était agenouillé près d'une roche. Fusil en main, il regardait vers l'amont. Dans un premier réflexe, Fred se baissa. Il entendit un cliquetis, dans l'immense éboulis qui surplombait la prairie. Il reconnut un isard. L'animal se dressait sur un bloc. Les yeux de Fred s'habituaient au manque de lumière. Il aperçut d'autres isards, qui avançaient prudemment. Fred était fasciné. Il voyait de grandes bêtes sauvages pour la première fois. Puis il retomba sur terre. Cet abruti d'Antoine attendait que l'un des animaux se mît à portée de tir. Fred se redressa. Toutes les têtes des isards se levèrent et se tournèrent vers lui. Comme un seul, les animaux décampèrent, s'élevant dans la caillasse avec des bonds fabuleux. On entendait les pierres rouler, rebondir les unes sur les autres. Fred joua les innocents en entrant dans la cabane, tandis que son grand-père pestait.

— T'en aurais fait quoi, d'un isard?

— Pour commencer, on en aurait mangé un morceau, cuit au feu! Je suis sûr que t'en as jamais goûté.

— Ah, parce que tu crois que j'en aurais mangé, moi?

— Rien à voir avec le cochon, l'isard!

— T'as la manie de la gâchette. Tout ce qui bouge, faut que tu tires. La vie des bêtes, tu t'en fous. J'ai l'impression que t'es une brute, là, si tu veux vraiment savoir!

Les yeux d'Antoine devinrent menaçants.

— Tu vas me parler différemment, hein?

Le vieil homme s'était approché du garçon. Il le dominait de toute sa stature.

— Sinon quoi?

— Tu me dois le respect!

— Je te dois rien du tout! Moi, j'ai jamais voulu venir chez toi, je suis même pas ton invité, on m'a forcé!

Décontenancé par l'aplomb de Fred, le vieil homme hésita un instant avant de se tourner vers la cheminée. Il disposa des bouts de branchages dans l'âtre et alluma le feu. Il ne parlait plus. Il respirait bruyamment, comme si l'intérieur de la cabane manquait d'air. Fred sentit qu'il était allé un peu loin.

— S'cuse.

— Parlons d'autre chose, dit Antoine sans quitter les flammes des yeux. Tiens, rends-toi utile, souffle un peu sur le feu, il a du mal à prendre.

Ils partagèrent la nourriture qui restait.

Ensuite, ils reprirent place sur le banc, devant le feu. Fred demanda au vieil homme de raconter la suite de sa propre histoire. Après un instant de réflexion, Antoine se mit à parler. Le retour de la guerre. Le travail à la ferme, le bal du dimanche à la guinguette. Et, sous la chape des apparences, le sentiment de ne plus trouver à la vie tout à fait le même goût. L'horrible sensation d'avoir perdu ses vingt ans. Comme si on les lui avait arrachés, volés, ses vingt ans. Souvent, les mêmes rêves revenaient. Les copains morts. Le sang de Cazenave. Et la trouille des combats, la trouille d'y passer, ça dure des années. La vie entière. Lui, il n'avait pas été un as. Pas d'actes héroïques à son tableau. Il répéta qu'il n'avait toujours pas compris pourquoi ni comment il s'était retrouvé à la guerre. Ni à quoi ça servait. Mais quand tu es en face de types qui te canardent, toi aussi tu canardes. C'est eux ou toi. Les Arabes lui avaient piqué sa jeunesse.

— Les Arabes, ils ont creusé un trou à l'intérieur de moi, tu comprends? La tombe de ma jeunesse, ils ont creusée. Voilà.

Effrayé, Fred avait laissé parler son grand-père, sans dire un mot. Puis il lui demanda simplement :

— Pourquoi tu dis « les Arabes »? Qui t'a envoyé là-bas? Pas eux!

Antoine observa de nouveau un silence. Il soupira. Il dévisagea longuement le garçon. Fred se sentit un peu dérouté. Il alluma une cigarette et tendit le paquet à Antoine.

— T'as peut-être raison, dit le vieil homme en allumant sa cigarette avec un brandon. Qu'est-ce que j'en sais, moi?

Il tapota sa cigarette avec le petit doigt et ajouta :

— Rien. J'en sais rien du tout.

Les langues jaunes du feu et les ombres souples jouaient sur les solives et le lattis, sous le toit de la cabane. Fred ne trouvait pas le sommeil. À côté de lui, Antoine ronflait. De temps en temps, le garçon lui flanquait un coup de coude dans les côtes. Le ronflement s'interrompait quelques secondes, puis reprenait. Fred réfléchissait. Au matin, il faudrait prendre une décision. La farce avait assez duré. Fred sentait qu'Antoine n'allait pas bien, mais qu'il se taisait pour ne pas inquiéter le garçon. Il avait besoin de soins. Retourner au village ? Là-bas, tout le monde devait croire à un enlèvement. Antoine risquait des ennuis. Fred ne pouvait pas imaginer que son grand-père trinquât. Après tout, ils étaient bien d'accord, tous les deux, pour se faire la malle. Persister dans la fuite ne ferait qu'aggraver les conséquences, et tôt ou tard, on finirait par les rattraper.

Finalement, Fred se décida.

— Eh, pst ! tu dors ?

Le ronflement cessa. Antoine marmonna.

— Réveille-toi, je veux te dire un truc.

— Ça peut pas attendre demain ?

— Demain matin, tu vas me ramener chez moi, à Toulouse.

— Quoi ? Pas question !

— On n'a pas le choix. Tu te rends compte si les flics nous pincent ? Si tu me ramènes, on pourra rien te reprocher.

— Je m'en fous, qu'est-ce que tu veux qu'on me reproche ? Je te ramènerai pas.

— Si, tu me ramèneras ! T'imagines quand mes parents vont apprendre qu'on a foutu le camp ? Et les flics qui sont venus me chercher chez toi, tu crois qu'ils sont repartis comme ça, sans rien dire ? Tu vas être poursuivi pour enlèvement. Moi je sais que tu m'as pas enlevé, mais eux, ils savent pas. Si on va à Toulouse, on pourra toujours dire que tu voulais me ramener toi-même, qu'on est tombés en panne, que ça nous a pris du temps de réparer, je sais pas, moi…

— Et qui va gober ça ? J'ai pas envie que tu retournes là-bas, dit le vieux en roulant sur lui-même pour tourner le dos au garçon. Dors, maintenant.

— Bon, dit Fred en sautant du bat-flanc. Alors je me tire. Je pars à pied, je rentrerai en stop. Chez moi, c'est là-bas, que tu le veuilles ou non. Et mes parents, c'est eux, pas toi !

Antoine se redressa. La détermination du garçon lui en imposait.

— Tu veux vraiment revenir chez toi ?

— Vraiment.

— Tu sais que ta mère n'est plus là.

— Me tirer avec toi ne va pas la faire revenir.

— On n'aura pas assez d'essence, et je n'ai pas beaucoup d'argent.

— J'ai une carte de crédit.

Antoine s'allongea de nouveau.

— Tête de mule. T'as réponse à tout. Si tu préfères aller là-bas, allons-y! Tant mieux, ça me débarrassera d'un emmerdeur. La paix! Laisse-moi me reposer, maintenant. À demain.

Sentant qu'il avait peut-être gagné la partie, Fred préféra ne pas insister. Il s'endormit en essayant d'imaginer diverses versions de son retour au bercail avec Antoine.

Le vieil homme n'avait jamais vu autant de camions de sa vie. Il n'avait même jamais imaginé qu'autant de camions existaient. Il s'agrippait au volant, visage fermé. Un quart d'heure auparavant, Fred et lui s'étaient fait une belle frayeur dans une station-service. Fred était en train de composer le code de la carte de crédit au clavier de la pompe quand deux motards de la gendarmerie étaient arrivés.

Ils ont garé leurs motos et ont commencé à se parler, à plaisanter. L'un a proposé à l'autre une pause-café. Ils se sont dirigés vers la station. Fred en avait les mains qui tremblaient.

Fred a rempli le réservoir, puis il a dit à Antoine de filer avant que les motards ne ressortent et ne viennent les contrôler.

Le vieil homme montrait des signes d'impatience. Il insultait les chauffeurs des poids lourds qui les dépassaient.

— Quand on sera arrivés, dit-il, je te laisse devant chez toi et je m'en vais! J'en ai assez de ce cirque.

— Tu vas venir à la maison, je veux que tu viennes! Et puis, il faut que tu te fasses soigner.

— De quoi je me mêle?

— Pourquoi t'as si peur que ça de croiser mon père?

— J'ai pas peur.

— Je veux que tu restes, je veux que tu le rencontres!

— Et pourquoi il n'a jamais cherché à me rencontrer, lui?

La question désarçonna Fred. Il réfléchit un instant, en regardant le paysage qui défilait. Puis il dit :

— Parce qu'il a toujours pensé que ça servait à rien.

— Et qu'est-ce qu'il en savait? Il ne me connaît pas.

— Tu le dis toi-même que tu ne veux pas, maman le lui a dit et

répété mille fois. Quand ils parlent de toi, ils s'engueulent systématiquement. Elle te défend, et puis elle finit toujours par baisser les
bras et avouer que t'es une vraie mule !

Du côté de Lannemezan, Antoine gara la voiture. Ils passèrent
derrière les arbres et urinèrent de conserve en regardant les Pyrénées.

— Tu sais, dit Fred, c'est pas la première fois qu'elle part,
maman. Elle finit toujours par revenir. Ils se pardonnent et la vie
continue.

— Peut-être, mais cette fois, elle parle de divorce. Tu crois qu'elle
m'a menti, qu'elle exagère ?

Fred sentit une bouffée de tristesse l'envahir.

— J'ai pas envie qu'ils se séparent, moi.

— T'y es pour rien et tu n'y peux rien, petit.

— Et si tu leur parlais ? T'es vieux, t'en sais des choses, ils t'écou-
teront peut-être. Papa écoutait toujours les conseils de Zacharias.

— T'es naïf. C'était son père. Moi, il n'a pas à m'écouter.

— Mais maman, elle t'écoutera peut-être.

Ils se remirent en chemin. Une brume montait du sud. On voyait
les montagnes très nettement, au point qu'elles paraissaient toutes
proches. De temps en temps, un mouvement d'air agitait le sommet
des arbres. Des hirondelles rasaient la surface d'un étang de gravière.

— Je crois qu'il va y avoir de l'orage, dit Antoine. On est loin,
d'après toi ?

— Non, plus très.

— Tant mieux, j'en ai ras la casquette de cette pagaille. J'aurais
mieux fait de laisser les flics te raccompagner.

— Moi, je préfère que ce soit toi qui me raccompagnes. T'as pas
faim ?

— Si !

— On s'arrête manger ?

— Je crois qu'il vaut mieux ne pas lambiner. À cette heure, les
flics sont à table. J'ai pas envie qu'ils nous tombent sur le poil. Je préfère filer, plus vite on sera rendus, mieux ce sera.

— T'as raison. Y aura bien quelque chose dans le frigo, à la
maison.

— Je t'ai dit que je n'entrerais pas chez toi !

— Et moi je te dis que si !

Une rafale de vent secoua le véhicule. Une grosse goutte éclata sur le pare-brise. Puis une autre. La lumière tomba rapidement. Un à un, les véhicules allumèrent leurs phares.

Un éclair cisailla le gris du ciel. Une averse de grêle se déversa aussitôt sur le paysage. Les grêlons rebondissaient sur la route, martelaient la carrosserie et les vitres. Le flux de la circulation ralentit, certains conducteurs préférèrent s'arrêter sur le bas-côté. Fred conseilla à son grand-père de les imiter. Antoine s'entêta. Il jeta un coup d'œil dans le rétroviseur et lâcha un juron. Les feux intermittents des motards venaient de s'allumer, juste derrière. L'un se plaça juste devant la 4 L, l'autre derrière. Ils forcèrent Antoine à s'arrêter. Fred ne disait rien. Le vieil homme immobilisa le véhicule. Il était très agité. Il voulut dire quelque chose, mais aucun mot ne parvint à franchir le seuil de ses lèvres. Son visage se figea. Fred comprit immédiatement que quelque chose de grave était en train de se passer. L'un des motards s'approcha de la portière et tapa à la vitre pour signifier au conducteur de sortir. Fred secouait le bras d'Antoine, lui demandait si tout allait bien. Le vieil homme ne répondait pas.

Pendant plusieurs jours, les orages succédèrent aux orages. Fred restait enfermé chez lui, à jouer en réseau sur l'ordinateur, ou bien à écouter de la musique. Il avait peur. Il repensait à la ferme. Les souvenirs qui le traversaient étaient maintenant embellis, pleins de nostalgie. Il grignotait des biscuits salés en regrettant ceux de Marie, à la crème de lait. Il pensait à Antoine. Sans cesse.

Son père, le professeur Hassan Bensaïd, éminent chirurgien cardio-vasculaire au CHU de Purpan, avait tenu à opérer lui-même le vieil homme. L'intervention avait duré plusieurs heures et donné lieu à de multiples complications. Le cœur n'avait pas très bien réagi. Le chirurgien ne rentrait que tard dans la soirée, les bras chargés de pizzas ou de sandwichs. Une ou deux fois, il emmena son fils au restaurant manger des nems ou un tajine. Fred l'abrutissait toujours des mêmes questions. Comment va-t-il ? Quand pourrais-je le voir ? Mais les réponses étaient évasives. Et le père cherchait à dévier la conversation.

— Et toi, si tu me racontais comment ça s'est passé chez lui ?

— Au début, j'ai cru que j'étais retourné au Moyen Âge, et après c'était bien. Et maman, pourquoi elle vient pas ?

Hassan chercha ses mots.

— Tu sais…

— Oui, je sais. Je me doutais que quelque chose n'allait pas, quand vous m'avez envoyé chez Antoine. Il fallait vraiment que ça déconne pour que tu acceptes que j'aille là-bas.

— Je regrette. C'était à moi de trouver une solution pour que les choses s'arrangent, avec lui. Je lui en ai voulu, mais je le comprends, tu sais. J'aurais dû chercher à le rencontrer. Je fais un métier qui te flanque parfois la réalité en plein visage. C'était étrange de l'opérer, lui. Et de prier le ciel, plus que lors de toute autre intervention, afin que tout se passe bien. Je pensais à ta mère. Et à toi.

— Faut pas regretter. Il a quand même osé virer maman quand vous vous êtes mariés !

Le père s'étonna. Fred lui raconta ce que Marie lui avait avoué.

— Il voulait même pas venir à Toulouse. Je l'y ai forcé. J'aurais pas dû. Trop dur pour lui. Trop dur.

— Sors ces idées de ta tête, Fred, tu n'y es pour rien. Il n'aurait pas tenu bien longtemps. Son organisme est très éprouvé, tu sais. Il n'a pas eu une vie facile, et il n'a rien fait pour s'économiser.

— Et maman, elle fait quoi ? Tu m'as pas dit. Vous avez divorcé ?

— Pas encore. La situation est compliquée, tu sais. Elle est partie en voyage en Égypte, afin de réfléchir. Je l'ai contactée pour lui donner des nouvelles de son père. Elle m'a dit qu'elle se débrouillerait pour prendre un avion dès que possible pour revenir. Tu devrais l'appeler.

Le lendemain, Hassan proposa à Fred de venir à l'hôpital.

— Si tu n'as pas peur, viens le voir. Il est un peu impressionnant, je t'avertis. Il est branché à des électrodes, des tuyaux d'oxygène, perfusions et tout le bazar.

Fred monta dans la voiture. Au fond de lui, il craignait de revoir Antoine.

— Comment ça s'est passé? Il t'a reconnu? Il t'avait jamais vu, non?

Alors son père lui raconta qu'Antoine l'avait reçu, juste avant leur mariage, en compagnie d'Aline qui désirait le présenter à la famille. Antoine n'avait pratiquement pas prononcé une parole. Il avait donné son verdict à Aline un peu plus tard. Il n'y aurait pas de deuxième visite.

— Et ma grand-mère, elle a rien dit? Elle a pas essayé de faire quelque chose?

— Tu sais, Fred, Antoine était maître chez lui. Je crois que ta grand-mère n'a pas eu son mot à dire. Cette histoire fut terrible pour elle.

— Des fois, je le déteste.

— Ne dis pas d'âneries sur ton grand-père. Tu dois l'accepter comme il est.

Hassan raconta qu'Antoine ne l'avait pas reconnu lors de la première visite postopératoire. Le chirurgien s'était présenté.

— Je lui ai dit : je suis Hassan, le père de Fred. Je vous ai opéré.

Antoine avait simplement fermé les yeux.

— Je suis sûr qu'il s'est senti rassuré d'être entre tes mains, dit Fred.

— Moi, je n'en suis pas si sûr que toi. Les circonstances sont pénibles, mais je suis heureux d'avoir tout fait pour le sauver. Le destin a voulu que nos chemins se croisent.

— Il va mourir?

— Personne ne peut le dire. Je ne suis pas très optimiste.

— Papa, je veux pas qu'il lui arrive malheur.

— Personne ne peut désirer ça, Fred. Nous devons attendre, il n'y a pas d'alternative. Attendre et espérer. Nous ferons tout ce qui est en notre pouvoir ici.

LES traits du vieil homme s'étaient creusés. Des auréoles violacées soulignaient le dessous de ses yeux. Des faisceaux de fils et de tuyaux reliaient son corps à des machines et à des écrans. Fred n'osait pas prononcer un mot. Il ne savait pas si Antoine l'entendait.

Fred s'approcha du lit et prit la main d'Antoine. Celui-ci entrouvrit les yeux. Il regarda fixement le garçon. Il cherchait des forces pour parler. D'une voix blanche, il s'adressa à Fred :

— Je suis pas brillant, hein, petit ?

— Te fatigue pas, ne parle pas.

— Dis-leur de me ramener à la maison.

— D'abord on va te soigner, ensuite tu rentreras chez toi.

Une lueur d'inquiétude emplit le regard du vieil homme.

— Dis-leur de me ramener, Fred. J'ai rien à faire ici, je veux pas mourir ici. Je veux mourir à la maison.

Fred retenait ses pleurs. Des images de la ferme lui traversaient l'esprit. Le paysage. Les vaches de Marie. L'hélicoptère. La remise. Il revit son grand-père, une hache à la main, fendre les bûches avec sa hardiesse de titan. Il paraissait si faible, maintenant. Tout rabougri.

Fred fit un effort pour chasser ces images. Il sourit bravement.

— Tu vas pas mourir. On va te soigner et ensuite on te ramènera chez toi.

— Tu reviendras me voir, à la maison ?

Cette fois, les larmes voilèrent les yeux du garçon.

— Oui, je reviendrai te voir. Bien sûr.

Le vieil homme ferma les yeux. Il respirait à peine. Il était épuisé. L'infirmière revint et demanda à Fred de sortir.

— Va dans mon bureau, attends-moi là-bas, ajouta son père.

Fred serra la main d'Antoine. Ce dernier rouvrit les yeux. Son visage était maintenant empreint d'une grande lassitude. Ils se regardèrent longuement. Sans une parole.

Au moment où il sortait dans le couloir, Aline arrivait d'un pas précipité. Elle s'arrêta devant son fils.

— Alors, tu ne m'embrasses pas ?

Fred baissa la tête. Il retenait ses sanglots. Aline s'approcha de lui.

— Il est là ? demanda-t-elle d'une voix soudain hésitante.

— Oui, avec papa.

Elle s'engouffra dans la chambre de soins. Fred courut jusqu'au bureau de son père. Pour se retrouver seul avec tout ça. Laisser couler ses larmes.

Les feuillages avaient bruni. Le vallon paraissait plus sombre. L'automne sentait la moisissure. Chaque jour, Antoine marchait doucement sur le chemin. Il allait jusqu'à la ferme des voisins, appuyé sur une canne. Son dos s'était voûté. Le Dr Galé le visitait de bonne heure, pour s'assurer que tout allait bien. Antoine plaisantait, sans y croire, à propos de son état de santé. Le médecin l'encourageait.

— Vous avez une sacrée constitution, Antoine, un autre que vous…

Le vieil homme éludait d'une boutade.

— On s'en sort toujours, par en haut ou par en bas.

Au cours de sa promenade, il ne pensait pas. La fatigue l'avait envahi, depuis l'opération. Il consacrait l'énergie qui lui restait à se tenir debout, dignement. Il ne voulait pas tomber, se laisser aller. Il ne serait pas dit qu'Antoine avait flanché devant le mal.

De temps en temps, il fendait une bûche pour alimenter la cuisinière. Tout effort physique violent lui était strictement interdit. Mais Antoine n'avait pas peur. Il n'aurait laissé la hache à quiconque.

Tous les matins, Marie lui apportait des victuailles. Elle le houspillait pour qu'il retrouvât l'appétit. De temps en temps, il lui disait de ne plus se soucier de ses repas, il se débrouillerait. Elle répondait que, préparer à manger pour deux ou pour trois, cela ne faisait pas grande différence. Elle demandait régulièrement des nouvelles de Fred.

Le jour de la visite des enfants, elle prépara la salle à manger. Antoine alluma une flambée dans la cheminée. Marie débarrassa les meubles de leurs draps blancs, dépoussiéra le sol, nettoya le service en porcelaine et disposa une belle table.

En fin de matinée, elle alluma le téléviseur pour suivre la messe, en préparant une sauce mousseline pour accompagner les asperges. Elle découpa de délicates tranches de foie gras, qu'elle disposa sur un plat. Elle goûta la sauce du poulet aux oignons. Elle ajusta l'assaisonnement. Un fondant à l'orange attendait dans le réfrigérateur.

— Tu le sortiras au début du repas, pour ne pas qu'il soit trop frais, conseilla-t-elle à Antoine, avant de s'éclipser.

Sur le pas de la porte, elle s'arrêta une dernière fois. Elle se retourna et lui dit qu'elle était heureuse de cette visite. Le vieil homme bredouilla des mots inintelligibles, à sa façon. Pour faire comprendre que lui aussi était heureux. Il se rasa, fit un brin de toilette. Il mit une chemise blanche, une cravate sombre, un tricot gris, le pantalon de l'unique costume qu'il posséda jamais et ses chaussures de cuir noir.

L'ATTENTE lui semblait interminable. Antoine se demandait ce qu'ils fichaient, pourquoi ils étaient en retard. Antoine prit sa canne et sortit. Il ne tenait pas en place. Il préférait aller à leur rencontre.

À une centaine de mètres de la ferme, il s'arrêta. Du coin de l'œil, il venait d'apercevoir une ombre dans le ciel. Venue du nord, une nuée grise se déploya au-dessus des collines. Un peu d'excitation monta dans sa poitrine. Un frisson de bonheur. Le vol palpitait dans les clartés d'octobre. Il l'estima à quatre ou cinq cents palombes.

Le vieil homme se tenait immobile. Bientôt, il perçut le friselis des plumes, comme le froissement d'une étoffe de soie.

Elles passaient au-dessus de sa tête, quand elles virèrent de bord d'un brusque coup d'ailes. Quelque chose venait de les effrayer. Peut-être que la voiture des enfants s'acheminait par ici, et que, de là-haut, les palombes l'avaient aperçue.

Puis, dessinant une longue courbe, le vol infléchit son cap de nouveau vers les montagnes. Plein sud.

Inexorablement, les oiseaux bleus s'éloignèrent. Comme si rien ne pouvait les détourner de leur chemin.

OLIVIER DECK

Né à Pau en 1962, Olivier Deck passe son enfance entre collines béarnaises et vallées pyrénéennes avant de céder à l'appel du vaste monde. À dix-huit ans, il découvre le Québec, puis, après des études de sciences, l'Espagne. Il y fait une rencontre capitale, celle d'Antonio Ordonez, célèbre torero, qui l'accueille en Andalousie. Aujourd'hui installé dans les Landes, il construit depuis une vingtaine d'années une œuvre aux multiples facettes autour de la parole et de l'image, se définissant lui-même comme un « vagabond de l'imaginaire ». Ainsi a-t-il commencé par la peinture – il a, en 1990, créé le premier salon d'art contemporain en Aquitaine – tout en engrangeant poèmes, nouvelles, carnets de voyage et chansons qu'il interprète lui-même sur scène à la guitare. Au fil du temps, il cesse de peindre pour se consacrer à l'écriture et au spectacle. Son premier roman, *Cancans*, paraît en 2001. En 2005, il obtient le prix Hemingway de la nouvelle. En 2006, l'Académie Charles Cros lui décerne son « Coup de cœur Parole enregistrée » pour l'album *6 Impromptus 6*, mise en musique de poèmes du grand poète gascon Bernard Manciet. Viscéralement attaché à sa terre natale, Olivier Deck a de nombreuses passions, parmi lesquelles les chevaux, la tauromachie, et la marche en montagne qui lui a inspiré nombre de ses poèmes, tel le recueil *le Chemin du silence*.

Jean-Christophe Duchon-Doris

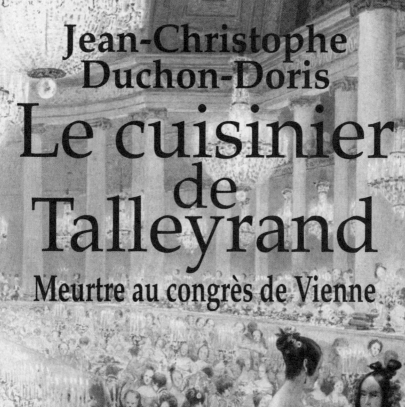

Le cuisinier de Talleyrand

Meurtre au congrès de Vienne

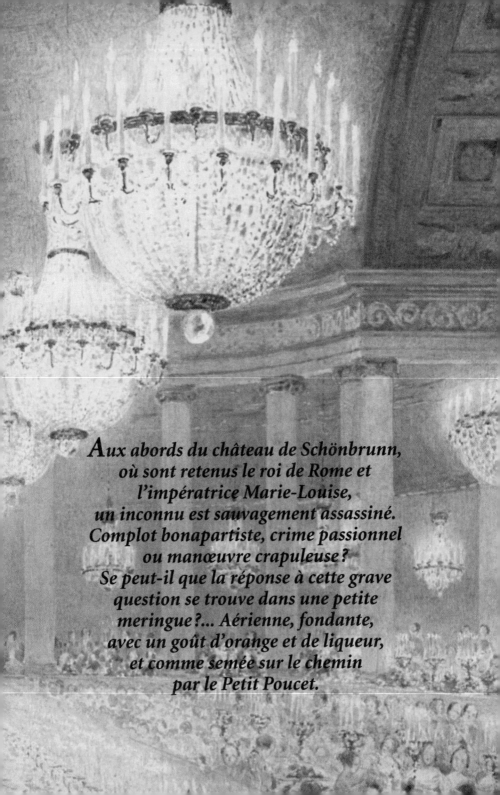

*Aux abords du château de Schönbrunn,
où sont retenus le roi de Rome et
l'impératrice Marie-Louise,
un inconnu est sauvagement assassiné.
Complot bonapartiste, crime passionnel
ou manœuvre crapuleuse?
Se peut-il que la réponse à cette grave
question se trouve dans une petite
meringue?... Aérienne, fondante,
avec un goût d'orange et de liqueur,
et comme semée sur le chemin
par le Petit Poucet.*

I

Son pichet de vin à la main, ses joues creusées par la lumière du feu finissant, Maréchal errait dans les cuisines désertes du palais Kaunitz. Il avançait en titubant un peu, d'une allure lente de bœuf au labour, avec des gestes menaçants et fantomatiques. Il contourna la paillasse, dont les douze bouches laissaient entrevoir un lit de cendres. Sa main épaisse caressa les casseroles et les faitouts lavés, essuyés, rangés après le service du soir. Son regard balaya la batterie de couteaux suspendue au mur au-dessus du potager, le hachoir où tout à l'heure encore la lame coupait, raclait le bois de la planche dans un interminable chuintement métallique.

Par la porte entrouverte du garde-manger, on apercevait des viandes rouges suspendues à des crocs d'acier, des fruits et des légumes, deux gros jambons. Quelques cafards couraient sur la table parmi les restes oubliés de nourriture.

Maréchal s'arrêta un instant au milieu de la salle principale, seul au centre du damier des dalles, et il but à outrance, la tête renversée. Il s'essuya la bouche d'un revers de coude. Il poussa un son bref, très rauque, préhistorique. Des bruits de bottes d'hommes pressés tombaient là-haut des soupiraux ouverts sur la Johannesgasse. Dans la rue, les lanternes accrochées le long des murs jetaient des reflets blonds sur les pavés et venaient mourir en clartés pâles sur le plafond des cuisines.

Maréchal s'en alla au fond des cuisines, au-dessus des fosses à rôtir, s'assit lourdement sur le tabouret qui faisait face aux braises encore fumantes. Là était son domaine, le lieu où il régnait en souverain et où il venait tous les soirs, ou presque, cuver son vin.

Quand il était ivre, les cuisines s'ouvraient sur un monde plus beau. Elles devenaient un palais minéral, tout de pierre et de marbre. Il n'y avait plus que lui et le vin, lui et le feu se mourant. Il était le maître des cendres, le seigneur des braises, celui qui savait contenir la Bête.

Parfois, Maréchal jetait un morceau de lard au milieu du feu pour entendre la Bête gémir. Elle lâchait un crépitement sec, sifflait, crachait un peu de fumée. Mais elle ne bougeait pas tant qu'il n'avait pas fait ce geste, cette main qui se tendait par-dessus le feu finissant, qui fouillait dans le bois malgré la peur et les brûlures. Alors seulement, elle s'ébrouait de ses cendres, sortait sa tête, tendait son cou, s'offrait à la caresse. Elle plongeait son regard en fusion dans les yeux pâles du maître rôtisseur. L'un et l'autre se prêtaient avec délectation à ce jeu de la paume et de la langue, la paume flattant la tête abominable, crevée par les yeux rouges, et la langue râpeuse léchant la main brûlée du cuisinier, couverte de poils roussis, sur laquelle se nouaient de grosses veines bleues.

ANNA avait souvent surpris son mari ainsi, les doigts plongés dans les braises, serrant quelque morceau de bois encore fumant, comme hypnotisé par le tison. Aux premiers jours, elle s'était bien risquée parfois à intervenir. Quand elle ne le sentait plus à son côté, elle se précipitait vers les fosses à rôtir. Elle tentait de lui tirer la main du feu, de le raisonner. Mais l'homme, ivre, devenait méchant. Son regard forcé de quitter les cendres, quand il se posait sur elle, la brûlait mieux qu'au fer rouge. Était-ce bien le sien? Quelque chose de souterrain et de sauvage y avait fait son nid. Et cette voix qui prononçait son nom et des insultes qu'elle ne comprenait pas, ce n'était pas davantage la sienne. Et quand les injures cessaient, les coups venaient. Des claques à pleine volée, à éclater le nez, à faire saigner les lèvres. Et une fois par terre, des coups de pied dans le ventre et des cheveux arrachés à pleine main.

Alors maintenant, elle ne se levait plus. Quand elle découvrait à côté d'elle, au milieu de la nuit, la couche vide, elle n'avait plus que le souci de rester immobile. Pendant les longues minutes de son absence, elle s'exerçait pour, quand il reviendrait, être plus morte que morte. C'était là, elle le savait, depuis la nuit des temps, la seule défense à opposer à la bête sauvage : devenir cadavre, inerte et muette, carcasse, dans l'attente de l'aube.

C'ÉTAIT le 1er octobre 1814, dans les environs de Vienne, vers cinq heures du matin.

La lanterne qu'il tenait à la main était une tache minuscule au milieu de la nuit finissante, une luciole perdue dans l'immensité de la campagne autrichienne, comme un débris flottant sur une mer immense de vallées, de forêts et de montagnes. Il avançait lentement au bord de la route à ornières.

La lune parfois venait éclairer sa tête d'ovin, son crâne large et bosselé, ses petits yeux rapprochés autour d'un nez en forme de museau. Une pyramide de gamelles reliées entre elles par une chaîne brinquebalait à son côté, et, de loin, avec sa forte silhouette et sa démarche balourde, on eût dit l'un de ces ours de Bohême qui, les jours de foire, sur la place de la cathédrale Saint-Étienne, dansent pour amuser le badaud. Il était parti très tôt pour ne pas rater la venue de l'aube – deux, trois heures du matin peut-être – et, maintenant qu'il était sûr d'être au rendez-vous, il ne se pressait guère. Il jouissait de la lente montée du jour. La nuit blêmissait dans le creux des collines. De grands quartiers de forêt se détachaient de l'obscurité comme des blocs de glace au dégel et le ciel au-dessus du Danube semblait vouloir absorber tout le vert mouvant des arbres et des eaux.

Il s'arrêtait souvent. Il sortait un mouchoir à carreaux de la poche de son pantalon, s'essuyait le front couvert de sueur, prenait sa gourde et buvait à petites goulées.

Il était six heures à sa montre quand il fut en vue de Schönbrunn. Le ciel était maintenant d'un bleu sombre superbe, éclairé d'élancements de lumière grise auxquels un vent léger donnait un brillant de peinture. Quand il découvrit la silhouette du palais, noir durci dans ce bleu liquide, immobile au bord du fleuve, entre les villages de Meidling et de Hietzing, il ne put s'empêcher de s'asseoir pour reprendre son souffle. Les façades, hautes de sept étages, montaient, hésitantes entre l'ivoire et le gris, sur les teintes fauves des vignes et la rouille des grosses feuilles que le vent arrachait comme on plume un poulet. C'était un bâtiment perdu au fond d'immenses jardins à la française, tournant le dos à Vienne, dans la profondeur d'une colline excavée.

— Dire que c'est là qu'ils ont enfermé l'impératrice et le roi de Rome, murmura-t-il. Là, à portée de la main.

Tout était allé si vite depuis un an. Les armées françaises abattues par l'hiver russe, la retraite, l'invasion des armées alliées jusque sur les Champs-Élysées, l'abdication de Napoléon en faveur de son fils, la restauration de la monarchie, le traité de Fontainebleau puis celui de Paris.

Il prit, en direction du palais, un chemin de terre où l'automne mêlait à la boue ses feuilles rousses. Son pas s'était fait plus léger, presque aérien.

Il n'était plus très loin des grilles lorsqu'il aperçut la lumière au milieu de la route. C'était une lanterne borgne posée bien en évidence sur un petit monticule de terre, à l'endroit exact où le chemin qui longeait Schönbrunn faisait un coude pour contourner un massif de grands ormes. Il fouilla du regard à droite et à gauche et il finit par deviner une silhouette accroupie au pied du plus grand des arbres. Que faisait-on à cet endroit et à cette heure? Il hocha longuement sa tête ovine. Il n'était pas homme à avoir peur, ne craignant ni Dieu ni le diable.

— Bonjour, l'ami! dit-il en français.

Mais il n'y eut pas d'autre bruit ni d'autre mouvement que ceux, dans les branches, d'une bande de corneilles. La forme, elle, ne bougea pas. L'homme était-il endormi? Malade peut-être, ou même mort? Il hésita à poursuivre sa route. Mais la lanterne lui bloquait symboliquement le chemin. Si l'homme l'avait posée là, n'était-ce pas pour réclamer de l'aide?

Il se défit de sa pyramide de gamelles qui l'encombrait et la posa dans l'ombre d'un bosquet. Il fit deux pas, trois pas, en brandissant devant lui sa propre lumière. Celui qui se tenait sous l'arbre était revêtu d'une longue capeline à capuche rabattue sur la tête. L'ombre lui léchait le bas du corps, remontait sur son torse. On ne distinguait ni ses mains ni son visage. « L'homme est mince, pensa-t-il. Il flotte sous son vêtement. » On eût dit un moine ou l'un de ces gisants sculptés sur les tombeaux du Moyen Âge.

— Oh! L'ami! Que puis-je faire pour toi?

Le capuchon se releva lentement et deux yeux lumineux se posèrent sur lui. Deux yeux de bête fauve. Dans le même temps, les plis du manteau s'étaient ouverts sur le canon d'un pistolet chargé.

— Mourir, dit la forme.

Et sans autre forme de procès elle lui tira dans le front à bout portant.

LA petite troupe de la garnison de Schönbrunn et les quelques hommes de la Hofpolizei qui s'étaient massés autour du corps s'écartèrent bien avant que la lourde voiture noire tirée par quatre chevaux parvînt à leur hauteur et s'immobilisât en faisant grincer ses essieux. Il était près de dix heures du matin, plus de deux heures après la découverte du corps. L'officier autrichien de permanence au château avait aussitôt averti le commissaire de police Weylandt, officiellement chargé des services d'incendie du palais, mais que le baron Hager, ministre de la Police, avait placé auprès de Marie-Louise pour espionner ouvertement l'ex-impératrice des Français et son service de cour. Weylandt avait immédiatement envoyé l'un de ses hommes prévenir Siber, directeur supérieur de la police de Vienne. Tout ce qui se passait dans les environs de Schönbrunn intéressait au plus haut point ces messieurs de la police d'État, et il ne fallait prendre sur ce point aucun risque. Et Weylandt se félicita de son initiative. Siber n'avait pas tardé à accourir.

Le cocher sauta à terre et déplia le marchepied. Siber descendit le premier. C'était un homme mince, brun et mat de peau, l'œil vif et luisant, vêtu d'une longue pelisse noire. Weylandt fit un pas vers lui mais s'arrêta aussitôt devant le haussement de sourcils de son directeur. Il n'était pas seul. Siber tenait la portière et aidait à descendre un autre personnage, volumineux, vêtu d'une grosse fourrure. L'homme avait des traits grossiers, des favoris et des moustaches qui lui mangeaient l'essentiel du visage, des yeux tout petits dissimulés sous les rides. Weylandt pâlit, et il y eut un frémissement jusque dans les rangs des gardes de Schönbrunn. Cette silhouette massive était reconnaissable entre toutes : le baron Hager, ministre de la Police, s'était déplacé en personne. Un dernier passager descendit, chaussé de hautes bottes montantes, vêtu d'une cape courte et d'un habit en drap noir, coiffé d'un feutre sombre dont les larges bords dissimulaient à demi le visage. Il se mit aussitôt en retrait du directeur, chapeau baissé, les mains dissimulées sous la cape, si bien qu'on eût pu le prendre pour l'ombre portée du haut fonctionnaire.

La première chose que fit le baron Hager fut de humer le vent et de prendre la mesure du paysage. Son regard embrassa le vallon, la plaine que l'on apercevait en contrebas, le chemin, les arbres, les grilles, pour se fixer sur le palais, que l'on devinait derrière les feuillages. Lui non plus ne pouvait s'empêcher de penser que ces murs n'abritaient rien de moins que le fils et l'épouse de Napoléon, hôtes et prisonniers de l'Autriche. Depuis qu'au lendemain du traité de Paris les puissances alliées avaient désigné Vienne comme lieu du futur congrès où devrait se débattre le sort de l'Europe après la chute de l'Empire français, le ministre n'avait pas la tâche facile. Ses services estimaient déjà à près de vingt mille le nombre des arrivées. À la Hofburg s'étaient installés deux empereurs, deux impératrices, quatre rois, deux princes héritiers, une demi-douzaine d'archiducs, d'archiduchesses et de princes, avec leur entourage d'aides de camp, de chambellans, de dames d'honneur, de pages, de valets et de chambrières. On comptait déjà plus de deux cents diplomates, accrédités par tous les souverains d'Europe, des plus puissants jusqu'aux principicules italiens et allemands, sans compter les ministres et les plénipotentiaires envoyés par les sénats des anciennes villes libres, Dantzig ou Hambourg, par l'épiscopat catholique allemand, par l'ordre de Malte, par celui des chevaliers Teutoniques, par les communautés israélites, par les chambres de commerce, par les corporations. Chaque délégation entretenait une armée d'espions et d'informateurs et le congrès avait déjà attiré une multitude d'observateurs officieux, d'hommes d'affaires, de solliciteurs, d'artistes en tous genres, d'aventuriers, d'escrocs et de filous, de demi-mondaines et de prostituées. Vienne, en quelques semaines, sous l'afflux de ces visiteurs et hôtes de tout acabit, était devenue un cirque, une cour des miracles. Et il lui appartenait à lui, Hager, de contrôler tout ça. Mais Schönbrunn et ses locataires restaient une priorité.

Le regard éteint du ministre vint se poser sur le visage blême de Weylandt.

— Montrez-nous le corps, dit-il.

On s'écarta. Un des policiers souleva le drap que l'on avait jeté sur le cadavre. Siber, qui en avait pourtant vu d'autres, ne put s'empêcher de détourner la tête. Mais le baron demeura longuement penché sur l'amas de chair et d'os éclatés. L'homme en noir restait en retrait mais observait par-dessous les bords de son chapeau. C'était à peine si l'on reconnaissait une forme humaine.

— Comment l'a-t-on tué?

— D'un coup de pistolet, ça s'est sûr, dit Weylandt en avalant sa salive. Après on ne sait plus trop. Le corps a été déshabillé, et l'on s'est acharné sur lui avec une pioche ou un pic à glace. Tout a été méticuleusement broyé et éclaté.

Hager leva à peine les yeux puis revint au cadavre. La tête était méconnaissable, les orbites crevées, la chair des joues et de la bouche arrachée de l'os. On devinait à peine le crâne et le trou de la balle au milieu du front fracassé.

— Qui est-ce?

— Impossible de le savoir, Excellence. On a tout fait pour qu'il soit impossible de l'identifier.

— Les vêtements?

— Brûlés. C'est le petit tas près de l'arbre, là-bas.

L'homme au chapeau noir était déjà occupé à examiner les cendres. Il avait ôté son gant et ramassait des lambeaux de tissu préservés du feu. D'un pas lourd, le ministre et le directeur le rejoignirent.

— Votre opinion, Vladeski? demanda Siber d'une voix enrouée.

Les bords du chapeau noir se relevèrent avec une certaine lenteur, dévoilant la mâchoire un peu forte, la peau mate. Bien que Siber y fût habitué, il fut de nouveau surpris par la clarté des yeux qui se posaient sur lui. Janez Vladeski, d'une main longue et fine, se caressa le menton puis remit soigneusement son gant.

— Il n'y a aucune trace de sang sur les restes des vêtements. Les choses n'ont pu se passer que de la façon suivante : l'homme a été tué par le coup de pistolet. On l'a déshabillé et l'on a brûlé ses habits. Puis on est revenu vers le cadavre et l'on s'est acharné sur lui à coups de pioche ou d'un autre outil du même acabit.

Hager et Siber approuvèrent de la tête et ils se regardèrent en silence. C'était pis qu'ils ne l'avaient pensé. L'espoir d'un simple crime de rôdeur se dissipait. On avait tué ici avec un mélange étonnant de furie et de sang-froid. D'un côté, l'assassin s'était défoulé sur un homme déjà mort avec une rare violence, une sauvagerie qui ne pouvait être le fait que d'un être qui n'avait pu se contrôler. Mais d'un autre côté, la froide organisation du crime impressionnait. Celui qui avait fait cela avait tout de même pris le temps de déshabiller sa victime, de mettre en tas ses habits, de les brûler. Et il avait pris le risque de cette mise en scène à moins d'une lieue des grilles d'un palais où patrouillaient sans cesse des hommes armés.

— On a retrouvé ceci, glissa Weylandt. C'était dans les fourrés, juste avant le virage.

Il fit signe à l'un de ses hommes d'avancer et le policier déposa avec de grandes précautions entre le directeur et le baron Hager une sorte de tour métallique. C'était un ensemble de cinq gamelles fermées, s'emboîtant les unes dans les autres et reliées entre elles par une double chaîne courant le long de leurs parois par des crochets. Sur un regard de Hager, Janez Vladeski se saisit de l'objet et l'examina sous toutes les coutures. Il n'y avait aucune marque ou poinçon.

— Avez-vous ouvert ? demanda Hager à Weylandt.

— Non. J'ai préféré vous attendre.

— Vous avez bien fait.

Sur un nouveau signe du ministre, Janez fit jouer le crochet qui fermait le couvercle de la première gamelle. Elle était presque vide. Des morceaux de quelque chose flottaient dans une sauce brune. Une odeur lointaine de vin cuit, plutôt agréable au nez, flotta dans l'air.

— Goûtez ! murmura le baron à son directeur.

Siber s'exécuta. Il ramassa un morceau avec les doigts, s'en servit pour attraper un peu de sauce comme il l'aurait fait avec un morceau de pain et porta le tout à sa bouche. Il mâcha les yeux à demi fermés, en se concentrant.

— De l'anguille en matelote, dit-il d'un ton catégorique. Cuite dans du très bon vin. Et c'est encore tiède.

CE ne fut que dans la voiture que le baron Hager goûta à son tour du restant de mixture brune. Il confirma : de l'anguille en matelote cuite dans du vin rouge et flambée au cognac. Avec Siber, malgré les cahots de la route, ils entreprirent d'ouvrir une à une les gamelles. La deuxième et la quatrième étaient vides. La troisième contenait un paquet de petites meringues. La cinquième cachait des pêches pochées au sirop. Ces dernières eurent la préférence des deux hommes, qui y goûtèrent ensemble. Le ministre ne se gênait pas pour se sucer les doigts et Siber l'imita avec le plus grand plaisir.

— Qu'en pensez-vous ?

— C'est excellent. Les pêches ont été cuites lentement dans un mélange de cassonade et de vanille.

— Je veux dire de ce mort ?

— Eh bien, rien ne permet bien sûr d'établir un lien avec Schönbrunn et encore moins de soupçonner un quelconque rapport avec Napoléon, mais…

— Ce meurtre est si particulier. Est-ce aussi votre avis, Vladeski ?…

Janez Vladeski s'était calé dans l'angle de la voiture opposé à celui qu'occupait le baron et, comme à son habitude, il se faisait le plus discret possible, écoutant et observant dans le plus grand silence. Il avait noté, sans en tirer aucune conclusion, que la vue du cadavre n'avait pas coupé l'appétit de ses supérieurs.

— En effet, monsieur.

Hager n'avait posé cette question dont la réponse était évidente que pour le plaisir de revoir ce visage si sombre où seuls les yeux bleus flambaient, comme éclairés de l'intérieur. Ce Janez était d'une beauté étonnante, sombre et sauvage.

— Faisons le point de la situation, voulez-vous ? dit le ministre à Siber d'une voix cassante. Avons-nous arrêté cet officier français ?

— Le capitaine Hurault de Sorbée ? Oui, monsieur.

Hager se mordit machinalement la peau intérieure de la joue. Le tic chez lui marquait un mélange de satisfaction et d'impatience. Avec ce capitaine, il l'avait échappé belle. Napoléon en personne avait chargé l'un des fidèles de sa garde, ce Hurault de Sorbée, époux d'une des femmes de la suite de l'impératrice, de se rendre en secret auprès de cette dernière afin de lui remettre une lettre en mains propres. Mais Marie-Louise en avait parlé à Mme de Brignole, qui elle-même avait alerté Neipperg, grand maître du palais. C'était une lettre terrible, comminatoire, rompant avec le ton doucereux des précédentes, qui donnait le choix à Marie-Louise ou de demeurer à jamais en Autriche ou de fuir avec ce capitaine pour rejoindre Napoléon à l'île d'Elbe. La bonne nouvelle était que l'impératrice ne semblait guère disposée à rejoindre son mari. Avait-elle succombé au charme de Neipperg comme le disait la rumeur ?

— A-t-elle vu M. de Beauharnais ?

C'était là un autre souci. Eugène de Beauharnais, le fils de l'ex-impératrice Joséphine, était arrivé à Vienne le 29 septembre sans y avoir été convié, ne faisant partie d'aucune délégation. Il y était venu sans son épouse, la princesse Augusta, fille du roi de Bavière, restée à Munich avec ses enfants, dont le dernier n'avait pas cinq mois. Officiellement, le jeune prince était venu pour recevoir du congrès cet « établissement hors de France » promis par le traité de Fontainebleau du 11 avril. Mais n'était-il pas l'émissaire de son beau-père ? Quand on a suivi Napoléon des sables brûlants de l'Égypte aux plaines glacées de Russie, peut-on renoncer à le servir ?

— M. de Beauharnais est venu voir Marie-Louise deux fois en fiacre, dans le plus strict anonymat, et il n'a pas été possible de surprendre leur conversation. Quant à son courrier, il est acheminé par l'ambassade de Bavière et il nous est fort difficile de l'intercepter.

— Il faudra insister, Siber. C'est là une priorité. Quoi d'autre ?

— Hier, l'impératrice a accepté de recevoir dans l'intimité le fils du duc de Campo-Chiaro, représentant du prince Murat, et son secrétaire, qui lui ont apporté une boîte et deux paquets cachetés. En toute vraisemblance, de simples présents.

— En toute vraisemblance ?

Siber grimaça.

— Nous faisons notre possible, monsieur.

— Il faut faire davantage.

Ils restèrent un moment silencieux, l'un et l'autre, le visage tourné vers le paysage sans le voir. Hager se dit que forcément Napoléon allait tenter quelque chose. Il fallait être l'un de ces messieurs de la chancellerie pour croire que l'ex-empereur renoncerait si vite et abandonnerait tout espoir de rendre le trône à son fils, voire d'y remonter lui-même. Et c'était ici, pendant le congrès, que tout allait se jouer, que les fonds allaient se récolter, que les alliances allaient se retourner, que les trahisons allaient s'acheter. L'enlèvement de l'Aiglon, voilà quel était le véritable danger. Mais qu'entreprendre de plus qui n'était déjà tenté ? Vienne tout entière était sous la coupe de la police autrichienne. Des informateurs s'étaient insinués dans tous les milieux, des salons de la plus vieille noblesse jusqu'aux cabarets les plus sordides. Des tombereaux de rapports étaient déposés tous les jours sur le bureau du directeur et sur celui du ministre. Les correspondances habilement interceptées, décachetées et déchiffrées par les spécialistes de la manipulation du Cabinet noir, la Geheimzifferkanzlei, étaient transcrites et données à Hager. L'empereur François en recevait lui-même tous les matins de larges extraits, dont il se délectait.

Le baron revint vers les gamelles. Siber avait fini les pêches au sirop. Il ne restait que les petites meringues. Hager offrit ces dernières à Janez. Décidément, il aimait bien cet inspecteur discret, qu'on mettait longtemps à remarquer, mais qui, lorsqu'on l'avait dans son regard, ne vous sortait plus de la tête. C'est là quelqu'un qui doit plaire douloureusement, ne put-il s'empêcher de penser.

Janez fit le geste de refuser mais Hager insista. L'inspecteur marqua un peu d'hésitation. Était-ce pour goûter à ces étranges gâteaux ou pour les conserver comme éléments pouvant servir à l'enquête ? Il le remercia d'un mouvement du menton, prit le paquet de meringues, mais, dans le doute, le posa sur ses genoux sans y toucher.

— Un mort si près de Schönbrunn et tué de cette manière, reprit Hager, cela ne peut être un hasard. On a été obligé d'éliminer cet homme rapidement et l'on a tout fait pour nous empêcher de l'identifier. C'est peut-être la première faute de ceux qui complotent pour Napoléon.

— Oui, monsieur, dit Siber. Je vais vérifier si d'autres crimes ont été commis selon le même rituel et faire interroger toutes les personnes qui, depuis hier soir, auraient pu croiser la victime.

Le baron se tourna lentement vers l'angle opposé de la voiture.

— Monsieur Janez Vladeski, vous êtes personnellement chargé de cette enquête.

— Bien, monsieur le baron.

Siber ébaucha un geste pour intervenir mais il se ravisa et se cala plus profondément sur la banquette. Sa lèvre inférieure s'était légèrement crispée.

— Nous devons absolument savoir qui est ce mort, continua le ministre. Je veux comprendre qui l'a tué et pourquoi.

II

En ce début d'octobre, Vienne avait flambé tout le jour. Maintenant que le crépuscule tombait, les couleurs s'éteignaient sans vouloir disparaître.

Janez Vladeski marchait d'un pas lent le long des parapets bordant le Danube. Il était habillé de sombre, comme il en avait l'habitude – hautes bottes montantes et vaste cape noire, chapeau à larges bords –, affichant jusque sur son visage anguleux cette austérité protestante derrière laquelle il avait fait le pari de se cacher, et il tentait, jusque dans sa démarche, jusque dans ses manières, jusque dans son regard bleu émaillé, d'étouffer tout ce qui en lui pouvait éveiller l'attention. Mais quoi qu'il fît, c'était un bel homme, les cheveux noirs bouclés attachés par un catogan, le ventre creux, les cuisses longues, un regard qui fouillait jusqu'au fond de l'âme et qui lui donnait une élégance nerveuse et cette assurance de ceux qui sont trop habitués à plaire et à séduire pour échapper aux accroches des regards des dames et même quelquefois des jeunes messieurs.

Les boutiques s'étaient mises au goût de la fête interminable qui s'annonçait et tardaient à baisser leurs rideaux. Depuis les débuts du congrès, les rues étaient sans cesse un décor d'opérette où les uniformes de toute l'Europe se mêlaient aux tenues légères des filles du peuple, aux habits graves des Autrichiens, à cette population toujours incroyable de Magyars et de Tchèques, d'Allemands, d'Italiens, de Polonais, de Hongrois, de Bohêmes, de Slovaques et de Slovènes, de Serbes et de Croates, sans compter le bon nombre de juifs venus d'Orient et d'Occident. C'était un spectacle permanent dont il ne se lassait pas.

Le matin même, il avait assisté à la « messe de la paix » et à la parade militaire donnée sur le glacis entre la porte Neuve des Écossais et celle du Burg, en l'honneur des souverains étrangers. L'archevêque en personne, malgré son grand âge, avait célébré l'office devant les empereurs d'Autriche et de Russie, les rois de Prusse et de Danemark. Il avait levé l'hostie au-dessus d'un magnifique autel face aux troupes, que le feldmaréchal prince de Wurtemberg avait eu l'honneur de présenter aux souverains des nations alliées, face à la foule venue nombreuse, face à toutes ces têtes couronnées, un genou à terre, remerciant le ciel de ce que les neiges de Russie avaient terrassé l'Aigle.

Janez avait regardé tout cela : les fleurs et les feuillages jonchant le sol, le damas rouge des marches de l'autel, les cierges étincelants malgré le grand soleil, les reflets des cuirasses, les sabres au clair. Il avait écouté la bénédiction, l'hymne à la paix repris par les milliers de voix de la foule amassée, les accents énergiques des musiques militaires, les cloches enfin de toutes les églises de Vienne sonnant à toute volée les temps nouveaux qui s'ouvraient avec le congrès. S'il avait applaudi avec les autres, il l'avait fait comme s'il était au théâtre. Il s'était senti étranger à tout cela, ni vainqueur ni vaincu, définitivement spectateur, extérieur aux joies et aux malheurs de tous ceux qui étaient là autour de lui.

IL évita les grands cafés, pleins de monde, qui débordaient sur les trottoirs, étalant leur public de buveurs de bière, d'amateurs de musique, de chanteurs improvisés sous la lumière douce des réverbères à huile. Servis dans des assiettes ou des petits pains ronds, c'était à toutes les tables des saucisses grillées ou cuites au four, des beignets d'oignons, des andouillettes sautées à la poêle, accompagnées de raifort râpé et de choux verts braisés revenus dans la graisse de cuisson.

D'un geste machinal, il mit la main dans sa poche et constata que le paquet de meringues était toujours là. Il repensa au cadavre de Schönbrunn. Il avait passé l'après-midi aux archives de la police, à éplucher les rapports de ces derniers mois dans l'espoir de découvrir un crime comparable, opéré selon le même rituel. Quand il était entré dans la pièce, un homme massif était déjà au travail, à consulter les documents. Il s'était présenté sous le nom de Hans Tiriak, envoyé par Siber pour l'épauler. C'était un homme étrange, avec un visage un peu lunaire, et, derrière de vieilles lunettes à monture de fer, des yeux saillants où flottait une nonchalance étonnée. Ils étaient restés à travailler l'un à côté de l'autre, pendant deux heures, sans se dire un mot, jusqu'à ce que Tiriak, en s'étirant, ait glissé :

— Nous devrons retourner là-bas pour chercher des témoignages.

— Pas vous, avait répondu Janez. Moi. Cette enquête est la mienne.

Il voulut couper par les rues le long du canal, mais c'était là aussi l'effervescence, les cris, le tapage. L'aristocratie qui ne boudait pas la fête allait en grand équipage, précédé de heiduques en costumes hongrois qui cinglaient les passants à coups de cravache. On risquait à tout instant d'être renversé par l'attelage lancé au grand galop des cochers qui se défiaient à la course.

Où habitait cette fille, déjà ?

Il retrouva le fleuve, le canal, puis, au-delà du pont, le Ferdinandsbrücke, et l'immeuble à colonnettes où elle l'avait déjà amené. Il grimpa l'escalier vermoulu, frappa délicatement à la porte peinte en bleu et rehaussée de feuilles de chêne et de lauriers dorés. Elle n'était pas fermée.

— Catherina ?

— Entrez, mon ami, je suis bientôt à vous.

Il flottait dans la pièce une odeur curieuse de savon et de frangipane. Il comprit qu'il la surprenait au sortir du bain. À côté du petit poêle en faïence, la baignoire sabot en cuivre rouge, remplie d'une eau où flottait de la mousse, lâchait encore un peu de vapeur. Il s'amusa, en suivant la trace de ses pieds mouillés sur le parquet, à la deviner sortant de l'eau, saisissant d'une main sa robe-chemise et disparaissant derrière le paravent. Sa table de toilette était encombrée de merveilles, de l'eau de suave et de l'eau de rose, du sel de vinaigre et du blanc des sultanes, qu'elle faisait venir – prétendait-elle – de France, de chez Tessier, parfumeur rue de Richelieu.

Il ne la connaissait que depuis quelques jours. Il ne savait rien d'elle – une actrice, une Polonaise, invitée par un théâtre lyrique pour quelques représentations d'une pièce dont il ne connaissait pas même l'auteur –, mais il l'adorait déjà, du moins, pensa-t-il, autant que l'on peut adorer ce genre de femme.

Janez s'assit sur le tabouret devant la coiffeuse. Il rajusta le catogan qui retenait ses longs cheveux noirs, lissa du bout du doigt les pattes d'oie qui entouraient ses yeux de chat. « L'âge gagne déjà du terrain, pensa-t-il encore. Raison de plus pour goûter, avant qu'il ne soit trop tard, aux belles aventurières, aux courtisanes attirées par les lumières et les hommes. »

La pièce sentait bon le bain et la toilette. Catherina apparut enfin, le petit nez fripon, les paupières coquelicot, les cheveux frisottés, vêtue d'une robe-chemise en tulle transparent dont la taille haute mettait en valeur sa gorge. Elle avait cet air de candeur forcée, de candeur travaillée, qui l'attendrissait bien plus encore que si elle eût été véritable ingénue. Elle lui sourit et sembla chercher du regard un bouquet, un présent, quelque chose qu'il lui aurait apporté. Ses yeux tombèrent sur le ruban qui émergeait de la poche de son habit.

— Ce sont des gâteaux, dit-il en sortant le sac et en le lui tendant.

Le geste avait été spontané, et il le regretta aussitôt. Mais déjà, le visage rayonnant, elle avait pris le paquet du bout des doigts.

— Ce ne sont pas des gâteaux, dit-elle, ce sont de petites meringues.

Il ignorait le terme.

— Des petites « meringues », donc, répéta-t-il en l'observant.

Actrice, courtisane, aventurière, que lui importait… Dans cette pose de danseuse, avec cette moue adorable qui plissait son nez, sa gorge effrontée dansant dans les flots de l'étoffe, elle lui plut comme au premier soir. Il saisit à pleins bras sa robe, enlaçant à travers l'étoffe ses jambes rondes qu'il sentit se roidir pour résister.

— J'étouffe, mon ami, j'étouffe!

Elle le repoussa gentiment, s'enfuit jusqu'à la fenêtre avec le paquet de meringues. Elle l'ouvrit avec précaution, se saisit d'une bouchée blanche et nacrée, se cacha à demi, tournée vers le mur, pour déguster. Janez s'apprêtait à l'enlacer de nouveau lorsqu'elle se retourna.

— Mon Dieu, dit-elle, je n'en ai jamais mangé de meilleure, même à Paris.

La lumière des bougies voilait sa pupille d'une ombre dorée. Elle prit une autre meringue, s'assit, rabattit sur ses genoux ses jupons crème bordés d'écume. Elle mangeait d'une façon merveilleuse, avec des regards profonds, un calme majestueux du visage. Elle dégustait, et l'on devinait que son plaisir était fouetté par un prodigieux travail intérieur de déduction.

— Le cœur est fondant avec un goût d'orange et de liqueur, dit-elle les yeux luisants.

Par curiosité, il prit à son tour une de ces « meringues ». Il la fit tourner entre ses doigts, parut surpris de sa légèreté, de la délicatesse de ses courbes, de la beauté de ses creux et de ses pleins. C'était comme un peu de neige figée, une larme cristallisée dans le sucre. Il croqua du bout des dents.

C'était solide et fondant à la fois. Cela s'éparpillait dans la bouche.

— Il faut que vous me donniez l'adresse ! dit encore Catherina en balayant, d'un bout de langue rose, les débris de blanc d'œuf restés aux commissures de ses lèvres. C'est à mourir !

Il la regarda, stupéfait, comme si elle venait de déclamer une grande vérité. D'un geste discret, il reprit une meringue et la glissa dans la poche de son habit.

L'AIR était frais, le ciel livide. Janez Vladeski respira profondément en tirant sur les rênes de sa monture. Il ferma les yeux et se laissa bercer, offrant un peu plus à la caresse du vent son visage anguleux. Il avait carte blanche, le baron Hager le lui avait redit, pour élucider ce crime étrange. Bien sûr, il devrait rendre compte, mais, malgré cela, il se sentait libre. Siber avait bien essayé de se mêler à l'enquête et de lui adjoindre ce Hans Tiriak qu'il avait rencontré la veille, mais le ministre de la Police s'y était opposé, au nom de la discrétion à conserver dans une affaire qui « à l'évidence relevait de la Hofpolizei ». Janez Vladeski agirait seul et ne dépendrait que du baron Hager.

Il commença par la grande ferme qui, à une lieue de Schönbrunn, longeait le chemin qu'avait dû emprunter la victime. Janez y arriva vers le midi, poussant son cheval au milieu des fumées et de l'odeur de brasier que les bourrasques rabattaient de la plaine, où on brûlait du mûrier. Un gros homme au tablier couvert de traces de sang, un couteau de boucher à la main, sortit de la bâtisse principale et vint à sa rencontre d'un pas traînant.

— Passez votre chemin, dit l'homme. Nous n'avons besoin de rien.

Janez, sans descendre de sa monture, déclina son identité. Aussitôt le fermier se fit plus aimable. Dans le vacarme du cri des bêtes, il répondit à ses questions : Oui, quelqu'un était passé ce matin, très tôt, et avait fait hurler la chienne. Oui, il venait de Vienne et s'en allait en direction de Schönbrunn. Non, on n'avait entendu personne d'autre. Non, on n'avait pas vu l'homme, mais ça devait être encore un de ces Tziganes, qui, depuis l'annonce du congrès, se faisaient de plus en plus nombreux, volaient les poules et menaçaient les braves gens. Janez le remercia et lui demanda la direction du campement.

— N'y allez pas, lui cria l'homme tandis qu'il s'éloignait. Ils sont dangereux !

Des enfants sales à moitié nus vinrent à la rencontre de Janez. Ils souriaient, les joues creuses et les yeux brillants, tendant la main. Il fit mine de ne pas comprendre leur langage. Quand ils furent persuadés qu'il ne leur donnerait rien, ils devinrent plus méchants. Certains même se baissèrent pour ramasser des pierres. Janez ne se laissa pas démonter. Il pénétra dans le campement tzigane escorté par des cochons noirs, des poules à crête rouge trottant entre les mares fangeuses, des chiens jaunes qui grondaient sourdement en baissant la tête. De vieilles femmes qui fumaient la pipe, assises sur le marche-pied des voitures, se levaient à son approche et grimaçaient en dévoilant leurs mâchoires édentées. D'autres plus jeunes et plus jolies, des foulards dans les cheveux, les poignets cerclés de bracelets, se poussaient du coude en le montrant du doigt. Avec le vent venaient des odeurs de poisson et des notes légères jetées par des violons.

À force, il fut entouré d'une foule considérable qui touchait son cheval et tirait sur ses bottes, lui désignait le fond du camp avec force cris. Là-bas, il rencontra les hommes, tous très bruns, le teint mat, portant le feutre et la moustache, des allures de loups maigres. Ils étaient assis autour de grands feux. Sur de longs bâtons, ils faisaient rôtir des chapelets de grives faisandées et la graisse du lard pétillait dans les flammes. Ils se levèrent lentement. Un d'entre eux s'approcha de

Janez. Il avait la face cuivrée, l'œil sombre, de grands membres très secs. Il l'interpella dans un mauvais allemand, et Janez répondit dans la même langue. Il répéta, comme tout à l'heure, qu'il était de la police et ne voulait que quelques renseignements.

Cela fit rire l'homme, puis, lorsqu'il eut traduit aux autres, tout le campement.

— Nous n'avons pas l'habitude de parler aux étrangers, dit-il avec un grand sourire et en écartant les mains en signe d'impuissance.

— Je ne suis pas tout à fait un étranger, répondit Janez dans la langue des Roms. Et j'enquête sur un crime qu'il serait dommage qu'on vous attribue.

Il avait réussi son effet. Cela faisait longtemps qu'il n'avait pas parlé ce langage, mais, à voir leurs têtes à tous, il s'était parfaitement fait comprendre. Les rires s'étaient tus, étouffés dans les gorges.

— Tu permets? demanda Janez en tendant le bras vers le violon et l'archet que tenait, à côté de lui, un jeune Tzigane.

L'adolescent, encore sous le choc, lui tendit machinalement l'instrument. Janez le prit, le cala sous son menton et se mit à jouer, « à l'oreille », les airs qu'il avait entendus tant de fois son grand-père tirer de l'instrument. Il baissa les paupières, se prenant à son propre piège, laissant courir l'archet, se laissant ensevelir sous les vagues de sa propre musique. Quand il rouvrit les yeux, le camp était plongé dans un profond silence. Puis, l'un après l'autre, les hommes comme les femmes, les enfants comme les vieillards, tous se mirent à l'applaudir.

Il partagea avec eux les broches de grives, le ragoût de pommes de terre au paprika, but à leurs gourdes un vin clair qui sentait le poil de chèvre. Et il eut tous les renseignements qu'il souhaitait : deux hommes étaient passés, en effet, la nuit précédente. Un premier, celui qui portait les gamelles, ne se cachait pas et il marchait au milieu du chemin. Silhouette lourde, entre deux âges. À peine avait-il passé le virage qu'un autre avait suivi, plus léger, attentif cette fois à faire moins de bruit. Il portait un grand manteau avec une capuche rabattue sur son visage. Il boitait légèrement, comme s'il portait sur lui une épée ou un bâton qui le gênait. Mais les deux, c'était sûr, venaient de la route qui passait sous le pont, en contrebas du fleuve, et qui menait à Vienne par un débit de vin où l'on buvait le dernier coup avant d'affronter la campagne. Les deux hommes s'y étaient peut-être arrêtés pour se désaltérer.

JANEZ reprit son chemin et découvrit en effet, un peu plus loin, l'établissement dont parlaient les Tziganes. C'était une gargote pouilleuse. Au moment où Janez y pénétra, il n'y avait que quelques ivrognes, des matelots du Danube qui s'endormaient le verre en main, sur une chaise, le nez contre le mur, et des ouvriers agricoles qu'on reconnaissait à leurs mains abîmées. Ils mangeaient en silence, dans des assiettes en terre, des harengs grillés, arrosés de vinaigre et saupoudrés de ciboule. Ce fut à peine s'ils relevèrent la tête à son entrée. Le patron prit Janez de haut. Il n'avait rien vu, rien entendu et il n'avait rien à dire.

Ce fut dehors, au moment où Janez remontait à cheval, que la fille de salle – une grosse rousse, au visage laiteux mangé par les boutons – s'approcha de lui.

— J'ai tout entendu, dit-elle. Je l'ai vu, moi, l'homme aux gamelles.

— Eh bien?

— Que me donneras-tu si je t'en dis plus?

— Un florin, répondit-il en faisant sauter la pièce dans sa main.

— Il est venu l'autre soir, un peu avant la fermeture. Il a juste pris un pichet de vin. On s'est amusés tous les deux.

— T'a-t-il dit son nom, d'où il venait?

— Non. Mais il avait un accent étranger. Il était français, ou anglais peut-être.

— À quoi ressemblait-il?

— C'était un gros homme, lourd, avec des jambes et des bras épais, une tête allongée, le crâne chauve comme le patron.

— Était-il accompagné? Suivi par quelqu'un?

— Non, je ne crois pas.

— Quoi d'autre?

— Il m'a offert un gâteau curieux, tout blanc, léger et sucré.

— Comme celui-ci? demanda Janez en extirpant de la poche de sa veste la meringue reprise à Catherina.

— Oui, dit la fille avec un regard de gourmandise. Exactement le même. C'est sacrément bon. Il m'a dit qu'ils venaient de sortir du four. Tu me le donnes ?

Janez fit non de la tête et lui lança la pièce. La fille la saisit au vol.

Décidément, ces meringues séduisaient les ventres et marquaient les esprits. Quand il était enfant, au château de son père, une vieille nourrice lui racontait l'histoire de ce Petit Poucet qui semait des cailloux blancs pour retrouver sa route. L'homme qui avait été tué devant Schönbrunn avait-il semé sur son chemin de mort ces curieux gâteaux blancs ?

III

JANEZ n'avait donc qu'une certitude : l'homme qui était mort était venu de Vienne, suivi par un autre, qui se cachait de lui. Il portait, reliée par une chaîne, une pyramide de gamelles contenant un reste de matelote d'anguille, des pêches au sirop vanillé et, surtout, d'excellentes « meringues », dont il ne restait plus qu'un exemplaire. C'était bien peu de chose, mais Janez n'avait que cela pour mener son enquête. Si ces sucreries étaient vraiment les meilleures du monde, comme le disait Catherina, on devait pouvoir en retrouver la trace. Mais comment procéder dans l'effervescence viennoise ?

— Je ne vois qu'une solution, lui dit la jeune femme lorsqu'il lui confia son embarras. Vous devez m'emmener dans toutes les pâtisseries de la ville !

Elle rit sans retenue, avec son nez retroussé, sa bouche pulpeuse, son œil noyé dans une estompe de rose pâle. Elle portait une robe bleu clair, en satin froissé, et des bottines mordorées qu'on apercevait quand elle agitait ses jupons blancs. On aurait dit un morceau du ciel enveloppé dans du papier de soie. Il la prit au mot : ils traqueraient ensemble la meringue jusqu'au dernier recoin de la capitale.

Ils firent d'abord le tour des pâtissiers les plus réputés de la ville, ceux de la Stephansplatz et du Graden, s'attablèrent dans tous les grands *Kaffees* pris d'assaut par la foule du congrès, commandèrent, en y trempant à peine les lèvres, toutes sortes de breuvages – des mokas à la crème fouettée, des « capucins », des « franciscains », des « mazagrans » au goût de rhum lourd, des cafés éclaircis d'un nuage de lait, caressés de copeaux de chocolat noir, poudrés de clous de girofle râpés – pour le seul loisir d'examiner les cartes et d'observer les chariots à gâteaux que des maîtres d'hôtel, le poing dans le dos, poussaient jusqu'à leur table avec des gestes graves.

Ils virent quantité de tartes et de choux, de nougats et de babas, d'éclairs et de religieuses, presque partout ces « croissants », dont la pâte nageait dans le beurre, que les Viennois avaient pris l'habitude de servir pour célébrer la victoire sur les Turcs, souvent des *Milirahmstrudel* servis avec un verre de liqueur, quelquefois des *Mozart Kugel*, boules de chocolat fourrées de massepain, dont le compositeur, à ce que l'on disait, raffolait au plus haut point. Ils virent même quelques meringues, mais des grosses, laides et pâles, à la consistance de plâtre, qui, au premier coup de dents, tombaient en putréfaction dans la bouche.

Alors, pour ne pas se laisser aller au découragement, Catherina entraîna Janez au hasard dans le vieux Vienne. Il riait et se laissait faire, conquis par cette tornade blonde qui l'entraînait. Elle mettait dans chaque geste une énergie joyeuse et communicative. Ils s'égarèrent dans la vieille ville, dans des quartiers sentant la frangipane et le poulet rôti, à la recherche de ces pâtissiers qui cachaient le savoir-faire hérité de leurs pères dans des boutiques du Moyen Âge assez anciennes pour avoir connu l'invasion des Huns et le siège des Turcs. Ils dégustèrent, certes, au milieu de la cohue des voitures à bras et des chaises à porteurs, dans la musique des orgues de Barbarie et des joueurs de flûte, de merveilleux *Apfelstrudel*, au goût mêlé de caramel et de cannelle, de délicieux *Semmel*, petits pains ronds qui laissaient sur les mains et la bouche un peu de leur farine blanche. Mais ils ne virent point de meringues.

Il était déjà tard dans l'après-midi. Catherina devait se rendre à sa répétition. Ils se séparèrent sur le Ferdinandsbrücke et se donnèrent rendez-vous un peu plus tard au café *Hugelmann*. Janez se surprit à embrasser la jeune femme avec une tendresse qui, eu égard à la jeunesse de leur relation, le surprit et l'effraya un peu. Il y avait sur ses lèvres un peu de sucre glace, une douceur de cerises confites.

Il avait trop mangé. Enivré, saoul d'odeurs, il gagna les promenades de l'Augarten et du Prater, respira l'air frais des vieux remparts, continua, pour se donner bonne conscience, à interroger les vendeurs de beignets et de pommes d'amour, le long du glacis aménagé en avant de la muraille fortifiée. Toujours pas de meringue. Il reprit ses esprits, adossé à la pierre, le regard au-delà de la ville.

Où chercher encore? Là-bas, cachés par les forêts, on devinait d'autres palais, plus grands, plus beaux que ceux de la ville, demeures des grands aristocrates, les Schwarzenberg, les Auersperg, les Harrach, les Liechtenstein, qui formaient avec la Karlskirche et le Belvédère du prince Eugène une couronne magique autour de la résidence impériale de la Hofburg. Janez se dit que, sans doute, d'autres pâtissiers, parmi les meilleurs, y officiaient. Mais, il le savait, la cuisine que l'on y servait était encore celle du temps de Joseph II, figée dans les convenances et les lourdeurs, à des siècles de ses meringues.

Il sortit celle qui lui restait, la fit rouler dans ses paumes ouvertes. Comparée à tout ce qu'il venait de voir et de goûter, à toutes ces pâtes saturées de beurre, d'huile, de miel et de fruits en compote, à tous ces gâteaux lourds qui collaient dans les mains, saturaient le palais et prenaient l'estomac, c'était une merveille en apesanteur, une gourmandise pour les anges. Et pourtant, son image se superposait à celle du cadavre de Schönbrunn. Immaculée, elle était éclaboussée de sang. Aérienne, elle demeurait lourde de son secret.

Il regagna le cœur de la ville, et ce fut au moment où il débouchait sur la Stephanplatz qu'il fut abordé par un garçon qui ne devait pas avoir dix ans, l'œil brillant au milieu d'une face noire de crasse, portant le foulard autour du cou et une corde en guise de ceinture.

— Moi je sais, dit-il en dialecte viennois, où tu pourras trouver d'autres gâteaux blancs comme celui que tu montres à tout le monde. Combien tu me donnes pour le renseignement?

— Un kreutzer, répondit Janez, qui sentait l'arnaque, et encore, je veux voir d'abord.

Le jeune drôle poussa les hauts cris, et ils négocièrent à deux pièces, la première tout de suite et l'autre « à livraison ». Il conduisit Janez non loin de l'endroit qu'il venait de quitter, sur la Jaegerzeile, avenue qui conduisait au parc, bordée de bosquets, de jeux de boules, de chevaux de bois et de petits cabarets. Sous l'enseigne du *Cheval borgne*, un établissement grand comme une salle de danse vendait, derrière des étals, quantité de nourritures à tous les prix : pâtés, salmis, gratins, volailles en gelée, pièces rôties, légumes braisés… Le public, nombreux, était composé de bourgeoises aisées et de petites bonnes qu'on reconnaissait à leurs tabliers et à leurs bonnets de coton. À la grande surprise de Janez, les plats paraissaient très élaborés, et on eût pu les croire sortis de chez les meilleurs traiteurs de la capitale s'ils n'avaient pas tous présenté la particularité d'être proposés en portions. Le gamin n'avait pas menti : entre une jarre de chantilly et des barquettes de choux à la crème, il découvrit des petites sœurs de sa meringue : une dizaine dressées sur une assiette.

Le commis qui servait au rayon des pâtisseries parlait volontiers pourvu qu'on l'y invitât et, tandis qu'il emballait pour Janez les meringues dans du papier, il lui révéla sans difficulté les secrets de la maison : le patron s'entendait à prix fixes avec quantité de restaurateurs et cuisiniers des grandes maisons. Il récupérait les reliefs des grands dîners et des soupers de la veille, tous les morceaux qu'avaient déchiquetés sans grand appétit les beaux messieurs et les belles dames. Les maîtres queux et les chefs arrondissaient ainsi leurs fins de mois.

— Et tout le monde s'y retrouve, dit-il en avançant la bouche. C'est tant mieux, et vive le congrès !

— Et ces meringues, par exemple, demanda Janez d'un ton badin, d'où viennent-elles ?

— Ah ça ! dit le commis, c'est de l'exceptionnel. C'est la première fois qu'on en a. Nous avons été livrés ce matin directement du palais Kaunitz.

Mais qui habitait le palais Kaunitz, il n'en savait rien. Tout ce qui venait de là-bas était fort apprécié, c'était tout ce qu'il pouvait affirmer. Pour en savoir davantage, il fallait rencontrer le patron, qui ne serait là qu'à la fin de la semaine.

Il était l'heure de retrouver Catherina. Janez partit en pressant le pas, en direction du café *Hugelmann*, tout en croquant l'une des sucreries puisées dans son cornet. Ce fut la même divine surprise. Nul doute que celle-ci, bien qu'un peu moins fraîche, avait la même origine que celles dégustées la veille. Voilà enfin un début de piste, pensa-t-il. L'homme aux gamelles n'avait-il pas dit à la fille de la gargote que ses gâteaux « venaient de sortir du four » ? Il y avait de très fortes chances qu'il les ait prélevées à la source, dans les cuisines mêmes de ce palais Kaunitz cité par le commis.

Ce fut d'un pas gaillard qu'il gravit les marches du café. Catherina l'attendait dans le petit salon attenant à la salle de billard. Quand elle l'aperçut, la jeune femme bondit de son siège et se précipita à son cou.

— Je l'ai trouvé ! cria-t-elle en l'embrassant. Je l'ai trouvé, notre génial pâtissier ! C'est une actrice française de mes amies qui m'a mise sur sa piste. Le roi des meringues ! Et des babas ! L'inventeur des gros nougats et le maître incontesté de la pâte feuilletée !

— Qui ? Vous l'avez vu ?

— Pas encore ! dit-elle en se reculant un peu pour mieux jouir de son effet. Mais il est à Vienne, je vous le confirme.

— Son nom ?

— Marie-Antoine Carême, dit Catherina en détachant chaque syllabe, l'un des plus grands pâtissiers de Paris, le cuisinier venu de France dans les bagages du prince Talleyrand et installé, avec lui, au palais Kaunitz.

Janez pâlit. L'information recoupait la sienne. L'homme à qui l'on devait ces meringues était le cuisinier de Talleyrand ? Du prince de Talleyrand ? Voilà qui n'allait guère apaiser les craintes du baron Hager.

La nuit rampait déjà sous les portes cochères et se hissait du fond des caves. Janez attendait, appuyé sur le parapet. Il portait une simple redingote à un rang de boutons et s'amusait, pour patienter, à jouer avec la lame en acier de son rasoir, qui entrait et sortait du manche en ivoire avec un petit bruit sec.

— Inspecteur ? demanda une voix derrière lui.

L'homme était vêtu d'un paletot usé. Il avait le cheveu long et sale, une barbe naissante. Si Janez n'avait pas su qu'il était de la police, il aurait sûrement laissé, entre l'arrivant et lui, la lame de son rasoir. L'homme sourit et lui tendit la main.

— Venez, je vais vous conduire.

Il l'emmena à travers des petites rues perpendiculaires au quai, pavées de granit gris, si étroites qu'une voiture à bras aurait eu du mal à s'y faufiler. Ils s'arrêtèrent devant une tour carrée, dorée par les mousses et le lierre, qui dépassait d'une bonne tête les autres bâtisses. Au rez-de-chaussée, à en croire l'enseigne verte rouillée qui bougeait dans le vent, un marchand de drap tenait boutique. Mais les volets étaient clos et la porte fermée d'une planche de bois. C'était sans doute un leurre, car le policier l'ouvrit sans peine. Un escalier montait dans l'ombre de la muraille. Ils grimpèrent quatre étages pour atteindre un réduit sous le toit. Un homme âgé, la figure battue de longs cheveux blancs, était installé devant une lucarne. Il n'y avait pour meubles dans la pièce que deux chaises, un matelas sur le sol et une table sur laquelle étaient posés une lampe à huile et un petit carnet.

— Regardez, inspecteur, dit l'homme en se levant. D'ici, on ne peut rien rater.

L'inspecteur se pencha. La vue était en effet admirable. Là-bas, la cathédrale Saint-Étienne dressait, un peu de guingois, son vertigineux clocher au-dessus du palais impérial. Elle brillait sous la lune, hautaine et froide, indifférente au flux et au reflux de la mer de toitures qui, en vagues de tuiles brunes, venait battre ses flancs.

— Et là, dit l'homme aux cheveux blancs, à nos pieds, la tanière des Français.

Janez sourit en découvrant le palais Kaunitz. Si les souverains étaient, pour la plupart, invités au palais de la Hofburg, les ministres et plénipotentiaires avaient dû se loger comme ils avaient pu. Mais, grâce à l'intervention de Metternich, la délégation française avait été luxueusement pourvue avec ce palais baroque qui dressait, dans la Johannesgasse, non loin de la place de la cathédrale, sa longue façade grisâtre ornée de huit pilastres colossaux.

— Vous ne relâchez jamais l'attention ?

— Jamais, inspecteur. On se relaie nuit et jour.

— Et vous notez toutes les sorties ?

— Et toutes les entrées. Mais comme on ne connaît pas tout le monde, on se contente souvent de décrire ce qu'on voit. C'est à la Hofpolizei de faire les recoupements.

Le baron Hager avait fait installer de semblables postes d'observation en face des principales légations. Mais les Français faisaient l'objet d'un traitement à part. Les guetteurs qui avaient été désignés étaient parmi les meilleurs. Et Janez, en feuilletant le carnet, trouva plus que ce qu'il avait espéré. Il était très précisément indiqué que l'avant-veille, vers minuit, deux hommes étaient sortis du palais, l'un après l'autre. Le second n'avait pas été identifié, car il était caché sous un manteau à large capuche. Mais le premier, qui portait une lanterne et une pyramide de gamelles, était nommément désigné comme étant « Maréchal, le rôtisseur ».

— Celui-là même qui a disparu, précisa l'homme au foulard rouge.

— Disparu?

— Oui, du moins si l'on en croit sa femme, qui l'a déclaré, ce matin, à deux reprises, à des commerçants.

IV

L E baron Hager, les poings derrière le dos, pencha sa taille massive pour mieux apercevoir, par-delà les vitres de son bureau, les allées et venues des carrosses dans la cour du palais. Trois cents calèches et douze cents chevaux étaient au service des hôtes de la Hofburg. L'empereur n'avait pas lésiné pour offrir à ses invités comme à son peuple un programme de réjouissances et de fêtes de nature à faire oublier les humiliations des années précédentes et solenniser l'aurore d'une nouvelle ère de paix et de prospérité. Chaque souverain disposait d'une table de trente couverts, fournie aux frais de l'empereur. Un comité des fêtes, sous la présidence du grand chambellan et le contrôle de l'impératrice Maria-Luisa, devait établir le calendrier et l'ordonnance des cérémonies et des fêtes données par la cour : revues, parades, manœuvres militaires, chasses, carrousels, concerts, représentations d'opéras, banquets. Et le soir des bals, encore des bals, des bals à s'étourdir et à perdre la tête. La dépense devait se monter aux environs de cinq cents millions de florins. C'était de la folie.

« Et dire, pensa-t-il, que le moindre incident peut tout remettre en cause. » Il soupira, ferma les yeux, les rouvrit, caressa, d'un geste qui lui était familier, la pointe de sa barbe. Puis il revint vers la table en poirier sur laquelle s'étalaient des feuillets noircis d'une écriture légèrement penchée et marqués du sceau de cire des dossiers constitués par le Cabinet noir. Dans une coupelle attenante se dressait une pyramide de *Krapfen*, que les Français appelaient des « beignets viennois » et dont la pâte, fourrée de marmelade ou de fruits en compote, était cuite à grande friture puis trempée dans un sirop léger, chaud, parfumé à volonté. Ce serait aujourd'hui encore, coupé de vin de Madère, son seul déjeuner.

Siber attendait que le ministre se rappelât sa présence. À la lecture du rapport remis par l'inspecteur Janez Vladeski, il avait aussitôt mis en branle tous ses informateurs. Il ne manquait pas de gens à lui dans l'entourage du prince de Talleyrand-Périgord. Et il avait eu rapidement la confirmation que le policier avait vu juste : le plat avait été confectionné dans les cuisines de Talleyrand, sans doute par l'un de ces officiers de bouche que le ministre français des Affaires étrangères avait fait venir directement de Paris. Peut-être par ce Carême, cité dans le rapport ou – qui le savait ? – par la victime elle-même. Car il était fort probable, comme l'indiquait Janez Vladeski, que le cadavre découvert l'autre jour fût celui de ce Maréchal, rôtisseur de Talleyrand, dont on avait signalé la disparition depuis la veille. Hager hocha la tête.

— Il s'est bien débrouillé, n'est-ce pas, mon petit inspecteur ?

Siber, le directeur supérieur de la police de Vienne, laissa un sourire crispé déformer sa longue face mate.

— Cette histoire de meringue, tout de même, dit-il. Ce n'est pas bien sérieux.

— Mais efficace, reconnaissez-le. Nous savons maintenant que la victime est française.

Hager se mordilla la peau intérieure de la joue. Une victime française ! Quelqu'un de l'entourage de Talleyrand mêlé à pareil crime ! Cela signifiait que tout était possible, que ce n'était pas par hasard si cet homme avait été assassiné à quelques pas de Schönbrunn, presque dans les bras de Marie-Louise.

Il exhala lentement la fumée de son cigare. Il ne pouvait se permettre dans cette affaire aucun faux pas. L'enquête devait être menée avec doigté et fermeté jusqu'au palais Kaunitz. Il lui fallait quelqu'un d'assez habile pour survivre dans l'antre du ministre français et assez diplomate pour ne pas froisser les susceptibilités.

Cet inspecteur au regard si clair était-il d'envergure suffisante ?

— Trop inconstant, lâcha Siber quand la question lui fut posée. Certes, depuis qu'il est entré dans la police, on n'a qu'à se louer de ses services. Célibataire, discret, efficace, il est déjà proposé à un avancement. Mais voyez les commentaires de ses supérieurs : cet homme manque de caractère. Il y a toujours chez lui quelque chose qui refuse de s'engager.

Hager prit un dossier dans la pile devant lui et relut la note de synthèse qu'avait préparée Siber. Curieux bonhomme que ce Janez Vladeski. Il était, à ce qu'il prétendait, le fils bâtard d'une servante tzigane et du prince croate Periadevik, dont les ancêtres avaient pris l'habitude de mourir sabrés par les Mamelouks en gardant les frontières de l'Europe chrétienne face aux Ottomans. Il avait été élevé au château familial, sur la Sava, par des précepteurs français entichés de Voltaire, de Rousseau et de l'*Encyclopédie*, parlait cinq ou six langues, dont l'allemand, le français, l'italien. Doué pour la musique, il avait été envoyé en pension par son père à la Stadtkonvikt, fondation musicale viennoise dépendant de l'Université, s'y était fait remarquer au point d'entrer à la chapelle impériale, la Hofmusikkapelle. On lui prédisait le plus grand avenir. Et puis l'enfant s'était éteint. Il avait abandonné la musique, était retourné au château de son père, avait été chassé. Toujours était-il que Janez, privé de vivres, s'était engagé dans la police et s'était mis au service de l'Autriche.

Qui d'autre ? se demanda Hager. Qui d'autre qui ne soit pas trop inféodé à Siber ? Qui ? Et pourquoi pas lui ?

Mais il devait en référer à Metternich.

— Nous l'avons convoquée. Elle vous attend, lui dit le pertuisanier en s'effaçant.

Janez se glissa sous la voûte de l'étroit couloir qui fermait le poste de police par une grille. On le fit passer dans une petite salle, éclairée par une lucarne, meublée d'une table en chêne et d'une chaise en osier.

La femme l'attendait à la lisière de l'ombre, la joue cerclée d'une faucille de lumière. La silhouette était menue, un peu recroquevillée, attentive à rester la plus discrète possible.

— Avez-vous reconnu les restes de vêtements ? demanda-t-il abruptement en désignant le plat posé sur la table.

Tout ce que l'on avait pu sauver du tas de cendres découvert près du cadavre de Schönbrunn tenait dans une coupelle, quelques lambeaux de tissu, des boutons de corne, la boucle d'une ceinture.

— Oui, monsieur.

Elle avait une toute petite voix, avec un léger accent italien qu'il reconnut.

— Avancez-vous, dit-il en cette langue. Je ne vous vois pas.

Elle fit un pas vers lui et s'exposa à la lumière blanche qui tombait de la lucarne. C'était en effet un petit bout de femme, pas très grande et chétive, jeune encore, mais à qui il n'aurait su donner un âge – entre vingt-cinq et trente-cinq ans peut-être. Elle portait une robe noire, dont la beauté de coupe jurait avec son physique sans relief. La couleur avait passé, l'usure montrait la trame. Le chatoiement du velours et du satin défraîchi qui ornait les manches s'était éteint.

Son visage donnait la même impression de beauté fanée. C'était un visage en pointe, un peu maigre, ombragé de lourds cheveux noirs, les pupilles éteintes cachées loin dans l'orbite, un hâle de seigle. Une figure de musaraigne, pensa-t-il. Et tout cela ramassé sur soi-même, honteux de se montrer. Pourtant, il y avait quelque chose en elle qui maintenait le regard, donnait l'envie d'observer encore pour découvrir la grâce qu'on devinait mais qu'on ne voyait pas.

— Vous confirmez que ce qu'il y a là appartenait au dénommé Maréchal, votre mari ?

— Oui, monsieur, répéta-t-elle en levant les yeux vers lui.

Elle les abaissa aussitôt. Janez n'y avait vu aucune révolte, aucun chagrin non plus. Tout au plus un peu de crainte et de résignation.

— J'aurais aimé que vous puissiez récupérer le corps, dit-il, mais c'était… impossible.

Ce qui restait du cadavre de Schönbrunn avait été jeté à la fosse commune avec deux pelletées de chaux vive. Elle leva encore furtivement les yeux, esquissa un petit mouvement qui resta inachevé.

— Si nous voulons retrouver l'assassin, nous avons besoin de votre coopération.

Janez alla jusqu'à la table et s'appuya contre son plateau. D'un geste, il invita Anna Maréchal à prendre la chaise.

— Parlez-moi de vous et de votre mari.

Elle ne fit pas de difficultés pour confier l'essentiel. Elle s'exprimait correctement, d'une voix monocorde. Elle paraissait heureuse d'utiliser l'italien, sa langue maternelle.

Elle était romaine, mariée à Maréchal depuis trois ans. Ils s'étaient connus à l'époque où celui-ci travaillait dans les cuisines du Vatican. Elle l'avait épousé et suivi dans ses pérégrinations à travers l'Europe. C'était un rôtisseur de grande renommée, qu'Antonin Carême, le chef au service du prince de Talleyrand, avait recruté à son arrivée à Vienne quand il avait dû reconstituer une brigade pour le palais Kaunitz. Elle-même avait été embauchée comme lingère et ils logeaient sur le lieu de leur travail, dans un petit réduit attenant aux cuisines.

— Quelqu'un en voulait-il à votre mari?

Il essayait de capter son regard pour mieux la deviner, mais elle posa sur lui des yeux insaisissables, d'un gris plein de poussière, friables comme l'aile d'un papillon.

Non, elle ne connaissait à « Maréchal », comme elle disait, aucun ennemi. Il n'était, à sa connaissance, affilié à aucun parti, à aucune secte, aucune loge. Il n'avait pas d'amitiés politiques. Mais, ajouta-t-elle en laissant pour la première fois flamber son visage, c'était un homme secret, taciturne, capable de grandes colères.

— Avait-il l'habitude de sortir, comme l'autre soir?

— Non, dit-elle, il ne quittait jamais les cuisines. L'autre soir, c'était particulier. Carême l'avait autorisé à s'absenter, après le service, jusqu'au surlendemain, pour rendre visite à un cousin éloigné qui habite Hardersdorf. C'est pour cela que je ne me suis pas inquiétée immédiatement.

— Hardersdorf?... Ce n'est pas du côté de Schönbrunn.

Elle ne répondit rien. Elle se tenait en équilibre sur le bout de la chaise, les jambes repliées. Ses genoux tendus dessinaient, sous l'étoffe de sa robe, la rondeur de la cuisse. On la devinait tout en os et en muscles.

— Si quelque chose vous revient, ajouta-t-il en se redressant, il faudra venir me le dire.

HAGER était debout devant son bureau, à écouter les flammes danser au bruit craquant du bois, sa lourde silhouette à demi tournée vers l'âtre. Il avait lu la déposition de la veuve. Trop lisse, trop simple. Trop de questions laissées sans réponse. Si ce Maréchal n'avait pas d'ennemis, qui l'avait si sauvagement assassiné? Et s'il se rendait à Hardersdorf, pourquoi était-il venu mourir devant les grilles de Schönbrunn?

M. le ministre Hager, lorsque l'on annonça Janez, ne consentit que difficilement à s'extirper de la douce chaleur du feu.

— Inspecteur, dit-il d'une voix traînante et en lui désignant un siège, vous avez fait du bon travail.

Il demeura un long moment silencieux, comme s'il cherchait ses mots. Puis, d'un geste amical, il lui offrit un havane dans un porte-cigares à fermoirs d'argent. Janez refusa poliment. Hager en prit un et fit l'effort de se pencher un peu pour l'allumer au candélabre posé sur le bureau. Quand il renversa la tête, la lueur de la flamme joua dans la broussaille de sa barbe.

— Nous avons, dit-il, l'accord de Metternich, qui s'est entretenu à ce sujet avec les Français. Vous êtes autorisé, officiellement, à mener l'enquête sur ce meurtre jusque dans les appartements du palais Kaunitz.

— Le prince de Talleyrand va-t-il accepter que…?

— Talleyrand, lui aussi, a donné son accord. Il n'avait guère le choix. Nous lui avons imposé votre présence.

Immobile, les mains posées à plat sur les bras du fauteuil, Janez avait le regard fixé sur le grand feu qui flambait.

— Le personnage est complexe, et vous devrez vous en méfier. Sachez que, lorsque Napoléon l'a disgracié et écarté des affaires au début de 1809, il serait resté sans autres ressources que ses émoluments de grand dignitaire de l'Empire, de grand-aigle de la Légion d'honneur et ce que lui rapportait Bénévent, s'il n'avait rendu, moyennant finances, quelques services à l'Autriche et accessoirement à la Russie. Et pourtant, il reste, à ce congrès, un ennemi redoutable des puissances alliées. Vous apprendrez à le connaître. Je vous y aiderai, car c'est indispensable à votre mission.

» Je vous ai préparé un dossier sur chacun des membres de la délégation française. Étudiez-les. Votre objectif est bien sûr de trouver l'assassin, mais au-delà n'oubliez pas que vous êtes au service de l'Autriche et de ses intérêts. Je veux un rapport tous les trois jours. Soyez discret et efficace.

C'ÉTAIT une pièce immense et parquetée, avec des lustres à pampilles qui tombaient en pluie des plafonds et des tentures plissées en mousseline brodée des Indes, garnies de festons et de franges.

Quand on fit annoncer Janez, Talleyrand était occupé, derrière un grand bureau, à dicter plusieurs lettres à la fois à ses secrétaires.

À l'entrée de Janez, le ministre fit un geste et tous se retirèrent à l'exception d'un homme chauve, au visage grave, assis à un petit bureau à la gauche de celui du prince. Son secrétaire particulier sans doute, Achille Rouen.

— Ainsi, monsieur, dit Talleyrand, vous êtes cet enquêteur que m'envoie M. Hager?

Janez salua et lui tendit la lettre, rédigée par Metternich lui-même, que lui avait remise le ministre de la Police. Elle n'ajoutait sans doute rien aux conversations qui avaient déjà eu lieu, mais Talleyrand prit la peine de la lire et Janez en profita pour l'observer.

C'était donc là ce personnage si décrié? De Charles Maurice de Talleyrand-Périgord, prince de Bénévent par la grâce de Napoléon, les fiches du baron Hager n'apprenaient à Janez guère plus que ce que tout le monde savait : il était tout à la fois ce jeune prêtre sans vocation ordonné sous l'Ancien Régime, ce prélat coiffé de la mitre par Louis XVI, cet exilé d'Angleterre, ce fugitif qui s'était initié, pendant deux ans, en Amérique, aux techniques modernes de l'enrichissement facile, ce ministre des Relations extérieures qui avait glissé de régime en régime, du Directoire au Consulat, du Consulat à l'Empire, puis, à la chute de l'Empereur, qui avait pris la tête du Gouvernement provisoire. C'était lui, disait-on, qui avait ramené Louis XVIII sur le trône. Le nouveau roi lui avait rendu le ministère des Affaires étrangères et, à ce titre, l'avait aussitôt chargé de la tâche ingrate de représenter le royaume à ce congrès où la France vaincue était condamnée à regarder les puissances victorieuses se partager l'empire napoléonien.

Mais l'homme ne paraissait pas abattu. Il portait sa soixantaine avec élégance. Il était de belle taille, droit, presque guindé, avec des cheveux blancs, longs et bouclés, la peau laiteuse, imberbe, une bouche presque féminine, un visage fin que n'assouplissaient qu'à peine les rides de l'âge. Quand il leva la tête et plongea son regard dans celui de Janez, l'impression de nonchalance racée disparut. Ses yeux bleus, limpides, donnaient à son visage une immobilité glacée, une aspérité de métal froid.

— Vous allez enquêter, certes, reprit-il en reposant le document, mais je me doute bien que Hager et Metternich se moquent éperdument de mon rôtisseur. Ce qui les préoccupe, c'est que la victime est française et qu'elle a été tuée à quelques pas de Schönbrunn. Ce que vous devez rechercher, ce sont d'éventuelles accointances entre mes gens et le prisonnier de l'île d'Elbe.

Son visage froid s'éclairait, au moindre pli de la bouche, au plus léger clignement des paupières, d'une étincelle d'intelligence.

— L'hypothèse, en effet, a été évoquée, dit Janez sans baisser le regard.

— Il ne faut pas croire à ce complot napoléonien qui semble faire si peur au baron Hager. Mais je comprends que l'on craigne encore l'ancien tyran. C'est la raison même qui me conduit à me réjouir de votre présence. Enquêtez, monsieur, enquêtez. Découvrez l'assassin et rassurez mes hôtes autrichiens… Et ne m'espionnez pas trop.

— Je vous assure, prince, que…

— Mon palais est truffé d'espions, pensez-vous que je l'ignore ? Mes laquais, mes valets de chambre, mes secrétaires se vendent aux puissances étrangères. Pas une femme de chambre ni un petit mitron qui ne résiste à l'attrait de monnayer la moindre information. Tout le monde se méfie de moi. Croyez-vous que Sa Majesté Louis XVIII m'envoie le comte de Noailles pour autre chose que m'espionner ? Et je n'hésite pas à l'occasion à m'espionner moi-même…

On frappa à la porte. Un majordome vint annoncer que M. Carême était là.

— Monsieur, dit Talleyrand en se tournant vers Janez, le congrès s'ouvre ces jours-ci et la plupart des États souhaitent que la France vaincue soit encore affaiblie. J'ai bien peu d'atouts dans mon jeu pour préserver les intérêts de mon pauvre pays. M. Carême, qui va vous conduire aux cuisines, est plus que mon maître queux, plus qu'un maître d'hôtel, c'est l'une des rares armes que je possède encore pour tenir le rang de la France et refréner les appétits des puissances étrangères. Je vous conjure de le ménager.

Les propos étaient ambigus. S'agissait-il d'un indice ? D'une menace ? Mais Janez n'eut pas le temps d'y réfléchir. La porte du bureau s'ouvrit. Et, pour la première fois, il vit Antonin Carême.

Il devait avoir une trentaine d'années. C'était un jeune homme élégant, le cheveu court et frisé, avec un visage un peu rond mangé par des yeux noirs. Il était vêtu de l'habit à la française des maîtres d'hôtel, tablier à col haut et à double rang de boutons, l'épée au côté, le bonnet de coton sur la tête. La fiche de Hager le concernant contenait peu d'informations. Il s'était fait connaître à vingt ans comme l'un des aides de Bailly, le célèbre pâtissier de la rue Vivienne. L'apprenti s'y était distingué dans la réalisation des pièces montées pour lesquelles il prenait, disait-on, pour modèle des dessins d'architecture recopiés au cabinet des Estampes de la Bibliothèque nationale. Depuis, sa réputation n'avait pas cessé de grandir. Carême avait, sous l'Empire, ouvert sa propre pâtisserie et s'était spécialisé dans les commandes des « extraordinaires ». Il était l'inventeur des gros nougats, meringues, suédoises, faisait comme nul autre les babas, les timbales, les pâtés chauds de poisson et de légumes, les vol-au-vent et la pâte feuilletée. C'était lui qui avait officié lors du banquet offert à Paris par Talleyrand au tsar Alexandre, et il se disait que l'empereur de toutes les Russies en parlait encore avec gourmandise. Il passait, malgré son jeune âge, pour le plus grand cuisinier vivant. Et il était profondément attaché à Talleyrand, l'amphitryon qui l'avait fait connaître et lui avait permis de briller au sommet du firmament.

Carême salua Janez d'une révérence appuyée. Mais il n'y avait dans son regard aucune complaisance, aucun désir d'amadouer, plutôt un croisement de fer, le heurt d'une lame qui venait cogner la vôtre dans un appel à la passe d'armes.

— Monsieur, dit le jeune homme, la disparition de ce pauvre Maréchal, qui était mon ami, m'a beaucoup peiné. Mais je doute fort que vous trouviez son assassin parmi mes gens.

— Je serai enchanté, monsieur, si mon enquête me permet de partager votre point de vue.

— Pour ma part, monsieur, je ferai tout mon possible pour vous faciliter la tâche.

Ils se saluèrent de nouveau, le visage grave.

— Monsieur Vladeski, dit Talleyrand avec un demi-sourire, il me faut vous présenter au reste de la délégation. Nous avons pris l'habitude, mes collaborateurs et moi-même, de nous réunir en fin d'après-midi au salon de musique. Nous ferez-vous l'honneur de vous joindre à nous?

L'inspecteur s'inclina de nouveau. Tout allait décidément très vite.

V

Les cuisines occupaient le sous-sol du palais Kaunitz, au-dessous du niveau de la rue.

— Vous allez plonger en enfer, dit Carême en entraînant Janez.

Ils franchirent une double porte battante ouvrant sur de larges escaliers revêtus d'un tissu rouge tenu par des baguettes. Une chaleur intense montait des profondeurs. Des lueurs sautaient sur les murs et dansaient sur les pierres. Quelque chose était là, en dessous d'eux, quelque chose d'obscur et de sauvage, quelque chose qui palpitait, qui respirait avec des cadences de cœur qui bat.

— Venez, dit Carême. Je les ai prévenus.

Janez ferma les yeux pour mieux sentir. Il fut d'abord happé par les odeurs de crème et de beurre chaud, par le parfum amollissant de légumes que l'on faisait fondre dans de grands faitouts de fonte. Plus loin, plus graves, plus souterraines, il renifla des senteurs de vin cuit, de gibiers qui reposaient dans des marinades.

Il garda encore un peu les paupières baissées pour écouter. Au début, ce ne fut qu'un murmure confus, à peine cisaillé, de temps en temps, par un éclat plus fort. Et puis son oreille se fit à cette musique chuchotée, rythmée, poussée, grandie de gestes minuscules – couteaux tranchant sur le bois, cuillères tapotées au bord des marmites, tintements des casseroles et des vaisselles brûlantes entrechoquées – avec pour bruit de fond le crépitement incessant des flammes.

— Allons, qu'attendez-vous?

Janez rouvrit les yeux. C'était encore plus beau qu'il ne l'avait imaginé. Des fumées chaudes, chargées d'odeurs, de sucs et de poudre à charbon, des fumées d'une consistance presque liquide avaient pris possession des salles. Elles enveloppaient d'une buée ambrée les êtres et les choses, les effaçaient à demi, les estompaient en taches lumineuses et tremblantes. Il fut émerveillé par la palette des couleurs, le jeu magique d'ombre et de lumière qui allumait les grilles des fourneaux, l'acier des lames, le ventre rebondi des casseroles.

Ils étaient peut-être une vingtaine à travailler penchés sur les tables et les fourneaux. Ils frémissaient, phosphorescents, les uns contre les autres, la tête penchée, soufflant du naseau, l'œil sanglant, le poil collé, occupés à quelque tâche obscure devant eux, à laquelle travaillaient leurs mains armées de couteaux, de cuillères, de broches et de hachoirs.

— Messieurs, votre attention, s'il vous plaît! dit Carême en tapant de son épée contre le mur de pierre.

Une épaisseur de bruits seulement s'envola. Il resta le crépitement des flammes, les gargouillis de l'eau bouillante soulevant les couvercles. Les hommes s'étaient arrêtés, le geste suspendu, la tête tournée vers eux, clignant des yeux sous la lumière des lustres grossiers garnis de bougies d'églises.

— Voici M. Janez Vladeski, l'homme dont je vous ai parlé. Il est chargé d'enquêter sur la mort de ce pauvre Maréchal, et vous devrez répondre à toutes ses questions.

Janez s'efforça de sourire. Les visages qui le regardaient, des officiers de bouche aux marmitons, n'avaient rien d'amical. C'étaient des faces noires, luisantes, à la peau plus tannée que le cuir, aux sourcils roussis. Des gouttes perlaient sur les fronts brûlants. Des mouches se posaient sur les joues maculées de graisse. On eût dit des faces de damnés.

Ce soir-là le prince donnait un dîner privé d'une trentaine de personnes seulement. C'était peu mais suffisant pour que les cuisines s'affairent et n'aient que peu de temps à lui consacrer. Carême apprit à Janez que c'était Talleyrand lui-même qui avait décidé du menu, le matin même, après en avoir longuement discuté avec lui. Il insista sur cette complicité qui s'était établie entre le prince et lui.

— Je ne devrais pas être là, dit-il. J'ai tant à faire à Paris. Mais le prince a insisté, et j'ai accepté de venir pour monter à Vienne sa maison.

À l'évidence, c'était un homme fier, habitué à s'adresser à plus puissant que lui. Il s'exprimait avec une aisance certaine, sans le moindre accent des faubourgs, cherchant le mot juste et précis, ne le trouvant toutefois pas toujours, et parsemant ses phrases ce faisant de tournures affectées qui trahissaient, plus que son maintien, l'autodidacte arrivé à force de labeur. Pourtant, il ne reniait rien de ses origines modestes. Il apprit à Janez qu'il était né sur un chantier de la rue du Bac, fils d'un ouvrier maçon qui l'avait abandonné à neuf ans devant une gargote des Barrières, au motif que, de ses douze enfants, il était le seul dont l'intelligence pouvait suffire à l'élever tout seul.

— Et vous voyez, monsieur, le pauvre homme n'avait pas tort. Ne cherchez pas votre coupable parmi mes gens. Nous sommes tous de la même trempe. Je réponds de mes chefs de partie comme de moi-même.

— Je n'accuse personne, répondit Janez d'un ton poli. Je tâche de comprendre.

Marie-Antoine Carême n'avait accepté de répondre aux questions de Janez qu'à la condition de n'être pas empêché de préparer le dîner qui s'annonçait. La mort de Maréchal avait désorganisé la brigade et le maître d'hôtel devait tout à la fois procéder aux contrôles et à la mise en place du premier service.

— Venez, dit-il. On sera mieux là-bas.

Il entraîna Janez vers cette construction en maçonnerie destinée à conserver les mets au chaud et que l'on nommait la paillasse. Plusieurs plats somnolaient dans des marmites ou des plats à gratins. Carême égrena les noms en soulevant les couvercles et en vérifiant la cuisson de la pointe de son couteau :

— Croustade de grives au gratin…, béchamel vol-au-vent…, sauté de perdreaux rouges aux truffes.

Les odeurs étaient délicieuses, cruelles. Elles fouettaient le sang, et Janez crut qu'il ne pourrait pas résister à l'envie de grignoter quelque chose.

— Parlez-moi de la victime, demanda-t-il brusquement. Ce Maréchal… quel genre d'homme était-il ?

Carême reposa le couvercle qu'il avait dans les mains. Les cierges du lustre dansaient dans sa pupille.

— Le plus désagréable qu'il soit. C'était un ours. Toujours d'une humeur exécrable. Il ne s'entendait avec personne, si ce n'est avec moi. Il buvait, frappait sa femme. Quelquefois, il restait jouer aux cartes avec Godl, Taupin et Montanier, mais ça finissait souvent en dispute. Autant que vous le sachiez, puisque l'on finira par vous le dire : il s'était battu, la semaine dernière, avec Taupin, le chef entre-métier.

— Ce Taupin ou quelqu'un d'autre aurait-il pu…?

— Non, monsieur. C'était une dispute comme il y en a quelquefois entre gens de tempérament. Le service fini, Maréchal se laissait aller à la bouteille et il était alors facilement irritable.

— Pourquoi le gardiez-vous alors?

Carême sourit en essuyant une goutte qui perlait sur son front.

— Je vous ai dit que c'était mon ami. Et puis, s'il avait un caractère de cochon, c'était le meilleur rôtisseur que j'aie connu. Maréchal avait travaillé chez Beauvilliers, à la fin du siècle dernier. Et vous n'êtes pas sans savoir que Beauvilliers était le cuisinier de notre roi Louis XVIII, au temps où celui-ci n'était que Monsieur, comte de Provence.

« Ce Carême est malin, pensa Janez. L'on soupçonne son Maréchal d'être mêlé à un complot bonapartiste et il insiste sur son allégeance de longue date aux Bourbons. »

— Je vais devoir interroger votre personnel, dit-il en jetant un regard circulaire aux cuisines.

— Comme il vous plaira, monsieur. Mais il vous faudra patienter. Le service n'attend pas.

Il restait du temps à Janez avant le rendez-vous fixé par Talleyrand. Ici, il gênait. Il lui vint l'idée qu'Anna avait peut-être fini son service. Il interrogea deux apprentis, qui ne firent aucune difficulté pour le renseigner. Il fallait continuer tout droit au bout du couloir.

On avait logé les Maréchal au fin fond des sous-sols du palais, après les réserves, dans une cellule à plafond bas, ouvrant sur les écuries par une fenêtre à tabatière. Un simple rideau séparait la pièce du couloir et il jeta un œil discret.

C'était simple, arrangé avec beaucoup de soin. Des chandelles de suif donnaient une faible lumière. La petite fenêtre était drapée de rideaux. Un petit poêle ronflait, chargé de bois, et jetait ses lueurs sur le matelas de paille posé sur le sol, sur un vieux coffre en cuir de truie, clouté, ferré de grosses serrures, sur l'horloge à main, la table de bois sur laquelle était posé, au-dessus d'une dentelle au crochet, un pot à eau dans sa cuvette.

Anna était sur une chaise basse en canne vernissée, assise devant le feu. Elle portait une robe simple de vieille serge gris clair et un foulard mauve autour du cou. Elle reprisait à gros fil un talon de bas. Elle l'aperçut et sursauta.

— C'est pour les besoins de mon enquête... Je ne vous dérange pas? demanda-t-il en écartant le rideau.

Elle se leva, un peu inquiète, posa son fil et son aiguille, se contenta de le fixer de ses yeux noirs sans éclat.

— C'est donc ici qu'il logeait? dit-il en s'avançant. Vous permettez que je regarde?

Ces questions non plus n'appelaient pas de réponse. Elle resta un instant à l'observer, puis, pour se donner une contenance, toujours sans prononcer un mot, elle s'approcha du poêle et se mit à le fourgonner avec un gros tisonnier de fer. Le charbon souffla une épaisse flamme bleue qui éclaira tout le réduit, jusqu'au coffre qu'il venait d'ouvrir et dans lequel dormaient, entre des piles de vêtements, des almanachs et des ouvrages dont la couverture était protégée par du papier. C'étaient des traités de gastronomie, le *Manuel des officiers de bouche* de 1759 et le *Dictionnaire portatif de cuisine* de 1762.

Anna retourna s'asseoir sur sa chaise, se contentant de le suivre des yeux. Il se dit de nouveau qu'il y avait dans cette figure charbonneuse, toute en pointe, quelque chose de magnifique, caché – joyau, pierre précieuse sous la pierre vulgaire –, qu'il suffisait peut-être de chercher un peu pour découvrir.

Janez feuilleta les ouvrages à la recherche d'une inscription en marge. Mais il ne vit rien. L'examen des almanachs était plus instructif. L'un d'eux était tout à la gloire de Napoléon. Il vint se poster devant la femme, s'accroupit et lui montra les feuillets.

— Ne me disiez-vous pas qu'il n'avait pas de préférence politique?

Anna porta les deux mains à ses tempes, les passa légèrement dans ses cheveux, comme pour en rectifier la tenue.

— Si. Et je le répète, monsieur : empereur, roi, république… c'était pour lui du pareil au même. Ces almanachs lui servaient à s'exercer à lire. Il se moquait bien de leur contenu.

— Anna, je ne suis pas un ennemi. Je suis là pour découvrir qui a tué votre mari. Vous devez m'aider. Vous seule pouvez le faire.

Il la fixa de ses yeux clairs, dont les pupilles s'étaient dilatées à la faible lumière des chandelles. Il avait l'habitude de découvrir chez les femmes qu'il scrutait ainsi des éclairs de coquetterie, des étincelles de séduction, quelque chose qui grésillait, même dans les lointains, qui ne pouvait résister, devant le soufre de son propre regard, à l'envie de flamber. Mais là, il ne vit rien. Un puits sans fond, une nuit sans étoiles.

— Vous êtes seule, désormais, ajouta-t-il. Seule contre tous.

Elle esquissa un sourire lent, très lent.

— Ne refusez pas la main que je vous tends.

Il lui toucha l'épaule d'un geste qui se voulait amical mais elle sursauta comme s'il venait de la brûler, et il se dit qu'il avait encore été maladroit. Mais presque aussitôt, elle retrouva son pâle sourire.

— Il y a cela que je peux vous montrer.

Elle se leva, tira le matelas, descella une pierre au bas du mur et sortit de la cavité une cassette de bois noir ornée d'incrustations d'ivoire. Elle la lustra de la manche et la lui tendit.

— Il y rangeait ses petits secrets. Je n'avais pas le droit de l'ouvrir.

Janez fit jouer le loquet et souleva doucement le couvercle. Il n'y avait là que quelques objets : une mèche de cheveux retenue par un ruban, une médaille en argent portant le profil de la Vierge, un papier plié sur lequel était dessinée une pomme entourée d'un serpent et, plus insolite, une petite baguette en or.

La médaille n'était gravée d'aucune mention, le dessin n'avait pas de légende, mais la baguette comportait une inscription : « Au brigadier Maréchal. Brigade Kellermann. Pour sa bravoure sous le feu. Marengo. 25 prairial de l'an VIII. »

Cela se compliquait. Si ce qui était marqué était exact, l'ancien rôtisseur avait été soldat de Bonaparte lors des campagnes d'Italie, et décoré pour ses actions d'éclat.

VI

—VENEZ, lui dit Achille Rouen en l'invitant d'un mouvement de la main à s'avancer. Je vais vous présenter.

Janez fit quelques pas dans la pièce au parquet embaumant la cire et le chêne que le secrétaire avait appelée le « petit salon ». Il s'aperçut dans le grand miroir de la manufacture de Vienne qui doublait, sur sa gauche, les tableaux et les boiseries. Le résultat n'était que passable. Il n'avait eu que peu de temps pour faire un saut jusqu'à la pension de famille où il logeait et se changer. Il portait un habit bleu, un pantalon blanc, des bottes qui montaient jusqu'aux genoux. Ses cheveux noirs tirés en catogan, noués par un ruban de même couleur, et la peau brune de son visage où ses yeux bleus flambaient lui donnaient une touche de prince corsaire, d'aventurier des îles.

Et quand il s'approcha du groupe d'hommes aux perruques poudrées, aux faces pâles et lugubres, qui discutaient à voix basse autour d'une table ronde, il fit sensation. Tous se levèrent à son approche. À l'évidence, ils venaient d'être avertis de l'existence de Janez et de l'invitation du maître des lieux et ils la désapprouvaient.

Achille Rouen fit les présentations.

— Le prince a de ces extravagances! souffla M. de La Tour du Pin-Gouvernet.

Un silence gêné s'installa, que le duc de Dalberg prit l'initiative de rompre.

— Au moment de votre arrivée, nous commentions la délibération prise par les quatre puissances victorieuses le 22 septembre dernier, et dont nous n'avons connu qu'hier soir le contenu. C'est consternant.

Le jeune Challaye fit remarquer que plusieurs signes avant-coureurs en laissaient présager les termes, et la discussion reprit. Janez se mit quelque peu en retrait. Il ignorait l'enjeu précis du congrès et se contenta d'écouter, se doutant bien toutefois que ces messieurs prendraient garde à ne rien révéler de confidentiel en sa présence.

Il comprit l'essentiel : la France vaincue n'avait pas, malgré le

rétablissement de la monarchie, toute sa place à la table des négociations et tentait, pour la retrouver, de défendre les « principes du
droit public » et d'imposer l'idée d'une Europe tout entière réunie
en congrès. Mais les négociations de Vienne partaient sur d'autres
bases. Le 22 septembre, les plénipotentiaires de l'Autriche, de la
Prusse, de la Grande-Bretagne et de la Russie s'étaient réunis, en
marge des séances officielles, et avaient adopté un pacte secret aux
termes duquel ils affirmaient que « la disposition sur les provinces
conquises appartenait, par sa nature même, aux puissances dont
les efforts en ont fait la conquête… » et posaient pour principe qu'il
était « de la première importance de n'entrer en conférence avec les
plénipotentiaires français » que « lorsque les autres parties seraient
déjà d'accord entre elles » et afin simplement que la France présentât ses observations.

— C'est faire valoir le droit de la force, soupira M. de La Besnardière, le droit de l'épée, celui-là même dont la France, sous l'Empire,
n'a cessé d'abuser.

— La Russie lorgne sur la Pologne, la Prusse sur la Saxe.

— La France n'est pas la seule écartée, nota M. Formond. Les
quatre puissances font aussi peu de cas de l'Espagne, du Portugal et
de la Suède.

— C'est peut-être une chance, dit une voix derrière eux.

Talleyrand fit son entrée, appuyé à une canne en argent. Il portait un habit pourpre à la française avec un haut col, des bas blancs
et une culotte de velours noir. Sa démarche était légèrement boi-
tillante mais droite, presque guindée, comme s'il voulait compenser
par la rigidité de sa démarche l'infirmité de son pied bot. Il salua
Janez d'un mouvement léger du menton et s'assit sans autre façon
dans un fauteuil, au milieu des autres occupants de la pièce.

— J'ai reçu tout à l'heure une courte lettre de Metternich, dit le
prince d'une voix traînante. Il me propose, en mon nom seul, de
venir demain, en début d'après-midi, assister à une « conférence
préliminaire » pour laquelle il a réuni chez lui les ministres de Russie, d'Angleterre et de Prusse et à laquelle il a également convié le
représentant de l'Espagne. À l'évidence, il entend me donner une lecture officielle de leur arrangement du 22 septembre.

— C'est inacceptable ! protesta le duc de Dalberg en tirant nerveusement sur la dentelle de sa manche. Il faut refuser l'entrevue.

— Non, non, vous allez trop vite ! s'exclama de La Tour du Pin-Gouvernet. On nous convie. Ne leur donnons pas un prétexte pour nous écarter de toute négociation.

— J'ai déjà répondu, messieurs, dit Talleyrand en promenant sur eux un long regard. J'ai averti Metternich que je me rendrai avec grand plaisir chez lui en compagnie des ministres de Russie, d'Angleterre, d'Espagne et de Prusse.

La discussion s'anima. Les uns étaient pour une action d'éclat, un refus clair et net sous la menace de quitter le congrès, les autres pour se résigner afin de se ménager les bonnes grâces des vainqueurs et d'obtenir quelques concessions. Janez observait Talleyrand. Le ministre minaudait comme un gros chat devant une assemblée de souris. Il laissait parler. Qui pouvait douter qu'il n'avait déjà arrêté la marche à suivre ? « Les autres sont-ils dupes ? se demanda Janez. Pas de La Besnardière, qui connaît trop bien le prince. Pas le jeune Challaye, qui ne me semble pas sot et qui, comme moi, écoute et ne parle pas. Les autres, je ne saurais dire. Ils semblent trop imbus de leur personne pour se douter que le prince n'a pas besoin de leurs conseils. »

Le regard de Janez, en balayant l'assistance, tomba sur celui de Talleyrand. Le ministre des Affaires étrangères posait sur lui des yeux sans reflet que de longues paupières noyaient d'une ombre bleue. Il lui sourit, d'un sourire complice qui semblait dire : « Si je les laissais parler, ils auraient tôt fait de vous confier tous les secrets d'État. »

— Allons, messieurs, dit-il, je crains que nos discussions ne fatiguent notre invité, dont ce n'est pas là la préoccupation.

Un silence terrible tomba dans la pièce. Tous se tournèrent, consternés, vers Janez.

Le prince en profita pour le présenter de nouveau, pour demander à tous la plus entière collaboration, pour souhaiter que le meurtre fût rapidement élucidé. M. de La Tour du Pin-Gouvernet et le duc de Dalberg s'inquiétèrent des débuts de l'enquête. Janez répondit que celle-ci n'en était qu'à ses balbutiements, mais qu'en effet tout laissait à penser que le meurtrier était venu du palais Kaunitz.

— Il me semble entendre des notes, dit le prince en levant le doigt. N'est-il pas temps de rejoindre ces dames ?

Tandis que tous se levaient dans un brouhaha de collégiens et s'acheminaient vers le salon de musique en poursuivant la discussion, Talleyrand s'approcha de Janez et lui glissa :

— Alors, inspecteur, croyez-vous ces messieurs capables de comploter pour préparer le retour de Napoléon ?

— Tant d'événements incroyables, prince, se sont passés ces dernières années qu'il ne faut plus jurer de rien…

— Les imaginez-vous vraiment assassinant avec sauvagerie ce pauvre Maréchal ?

— Certes non. Et pourtant, il y a bien un coupable.

— Trouvez-le vite, inspecteur. Trouvez-le vite.

Janez s'inclina poliment.

ILS entraient dans le « grand salon ». Les plafonds s'ornaient de lustres à pendeloques de cristal, ruisselants de gouttes de lumière, éclaboussant de taches lumineuses les meubles en acajou, les divans à l'antique, les tapis persans qui roulaient, comme des vagues, jusqu'aux pieds des boiseries. Des femmes se tenaient debout en demi-cercle devant un pianoforte Louis XVI, où un homme à perruque blanche et chemise à jabot jouait les yeux mi-clos.

À son côté, devant un pupitre en bois de palissandre sur lequel étaient posées quelques partitions, une jeune femme se penchait pour tourner les pages. Elle avait le plus beau des visages, des yeux sombres aux cils interminables, des cheveux d'un noir de jais qui tombaient en cascade sur ses épaules, portait une robe couleur de prune mûre et autour du cou un ruban noir où pendait une perle qui mettaient en valeur la blancheur de sa peau.

La description sur la fiche du baron Hager n'était pas mensongère. Dorothée, la nièce par alliance de Talleyrand, était d'une beauté singulière, une beauté de liane, de plante gorgée de sève et de sang. Janez tenta de se rappeler les détails : Dorothée, comtesse Edmond de Talleyrand-Périgord, vingt-deux ans, mariée à seize ans, deux enfants qui ne l'encombraient guère, d'une intelligence vive, prétendait-on… Des écarts, la même vie aventureuse et sensuelle que sa mère, Anne-Dorothée, duchesse de Courlande – que l'on disait encore maîtresse de Talleyrand –, la même existence agitée que sa sœur, la duchesse de Sagan, maîtresse attitrée de Metternich. Le prince, séduit par les « qualités de cour » de sa nièce, l'avait fait venir auprès de lui, de préférence à sa femme, de préférence à sa mère, pour présider ses réceptions et lui donner le bras aux fêtes du congrès.

Dorothée à l'étage et Carême au sous-sol, mercenaires de la séduction, chargés l'un et l'autre de mener la ronde des plaisirs… C'étaient bien là les deux atouts secrets du prince, les cartes dans sa manche, pour forcer à Vienne le destin et prendre dans ses rets les représentants des grandes puissances.

Quand le musicien eut achevé son récital, sous les applaudissements de l'assemblée, les femmes, dans un froufrou d'étoffes, se dispersèrent parmi les hommes. Dorothée, dans sa grande robe à volants, inclinant légèrement son long cou, glissa jusqu'à son oncle, dont elle prit le bras. Elle avait la grâce d'un cygne.

— Monsieur Vladeski, dit Talleyrand en s'approchant de Janez, ma nièce est curieuse. Elle meurt d'envie de voir de près à quoi ressemble un inspecteur de la police autrichienne. Je vous la laisse quelques instants.

Janez s'inclina le plus aimablement possible. Quand il releva sa taille, ses yeux accrochèrent ceux de Dorothée. C'étaient des yeux qui ne se dérobaient pas, des yeux d'une grande hardiesse, qui jaugeaient et déshabillaient sans peur d'être surpris ou découverts. Elle agita son éventail d'écailles blondes, battit des cils.

— C'est que ce meurtre dont m'a parlé mon oncle m'inquiète, dit-elle très bas. Si l'assassin est dans le palais, ne sommes-nous pas, nous aussi, en danger ?

Il connaissait ce regard. Il connaissait ce ton. « Puisque nous sommes en terrain connu, se dit-il, poussons un peu pour mesurer jusqu'où la belle est capable d'aller. »

— N'ayez crainte, dit-il. Je vous protégerai.

L'éventail s'agita à un rythme plus fort. Mais elle ne dit rien, se contentant de l'observer, attentive sans doute à son tour à deviner à qui elle avait affaire. Et puis ses yeux noirs prirent une flamme moqueuse, ses joues se creusèrent d'adorables fossettes.

— Je ne suis pas très sûre que votre présence me rassure. N'êtes-vous pas vous-même dangereux ?

— Tout homme le serait, madame, devant vous.

Elle prit le parti de sourire et s'éloigna sans le quitter tout à fait des yeux. Elle s'en alla prendre place à côté de son oncle, sur le divan, se serrant contre lui d'un geste plein de tendresse et d'abandon.

« Se peut-il, pensa Janez, que l'oncle boiteux et sa jolie nièce… ? Que la belle et la bête… ? » Il se retrouvait seul au milieu du salon.

— Venez vous joindre à nous, lui dit La Besnardière en lui posant la main sur le bras.

Il désigna du menton le petit groupe des hommes qui avaient gagné le fumoir.

Mais Janez se sentait mal à l'aise. Que faisait-il parmi ces gens ?

— Je vous remercie, monsieur, dit-il en s'inclinant. J'ai déjà trop abusé de l'hospitalité du prince. Et je veux dès demain commencer mon enquête.

Siber arriva à grands pas sur la Minoritenplatz. Un vent glacé s'était levé avec le début de la nuit et il s'emmitoufla un peu plus dans les plis de sa cape.

Siber ne croyait pas à la chance mais il croyait au destin. Il y avait moins d'une heure, on était venu lui porter une lettre grossièrement fermée par un lacet, destinée disait l'écriture « à M. Vladeski, policier ». Elle avait été déposée quelques minutes auparavant au poste de police, portée par un gamin, qui s'était aussitôt enfui. Il l'avait ouverte, bien sûr, et il l'avait lue. Puis il avait chargé Tiriak de la porter à un juif de Leopoldstadt. L'homme, connu de ses services comme un expert en faux en écriture, n'était pas en mesure de refuser le « petit travail » dont il l'avait chargé. Il avait reproduit, sur un papier de même couleur, la même écriture, les mêmes ratures, le même texte, à l'exception notable de la dernière phrase. Garder le pli aurait été prendre un risque bien trop important.

Siber prit par des rues plus sombres. Il débouchait sur la place Am Hof. La Vierge Marie se dressait devant lui sur sa haute colonne de bronze, toute noire, déguisée en Femme de l'Apocalypse dominant les basilics vaincus. Le vent s'usait, avec de longues plaintes, sur les plis coupants de sa robe, sur les épées des anges combattant les dragons à ses pieds. Siber fit le signe de croix, puis il prit par un passage qui s'ouvrait entre deux rangées étroites de maisons. Il frappa trois coups longs et deux coups brefs sur une porte surmontée d'un léopard en pierre. Le judas s'ouvrit et se referma d'un bruit sec.

— Entrez, lui dit une grosse femme outrageusement maquillée.

— Il est là?

Elle lui désigna l'escalier à rampe de fer qui montait vers l'étage. Il grimpa sans prêter attention à la musique et aux rires qui franchissaient les cloisons. Derrière, il le savait, se tenaient les plus fameux tripots de Vienne.

Sur le palier, une fille en jupe courte et bottines lui prit chapeau et cape, et lui tendit un masque blanc. Quand il l'eut revêtu, elle écarta le rideau. Des lampes encapuchonnées laissaient la pièce dans une ombre douce, vanille. On devinait sur les divans des figures enlacées, des corps nus dans des contorsions extrêmes. Tout autour, dans de grands fauteuils, des hommes habillés et le visage recouvert du même masque blanc regardaient, une flûte de champagne à la main. Siber reconnut sans hésitation la lourde silhouette du baron Hager et s'approcha de lui. Le masque du ministre peinait à dissimuler la broussaille de sa barbe.

— Vous aviez raison, dit le baron lorsqu'il eut à son tour identifié Siber : la troisième jeune femme en partant de la droite est bien Mᵐᵉ Schwartz, l'épouse du banquier, et ce jeune homme, au demeurant bien pourvu par la nature, n'est autre que le vicaire Tabucci, dépositaire des intérêts des marchands lombards.

Siber sourit, se pencha vers le ministre, lui glissa quelques mots à l'oreille, puis lui tendit la lettre liée par le lacet. Hager en prit connaissance à la lumière pâle de la lampe.

— Vous voyez, dit-il. À peine notre inspecteur est-il entré dans la tanière que déjà les langues se délient.

VII

Six heures du matin n'avaient pas sonné aux clochers des églises de Vienne que Janez se présentait aux portes du palais Kaunitz. Le travail dans les cuisines avait débuté bien avant l'aube, par la préparation du feu, la mise en route de la viande à bouillir, le nettoyage des légumes et des volailles. Il se poursuivait par la vérification de la quantité et de la qualité des provisions, la distribution des tâches.

La brigade sous les ordres de Carême se composait de huit responsables de partie. Il s'agissait, en plus du rôtisseur, de l'entremétier, du saucier, du pâtissier, du chef garde-manger, du chef fournier, du chef sommelier et du laveur de vaisselle. Chacun d'eux commandait deux « écuyers de cuisine » et un ou deux apprentis corvéables à merci. S'y ajoutaient des hommes de peine qui pourvoyaient au transport du bois et de l'eau, un dépensier qui consignait les fournitures, et des commis de très jeune âge préposés aux tâches de nettoyage. Presque une quarantaine de personnes s'affairaient ainsi du matin jusqu'au soir.

C'était là une assemblée hétérogène, composée à la va-vite à l'arrivée à Vienne, où s'agrégeaient sans réelle harmonie ceux qui étaient venus de Paris en compagnie de Carême, ceux qui officiaient déjà dans les cuisines du palais Kaunitz et ceux que l'on avait recrutés sur place parmi les « cuisiniers mercenaires ».

— Tous les chefs de partie parlent français, lui dit Carême en l'accueillant, soit qu'ils aient cette nationalité, soit qu'ils aient, à un moment de leur carrière, travaillé dans notre pays. C'est le cas aussi de certains écuyers, mais beaucoup ont été recrutés ici. Quant aux apprentis et commis, quelques-uns ne comprennent que le dialecte de Vienne et baragouinent à peine l'allemand.

Ils convinrent ensemble que les interrogatoires seraient conduits avec le souci de déranger le moins possible la bonne marche du service, au long de la journée, sur le lieu de travail ou, si le besoin s'en faisait sentir, dans une petite pièce attenante aux réserves.

Le jeune chef tint à présenter lui-même ses gens et à ne laisser à personne d'autre que lui le soin de décrire quelles étaient les tâches. Il guida Janez à travers les cuisines, exposant longuement la fonction de chaque appareil, l'utilité de chaque instrument.

L'inspecteur fut vite noyé sous les noms et les détails techniques, mais il écoutait attentivement, fasciné par l'homme, emporté par la passion qu'il devinait dans chaque parole, dans chaque sourire, dans chaque étincelle captée dans le regard. Le jeune cuisinier montrait comment pétrir, mélanger, hacher, fouetter, pulvériser, concasser. Il expliquait la nécessité de maîtriser l'espace thermique, l'opposition du chaud et du froid : ici, la flamme vive, le four, le muret qui abritait les braises ardentes, les marmites bouillantes, les chauffe-plats, là-bas, la pièce où l'on plaçait les mets froids, le lait frais, la fleur de lait montée en neige et la crème fouettée… Il fallait répartir les espaces, là pour cuire, là pour pétrir le pain, là pour travailler les sauces, là pour tremper les salaisons, là pour égorger et plumer les bêtes… Il fallait lutter contre les odeurs, les fumées, les poussières, les cendres et les farines volatiles. Et encore chasser les cafards, la fatigue, la chaleur et la tension, imposer sans cesse la propreté, le nettoyage, ne rien épargner : tables, ustensiles, serviettes, tabliers.

— Tout cela implique, dit Carême lorsqu'il eut fini, si l'on veut rester digne de la confiance du prince, un contrôle de tous les instants, précis, obsessionnel, une discipline rigoureuse qui ne permet aucune faiblesse.

Une légère ride verticale se dessinait entre ses sourcils et une goutte de sueur courait sur sa tempe, de la racine de ses cheveux vers sa bouche. Ses joues étaient rouges de l'effort qu'il venait de fournir.

— Cela pour vous dire, ajouta-t-il avec un rictus, qu'il ne serait pas étonnant que certains parmi ceux que je dirige ainsi d'une main de fer aient contre moi quelque rancune et ne profitent de l'occasion que vous leur offrez pour déverser sur ma personne un peu de bile.

CERNER la personnalité de Maréchal, telle était la priorité que s'était assignée Janez. Il décida d'interroger les trois chefs de partie que Carême lui avait désignés comme étant des partenaires de jeu de cartes du rôtisseur. Il commença par le chef légumier, Joseph Godl, le seul responsable d'origine autrichienne, espérant que l'homme serait plus libre de parler.

C'était un grand maigre, d'une quarantaine d'années, avec des épaules larges, un visage blanc un peu osseux, des yeux sombres, des mains fuselées. L'homme était d'un abord agréable.

Il reçut Janez dans son coin de cuisine, dont les frontières étaient marquées aux murs par des guirlandes d'aulx tressés et des étagères en poirier pleines de pots de confiture. Un apprenti, à l'écart, la larme à l'œil, pelait et découpait de gros oignons.

Quand Janez s'approcha de lui, l'Autrichien était occupé avec son premier écuyer à vérifier, dans de grands paniers en osier, les provisions du jour, livrées à l'aube par les maraîchers de Vienne.

— Admirez! s'exclama Godl en soupesant une figue après l'avoir essuyée à son tablier. La campagne viennoise fournit d'aussi beaux légumes et fruits, si ce n'est de meilleurs, que le Bassin parisien. Toute la table du prince vient de l'arrière-pays. Seules les truffes arrivent par diligence du Périgord et de Haute-Provence.

Il expliqua qu'un bon légumier devait avant tout avoir une connaissance approfondie des denrées, acquise au contact des marchés et des marchands, et que ce n'était de ce fait pas un hasard si Carême l'avait embauché pour cette tâche.

— Il est bien jeune, n'est-ce pas?

— C'est un grand chef, croyez-moi. L'un des plus grands avec qui j'aie travaillé.

— Tout le monde a l'air de s'entendre sur ce point.

— Son seul défaut est de le savoir et de le faire sentir. Parfois, il ne touche plus terre. Il se prend pour un demi-dieu.

— Demi-dieu? Que voulez-vous dire?

La face blanche de Joseph Godl hésita entre le sourire et la grimace.

— Qu'il est si sûr de son génie qu'il se croit tout permis. Il a la confiance du prince et, de ce fait, il est intouchable.

— Parlez-moi de Maréchal.

— Que vous dire, monsieur? Il jouait quelquefois aux cartes avec nous mais c'était uniquement quand il nous manquait un quatrième. Ce n'était pas un bavard. Il n'avait pas d'amis, à part peut-être le chef, Carême. Le soir, après le service, ils restaient seuls, avec Anna, la femme de Maréchal, à bavarder autour d'un verre.

— Ils se connaissaient depuis longtemps?

— Pas que je sache. Carême l'a recruté à son arrivée.

— Curieuse, non, cette amitié soudaine entre deux hommes si différents?

— On peut le penser en effet.

— Lui connaissiez-vous des inimitiés?

— C'était une telle mauvaise tête qu'il était bien capable en moins d'une heure de se faire un ennemi mortel.

Joseph Godl observa Janez par en dessous. Sans ajouter un mot, il décrocha une grosse poêle et y mit à fondre un morceau de beurre. Puis il fit signe à l'apprenti, qui vint y déverser ses monticules d'oignons émincés. Très vite, la poêle chanta sa chanson, à voix très basse, murmurée. Il ajouta du sucre en poudre, surveilla la coloration. La cuisson serait réduite à glace, la préparation servie froide avec une viande en gelée.

— On m'a dit que Maréchal buvait? questionna encore Janez.

— C'était un bon professionnel et tous les rôtisseurs boivent, dit l'Autrichien en haussant le ton pour couvrir le murmure des oignons. Sinon, ils se dessécheraient. Bardosso vous le confirmera.

BARDOSSO, le chef garde-manger, était un Hongrois de petite taille, avec une moustache noire à la turque, un teint de vieille cire qui jetait des ombres sur ses joues grasses. Dans une pièce spéciale, voisine de la cuisine, sur des dalles maintenues fraîches par la glace, il gardait et surveillait la viande et le poisson. À chaque commande de ses collègues, il découpait à même la pièce et parait les morceaux, ôtant l'excédent de graisse. Il avait l'intendance du chaud-froid – volailles, gibiers cuits et refroidis.

Quand Janez le rencontra, il glissait du beurre de thym entre la chair et la peau d'une volaille prête à rôtir, décollant l'épiderme de l'index et du pouce. Près de lui, un lièvre était étendu sur le bois de l'étal, où la chaleur et le feu coloraient ses flancs d'un roux fauve où se mêlaient des mèches paille. Un chevreuil trempait à demi dans une marinade épaisse, mêlant son odeur sublime à la fermentation du vin et des échalotes.

Comme Godl, à croire qu'ils s'étaient passé le mot, Bardosso minimisa ses relations avec le rôtisseur et insista en revanche sur les liens qui unissaient ce dernier avec le maître d'hôtel.

— Je vais vous dire, monsieur, mais que cela reste entre nous : M. Carême avait moins d'amitié pour Maréchal qu'il n'avait d'affection pour Anna. À fréquenter l'homme, il se rapprochait de la femme.

— Et vous en déduisez?

— Moi, je n'en déduis rien. Ce n'est pas mon métier.

Celui-là était comme l'autre, habile à cracher son venin sans en avoir l'air. Janez se mit à tousser. Il faisait sacrément chaud dans ces cuisines. Au fur et à mesure que la journée avançait, que les fours fonctionnaient, que les broches, au-dessus des fosses à rôtir, tournaient sans cesse, actionnées par les commis, l'air devenait suffocant, chargé de particules en mouvement, lourd de fumées.

— Vous saviez que Maréchal avait été soldat, héros de Marengo ?

— Lui ? À Marengo ? Non. Je ne savais pas.

— Et cette altercation que Maréchal aurait eue avec Taupin, pouvez-vous m'en parler ? Quelle en était l'origine ?

— Et pourquoi n'iriez-vous pas le lui demander ?

TAUPIN, l'entremétier, régnait sur les potages et les entremets de douceur. Il était attaché au prince de Talleyrand depuis près de dix ans, était venu de Paris avec Carême, avait la réputation de quelqu'un de pas très malin et toujours prêt à donner le coup de poing. C'était un homme râblé et à fort embonpoint, très laid. Il fronçait les sourcils, comme si chaque parole, chaque réponse à fournir exigeait de sa part des efforts colossaux et une mobilisation considérable sous son crâne.

Sans doute appréhendait-il son face-à-face avec Janez, car il le reçut sur la défensive, la lèvre déjà retroussée, prêt à mordre.

— Je n'ai rien à dire sur ce salopard de Maréchal ! Paix à son âme !

Janez posa sur lui son regard clair, lui sourit.

— Pourquoi vous êtes-vous battu avec Maréchal ?

— Parce que c'était un salopard ! Il m'a manqué de respect. Mais je ne l'ai pas tué !

Celui-là avait peur. Il fallait en profiter.

— Vous êtes-vous disputés pour des opinions politiques ?

Taupin s'essuya la bouche d'un revers de manche. Les rides sur son front se creusaient, et il restait là, interdit, les yeux écarquillés.

— Non, non. On s'est attrapés pendant une partie de cartes. Une bêtise. Un verre de vin qu'il m'avait renversé dessus alors qu'il était saoul et il n'avait pas voulu s'excuser.

Janez se décida à l'interrompre brutalement.

— Qui l'a tué, alors ?

— Je n'en sais rien.

Taupin souffrait le martyre. Janez ne fit rien pour le rassurer. Il avait peine à imaginer que ce cuisinier sanguin, sans contrôle, sans grande jugeote, était l'assassin qui avait tendu un guet-apens sur le chemin de Schönbrunn, qui avait froidement abattu Maréchal, s'était acharné sur lui pour que l'on ne pût l'identifier, uniquement pour un verre renversé. Mais celui-là avait des choses à dire.

— Monsieur Taupin, murmura Janez en cherchant son regard, vous rendez-vous compte que vous êtes le seul coupable possible? Le seul qui avait une raison de supprimer ce pauvre rôtisseur? Le seul me permettant de boucler rapidement cette enquête qui m'ennuie?

— Ce n'est pas moi, je vous l'ai dit…

— Allons! dit Janez brusquement en haussant la voix et en le pointant du doigt. La dispute a repris et a dégénéré. Vous l'avez tué sans le vouloir!

— Non, je vous jure!

— Qui alors?

— Carême!

Il poussa aussitôt un cri, affolé, posa ses deux mains velues devant sa bouche. Une immense colère, mêlée à une terrible peur, semblait monter en lui.

— Non, non, je n'en sais rien. J'ai dit ça comme ça.

— Du calme, lui dit Janez. Que craignez-vous? Carême, donc?

Taupin suffoquait. Il ôta son bonnet, qu'il chiffonna pour se donner une contenance.

— Non! non! Je ne sais pas, je vous dis. J'ai donné un nom, c'est tout.

— Oui, mais pourquoi celui-là?

De nouveau, les rides sur le front, la mâchoire qui se serrait.

— C'est simplement qu'il n'y a que lui qui connaissait un peu Maréchal. Quand on tue quelqu'un, il faut bien avoir quelque chose à lui reprocher, non? Et puis c'était le seul d'entre nous à qui Maréchal avait confié qu'il se rendait chez son cousin.

VIII

JANEZ franchit à grandes enjambées la Stephanplatz. Un mot de Hager l'avait conduit à interrompre les auditions. Il courait presque, humant l'air à pleins poumons. Respirer au grand jour après ces longues heures passées dans l'atmosphère confinée des cuisines lui semblait un cadeau des dieux.

Cette bouffée soudaine de bonheur lui fit songer à Catherina.

C'était un jour à passer du temps avec elle, à la prendre sous le bras et s'en aller ensemble sur les sentiers forestiers des hauteurs du Wienerwald, dans les allées sablées du Prater ou de l'Augarten. C'était un jour à lui conter fleurette, à louer une barque et à la promener sur le Danube, à aller croquer ensemble les gaufres chaudes et saupoudrées de sucre glace qui se vendaient dans les baraques le long du fleuve. « Cette fille te prend la tête, pensa-t-il, te voilà dans de beaux draps. »

Janez, pour éviter d'être en retard, prit des chemins de traverse, empruntant des ruelles désertes, mangées d'ombres. Voilà longtemps qu'il n'était plus passé par ici. Il hésita. Il sentait à chaque pas, sans pouvoir en déceler la cause, sa bonne humeur le fuir. Soudain, il comprit. Devant lui se dressait le bâtiment sinistre de la Stadtkonvikt, cet ancien collège de jésuites qui suintait l'humiliation et la misère. Il crut se trouver mal en croisant les élèves aux crânes rasés, portant l'habit à basques coupé comme un frac, le gilet noir, la cravate et les culottes blanches. Certains avaient sous le bras leur boîte à violon. Ils chantaient, à trois voix, tout en marchant au pas, le *Magnificat* de Bach. Janez se demanda combien parmi eux en seraient, comme lui, dégoûtés à jamais de la musique de Jean-Sébastien. Il s'adossa contre le mur, serra les poings. Il revoyait la cérémonie de distribution des prix, l'annonce de ceux retenus pour la chapelle impériale, la figure de son père, le prince Periadevik, cet inconnu qui ne lui avait jamais adressé la parole et avait chassé sa mère, le serrant contre lui pour son premier prix de fugue, devant les yeux attendris de l'empereur.

Le baron Hager l'attendait, comme il le lui avait annoncé, dans un fiacre arrêté devant l'église Saint-Michel. Janez grimpa sur le marchepied et prit place à son côté.

— Metternich ne m'a donné l'autorisation qu'il y a une heure, dit le baron. Mais c'est bien. Vous assisterez à cette entrevue. Il n'y a rien de tel que le terrain pour se former. Et je veux que vous preniez l'exacte mesure des gens chez qui je vous ai placé.

Un ordre sec fusa. Dans le claquement des sabots sur le pavé, dans le grincement des ressorts, le fiacre s'ébranla lourdement.

— Vous avez commencé à procéder aux premiers interrogatoires?

Janez exposa au ministre, aussi fidèlement que possible, les propos des chefs questionnés et les soupçons qu'ils avaient tous, chacun à sa façon, fait peser sur Carême.

— Tenez, dit le ministre en sortant de la poche de son veston la lettre que lui avait remise Siber la veille. C'est pour vous. Quelqu'un l'a déposée hier soir à un poste de police.

Janez lut. L'écriture était malhabile, celle de quelqu'un qui n'avait pas l'habitude de manier une plume : « Maréchal a été tué par Carême. Faire parler l'Allumette. » L'inspecteur leva les yeux et interrogea le ministre du regard. Puis il retourna le papier, lut son nom sur le dos. Pour que l'auteur le désigne, il fallait qu'il ait su qu'il était chargé de l'enquête. Cela ne pouvait venir que du palais Kaunitz. Si l'on se fiait à l'écriture hésitante, il fallait éliminer les diplomates, sauf à imaginer une feinte. Restaient les cuisiniers. Cela confirmait que Carême n'avait pas que des amis chez ses confrères.

— Avez-vous trouvé une allumette quelque part ? Un indice de ce genre qu'il faudrait analyser ?

— Non, monsieur.

— Cherchez en ce sens. Mais pas trop. Pour tout vous dire, je ne crois pas aux dénonciations spontanées. Surtout celles que me transmet le directeur de la police de Vienne…

Janez n'osa pas relever. Hager se méfiait-il de Siber ? Croyait-il à un coup monté, à une lettre inventée du directeur pour les jeter sur une fausse piste ? Le ministre tapotait nerveusement sur la portière de la voiture. Il se tourna de nouveau vers Janez.

— J'ai lu votre dernier rapport. Tout ce que vous écrivez me conforte dans mon idée première. Ce meurtre est lié à un complot napoléonien. La baguette en or que vous avez découverte est bien une décoration, une « arme d'honneur » créée par décret du Premier consul en date du « 4 nivôse de l'an VIII ». Ce texte donnait, selon leur arme, aux auteurs d'actions d'éclat, des fusils, des mousquetons, des carabines, des baguettes de tambour ou des trompettes en or. La plupart ont été distribués au cours de la seconde campagne d'Italie, en 1800. Votre Maréchal était tambour attaché à la brigade de cavalerie Kellermann, à Marengo.

» Connaissez-vous l'histoire de cette bataille ? D'un côté l'armée autrichienne, 30 000 hommes et 100 canons, de l'autre l'armée française, 22 000 hommes et 15 canons. Les nôtres les avaient enfoncés.

Les Français étaient en déroute… Desaix, en renfort, à la tête de la 5e demi-brigade légère, tenta bien de contre-attaquer mais il tomba, touché par une balle en pleine tête. Nous avions gagné. Et soudain, contre toute attente, la cavalerie de Kellermann, menée par ses tambours, a fondu sur le flanc gauche de notre colonne et l'a enfoncée. Cette charge était si vigoureuse, si inattendue, si imprudente qu'elle a surpris les nôtres. Leur débandade a permis la victoire française. Eh bien, votre Maréchal était en première ligne !

Janez ne disait rien. Il tentait d'imaginer Maréchal avec son tambour, dévalant les pentes de Marengo, fonçant sur les troupes autrichiennes, suivi des cavaliers de Kellermann, sabre au clair. Mais il ne connaissait pas Maréchal. Et son esprit se refusait à faire jouer pareil rôle à Godl ou à Taupin. Seul Carême, peut-être…

— Un homme tel que lui aurait-il hésité à servir Napoléon une seconde fois si celui-ci le lui avait demandé ?… Nous arrivons. Dépêchons-nous, ils vont bientôt commencer.

Ils venaient d'entrer dans la cour de la chancellerie d'État, dans l'aile des appartements du prince de Metternich, au Ballplatz.

Ils prirent par une entrée de service. Les gardes s'effaçaient sur leur passage sans qu'ils eussent à faire un geste, les portes s'ouvraient sans qu'ils eussent à les pousser. Ils pénétrèrent dans une pièce sombre où étaient disposés, face à un grand rideau noir, une demi-douzaine de chaises et un bureau, derrière lequel s'était installé un homme en manches de lustrine, occupé pour l'heure à affiner sa plume d'oie de coups de canif précis. Devant lui attendaient de grandes feuilles de papier, un encrier de bronze, un bougeoir pour faire fondre la cire à cacheter et des fers froids permettant d'imprimer le chiffre.

— Miroir sans tain, dit le baron Hager en s'asseyant.

Janez ne tarda guère à comprendre. Un homme portant une chaîne d'huissier vint tirer les rideaux : ils avaient une vue plongeante sur la salle de travail de la chancellerie. Huit personnes y discutaient déjà, parmi lesquelles Janez reconnut le prince de Metternich et le prince de Talleyrand. Hager lui glissa le nom des autres : lord Castlereagh, plénipotentiaire de Grande-Bretagne, le prince de Hardenberg, plénipotentiaire de Prusse, qui, sourd comme un pot, était doublé de M. de Humboldt, le comte de Nesselrode, représentant de la Russie, M. de Labrador, pour l'Espagne, enfin M. de Gentz, du ministère, faisant fonction de secrétaire. Janez comprit qu'on lui donnait le privilège d'assister à cette première séance, décisive, qui, la veille, avait suscité tant de débats au palais Kaunitz.

TIRIAK poussa la porte de la taverne. L'odeur de tabac et d'eau-de-vie lui sauta aussitôt à la gorge et les verres de ses lunettes rondes se couvrirent de buée, l'obligeant à les essuyer. Puis le policier se dirigea vers la table dressée sous l'escalier de bois qui montait à l'étage. Siber était bien là. Il l'aperçut de dos, éclairé à demi par la lumière d'une chandelle, le crâne secoué par le travail des mâchoires. Car il mangeait. Devant lui était disposée une assiette de charcuterie.

— Asseyez-vous, dit-il à Tiriak quand il le reconnut. J'ai commandé une soupe aux choux. C'est la spécialité du patron. Vous allez m'en dire des nouvelles.

Tiriak ne se fit pas prier.

La soupe aux choux méritait sa réputation. Ils mangèrent un instant sans parler, à un rythme soutenu, la tête enfoncée dans le creux des épaules. Puis Siber, rassasié, arracha d'un geste las sa serviette, recula sa chaise et s'allongea presque sur son dossier.

— Vous allez partir pour Paris, dit-il.

Tiriak s'arrêta à son tour de manger. Il s'essuya les mains et prit du bout des doigts la lettre que Siber lui tendait. Il lut : « Maréchal a été tué par Carême. Faire parler l'Allumette. Surtout, fouiller dans le passé de Carême. »

— Soyez discret et efficace. Je vous demande simplement de suivre le dernier conseil : fouiller le passé d'Antonin Carême. Cet homme doit avoir quelque chose à se reprocher. Quand vous aurez le renseignement, revenez vite : je veux prendre ce Vladeski de vitesse.

M. DE METTERNICH ouvrit la séance par quelques phrases sur le devoir qu'avait le congrès de donner de la solidité à la paix qui venait d'être rendue à l'Europe. Le prince de Hardenberg ajouta que, pour que la paix fût solide, il fallait que les engagements que la guerre avait forcé de prendre fussent tenus religieusement. Le prince de Talleyrand, qui, à la grande surprise de Janez, paraissait de bonne composition, opina. Il prit la parole pour souligner le bonheur qu'avait la France de se trouver dans des rapports de confiance et d'amitié avec tous les cabinets de l'Europe. Cet excellent début réchauffa l'atmosphère et ce fut presque à regret que lord Castlereagh déclara :

— L'objet de la conférence d'aujourd'hui est de vous donner connaissance de ce que les quatre cours ont décidé depuis que nous sommes ici.

M. de Metternich remit alors à Talleyrand le protocole signé de lui, du comte de Nesselrode, de lord Castlereagh et du prince de Hardenberg. Le ministre français, bien qu'il en eût déjà connaissance, fit mine de la découvrir.

— « Alliés » ? demanda-t-il soudain en relevant la tête. Vous vous désignez par le mot d'« alliés » à chaque paragraphe. Sommes-nous toujours en guerre ? Alliés, mais contre qui ? Ce n'est plus contre Napoléon : il est à l'île d'Elbe… Ce n'est plus contre la France : la paix est faite. Ce n'est sûrement pas contre le roi de France : il est garant de la durée de cette paix. Messieurs, parlons franchement : s'il y a encore des « puissances alliées », je suis de trop ici !

Tous se récrièrent. Le terme n'avait pas de sens contraire à l'état des relations actuelles entre la France et les autres puissances. Il n'était employé que pour faire court, pour désigner plus facilement les quatre cours.

— Quel que soit le prix de la brièveté, dit gravement le prince de Talleyrand, il ne faut point l'acheter aux dépens de l'exactitude.

On s'accorda pour modifier ce point. Au côté de Janez, le baron Hager ricanait dans sa barbe. Il semblait s'amuser autant que s'il assistait à quelque pièce de théâtre.

Le prince de Talleyrand s'était replongé dans la lecture. Il releva de nouveau la tête.

— Désolé, messieurs, je ne comprends pas davantage.

— Qu'est-ce que vous ne comprenez pas ? demanda, visiblement agacé, M. de Metternich.

— Par le traité du 30 mai, nous étions convenus que le sort de l'Europe serait réglé selon le droit des gens par la formation d'un congrès réunissant tous les États, ouvert à partir du 1er octobre. Tout ce qui s'est fait dans l'intervalle ne peut que m'être étranger. Ce texte n'existe pas. De quoi allons-nous parler ?

Il y eut un silence gêné. Tous s'étaient préparés à une discussion pied à pied, à un combat à l'arme blanche sur chaque paragraphe du texte, et Talleyrand venait de repousser le tout d'une manière péremptoire.

— Cette pièce n'est pas un document officiel, dit lord Castlereagh. Nous n'y tenons pas plus que cela. Cependant…

— Alors, retirez-la, dit Talleyrand avec un sourire… Nous serons plus à l'aise pour discuter.

M. de Metternich avait un autre tour dans son sac. Il s'en alla chercher un autre document.

— Celui-ci, prince, aura, j'en suis sûr, votre assentiment ainsi que celui de M. de Labrador. Il ne s'engage que sur la procédure. Permettez que je le lise.

C'était un projet de déclaration qui restait à signer. Après un long préambule sur la nécessité de simplifier et d'abréger les travaux du congrès était exposée l'idée selon laquelle les six puissances principales formeraient deux comités qui régleraient l'ensemble des problèmes et auxquels pourraient s'adresser les États intéressés. Leur travail achevé, le congrès proprement dit, composé de l'ensemble des États convoqués, serait enfin réuni pour approuver l'ensemble. Même Janez devina le piège qu'on tendait à la France et à l'Espagne. C'était rendre les quatre puissances « alliées », majoritaires dans le groupe des six, maîtresses absolues de toutes les opérations. Mais Talleyrand pouvait-il se permettre de repousser abruptement un second texte ?

— Un projet de cette nature mérite réflexion, dit-il les paupières mi-closes. Une première lecture ne peut suffire à se former une opinion sur des questions si délicates.

— Qu'y a-t-il de délicat, demanda le comte de Nesselrode, dans un projet de simplification des travaux du congrès ?

Talleyrand se tourna à demi vers lui et, d'un ton très doux, infiniment posé, contrastant avec la colère rentrée qui perçait sous les propos du Russe, il répondit :

— Ne faut-il pas nous assurer que le projet est compatible avec ce droit des gens que nous nous faisons tous gloire de vouloir respecter ? La grandeur de ce congrès est d'y garantir les droits de chacun. Il serait trop malheureux que nous débutassions par les violer.

— Les violer ? Alors que nous ne recherchons que l'efficacité ?

— En effet, répondit Talleyrand. Lord Castlereagh ne me contredira pas : la loi en Angleterre n'est respectée que parce que c'est le pays, par le biais de ses représentants, qui la fait. Le pouvoir que l'on propose d'attribuer aux six puissances majeures ne doit-il pas leur être donné par le congrès ? Si les six puissances décidaient de tout en ne laissant au congrès que le soin d'approuver, on ne manquerait pas de prétendre que, parmi ces puissances, quatre par leur union ont formé une majorité constante… de sorte que c'était leur volonté particulière seule qui est devenue la loi de l'Europe. Et l'Europe qui doit être constituée d'une manière durable ne le serait pas.

— Il y a du vrai, dit lord Castlereagh, mais que proposez-vous donc ?

— De réunir le congrès au plus tôt.

— Vous voulez réunir le congrès le plus vite possible pour faire adopter un mécanisme dont le but est justement d'éviter qu'on ne le réunisse trop tôt ? s'exclama le prince de Hardenberg. C'est rendre inutile le texte qui vient de vous être lu !

— Nous voilà donc d'accord, dit Talleyrand avec un grand sourire.

QUAND, un peu plus tard, les rideaux noirs se refermèrent, le baron Hager s'approcha de Janez et lui souffla :

— Comprenez-vous maintenant pourquoi il faut se méfier de cet homme-là ? Il a renié l'Église. Il a trahi tous les régimes qu'il a servis. Que lui reste-t-il pour survivre, pour garder un peu de goût à la vie, si ce n'est de se jouer des hommes, de les manipuler ?

IX

LES cuisines étaient de nouveau plongées dans un étouffement chaud de chambrées, une moiteur d'écurie. Les reflets sanglants des fours allumés dansaient le long des murs, jusqu'aux poutres du plafond.

— La science du cuisinier, expliquait Carême, consiste aujourd'hui à décomposer, à faire digérer et à quintessencier les viandes, à en tirer des sucs nourrissants et légers, à les confondre de façon que rien ne ...mine et que tout se fasse sentir, enfin à leur donner cette union que ...eintres donnent aux couleurs.

...avait chez Carême un peu de pédanterie et une complaisance à s'éc...er, et Janez ne comprenait que trop bien l'agacement que suscitai... jeune chef auprès de ses collègues.

— Le ...nce vient de me quitter, dit-il encore. Ses connaissances en fait de cu... sont de tout premier ordre.

Janez, avec ... grande patience, le laissa parler. Puis il insista, revenant sur ses ...ouvertes, sur le coffret montré par Anna, sur la baguette gravée qu... stait le passé militaire de Maréchal.

— Pas militaire, ...bour, rectifia Carême en s'épongeant le front. Simple tambour. ... qui a battu la charge lors de la bataille de Marengo. J'aurais dû v... n parler…

— En effet, dit Janez.

— Il ne racontait cette his... que lorsqu'il avait un bon coup dans le nez. Alors, il chargeait de ... veau, des trémolos dans la voix, armé de deux cuillères, mimant le ... lement de son tambour sur le cuivre d'une casserole retournée. Je ... vécue vingt fois, la bataille de Marengo. Il y avait pris un éclat de m... ille dans la tête qui n'était plu... ressorti. Inapte pour l'armée, il ... t alors retourné vers son ... ier métier, la cuisine.

... écuyer lui avait préparé la boute... pour le flambage. Les cou... x avaient été disposés à côté de la p... he à découper. D'un geste ...âtral, Carême doucha les deux ca... ds à la peau crous-tillante ...ux volailles sacrifiées à quatre sem... es. La flamme alla lécher le... lines jaunes du lustre.

— N'a... vous rien d'autre à me confier? ... d'autre que je n'apprendra... t ou tard et qu'il serait regret... e que vous ne m'ayez pas di...

Carême jeta ... up d'œil rapide à Janez. De se... ains expertes, il découpait les po... e épaisses en fines aiguille... s. Les tranches rosées, perlées de jus, ... de croûte d'or, s... ient dans le plat bouillant que tenait le c...

— Vous avez trop d'imagi...., murmura-t-il. Il n'y a point de complot dans tout cela. Ne devinez-vous pas comme le reste est simple? Si Maréchal a fait un détour par Schönbrunn au lieu d'aller directement voir son cousin, c'est effectivement par attachement pour l'Empereur, avec le désir de rendre hommage, de loin, à l'ex-impératrice et au roi de Rome. Il me l'avait annoncé avant de partir. Vous voyez : il n'y a pas de mystère là-dessous.

— Admettons, mais on l'a tué.

— Certes, mais ce n'est pas le premier promeneur qui…

— L'assassin est sorti du palais Kaunitz. Et vous venez de m'avouer que vous connaissiez l'itinéraire de Maréchal. Même sa veuve, à l'en croire, l'ignorait.

— Vous m'accusez ?

Ils se toisèrent un court instant, Janez avec son regard clair, si clair que l'on eût dit que les flammes bleues de tout à l'heure continuaient à y flamber, et Carême, l'œil noir, tranchant, aiguisé comme les longs couteaux qu'il brandissait.

— Et pourquoi aurais-je fait cela ?

À cette question, Janez n'avait pas de réponse.

— L'heure est venue du coup de collier, monsieur, ajouta le jeune chef d'un ton glacé. Je vais vous demander de nous laisser travailler.

JANEZ, frustré, dut consentir à se mettre en retrait. Bien décidé toutefois à avancer dans l'enquête, il se rabattit sur les deux chefs qui, à cette heure, étaient moins occupés.

Le laveur de vaisselle n'avait de « responsable de partie » que le titre. Son antre était une pièce garnie d'énormes cuves, moite, fermée, suffoquant sous une chaleur de serre. C'était un Moldave rougeaud, au physique d'hercule. Il vivait dans son univers clos de brume et de vapeur, dans une chaleur d'étuve qui enflammait la peau, régnant sur une armée de marmitons, à moitié nus, pelés, abrutis sous ses coups et ses injures. Il bafouillait quelques mots de français, connaissait un peu de croate. La conversation tourna vite court. Il n'y avait rien à en tirer.

Le sommelier était d'une autre trempe. C'était un homme d'expérience, la soixantaine bien tassée, portant moustache et favoris blancs. Il soignait son habit, son maintien, son langage. Quand Janez l'aborda, il transvasait un vieux porto dans une carafe en se servant d'un entonnoir en argent dont le bec recourbé évitait au vin une chute précipitée. Il le dorlotait comme un nouveau-né.

Il se démarqua aussitôt de ses collègues, expliquant qu'il y avait un monde entre eux et lui. Eux étaient certes d'habiles artisans, mais nés dans une époque sans repères et sans tradition. Lui s'était formé sous l'« ancienne France ». Il était de la race des gardiens du temple ; il veillait sur un véritable trésor, et il tint d'emblée à montrer à Janez sa cave. C'était celle du palais Kaunitz, réorganisée par ses soins, « repensée », enrichie des crus qu'il avait emportés avec lui depuis les réserves du prince. On y accédait par la cour intérieure, en descendant des marches creusées par les passages des tonneaux.

L'homme était intarissable, et, tandis qu'il parlait, ses deux écuyers sortaient une à une les bouteilles et les montraient à Janez. Les teintes des robes des vins dansaient devant les yeux du policier : jaune clair, jaune-vert, jaune d'or, œil de perdrix, rubis, pourpre velouté, framboise écrasée, vermeil, rouge dense, brun profond, or, topaze brûlée… Quand on arriva au vert sombre des bouteilles de champagne, Janez était plus saoul de noms et de couleurs que des crus qu'on ne lui avait pas fait goûter.

Le sommelier, à voix basse, y alla aussi de son couplet contre Carême, reconnaissant ses qualités de chef et l'ingéniosité de sa cuisine, mais déplorant que le cuisinier ne se concertât pas davantage avec lui et ne l'associât pas au choix de ses menus.

— Il est monté si vite que tout cela lui a tourné la tête. J'en ai connu d'autres comme lui. Il arrive toujours un moment où l'on se laisse aller à un acte fou pour éprouver les limites de ses pouvoirs.

— Et Maréchal ? Que pensiez-vous de lui ?

— Un rustre. Je n'ai pas échangé trois mots avec lui.

— Savez-vous s'il avait l'habitude de se servir d'allumettes ?

L'homme parut décontenancé par la question.

— Vous voulez parler de l'Allumette, son écuyer ?

C'ÉTAIT un détail de la lettre que Janez n'avait pas d'emblée remarqué : « Allumette » avait une majuscule. C'était le surnom donné au principal écuyer qui épaulait Maréchal. On lui désigna un garçon maigre, à la tignasse rousse et au visage mangé de taches de rousseur. Quand Janez vint le trouver, l'Allumette était occupé à surveiller un feu de cendres chaudes très épaisses, plus large de six pouces que la grosse côte de bœuf qu'il fallait rôtir. Il attisait avec son soufflet les charbons et, sous les poussées de l'air, le feu tressaillait et geignait, épandant à flots la fumée qui lui piquait les yeux.

— Parle sans crainte, lui dit Janez en l'invitant à s'asseoir. Maréchal est mort et Carême ne saura rien de notre conversation. Quel homme était le maître rôtisseur ?

L'Allumette sourit. Il ouvrit la bouche, mais rien n'en sortit.

— Allons, insista Janez, était-il bon avec toi ? Était-il brutal ?

— Bon ! lâcha l'Allumette comme on crache un noyau. Et brutal aussi !

Toutes les questions suivantes de Janez connurent le même sort. L'Allumette conservait un sourire niais et semblait ne pas avoir d'autre objectif que de choisir parmi les réponses possibles celle qui, selon son jugement, pourrait plaire le plus au policier.

— Maréchal sortait-il parfois du palais pour rencontrer des gens ?

Les yeux du garçon sautèrent dans tous les sens. On avait envie de le gifler pour l'obliger à vous regarder.

— Non ! finit-il par dire. Sauf avec Johan Falkenried, bien sûr. Je les ai vus souvent parler dans la cour aux livraisons.

— Et qui c'est, ce Johan Falkenried ?

L'Allumette lâcha un petit rire mais ne dit rien.

— Peux-tu au moins me le décrire ?

— Il est grand, avec une perruque blanche. Et il a une cicatrice au menton.

— Bien. Est-ce que tu as envie de me dire autre chose ? Autre chose qui aurait un rapport avec le meurtre du chef ?

Pour l'instant, rien ne justifiait le conseil de la lettre anonyme. L'Allumette adopta son sourire de défense, un doigt songeur posé sur sa lèvre inférieure. Il semblait hésiter.

— La nuit de sa mort, dit-il enfin, il a manqué un fendoir !

Il expliqua que Maréchal prenait grand soin de ses outils de rôtisseur et, méfiant envers les autres, il les enfermait dans une petite armoire. Chaque soir, l'Allumette, qui avait un double de la clef, était tenu de les nettoyer et de les ranger, chacun à leur place, et, le matin, il devait préparer ceux des ustensiles dont on allait se servir.

— La veille, expliqua-t-il, la batterie était au grand complet. Le matin, à l'aube, quand j'ai pris mon service, il manquait un fendoir.

— Quelqu'un l'aura emprunté…

— À part nous, personne ne s'en servait jamais !

— Et ça ressemble à quoi un « fendoir » ?

— Je vais vous montrer.

L'Allumette plongea la main dans le col de son tablier et sortit, au bout d'une cordelette, une petite clef. Il l'introduisit dans la serrure d'une armoire en fer coincée entre la fosse et l'évier. Il y avait là toute une batterie de couteaux, des piques et des broches, des lardoires, des manches à gigot magnifiques.

— Voilà, dit-il en tendant un gros objet à Janez.

C'était un instrument tranchant à éclater les os durs, dont le manche carré se terminait par une crosse enroulée de façon à assurer la meilleure tenue en main. Une arme terrible, tout à fait capable, si elle était maniée avec dextérité, de produire sur le corps d'un homme le résultat qu'ils avaient constaté sur le cadavre du château de Schönbrunn.

— Et depuis, le fendoir manquant n'a pas réapparu ?

Le garçon hocha la tête de droite à gauche d'un air grave.

— Et en dehors de Maréchal et de toi, qui d'autre a la clef de cette armoire ?

— Le chef Carême, dit l'Allumette.

— Un homme à perruque et à cicatrice au menton ? Bien sûr que je le connais, dit Carême d'un ton cassant.

Il était visiblement agacé et ne le cachait pas. L'agitation autour de lui était à son comble.

— Il s'agit de Johan Falkenried, le traiteur de la Jaegerzeile où vous m'avez dit avoir retrouvé nos meringues, reprit le chef en saisissant des côtelettes. Pas de mystère à cela, monsieur le policier. Maréchal était chargé de négocier avec lui le prix des restes.

Il expliqua à Janez que le surplus des plats préparés, qui pouvait être considérable au gré de l'appétit du prince et de ses invités, n'était pas jeté mais revendu à Falkenried et à d'autres restaurateurs viennois qui en faisaient commerce.

— Car si les restes reviennent de droit aux chefs des parties et sont des éléments de leur rémunération en nature, toutes sortes d'abus peuvent se produire. Voilà pourquoi j'ai désigné Maréchal comme l'unique négociateur avec l'extérieur. Il était chargé de vendre l'ensemble des restes, puis de répartir les sommes entre les chefs des parties, qui, à leur tour mais à leur discrétion, rétribuaient leurs écuyers et leurs commis.

— C'est là une source redoutable de conflits.

— Sans doute. Mais ce n'était pas le genre d'homme avec lequel on avait envie de pinailler. Il savait couper court aux discussions. Certains chefs y ont gagné, d'autres ont probablement beaucoup perdu. Mais personne ne s'est plaint directement auprès de moi.

— Maréchal tenait-il des comptes ?

— Bien sûr. Ils sont à votre disposition. Demandez-les à Contrucci, qui a remplacé Maréchal.

CONTRUCCI, chef saucier, était un Provençal, petit, sec et nerveux, l'œil vif. À l'instant où Janez s'approcha de lui, il était occupé à verser dans une sauce Béchamel qu'il touillait de l'autre main, à la cuillère, un peu de fumet de poisson relevé d'essence de truffe et passé au tamis de soie. Sur une coupelle, devant lui, d'un rouge tranchant avec le blanc de la faïence, attendait le beurre de homard qu'il ajouterait pour achever la « sauce Cardinale ». L'homme paraissait fasciné par son propre travail, hypnotisé par l'ondulation soyeuse du mélange qui se plissait, dansait au rythme de son poignet.

— Puis-je m'entretenir avec vous un instant ? demanda Janez.

Contrucci hésita puis retira la sauce du feu. Il suivit Janez à l'écart. L'inspecteur dirigea très vite la conversation sur cette distribution de la « prime de restes ». Le saucier l'observait bouche bée, sans comprendre, avec ses grosses paluches qui ne savaient plus rien faire après avoir lâché la cuillère de bois. Il ne s'était pas attendu à ce genre de question.

— Que vous dire, monsieur ? Dans certaines maisons, les chefs sont libres de négocier le surplus de leurs dépenses. Le maître d'hôtel en a décidé autrement, et nous devons bien nous y plier. Je ne peux vous affirmer que tous ont bien pris la nouvelle.

— Aucune dispute avec Maréchal à cause de cela ?

— Non, monsieur, le prince est généreux et notre fixe suffisamment élevé pour qu'au bout du compte nous ne soyons pas perdants.

— Cela fait-il longtemps que vous travaillez avec Carême ?

Le visage de Contrucci s'éclaira. Carême, il le connaissait depuis six ans. Il l'avait suivi depuis Paris. Il vouait au jeune chef une admiration qui paraissait sincère. Il expliqua qu'il tenait pourtant son savoir-faire des Richaut, fameux sauciers de la maison de Condé.

— Eh bien, monsieur, ce qu'a fait Carême dans la discipline, ce n'est rien moins qu'une révolution !

Et il insista sur la modernité de ses préparations. À l'en croire, Carême avait pris le meilleur de la grande cuisine française du XVIIIe siècle, celle qui avait inventé les sauces, les fonds et les glaces, mais en la débarrassant de ce qu'elle avait d'inutile et de trop lourd. Il avait définitivement repoussé toutes ces garnitures stupides qui n'apportaient rien aux plats, ces ris de veau piqués de lard, ces crêtes et ces rognons de coq. Il avait supprimé les jus noirs, les épices fortes, les condiments qui arrachaient les palais et minaient la santé des princes.

— Avec Carême, dit-il les yeux luisants, les sauces sont de vraies sauces.

L'homme était passionné et devait s'entendre à merveille avec Carême. Toutes les tentatives que fit Janez pour l'amener à critiquer le maître d'hôtel furent vouées à l'échec. C'était un inconditionnel. Quant à Maréchal, le saucier n'avait pas grand-chose à dire sur lui. Comme les autres, il ne l'aimait guère et ne le fréquentait pas.

— Il me faudrait les comptes que vous avez repris, dit encore Janez, ainsi que toutes les factures rédigées par ce Falkenried.

— Celui-là, dit Contrucci en hochant la tête, je ne le sens pas. À votre avis, n'est-ce pas curieux un homme qui travaille à perte ?

X

L<small>E</small> « congrès dansant » était parti sur un rythme effréné. Le 29 septembre, dîner sous les tonnelles, dans le parc du Prater. Le 30, premier cercle, soirée chez le comte Zichy et chez la duchesse de Sagan. Le 2 octobre, grand bal costumé de plus de dix mille personnes. Le 3, redoute parée. Le 4, chasse au faucon près du château de Laxenburg.

Les Viennois n'étaient pas oubliés. Le 6 octobre, une grande fête populaire avait été donnée dans le parc de l'Augarten, parc majestueux situé au nord de Vienne dans une grande île du Danube. Quatre mille vétérans autrichiens défilèrent en musique devant la tribune des souverains. Tout le jour se succédèrent les montreurs d'ours et les dresseurs de chiens, les fanfares militaires et les violons tziganes, les théâtres de marionnettes et les danseurs de corde. Le soir, chaque quinconce dissimulait un orchestre, chaque allée s'était transformée en parquet de danse. Quand les premières salves du feu d'artifice, tirées des bastions et de la montagne de Mariahilfe, éclatèrent tard dans la nuit, qu'elles illuminèrent le ciel de Vienne, qu'elles incendièrent le chapelet des îles sur le Danube, les troupeaux de biches apeurées du Prater, les flèches de la cathédrale Saint-Étienne et jusqu'à la chaîne bleue des Alpes, la cause était entendue : ce congrès serait celui de la démesure, des têtes qui tournent, des réputations qui se défont et des vertus qui s'abandonnent.

JANEZ s'efforça dans les jours qui suivirent de procéder méthodiquement.

Il consacrait une partie de son temps à un examen attentif de la comptabilité tenue par Maréchal, soupçonnant que le meurtre eût été dicté par des querelles d'argent. Mais rien. L'ancien rôtisseur était un consciencieux : les comptes étaient bien tenus, les papiers conservés, rangés dans des chemises. Tout paraissait en règle. Maréchal avait notamment négocié au mieux le « marché des restes ». Au point, peut-être, que cela en était suspect. Comme le faisait remarquer Contrucci, il était surprenant que Falkenried, le traiteur du *Cheval borgne*, ait accepté de travailler à de pareilles conditions.

Mais le policier n'en restait pas là. Si, comme le soupçonnait Hager, le meurtre du rôtisseur était l'accident de parcours d'un complot tramé par des forces secrètes, si l'homme avait été broyé par les rouages d'une machination bonapartiste, alors – Janez en était conscient – l'enquête devait déborder des cuisines. Une des clefs de l'énigme, il le sentait, passait par la compréhension des liens qui pouvaient se tisser entre les entrailles surchauffées de l'ambassade française et ce que l'on appelait les « étages nobles ». Il fallait à Janez déchiffrer les codes du palais, comprendre comment s'agençaient le travail des cuisines et celui du service des « maîtres », quelles étaient les compétences de chacun et à quelles secrètes conventions répondaient les incessants ballets des ouvriers de bouche, des laquais et des chambrières.

Le maître d'hôtel autrichien, un géant débonnaire pourvu de redoutables favoris, voulut bien lui donner quelques clefs. L'homme représentait à lui tout seul ce que le palais Kaunitz avait d'éternel et d'immuable et, tout en se pliant avec vassalité aux exigences de ses nouveaux maîtres, il entendait sauver l'essentiel des traditions jusqu'à la fin du congrès et le départ de ces Français. Il avait dans l'instant jaugé Janez et l'avait aussitôt rangé dans son camp, celui de ceux qui, obéissants, n'en pensaient pas moins. Ayant reçu l'ordre de traiter Janez le mieux possible, il n'esquivait aucune question.

— En dehors des relations entre Carême et le prince, demanda Janez un matin, les gens des cuisines sont-ils quelquefois en contact direct avec ces dames et ces messieurs des étages?

La question fit beaucoup rire le maître d'hôtel.

— Nous venons de recevoir de la part de Mme Dorothée de Talleyrand-Périgord la commande de son petit déjeuner, dit-il avec son fort accent. Cela vous intéresserait-il d'en suivre le « déroulé »?

L'ordre fut transmis aux cuisines. Aussitôt, trois commis se mirent à l'ouvrage et le plateau fut dressé par le premier écuyer de bouche : bol brûlant de chocolat, langues-de-chat cuites au miel et au beurre, un verre d'orgeat et un gâteau aux abricots de la Wachau sortant du four. L'écuyer monta le plateau jusqu'à l'entresol et le confia à un valet de pied, que Janez fut invité à suivre. Le palais tout entier paraissait s'être immobilisé pour laisser le passage à ce trésor brandi à bout de bras. Le gâteau avait fait craquer sa vieille croûte et une lave d'un jaune luisant clapotait entre les lèvres dorées de la chair éclatée, exhalant une odeur chaude d'amande et de fruit qui se répandait dans les escaliers et les vestibules. Le plateau fut porté jusqu'à l'entrée des appartements de la nièce de Talleyrand, puis remis à la première femme de chambre, qui l'apporta jusqu'à la régente, seule habilitée à le déposer sur le lit de sa maîtresse.

— Je ne peux vous laisser aller au-delà, dit-elle avec un sourire, en se tournant vers Janez.

Il s'inclina, fit un pas de côté, la laissa pénétrer dans la pièce.

Mais la tentation était trop forte. Il jeta un œil, un seul coup d'œil par la porte entrebâillée. Et il aperçut Dorothée, assise dans un fauteuil, la gorge à demi voilée par les ramages opulents de sa robe de brocart. Elle était devant une cheminée, dont le feu clair était masqué par un écran de Beauvais, à côté d'un marchepied de lit à deux marches cloutées d'or, devant un lit à la couronne empanachée, aux draps encore froissés. Elle confiait une longue jambe galbée, une séduction de chair nue et de peau blanche, aux mains potelées d'une soubrette à genoux devant elle qui y roulait un bas de soie.

Janez n'en négligeait pas pour autant les cuisines. Mais les commensaux du prince se multipliaient de jour en jour. L'habileté de Talleyrand lors de la première séance préparatoire au congrès avait fait le tour de Vienne. Le palais Kaunitz recevait désormais la visite de tous ceux qui, inquiets de ne pouvoir se faire entendre, espéraient que le ministre allait plaider leur cause. Le premier bal donné par Dorothée avait été un triomphe. Et le bruit courait depuis que la table du palais Kaunitz était la meilleure de Vienne.

Au fur et à mesure de cet engouement, les cuisines se transformaient en champ de bataille, et Janez peinait quelque peu à mener son enquête. Pour ne pas gêner les manœuvres, il battait souvent en retraite jusqu'aux réserves où l'on entreposait les produits. Il s'était confectionné un petit observatoire au milieu des barils de bœuf fumé de Hambourg, des jambons de Mayence, le nez à portée de fromages bleutés et gris qui, sur une étagère tapissée de paille, attendaient, veloutés de moisissures. De temps en temps, les commis apportaient des chariots où reposaient des plats préparés à l'avance : des pâtés d'alouettes désossées au foie gras, des terrines de perdreaux rouges en croûte de seigle, des crépinettes de lapereau aux truffes. Il arrivait à Janez d'y goûter, escamotant de-ci, de-là les morceaux qui dépassaient. Mais, la plupart du temps, il regardait.

C'était un spectacle grandiose. Devant l'urgence, toutes les forces des cuisines se tendaient. On ne voyait que la gesticulation des bras, on n'entendait que les ordres brefs du chef et les réponses sèches, criées d'une voix claire, presque aboyée, des hommes qui exécutaient. Les écuyers, si blancs dans le rouge sombre de la fonte, surveillaient les grandes marmites, armés d'écumoires à long manche.

Les broches crépitaient. Des reflets d'or jaunissaient le plafond, baignaient d'une lumière safranée les cuisiniers en nage. Les visages en sueur luisaient sous les vapeurs légères.

Le service était à la « française », non encore supplanté par le service à la russe, dit « plat à plat ». Les dîners servis selon cette méthode se composaient de trois services distincts. Le premier comprenait les différents mets, qui, depuis les potages, s'étendaient jusqu'à ceux qui précédaient les rôts, c'est à dire les hors-d'œuvre, les entrées, les relevés. Les rôts commençaient le deuxième service, qui se continuait jusqu'aux entremets de douceur. Le troisième service incluait les glaces, bonbons, petits-fours, fromages… enfin tout ce qui constituait le dessert. Il y fallait respecter une harmonie, que Carême maîtrisait sur le bout des doigts et qu'il rappelait volontiers à chaque occasion.

— Quand le premier service est de deux relevés et de quatre entrées, le deuxième comporte deux rôts et quatre entremets. Au dessert, il nous faudra autant de corbeilles, tambours ou gradins que de grosses pièces et le double d'assiettes de dessert que le dîner comporte d'entrées…

Les mets de la première série étaient symétriquement dressés, par moitié de chaque côté de la table et aux bouts, le centre étant occupé par un dormant, plateau ou pièce d'ornement. Ce premier service était toujours installé avant même que les convives fussent assis. Ensuite, le plus grand souci était de maintenir les plats au chaud. Il fallait des réchauds et les tenir clochés jusqu'au dernier moment.

Janez ne quittait pas Carême des yeux. Coupable ou non coupable ? ne cessait-il de se demander. L'homme exceptionnel qui se démenait devant lui, cet homme dont les mains étaient d'une précision diabolique, qui ne cessait de se battre et d'inventer, dont l'esprit semblait résoudre avec aisance toutes les difficultés, cet homme avait-il pu tuer ? Il y avait cette lettre qui l'accusait, ce fendoir qui avait disparu, ces soupçons formulés à demi-mot par les autres chefs… La réponse tournait dans sa tête, tapait contre les parois de son crâne mais ne voulait pas sortir : il restait à trouver le mobile.

Tiriak arriva à Paris par la malle-poste, un matin ensoleillé d'octobre. La France était encore meurtrie, pleine d'appréhension et de rancœur, d'émigrés revanchards qui réclamaient leurs charges et le rétablissement de la taille, de soldats désœuvrés, de demi-soldes en chômage de la gloire de l'Empire.

Il descendit lourdement de la voiture, fit quelques flexions dans un craquement de jointures et de bottes, puis, prenant son coffre sur l'épaule, il partit à pied le long de la Seine à la recherche de la pension que lui avait louée Siber.

Il posa sa malle dans sa petite chambre, qui donnait sur les toits, enleva ses bottes, prit la lettre que lui avait remise Siber et l'épingla au-dessus de son lit. Il s'endormit tout habillé, après avoir lu et relu la phrase qu'il avait soulignée en gras : « Surtout chercher dans le passé de Carême. »

XI

L E rideau n'était pas encore levé. Un brouhaha de rires, de cris, une tempête de murmures couraient déjà de fauteuil en fauteuil. Le feu des lustres allumait les perles et les diamants dans les crinières des femmes, les couleurs des décorations sur le torse des hommes. On braquait sa lorgnette. On jouait de son lorgnon. On s'impatientait. On s'interrogeait sur la pièce, *Nina ou la Folle par amour*, ballet en deux actes de Milon, musique nouvelle de Persuis. Tout Vienne voulait voir Mlle Bigottini dans le rôle de Nina. C'était le grand succès de l'automne, le triomphe de cette artiste venue de France à la demande de l'empereur François, qui l'avait fort admirée lors de son séjour à Paris, et l'avait fait venir avec quelques autres danseurs de la troupe de l'Opéra.

De son poste d'observation, le baron Hager se délectait du plaisir de voir sans être vu. Il avait d'abord braqué sa lorgnette vers les loges, vers les têtes couronnées. Le prince de Ligne, malgré ses quatre-vingts ans, avait encore l'œil à traîner vers l'échancrure ombreuse des corsages. Là, ce quinquagénaire pâle, maigre et chauve, au grand nez aquilin, c'était le roi Frédéric de Danemark ; là, ce jeune homme aux yeux clairs, à la moustache de soldat, le prince Eugène de Beauharnais. Là, cet homme fort, au torse lourd, au port de tête fier, le tsar Alexandre… Mais ce qui intéressait au premier chef le ministre de la Police, c'étaient les dames qui entouraient les princes. Si différentes et tellement pareilles. Leurs pupilles se lustraient de lassitudes si jumelles. De longs gants de soie grimpaient pareillement sur le nu de leurs bras. Elles s'éventaient d'une main ralentie, d'une semblable cadence, d'un mouvement identique savamment répété, et l'on eût dit, dans la pénombre des loges, le bruissement du même feuillage, frémissant du même courant d'air.

Hager lâcha un soupir de contentement. Ce monde-là réjouissait ses moments de solitude. Il en découvrait chaque matin les turpitudes à la lecture des multiples rapports qui arrivaient sur son bureau. Le grand-duc de Bade avait encore passé la nuit chez les filles. Le prince de Hesse-Hombourg s'était enivré de vin de Bude chez la jeune comtesse Rzewuska. Quant au tsar Alexandre, s'il avait amené de Saint-Pétersbourg, en même temps que la tsarine Élisabeth Alexéïevna, le banquier Schwartz pour ne pas avoir à se séparer de sa femme, on lui attribuait déjà de nouvelles conquêtes : la duchesse de Sagan, la princesse Bagration, peut-être même la comtesse Zichy.

Hager haussa ses massives épaules. En tant que ministre de la Police, la moralité des princes n'était pas de son ressort. Ce qui le préoccupait davantage, c'était que le bouillonnement des scandales jetait partout ses éclaboussures. Les nouvelles fraîches écloses du matin, les vraies comme les fausses, circulaient de bouche en bouche, transmises par les laquais, les femmes de chambre, les valets de pied et les palefreniers. Tout Vienne se délectait des désordres des grands, de leurs aventures et de leurs polissonneries. Mais dans cette ville sage, sérieuse, dont l'amusement avait de tout temps été innocent et presque puéril, dont les souverains avaient toujours été de ce point de vue modérés, bons pères de famille et époux respectueux au moins des convenances, l'exemple singulier des princes commençait à faire tache d'huile et à travailler à l'abaissement moral de toute la société. C'était autant de soucis pour sa police.

Un « Ah ! » de soulagement accueillit l'arrivée des musiciens. On se tut aux premières mesures, car le rideau allait bientôt se lever.

Ce fut à ce moment précis que le baron Hager remarqua Janez Vladeski. Vêtu de noir, comme à son habitude, longues bottes, cheveux attachés par un ruban rouge, il était renversé à demi au fond de son fauteuil, le visage tourné vers les grands lustres qui jetaient leurs lumières. Comment avait-il pu se procurer une place ? Mais la réponse s'imposa au ministre avec une immédiate évidence : c'était cette Catherina Appony qu'évoquaient les rapports de ceux qui surveillaient Janez, cette actrice polonaise, sa maîtresse depuis un mois, l'un des seconds rôles de la pièce, qui avait dû la lui procurer.

Le premier acte commençait. Le baron s'installa confortablement. Mlle Bigottini était une immense actrice, mais ce fut à peine s'il la regarda. Il n'eut d'yeux que pour cette Catherina qui dissipait son policier. C'était vrai, ma foi, qu'elle était jolie.

LA lune, par-dessus les toits, frappait au hasard les façades, laissant les unes dans l'ombre, les autres ruisselantes d'une blancheur d'argent qui allumait les anges de pierre sculptés au-dessus des portes et les atlantes courbés supportant le poids des balcons.

Un vent glacé descendait des montagnes. Janez fumait un petit cigare, adossé au mur, les yeux à demi fermés. Il entendit d'abord sa voix puis Catherina déboucha de l'entrée des artistes devant laquelle ils s'étaient donné rendez-vous. Elle n'était pas seule, suivie du reste de la troupe, du directeur du théâtre, de deux ou trois hommes qu'il ne connaissait pas. Elle riait et sanglotait à la fois, les yeux enfiévrés, les joues rouges, des mèches de ses cheveux collés par la sueur à son front. Elle le serra contre son cœur, excitée comme une petite fille.

— C'est un triomphe, mon ami ! Un triomphe ! Les princesses ont pleuré ! Le tsar même aurait versé une larme !

Il comprit avant qu'elle n'en dît davantage : ils ne se verraient pas ce soir – on les réclamait. Ils allaient fêter ça à l'*Apollo*, une table réservée… Elle ne pouvait les laisser tomber. Il lui sourit, l'embrassa du bout des lèvres, lui fit encore un signe de la main quand elle s'éloigna d'un pas rapide pour rejoindre le groupe, qui, déjà, disparaissait au coin de la rue.

« Es-tu triste ? se demanda Janez en remontant le col de son manteau et en partant à pied le long de l'avenue. Oui, finit-il par reconnaître, je suis triste mais je ne devrais pas. »

Il allait traverser en direction de la Stephanplatz lorsqu'une calèche tirée par quatre chevaux vint se porter à sa hauteur. Le cocher lui fit signe de s'arrêter. Une main gantée se posa sur le rebord de la portière, un profil parfait se détacha de l'ombre et se pencha vers lui. Il reconnut Dorothée de Périgord.

— Monsieur! dit-elle d'une voix un peu souterraine. Mon oncle, entraîné par M. de Metternich, m'a délaissée au sortir du théâtre et me voilà seule pour rentrer au palais. Auriez-vous la gentillesse de me conduire jusque-là?

C'était un service qu'un homme galant ne pouvait refuser.

Elle était là, à moitié cachée dans l'ombre, enveloppée dans une robe merveilleuse bleu pervenche, la nuque appuyée contre le bord capitonné de la calèche. Ses yeux brillaient dans la pénombre. Deux traînées de diamants allumaient ses lobes d'oreilles. Une lumière passait sur ses lèvres, sur ses lèvres uniquement, et donnait à sa bouche cerise une importance qu'elle n'avait pas.

— Avez-vous donc peur des mauvaises rencontres? demanda-t-il en prenant place dans la calèche.

— C'est bien le contraire, monsieur, dit-elle en se penchant. Je vous l'ai dit : c'est d'être seule qui m'effraie.

Ce fut dit sans le moindre tremblement dans la voix, sans la moindre invitation du sourire ou du regard, avec même un certain détachement, une affectation d'ennui et de lassitude. Sa main gantée quitta les replis de sa robe et lentement, très lentement, d'un mouvement ralenti, vint se poser sur la banquette, près de la sienne à la toucher, plus blanche encore de s'allonger sur le marron du cuir.

Ils parlèrent de la pièce, du talent de Mlle Bigottini, du charme de Vienne, cette ville crémeuse, légère et sucrée comme une tasse de chocolat.

— Avez-vous soupé? demanda-t-elle lorsque la calèche s'arrêta dans la cour du palais. Pour ma part, je meurs de faim.

Il dut bien admettre que non et son cœur se serra un court instant à la pensée de Catherina attablée à l'*Apollo*.

— Venez, dit-elle en posant sa main sur son bras le plus naturellement du monde, nous nous ferons monter un plateau.

ELLE s'était absentée quelques instants pour que, dans la pièce voisine, une chambrière l'aidât à enlever sa robe et à passer sa tunique du soir. Puis elle avait sonné afin qu'on mît des bûches dans le feu et qu'on leur portât quelque chose à dîner. Elle était maintenant près de la cheminée, assise sur un petit divan, un écran à main pour éviter d'enflammer son teint. Ses cheveux noirs dansaient en lumière sur ses épaules blanches. Elle donna de légères tapes à sa tunique, vaporeuse, à haute taille, dont les manches courtes laissaient découverts les bras, dont le corsage un peu fendu laissait deviner la naissance d'admirables seins. Des miettes de gâteau tombèrent sur le tapis.

— C'était délicieux, n'est-ce pas ?

— Délicieux.

Janez se tenait debout, appuyé contre les boiseries, les lueurs du brasier l'éclairant par en dessous, jetant sur son visage taillé à la serpe des lueurs qui accentuaient la force de sa mâchoire, son teint mat et la clarté de ses yeux. Il fit tourner le pommard dans son verre en en admirant la robe rubis. À la simple demande de Dorothée, malgré l'heure, étaient montés par miracle des cuisines deux plateaux garnis : le premier de tranches de pain grillé, de filets d'anchois frais, d'une marmelade de poivrons confits, de restes de salmis de pintade et de truffes marinées à l'huile ; le second de belles polonaises, enrubannées de torsades blanches, et de brioches coupées en tranches épaisses, poêlées dans le beurre, imbibées de liqueur, tartinées de pâte d'amandes et de crème pâtissière. « Fichtre, se dit-il en la voyant croquer dans la dernière brioche, à ce rythme la belle ne conservera pas longtemps sa taille de guêpe. »

Dorothée lui sourit mais son regard s'attarda sur lui sans pudeur et il lui sembla qu'elle aussi soupesait, d'un œil averti, la puissance de ses épaules et la promesse de ses reins. Il n'était qu'un étalon, qu'un amant d'un soir, comme elle n'était qu'une conquête parmi d'autres. Elle se méprit sur le sens de son regard.

— Vous me jugez, n'est-ce pas ? demanda-t-elle.

— Non, madame. De quel droit le ferais-je ?

Elle tendit à la flamme son pied nu, déchaussé de sa pantoufle. La lumière des flammes embrasa la plante et le talon, grimpa loin sous la robe, dévoila la finesse de son mollet, la délicatesse de sa jambe. Il se pencha, prit sa main, la baisa. D'un geste de tendresse, elle vint caresser l'ovale de son visage.

— On m'a élevée, dit-elle à voix très basse, à ce point de vue où le monde ne se jauge qu'à deux mesures : celle de l'ennui et celle de l'agrément. L'ennui gagne chaque jour du terrain et l'agrément, à le poursuivre, demande toujours moins de pudeur et toujours plus d'audace.

— Madame, dit-il en s'approchant, je suis votre serviteur.

Il la prit dans ses bras, la souleva. Elle ferma les yeux, abandonna sa tête au creux de son cou. Il la porta jusqu'au lit en acajou. Il la déposa dans les draps, à demi défaits, que la femme de chambre venait, quelques instants auparavant, de réchauffer à la bassinoire pleine de cendres chaudes. Au-dessus d'eux, des anges joufflus, taillés dans les colonnes à balustres, soufflaient dans des trompettes en dévoilant leurs fesses grasses.

On tapait à la porte. Deux coups secs, deux plus longs. Janez ouvrit un œil.

Dorothée était déjà assise, le souffle court. Sa poitrine dénudée se soulevait à intervalles réguliers. Une de ses longues jambes blanches était insérée dans les siennes. Son regard encore endormi fit rapidement le tour de la pièce, se fixa un instant sur la porte. Les coups reprirent. Deux courts, deux longs.

— C'est lui! dit-elle à Janez à voix basse. Tu dois t'en aller.

— Lui?

— Talleyrand. Tu dois partir.

Il peinait à comprendre. Entre les plis des rideaux, à travers la vitre, c'était encore la nuit noire. Elle le regarda droit dans les yeux.

— Dépêche-toi. Prends tes affaires!

Elle lui parlait avec la même voix que celle avec laquelle, hier soir, elle s'était adressée à sa femme de chambre. Il se leva, passa son pantalon, mit ses bottes. Elle ne faisait déjà plus attention à lui. Elle était assise sur le lit, un miroir à la main, et remettait en place sa coiffure. « Talleyrand? » Il s'était promis de ne pas la juger.

— Là, dit-elle, dans le boudoir, la porte du fond.

Elle parut rassurée de constater qu'il obéissait, qu'il ne ferait pas de difficultés. Elle se pencha vers lui et lui offrit ses lèvres.

La porte du boudoir, fermée par un verrou, donnait sur un étroit couloir, éclairé de bougies en cire d'abeille. Un tapis recouvrait les lattes du parquet, étouffant le bruit des pas. Il déboucha sur un vestibule pavé de dalles de marbre, à partir duquel un escalier plongeait vers les étages inférieurs. « Talleyrand ! » se répétait-il en riant, en rentrant les pans de sa chemise dans son pantalon. « Talleyrand ! »

Il descendit les marches une à une, le dos au mur, attentif à ne pas faire de bruit. Il allait sortir, lorsqu'il reconnut les portes d'accès aux cuisines. Elles étaient entrebâillées. Une lumière venait des profondeurs. Il se souvint du souper commandé par Dorothée. Se pouvait-il qu'à toute heure quelqu'un travaillât aux fourneaux ? Il aperçut, curieusement posé sur la grande table centrale, un foulard mauve, semblable à celui qu'il avait vu porter, l'autre jour, par Anna, et cela l'intrigua.

Il se résolut à descendre.

Il lui semblait qu'il marchait au milieu de tombeaux, qu'il violait des sépultures. Tout était d'une tristesse crépusculaire. Des cafards couraient dans la sciure. Des robinets gouttaient. Des feux mouraient lentement sous la paillasse et le potager.

Janez faillit repartir, mais il crut entendre, dans le lointain, une voix humaine, suivie d'un bruit sourd, toqué de main rêveuse sur le bord d'un faitout. Alors, il s'avança.

La lune coulait par les soupiraux et déversait au hasard, dans les salles, une lumière blanche et froide où flottaient, comme détachés du reste, là une hachette, là un billot, là des couteaux posés près de leurs pierres à aiguiser. Le bruit se faisait de plus en plus net au fur et à mesure qu'il s'approchait des réserves. C'était un son étrange, un battement régulier, souligné par un souffle et par des couinements, écorché çà et là de plaintes rapides et tranchantes où parfois jaillissaient des éclats de voix. La flamme d'une torche ou d'un chandelier glissait de la porte entrebâillée et jetait des éclaboussures sur le blanc laiteux du sol dallé. Alors, il fit un pas de plus et il vit.

Il vit Carême et il vit Anna.

Lui, son pantalon en accordéon sur ses chaussures, son dos laqué par la sueur, fumant dans le froid de la pièce. Lui, soulevant les cuisses d'Anna, les emprisonnant dans ses mains de fer. Lui, arc-bouté sur elle, avec, chaque fois qu'il baissait la tête, ses pommettes remplies de l'ombre rouge des flammes.

Elle, perdue dans une ombre violette et chaude, le torse renversé, ses seins seuls flottant, dansant dans la lumière. Elle, soulevée, silencieuse, l'œil perdu vers le plafond, ses deux mains croisées sur la nuque de l'homme, pâle comme l'ivoire.

Tous les deux, agrippés l'un à l'autre, dans le même mouvement de reins, dans la même énergie et la même fureur, dans la même quête d'extase, dans le même frénétique besoin de jouissance.

Janez n'en revenait pas : Carême avec Anna ! Il connaissait désormais le mobile pour lequel Carême avait assassiné Maréchal.

XII

L A barrière Rochechouart, du fait du voisinage des abattoirs de Montmartre, était presque exclusivement fréquentée par les carriers et les bouchers, celle de Vaugirard par les blanchisseuses de Vanves. Mais, à la barrière du Maine, le public était plus varié, composé de « certaines dames » venues, le jour de la relâche, en compagnie de leurs sigisbées et d'ouvriers maçons travaillant sur les chantiers alentour.

Tiriak franchit le passage de la barrière mêlé à une foule disparate attirée par les établissements qui vendaient les produits encore « libres d'octroi ». Les gargotes, nombreuses, poussées sur les terrains vagues pour accueillir les hordes d'ouvriers, qui, trois fois par jour, venaient y consommer pas cher, étaient d'une tristesse à se pendre. Les hommes arrivaient avec leur pain de seigle sous le bras, s'asseyaient, écrasés de fatigue, cassaient quelques morceaux dans le bol déjà devant eux. Pour trois sous, des garçons y versaient une cuillerée de bouillon. Pour la viande – invariablement des ragoûts de veau et de mouton –, il fallait porter son assiette en cuisine, choisir le morceau dans les grands plats posés sur les dessertes et négocier le prix.

Tiriak s'installa comme les autres. Ses voisins avaient des têtes de déterrés. Leurs ongles étaient noirs, leurs doigts déchirés par les cailloux et les moellons. Tiriak pêcha un œil dans son bouillon, se battit avec les nerfs de sa tranche de veau, renonça à finir sa chope de vin. Il observait les garçons titubant sous le poids des bassines de bouillon ou des plateaux de chopines. Ils étaient maigres et livides, les yeux caves, tordus par les charges trop lourdes. Ils étaient abreuvés d'injures par les clients avinés. Le patron aussi leur gueulait volontiers dessus et parfois même, à l'occasion, leur balançait une claque qui les faisait tomber par terre. Certains n'avaient pas encore dix ans. Carême avait été de ceux-là.

Tiriak attendit patiemment que le plus gros de la « clientèle » s'en allât puis il interrogea le patron.

— L'Antonin ? dit l'homme en arborant un grand sourire. Si je me souviens de lui ? Son père l'avait abandonné et je l'ai recueilli, le pauvre petit. C'était autre chose que la racaille que j'emploie aujourd'hui, qui boit mon vin en cachette et ramasse mes os pour les vendre aux marchands de boutons. Ah, le brave garçon. Une tête, celui-là ! Un curieux ! Je l'ai vite mis en cuisine.

Tiriak sortit une pièce et la fit sauter dans sa paume. Il questionna un peu plus l'homme. Cet Antonin Carême n'avait-il pas quelque secret ? Ne lui était-il pas arrivé quelques mésaventures ? N'avait-il pas été mêlé à quelques vilaines querelles ?

— Lui ? s'étonna le gargotier en écarquillant les yeux. Mais c'était un saint, monsieur. C'était un dur au mal, levé avant les autres et couché à pas d'heure. À la fin, il tenait même ma comptabilité, et ce n'est pas rien, monsieur. Tous les mois, je débite quatre-vingts bœufs, quatre cents moutons, plus de trois cents veaux. J'ai de dix-sept cents à dix-huit cents mangeurs !

HAGER avait ouvert la fenêtre de son bureau, dont les carreaux étaient maintenant, presque chaque matin, chargés de givre. L'hiver tout doucement faisait le siège de Vienne.

— Vous me mettez dans l'embarras, dit-il en se retournant vers Janez. Et en toute hypothèse, une arrestation est pour l'heure impossible.

Le policier avait pris le parti de prévenir immédiatement le ministre après sa découverte de la nuit. Il s'était dit qu'il l'attendrait dans les couloirs de la Hofburg, sur une banquette, ou dans un fauteuil. Mais à sa grande surprise, il avait trouvé Hager dans son bureau, attablé, occupé à dépouiller des liasses de rapports. Des volutes de fumée de cigare dansaient dans les rais de lumière des candélabres et les cendriers débordaient. Sans doute Hager n'avait-il pas dormi de la nuit.

— L'arrestation est impossible, reprit-il, parce que ce serait déclarer la guerre au prince de Talleyrand. Enfermer cet Antonin Carême reviendrait à décapiter sa maison, et ce au moment même où le congrès prend une autre dimension. Le prince manœuvre bien, et, face à l'appétit de la Russie et de la Prusse, la France paraît être une alliée possible pour l'Autriche. Nous devons donc la ménager.

— C'est à vous de décider, répondit Janez.

— Par ailleurs, dit le ministre en haussant légèrement le ton, cette arrestation me paraît prématurée. Personnellement, je ne crois pas que notre meurtrier soit ce Carême ou, s'il l'est, je ne crois pas que ce soit pour le mobile que vous avancez.

Il marchait de long en large, les mains croisées derrière le dos.

— Ou peut-être n'est-ce pas le seul mobile… Je dois vous donner deux informations : la première, c'est que mes services ont identifié la présence à Vienne de Karl Ludwig Schulmeister, le « maître espion » de Napoléon. Il a gardé beaucoup de contacts ici, noués à l'époque où les Français l'avaient nommé commissaire de la police de sûreté au sein du gouvernement militaire d'occupation. Le bruit court qu'il n'est à Vienne que pour y enlever le roi de Rome. La seconde information, c'est que l'un de nos « correspondants » au palais Kaunitz a découvert une lettre jetée dans la poubelle du duc de Dalberg, lettre dans laquelle on offrait au ministre français à Livourne d'enlever Napoléon, avec la complicité du capitaine du navire à bord duquel il couche quelquefois… Bref, monsieur Vladeski, la thèse du complot n'est pas une pure élucubration, elle repose désormais sur des éléments solides et concordants. Vous ne devriez pas la négliger.

— Je ne la néglige pas, monsieur. Mais rien ne me permet pour l'instant d'établir un lien certain entre le meurtre de Maréchal et un quelconque complot.

— Eh bien, c'est qu'il vous faut travailler encore !

Janez n'avait pas esquissé un geste, mais son visage s'était crispé imperceptiblement.

— Vous m'avez demandé d'élucider un meurtre. Je vous donne le nom d'Antonin Carême. Plusieurs éléments objectifs le désignent comme l'assassin : il était intime avec le rôtisseur et sa femme ; il était le seul à connaître l'itinéraire de Maréchal ce soir-là ; il était le seul à avoir accès au fendoir, qui est, très probablement, l'arme du crime ; il avait une liaison avec la femme et avait de ce fait une excellente raison de vouloir se débarrasser du mari, et, enfin, ce qui n'est pas à négliger, la plupart des hommes de bouche qui travaillent à ses côtés l'accusent spontanément au point que l'un d'entre eux, selon toute vraisemblance, s'est donné la peine de le dénoncer par lettre.

— Mais vous, est-ce là votre opinion ?

Janez ne répondit pas tout de suite. La personnalité de Carême était si complexe… Non. S'il avait dû trancher, là, tout de suite, il n'aurait pu affirmer que le cuisinier était un assassin. Une part du personnage lui était sympathique. L'homme était parti de rien, s'était fait tout seul à force de talent et de labeur. Il forçait l'admiration. Mais un bon policier ne devait pas laisser parler ses sentiments.

— Vous avez mon rapport. Je n'ai rien à ajouter. Si vous estimez que je n'ai pas bien accompli ma mission, je vous demande de me relever. Un autre saura peut-être…

— Ne dites pas de bêtises ! La qualité de votre travail n'est pas en cause.

Le ministre s'était arrêté devant la fenêtre laissée ouverte.

— Je dois réfléchir, ajouta-t-il. Laissez-moi jusqu'à demain. Je rencontre cet après-midi le prince de Metternich, et nous aborderons ensemble cette question. Allez vous reposer.

QUAND Janez sortit de la Hofburg, de gros nuages noirs encombraient le ciel. Bientôt, l'averse éclata. Janez se mit à l'abri sous le porche d'un petit hôtel et resta longtemps ainsi à écouter les déversements des gouttières et à regarder l'eau tomber. Il repensa à Carême et à Anna. Et il les revit tels qu'il les avait surpris dans les cuisines. Puis il se remémora le cadavre de Schönbrunn, l'amas de chair et d'os broyés qu'ils avaient découvert. L'assassin s'était acharné avec une rage qui ne pouvait être dictée que par la passion et la rancœur. Il avait beau dévider l'histoire dans un sens ou dans l'autre : tout concordait et désignait Carême. Et pourtant, il avait clairement dit à Hager qu'il n'était pas convaincu au fond de lui de sa culpabilité.

Le ciel était zébré d'éclairs qui jetaient sur les flaques les reflets transpercés des façades et des toits. Il aperçut sa silhouette à la surface de l'une d'elles, taillée à grands coups de crayon noir, lugubre et d'une rigidité de gisant : chapeau aux bords pliant sous les gouttes, cape noire dissimulant le corps, bottes scellées dans la boue. « Seras-tu donc toujours cet être indécis, pensa-t-il, incapable d'aller jusqu'au bout des choses ? »

Six heures sonnaient au clocher de l'église Saint-Michel, proche de la Hofburg, quand il atteignit l'immeuble de Catherina. Il grimpa l'escalier, frappa, ouvrit la porte. Elle était debout près de la fenêtre, rose et souriante comme toujours, vêtue d'une longue jupe plissée brodée à la hongroise, d'une chemise blanche sur laquelle elle avait enfilé, à la manière d'un homme, un ravissant gilet de satin doré.

« Elle, pensa-t-il encore, je ne dois pas la rater. »

Elle prit la peine de le regarder, admirant ses yeux clairs, que l'averse avait rendus phosphorescents, et le début de barbe qui noircissait les arêtes de sa mâchoire, puis elle lui sauta au cou, l'embrassa d'un baiser sonore sur la bouche.

— Pour la promenade, c'est râpé ! dit-il en désignant le ciel à travers la fenêtre.

— Tant pis ! Nous resterons ici. J'ai tout prévu.

Il défit sa cape, ôta son chapeau.

— Nous allons préparer de la crème chaude au chocolat. Cela nous réchauffera. Asseyez-vous et racontez-moi.

— Vous raconter quoi ?

— Eh bien, la soirée d'hier soir ! Comment avez-vous trouvé la pièce ? Ai-je été bonne ?

Il sourit. La pièce pour lui était déjà si loin. Entre-temps, il y avait eu Carême et Anna, l'entretien avec Hager et puis la nuit avec Dorothée, mais ça… Il s'efforça toutefois de répondre. Tout avait été sublime… elle en particulier…

Elle était penchée sur son fourneau, rougissante de plaisir, avec, de temps en temps, son visage qui se tournait dans un charmant mouvement d'épaule et son regard luisant, reconnaissant, sa bouche pulpeuse et gourmande armée d'un sourire désarmant. Il s'imagina avec elle, en ménage, et, dans la chambre voisine, un berceau. Il rit de sa propre mièvrerie, balaya l'image d'un revers de main, mais la mangea des yeux avec une tendresse et un désir mêlés qui le firent frissonner de la tête aux pieds.

Elle avait versé dans un poêlon en cuivre six cuillerées à soupe de miel qu'elle touillait délicatement et l'odeur caramélisée montait en bouffée dans la pièce.

— Et après le spectacle, demanda-t-il du fond de son fauteuil, en s'efforçant de donner à sa voix un ton naturel, comment s'est passé le reste de la soirée?

— D'un ennuyeux! dit-elle en versant le liquide sur des jaunes d'œufs qui attendaient dans un poêlon voisin. Je suis rentrée exténuée et j'ai dormi jusqu'à tout à l'heure. Et dire que ce soir il faut recommencer.

Quelques coups de feu pour ramener le tout à bonne température, et puis elle prit la jatte et ajouta, au mélange du miel et des œufs, le chocolat éclairci de lait chaud, laissa épaissir l'ensemble à chaleur douce au rythme lent de la mouvette en bois. Elle se pencha pour prendre dans l'armoire deux grosses tasses en porcelaine.

— Voulez-vous aussi un macaron?

Janez ne répondit pas. Là, au pied du lit de Catherina, il venait d'apercevoir un peu de cendre, de la cendre de cigare. Et ni elle ni lui n'en fumait. Un homme était venu ici avant lui.

— Non, dit-il en s'efforçant de sourire. Le chocolat suffira.

QUAND il sortit de chez Catherina, l'averse optait pour une nouvelle pause. Ils avaient fait l'amour les fenêtres entrouvertes, au bruit du fracas des trombes d'eau sur les ardoises des toits. Elle s'était donnée sans réticence ni retenue, avec la même fougue et la même tendresse que les autres fois.

« Que demander de plus? se dit-il. Quoi d'autre, puisque toi-même tu ne peux pas lui donner davantage? »

L'autre, était-ce le directeur du théâtre? Ou cet acteur qui lui donnait la réplique dans « sa scène » et l'enlaçait au moment où elle feignait de s'évanouir? « Décidément, se dit-il, je n'ai pas les idées très claires et peut-être devrais-je suivre les conseils de Hager et prendre un peu de repos. »

Mais à sa pension de famille deux lettres l'attendaient. La première, qui portait le cachet du ministre, l'informait que la décision avait été prise d'arrêter Carême, « selon des modalités qu'il reste à définir avec la délégation française ». La seconde était signée du prince de Talleyrand et consistait en une invitation à souper pour le soir même. Le souper était annoncé « en petit comité, afin que nous puissions nous entretenir des affaires qui nous occupent ». Sans doute s'agissait-il de préciser les modalités dont parlait Hager. Janez fut fort surpris qu'on l'associât si étroitement à la décision. Mais il le fut plus encore par la dernière phrase ajoutée, en post-scriptum, par le prince : « Dorothée se joindra à nous. » Décidément la nièce jouait dans les mains de son oncle un curieux jeu.

Les nouvelles allaient vite à Vienne, sans que l'on sache trop comment elles se propageaient. Quand Janez gagna le palais Kaunitz, il sut immédiatement, à la façon dont les gardes de l'entrée s'effacèrent pour le laisser passer et au bonjour un peu gêné du majordome autrichien qu'il croisa dans le hall, que la nouvelle d'une arrestation prochaine de Carême était déjà dans l'air. Sans doute Hager avait-il prévenu le prince de Metternich, qui avait alerté le prince de Talleyrand, et sans doute celui-ci avait-il évoqué l'affaire avec ses proches, voire avec le cuisinier lui-même.

Il voulut en avoir le cœur net et, comme il était un peu en avance, il décida de faire un détour par les cuisines. L'œil noir, concentré, le cuisinier était penché sur une vaste marmite, deux rides dans la longueur du front.

— Alors, monsieur l'inspecteur, demanda le jeune homme sans cesser de fixer la marmite, êtes-vous satisfait de la progression de votre enquête ?

— Comment ne le serais-je pas ? répondit Janez en faisant le tour de la paillasse afin d'être en face de son interlocuteur. Je vous ai surpris cette nuit avec Anna, et ce que j'ai vu est un mobile suffisant pour expliquer le meurtre de Maréchal.

Carême esquissa un faible sourire en levant vers le policier des yeux fatigués. La chaleur d'étuve lui rougissait les oreilles et collait sur son front les mèches noires de ses cheveux dépassant de son bonnet de maître d'hôtel.

— Je n'ai pas tué Maréchal, dit-il d'une voix très lasse. C'était la première fois qu'Anna et moi…

— Les apparences sont contre vous. Beaucoup ici vous soupçonnent. Vous aviez l'accès à l'armoire de Maréchal où l'on a emprunté sans doute l'arme du crime. Vous seul connaissiez son itinéraire ce soir-là, et il est tout à fait crédible que vous vous soyez débarrassé du mari pour prendre sa place dans les bras de sa femme.

— C'est absurde! souffla Carême.

Il se dressa mais Janez lui tint tête, ses yeux clairs flamboyant sous l'ombre du chapeau qu'il n'avait pas ôté.

— Son mari la battait, continua l'inspecteur. Sans doute avez-vous voulu la défendre, empêcher la brute de recommencer…

Carême, debout devant les fourneaux où des marmites bouillon-naient, lâchant des flots de vapeur, semblait sur le point d'exploser. Mais, très vite, il fit des efforts considérables pour se maîtriser.

— Je ne l'ai pas tué, répéta-t-il d'une voix devenue plus grave et plus souterraine. Cette nuit, entre Anna et moi, c'était un accident. La rencontre de deux solitudes…

Ses yeux avaient pris une teinte vive, un brillant de cirage. Il relâcha sa pression et revint se poser face à la marmite.

— Ce soir, je cuisine pour vous, n'est-ce pas?

Il expliqua que c'était une daube de joue de bœuf qui mijotait, à cuisson très lente. Il avait ôté le couvercle pour obtenir une réduction parfaite et touillait la mixture pour vérifier la décomposition des pieds de veau, qu'il ajoutait pour donner davantage de moelleux à la sauce.

— Avec du chambertin, ajouta-t-il, ce sera délicieux.

XIII

JANEZ s'avança, dans son habit de velours bleu, jusqu'au petit salon, où le prince recevait ses invités.

— J'avais si peur que vous vous dérobiez…

Dorothée, en parfaite maîtresse de maison, s'était levée pour l'accueillir. Il la trouva encore plus belle que les autres fois, d'une beauté crépusculaire, avec sa robe en satin d'un blanc lunaire, sa croix d'or en sautoir, ses perles qui brillaient à ses oreilles.

— Sans vous, ajouta-t-elle, cette soirée n'aurait pas été la même.

— Madame, dit-il, je reste votre serviteur.

Elle lui offrit sa main à baiser. Il se pencha et y posa ses lèvres.

Le prince de Talleyrand les observait, les yeux mi-clos, la bouche figée dans un rictus. Il était assis sur le bord de son siège avec une rigidité mécanique. Il glissa quelques mots à l'oreille d'Achille Rouen, qui se leva aussitôt en libérant la place. Le prince fit signe alors à Janez de venir s'asseoir à côté de lui.

— Monsieur Vladeski, dit-il en posant sur le bras du policier une serre de faucon, je vous remercie d'avoir bien voulu accepter mon invitation.

— Pour vous dire la vérité, Excellence, j'ai quelque peu hésité et sans l'autorisation du baron Hager…

— Je vous devine sur la défensive. Rassurez-vous : une longue expérience m'a appris à lire dans les âmes, et je vous sais un homme d'honneur. De cette race attachée à servir et que rien ne corrompt.

Il prit le temps de sourire, de prendre, sur le plateau que tendait un laquais, deux verres de punch et d'en tendre un à Janez. Puis il ajouta en fermant ses yeux de chat :

— Aussi est-ce plutôt à votre intelligence que je voudrais faire appel…

Le prince se lança alors dans une longue explication du congrès et de ses enjeux, du rôle qu'il entendait y faire jouer à la France, de la nécessité eu égard à la difficulté de cette tâche de ne sacrifier aucun de ses atouts.

— Jeter Carême dans les geôles autrichiennes, c'est déconsidérer la France, défaire d'un coup l'ouvrage que je m'efforce de tisser depuis mon arrivée.

Janez écoutait d'une oreille attentive, d'une oreille même complaisante. Non pas qu'il fût dupe du jeu qui se jouait, mais il jouissait de l'instant. Le prince de Talleyrand était là, à le toucher, mobilisé à le séduire, à le prendre au piège de ses paroles, de ses regards, de ses mimiques. Il usait avec lui de stratagèmes qu'il avait dû roder depuis si longtemps, devant de si prestigieux personnages, dans tant de tête-à-tête et de réunions diplomatiques… Si le prince lui avait proposé de l'or, s'il lui avait ouvert brutalement la couche de Dorothée, il se serait dressé sur ses ergots et l'aurait planté là. Mais il lui proposait bien plus. Il le traitait, lui le bâtard chassé par son père, lui le prince déchu, comme si le destin de la France, du congrès, de l'Europe, était entre ses mains.

— Laissez-moi donc Carême jusqu'à la fin du congrès. À l'enfermer, vous me causeriez, vous causeriez au roi et à notre pauvre pays un préjudice considérable alors même que cela ne procurerait aux intérêts que vous entendez servir qu'une utilité dérisoire.

— Suggérez-vous de laisser le crime de Maréchal impuni?

— Êtes-vous si sûr de la culpabilité de Carême? Mais même à l'admettre, est-il si nécessaire de me le retirer? Aménagez un cachot dans les cuisines du palais. Vous l'y enfermerez en dehors des heures où sa présence est indispensable aux fourneaux. Vous l'interrogerez quand vous voudrez. Et à la fin de mon séjour à Vienne, si votre conviction demeure qu'il est coupable, je vous l'abandonnerai.

» Réfléchissez à tout cela, dit encore le prince. Vous me donnerez votre réponse après le souper. Si nous sommes d'accord, Hager se rangera à notre avis commun.

Les lustres gigantesques inondaient la pièce d'une lumière éblouissante à laquelle répondaient comme un écho les flammes des candélabres et des bougeoirs. Les fresques des plafonds soufflaient leurs nuées d'anges, de déesses et de cygnes.

Janez avait espéré, sans trop y croire, s'asseoir non loin de Dorothée. Mais il était à l'opposé d'elle, coincé entre, à sa droite, une femme grasse et potelée, à la chair d'oie blanche, une comtesse de l'ancienne France, et, à sa gauche, Achille Rouen.

Il dut se décaler un peu pour apercevoir Dorothée entre une carafe et un candélabre. De la pointe de son couteau, elle jouait avec les pieds des cinq verres posés devant elle, celui du madère, celui du bordeaux, la flûte de champagne, le verre du vin ordinaire et celui de l'eau.

— Eh bien, monsieur, vous ne mangez pas? lui demanda la comtesse. C'est cela qu'il ne faut pas rater, dit-elle d'un œil brillant en désignant, d'un mouvement de son triple menton, le plat sous cloche que reposait le maître d'hôtel à l'extrémité de la table.

Elle lui fit signe et l'homme vint les servir. Il déposa dans leurs assiettes des timbales encore fumantes, closes et dorées, qui ne payaient pas de mine.

— Faites comme moi! lui dit-elle.

Et de la pointe de son couteau elle découpa le sommet de la croûte. Un parfum magnifique s'en exhala, qui embauma d'un coup tout l'espace.

— Timbales de truffes, commenta-t-elle en salivant. Pâte à foncer très fine garnie à l'intérieur de bardes de lard et de truffes sautées mouillées de sauce financière.

Janez découpa le mets avec délicatesse, chargea sa fourchette d'un peu de pâte et de truffe, nappa le tout du dos de son couteau. Le fragile échafaudage parvint à sa bouche sans encombre. Il ferma les yeux et derrière ses paupières les couleurs dansèrent. Il sentit presque aussitôt le parfum de la truffe exploser. Mais il se concentra sur les sensations de son palais, attentif, dans les lointains de ses papilles, à ne sauter aucune des notes de la partition qui s'y jouait. C'était à se damner.

— Un homme capable de cuisiner cela, lui glissa Achille Rouen, est-il capable d'assassiner ?

Janez sourit, les yeux mi-clos, sa flûte de champagne à la main.

— Assurément, dit-il, un homme capable de pareille prouesse est capable de tout.

Cela fit rire le secrétaire, d'un rire en dedans qui le secoua et fit tressauter sur son crâne sa perruque blanche. Il s'essuya la bouche et redevint sérieux. Il se pencha vers Janez.

— Nous avons mené notre petite enquête, savez-vous ? Ce Maréchal était un farouche bonapartiste. Il fréquentait à Vienne d'étranges cercles. Je ne peux ici vous en dire plus, mais, si vous le souhaitez, le service d'espionnage français rédigera une fiche…

— Je le souhaite, bien sûr, dit Janez.

C'était donc là la nouvelle stratégie du prince ? Lâcher des renseignements pour tenter de sauver Carême ? Il se renversa en arrière et chercha Talleyrand des yeux, à la gauche de Dorothée. Il écoutait un dialogue entre La Besnardière et le duc de Dalberg, l'œil seul allumé sur son visage éteint, un sourire pincé sur ses lèvres fines. Dorothée tenait du bout des doigts un os de perdreau qu'elle rongeait délicatement, prêtant une oreille discrète aux propos de son voisin le duc de Dalberg. Dans le petit jour du lustre à demi-feux, tranchant sur le grenat du velours du fauteuil, sa peau laiteuse resplendissait. Elle rit, soudain, et sa croix d'or en sautoir remua sur sa gorge. Leurs regards se croisèrent et s'attardèrent l'un dans l'autre.

— Savez-vous que j'étais de ce fameux souper des deux saumons ? dit la comtesse à Janez en lui pressant le bras.

Elle engloutissait une belle part d'esturgeon poché au vin de Champagne, masqué de glace blonde et de beurre d'écrevisses, orné de foies de lotte, de petites quenelles de merlan et de langues de carpe. Elle lui raconta comment un soir, rue Saint-Florentin, on s'apprêtait à servir à la table du prince de Bénévent un saumon de taille exceptionnelle, comme on en avait rarement vu, qui faisait l'admiration des convives. Soudain le plat chut, s'éparpilla sur le parquet. Les invités furent consternés et se tournèrent vers le maître de maison. Talleyrand, impassible, d'une voix d'un calme absolu, donna l'ordre d'apporter un second poisson.

— C'était un coup monté ! s'esclaffa la comtesse. Celui-là était plus grand d'un demi-pied que le précédent !

— J'y étais aussi, lui glissa Achille Rouen. C'est fou comme on exagère.

Les vins se suivaient : vin de Constance, absinthe de Hongrie, sillery. Le brouhaha des propos se noyait dans les milliers de bruits des fourchettes, des cuillères et des couteaux remués. Janez observait tout cela, admiratif autant de l'appétit sans fin des convives que de l'activité incessante et discrète du personnel.

Le troisième service succéda au deuxième, avec son lot de gâteaux immatériels, de hautes constructions poudrées, de fruits trempés dans du vin aux épices, de crèmes glacées servies dans des verres à sorbet en cristal taillé. Sous les assauts de la comtesse, il finit par se laisser aller à goûter le plateau de fromages, où le brie, favori du prince, côtoyait quantité de chèvres secs ou moelleux, sainte-maure, puligny, rocamadour, charolais, crottin de Chavignol, dont les nuances se déclinaient du bleu pastel au gris d'orage. Il ne sut, de même, résister à un gratin de mûres de ronce, servi chaud, croûté de sucre roux, croquant, mousseux à l'intérieur, aussi aérien que de la chantilly.

Sous l'influence du vin qui circulait dans ses veines, repu, engourdi, Janez n'éprouvait plus qu'un immense bien-être, une envie de volupté facile et de paresse. La comtesse continuait à pérorer et il lui souriait. Il ne l'écoutait pas, certes, mais n'éprouvait plus aucune animosité, soudain envahi d'une grande indulgence.

Il surprit alors le regard de Talleyrand sur lui et il comprit. Il comprit l'importance de ces dîners, l'importance de la cuisine de

Carême. Quel diplomate, après un tel repas, pourrait ne pas infléchir sa position ? Lequel résisterait, le ventre ainsi comblé, l'esprit embrumé, à l'estocade de l'après-dîner ? À la sucrerie des propos du prince, entre un bon cigare et un verre de liqueur, une partie de whist ou de billard ? Lequel pourrait encore vouloir humilier un pays capable d'un tel art de vivre ?

Dès le repas fini, Janez se força à prendre congé de Talleyrand. Il y avait trop de danger à s'attarder parmi ces gens, à trop se laisser bercer par leur fausse nonchalance.

— Je vais rédiger un rapport, dit-il en s'inclinant devant le prince. J'y exposerai au baron Hager les avantages qu'il y aurait à emprisonner Carême au palais même. L'homme pourrait continuer à vous servir tout en se prêtant à nos interrogatoires.

— Merci, monsieur. Vous ne le regretterez pas.

Le propos était quelque peu ambigu, pouvant s'interpréter comme l'assurance d'un choix judicieux pour percer la vérité du meurtre ou comme la promesse d'une récompense à venir pour service rendu. Mais c'était dit d'un ton très neutre, et Janez s'inclina de nouveau.

Au moment où il allait sortir de la pièce, Dorothée s'interposa.

— Vous n'étiez donc venu que pour goûter la cuisine du prince ?

— Je n'ai pas fait que cela, dit-il. Je vous ai également beaucoup admirée.

Il y avait dans les yeux de Dorothée une couleur étrange, un peu passée, quelque chose d'usé, de tamisé qui la rendait bien plus que belle. Et Janez, l'esprit alourdi par l'alcool et les mets, ne put s'empêcher de remercier en silence toutes les épreuves et les expériences que la jeune femme avait jusque-là affrontées et qui avaient contribué, sans aucun doute, à cet admirable résultat.

— Cette nuit…, murmura-t-elle. Par le chemin inverse de l'autre soir… Je vous attendrai.

JANEZ descendit les grands escaliers en se tenant à la rampe. Elle l'attendrait ? Il se sentait envahi par un sentiment de colère qu'il ne parvenait pas à expliquer. Catherina aussi l'attendrait… après le spectacle… après qu'elle se serait laissée entraîner par les autres dans un autre café à la mode. Elles l'attendraient l'une et l'autre, et cela ne les empêchait pas, Dorothée, d'accepter que son oncle se glissât dans sa couche, et Catherina de recevoir chez elle des fumeurs de cigare.

Les cuisines lui tendaient les bras, et il ne résista pas à l'envie de passer de l'autre côté du miroir, de redescendre, après avoir connu le paradis, vers les enfers afin de ne pas oublier que les merveilles qu'on lui avait servies étaient le résultat d'heures de labeur et de souffrance.

Les salles ressemblaient à un champ de bataille après les combats. Les chefs des parties s'étaient retirés des fourneaux et les cuisines étaient désormais sous la coupe tyrannique du laveur de vaisselle.

Janez découvrit les chefs assis les uns à côté des autres, encore en tablier, les manches retroussées. On eût dit une armée défaite, un bataillon de pontonniers d'Éblé épuisés à force de monter des ponts sur la Bérézina.

— Messieurs, dit-il, je tenais à vous remercier et à vous dire toute mon admiration. Le dîner de ce soir était un feu d'artifice.

Ils prirent la force de sourire, l'invitèrent à s'asseoir avec eux pour boire le coup de blanc. Mais, solide ou liquide, il était bien incapable d'avaler quoi que ce soit de plus.

— Je voulais voir Carême.

— Il s'est allongé dans la pièce à côté, lui dit Godl. Il n'avait pas faim… Est-ce vrai que vous allez l'arrêter ?

Janez ne répondit pas. Carême, qui l'avait entendu, était déjà assis sur sa couchette. Il avait les traits tirés, des cernes sous les yeux. Janez renouvela ses compliments sur le repas du soir.

— Heureusement que vous ne vous êtes pas étranglé avec un os ou une arête, sourit Carême. On m'aurait encore accusé.

Janez lui exposa ce qu'il allait proposer à Hager, précisant qu'il ne doutait pas que le ministre allait accepter une proposition qui ménageait la chèvre et le chou.

— Mais cela ne modifie guère votre situation, lui dit le policier. Un garde vous surveillera jusqu'à la fin du congrès dans une cellule que nous aménagerons au cœur même des cuisines. La pièce des réserves me paraît tout à fait adaptée. Nous déterminerons les heures auxquelles vous serez autorisé à diriger vos hommes. Je continuerai à vous interroger. Vous serez jugé par la justice autrichienne quand le prince retournera en France… Jugé pour meurtre, et cela implique…

Il se tut. Cela impliquait logiquement la mort. Carême se frotta les yeux. Il paraissait soucieux mais moins abattu, moins fatigué qu'avant le repas. On sentait que son énergie exceptionnelle était de nouveau mobilisée.

— Monsieur Vladeski, j'ai bien réfléchi à tout cela et je voudrais que vous m'écoutiez. Je n'ai pas tué Maréchal et je vous répète que c'était la première fois, l'autre soir, qu'Anna et moi… nous nous rapprochions de la sorte. Vous n'êtes pas obligé de me croire. Mais moi je sais que vous n'avez trouvé ni l'assassin ni le mobile. Et j'ai désormais un intérêt majeur à vous aider. Peut-être qu'à nous deux…

— Qu'espérez-vous?

— Vous me tenez. Que risquez-vous? Racontez-moi les détails de l'enquête. Discutons-en ensemble et peut-être que…

Il s'arrêta, les yeux rouges, au bord des larmes.

— Soit, dit Janez. Tentons l'expérience.

QUAND il quitta Carême, le palais était redevenu silencieux. Dehors, pour la première fois, il neigeait. C'était comme une poudre de diamant qui se déposait sur Vienne, lustrée par la lueur des lanternes, glacée par le souffle de la brise.

Il s'assit sur un banc, les bras croisés. L'air était vif, neuf, coupant comme l'acier. De l'autre côté de la place, devant un hôtel particulier dont la façade à huit fenêtres était tout éclairée, on devinait qu'une fête se finissait. Des domestiques reconduisaient un aristocrate en pelisse jusqu'à sa voiture en le soutenant par les aisselles, tandis qu'un laquais éclairait leur route avec une lanterne.

Alors, il se revit au château de son père, un soir d'hiver semblable à celui-là, où la neige tombait pareillement. En ce temps-là, il était encore ce petit prodige, si habile à la danse, à l'épée, d'une intelligence si vive et tellement doué pour la musique, devant lequel tous s'extasiaient. Il avait joué du violon pour quelques amis de son père. Ce soir-là, le prince Periadevik avait bu plus que de raison. Et avant que ses serviteurs ne le remontent, ivre, dans sa chambre, il s'était écrié en prenant les spectateurs à témoin que « toutes les fées s'étaient penchées sur le berceau de ce petit bâtard ». Peut-être était-ce à partir de ce soir-là que le froid l'avait peu à peu envahi, que le givre s'était déposé sur chacun de ses dons exceptionnels jusqu'à les ensevelir.

Un hiver de plus venait, un hiver de lassitude et de solitude, où les projets dans lesquels on eût pu se lancer, où les êtres à qui l'on eût pu se confier n'étaient que des silhouettes dans la nuit. Des spectres qui le frôlaient mais qu'il ne saisissait jamais, peut-être parce qu'il en était incapable, peut-être parce qu'il ne les désirait pas assez. Quand, transi de froid, il se décida à s'ébrouer et à rentrer, sa cape et son chapeau étaient recouverts d'une épaisse pellicule de poudre blanche.

XIV

H AGER donna sans surprise son accord. Ce fut même avec une satisfaction non feinte qu'il apprit la proposition de collaboration qu'avait faite Carême à Janez.

— Le bonhomme doit en savoir plus qu'il ne vous en a dit. Laissez-le mijoter dans sa sauce. Mais quand vous l'interrogerez, n'hésitez pas à le terroriser. Ces Français m'exaspèrent. J'ai reçu, à votre intention, une longue lettre de l'ambassade, une synthèse, à ce qu'il y est prétendu, des rapports des services d'espionnage français concernant le dénommé Maréchal. Tenez et lisez.

Janez prit les quelques feuillets que lui tendait le ministre et, sur son invitation, s'assit pour lire plus posément. La vie de Maréchal y était longuement racontée. Mais il n'y avait là rien de nouveau qui pût donner à l'enquête une direction différente. Ce qui paraissait plus intéressant, c'était la description détaillée de l'emploi du temps du chef rôtisseur depuis qu'il était attaché au palais Kaunitz. Deux fois par semaine – était-il écrit –, il était sorti une heure ou deux, après le service, pour se rendre dans des cabarets viennois.

— Anna m'a dit le contraire, qu'il ne quittait presque jamais les cuisines, releva Janez sans cesser de lire.

Le rapport mentionnait notamment l'estaminet *Le Cerf à deux têtes*, quartier général connu de la secte des Pénitents écarlates. Il en supputait des liens entre le cuisinier et les membres de cette « confré-rie ». Janez était consterné.

— Je sais, soupira le baron, c'est grotesque.

Ils connaissaient parfaitement l'un et l'autre la secte des Pénitents écarlates, composée pour l'essentiel d'étudiants farceurs mais inof-fensifs dont l'amusement principal était de se promener la nuit, encagoulés, dans les catacombes de Vienne datant de la Vindobona romaine, où ils se faisaient peur au milieu des hordes de rats, mar-chant sur les os de tous les envahisseurs de la vieille cité, croisant des monticules de Huns, de mahométans, de Goths, l'arme encore à la main, adossés aux parois de couloirs tortueux. Était-ce tout ce que les Français avaient trouvé pour détourner leur attention de Carême ?

— On cherche à nous embrouiller. Il vous faut, moins que jamais, ne négliger aucune piste, dit le baron en saisissant un paquet de lettres de dessous son maroquin. Le Cabinet noir a intercepté, dans la cargaison d'un marchand de mode, des missives de Fouché, l'ancien ministre de la Police de l'Empire français. Elles ne portaient pas de nom et nous ne savons pas à qui elles étaient adressées : à Marie-Louise ? à Talleyrand ? au prince Eugène ? Peu importe. L'homme s'affiche comme étant favorable à une restauration du régime impérial, ou plus exactement comme le partisan d'une régence de l'impératrice exercée au nom de son fils, Napoléon II…

Le baron leva les yeux vers Janez. Il y avait curieusement dans son regard des accents de dureté qui surprirent l'inspecteur. Avait-il quelque chose à lui reprocher ?

— Nous n'en avons pas encore fini avec ces gens-là.

Au début de l'après-midi, Janez revint au palais Kaunitz pour vérifier que ses ordres y avaient été exécutés. Aux cuisines, c'était l'heure creuse. Une étrange torpeur régnait dans les salles.

Janez découvrit les chefs dans la même position qu'il les avait quittés la veille, attablés les uns à côté des autres, des serviettes blanches nouées autour de leur cou comme de grands bavoirs. Ils mettaient à profit la relâche pour prendre des forces. Un cochon de lait aussi croûté et doré que la miche d'un boulanger était posé au milieu de la table et fumait doucement, lâchant un mélange subtil d'odeurs de viande, de sucre et d'épices. Ils l'invitèrent de nouveau à goûter le porcelet, à prendre avec eux un verre de château rayas blanc, le châteauneuf-du-pape choisi pour l'accompagner.

— L'enfant de cochon a cuit au four doucement pendant deux bonnes heures, lui dit Taupin, arrosé « à ma façon » de caramel mêlé à du vinaigre, du gingembre, de la moutarde, des zestes d'orange et de citron, de l'ail et du miel en rayon. Ça paye moins de mine que ce que vous avez mangé hier soir, mais, croyez-moi, ça vaut aussi le déplacement.

Janez n'en doutait pas, mais il était venu pour autre chose. Il releva avec satisfaction qu'un garde autrichien était bien en poste et que Carême avait été placé sous surveillance. Toutefois, ce n'était pas la réserve qui avait été aménagée en cellule monastique, avec une couche sur le sol, une table et une chaise, un crucifix accroché au mur, mais la pièce où avait logé Anna et avec elle, avant sa mort, son mari Maréchal. Quand il s'en étonna auprès de Carême, celui-ci lui jeta un regard noir et répondit d'une voix glacée :

— Vous en êtes, monsieur, le principal responsable. Le prince l'a renvoyée quand il a appris… ce que vous avez révélé. Et c'est une grande injustice, croyez-moi, car, ainsi que je ne cesse de vous le dire, il n'y avait rien eu entre cette pauvre femme et moi avant cette nuit-là. Elle vient, en peu de temps, de perdre son mari et son emploi.

— Je le regrette profondément. Mais je n'ai fait que mon métier. S'il y a un responsable, il me semble, monsieur, que c'est vous, qui l'avez entraînée dans cette aventure.

Carême fronça les sourcils et sa lèvre inférieure trembla légèrement. Mais il fit un effort sur lui-même, et le ton avec lequel il répondit n'était plus celui du reproche ou de la colère mais celui de la résignation devant la fatalité.

— Je vous le dis encore : je l'ai surprise à pleurer, toute seule, dans les cuisines. Depuis la mort de son mari, elle était plongée dans une terrible solitude. Elle m'a ému. Je me suis laissé aller à la consoler et… les gestes suivant les paroles…

Janez battit légèrement des cils. Son visage était dur, sans complaisance. Ce que Carême reconnaissait ce soir-là n'avait-il pas pu se répéter des dizaines de fois du vivant de Maréchal ?

— Je n'en avais pas fini avec elle, dit-il. Savez-vous où l'on peut la trouver ?

— Elle n'a pas quitté Vienne. Elle a trouvé refuge chez des compatriotes à elle, des Italiens du quartier Leopoldstadt. Elle m'a laissé leur adresse.

Tiriak dîna à sa pension de trois œufs à la coque, accompagnés de sel et de mouillettes taillées dans un gros pain de froment. Puis il boutonna sa redingote jusqu'au col, prit son chapeau, sa canne et partit à la recherche de ce restaurant que le gargotier de la barrière du Maine lui avait indiqué comme étant celui qui lui avait « volé » Marie-Antoine Carême, alors que le garçon n'avait pas quinze ans.

Il finit par le découvrir, rue Corneille, non loin de l'Odéon. Il y avait un monde entre ce restaurant coquet, propret, à la clientèle d'employés de bureau, où les artistes de l'Odéon n'hésitaient pas parfois à venir manger le morceau, et la gargote de la barrière du Maine. Le jeune Carême, en s'employant ici comme aide de cuisine, avait fait un pas de géant.

La mère Soubirous, qui tenait le restaurant, se rappelait très bien l'arrivée du « gamin ».

— Crasseux comme un peigne mais l'œil vif et une volonté à soulever des montagnes. Il était prêt à bouffer la terre entière. C'étaient des maraîchers qui livraient aussi les Barrières qui me l'avaient signalé. Je l'ai pris à l'essai. Je n'ai jamais vu quelqu'un qui comprenne aussi vite. Il a appris tout seul à lire et à écrire. Six mois après, c'était lui qui traitait avec les fournisseurs.

Elle en parlait les larmes aux yeux. Elle insista pour offrir à Tiriak un verre de muscat. Non, avec l'Antonin, jamais rien de travers. Jamais rien à lui reprocher. Un exemple pour les autres commis. Elle était fière de ce qu'il était devenu.

Un grand escogriffe à face de crapaud, portant une blouse trop petite, vint lui servir le vin.

— Et toi, glissa Tiriak en montrant une pièce, tu l'as connu l'Antonin Carême ?

Le garçon prit la pièce, acquiesça du menton.

— Un ambitieux, siffla-t-il entre ses dents. Un arriviste prêt à tout pour parvenir à ses fins. Après le service, quand on partait voir les filles ou faire le charivari au Quartier latin, il restait à travailler dans le dortoir à la lueur de la chandelle.

Il appela le « chef », un gros chauve au teint gris et aux paupières lourdes, qui ne se fit pas prier pour confirmer :

— Toujours à vouloir se mettre en avant, à vouloir vous dire comment il fallait faire. Nous autres, on n'a pas été mécontents lorsqu'il a quitté la boutique pour le pâtissier Bailly.

Ils sentaient tous les deux la poussière, le ranci. Leurs regards étaient morts, leurs bouches tordues par l'aigreur et la jalousie. Au milieu d'eux, Carême avait dû faire l'effet d'un prince.

JANEZ avait suivi les indications de Carême, notant au passage que le cuisinier paraissait connaître parfaitement l'endroit. Nul doute que le maître d'hôtel s'était déjà rendu dans ce quartier de Leopoldstadt où s'entassaient pêle-mêle les communautés mal intégrées aux populations de l'Empire autrichien. Les juifs étaient les plus nombreux, mais les Tziganes et les Italiens comptaient un grand nombre d'âmes, se partageant les métiers et les rues. L'affluence du congrès avait donné du travail à chacun, et Anna n'avait pas tardé à être embauchée parmi les lavandières occupées à laver le linge des hôtels et des pensions de famille.

Des bateaux-lavoirs flottaient sur leurs amarres, balancés imperceptiblement au gré d'un courant nonchalant, béants sur des profondeurs d'ombre où rougeoyait parfois le brasier de la chaudière.

Il prit son temps. Il attacha son cheval au tronc d'un saule. Puis il s'approcha à pas lents du bateau. Il ne tarda pas à repérer Anna parmi la douzaine de filles qui faisaient leur manège entre le lavoir et la berge. Elle était penchée sur un grand baquet de bois cerclé, portait une jupe de molleton gris et un bonnet de tulle noir. Il s'accroupit, à quelques mètres d'elle, caché derrière une branche, décidé à l'observer avant de se montrer. Le vent faisait flotter ses cheveux dénoués. Ses mains rougies et crevassées ne cessaient de s'agiter et de lutter contre le linge, avec une ardeur, une force qui le subjugua. Comment ce petit bout de femme, cette frêle silhouette, passée par tant d'épreuves, pouvait-elle mettre autant d'énergie à se battre ? Du linge pendait au-dessus d'elle et il voyait les gouttes tomber sur sa nuque ; il devinait l'eau glacée coulant dans le ravin de son dos et il frissonnait avec elle. Il respirait comme elle à pleine bouche la buée des lessives. Et quand elle eut fini, qu'elle redressa son frêle squelette et se courba sous la hotte de linge, une main sur la hanche et l'autre au bout du bras tendu pour trouver l'équilibre, il se surprit à pousser lui aussi sur ses jambes pour soutenir l'effort.

Il l'apostropha au moment où elle descendait la ruelle.

— Anna?

Elle se retourna, ne parut pas surprise.

— J'ai appris pour la place… Je suis désolé. Je voudrais vous parler.

— Venez, dit-elle.

Elle confia le linge à une autre lavandière en lui glissant quelques phrases dans un dialecte qu'il ne comprit pas. Puis, sans se retourner, elle le conduisit à un réduit très étroit et bas de plafond, mais très long, encombré d'une multitude d'objets. Elle referma la porte pour être cachée des regards. Elle alluma deux chandelles maigres, et prit deux gobelets et une bouteille de mangiaguerra, un vin noir napolitain qui arrivait à Vienne par contrebande.

— C'est une tante qui m'héberge, enfin… une femme de mon village.

— Je voudrais comprendre pour l'autre soir… Vous et Carême…

— Il n'y a rien à comprendre, dit-elle en remplissant les récipients. Cela s'est fait, c'est tout.

— Cela l'accuse.

— Il a dû vous l'expliquer : c'était la première fois.

— Je ne suis pas obligé de vous croire… Et puis, même. Il vous désirait. Il vous aimait sans doute en secret. Peut-être a-t-il voulu vous aider en vous débarrassant de votre mari.

Elle haussa les épaules et tendit le gobelet.

— M'aider? Personne ne m'a jamais aidée.

Les deux flots de lumière des chandelles dardés sur son dos l'enveloppaient, se brisant au tournant de ses hanches, l'éclaboussant de la nuque aux pieds, la gouachant pour ainsi dire d'un halo d'or. Elle s'assit devant lui, un petit peu plus bas que lui, sur une caisse. Sa jupe remontait un peu sur ses cuisses et dévoilait ses mollets musclés et bronzés. Il la trouva soudain très belle, d'une beauté sauvage, primaire. Il comprit sur l'instant comment Carême avait pu se laisser aller.

— Je me moque de savoir qui a tué Maréchal, dit-elle. Je n'ai pas le temps de me retourner sur mon passé. Le présent me demande déjà toute mon énergie.

— Moi, il faut que je trouve qui l'a tué. N'avez-vous vraiment plus rien à me dire ? Certains prétendent qu'il fréquentait des cercles, qu'il faisait partie de réseaux… *Le Cerf à deux têtes*. Cela vous dit-il quelque chose ?

— Peut-être. Je crois qu'il y a rencontré une ou deux fois ce traiteur avec lequel il faisait affaire.

— Falkenried ?

— Oui.

— Avez-vous besoin d'argent ?

Elle ne répondit pas, se contenta de remettre la mèche de ses cheveux derrière son oreille.

— Prenez ces quelques pièces, dit-il en lui donnant une bourse. C'est ce que me donne le ministre de la Police autrichienne pour mes frais. Je vous ai causé du tort, il est normal que je répare.

Elle ne fit aucun geste ni pour accepter ni pour refuser.

— Ce dont j'ai besoin, dit-elle, c'est d'une autorisation de quitter Vienne. Je n'ai plus rien à faire dans cette ville. Je veux retourner chez moi.

— Je ferai mon possible.

Il posa la bourse à côté de lui sur le sol et se leva. Elle l'accompagna jusqu'à la porte.

XV

LA grande fête de cette fin novembre, celle dont parlait toute la haute société viennoise, était le carrousel, fête équestre inspirée des tournois médiévaux, dont on attendait qu'il éclipsât ou du moins égalât celui dont, jadis, Louis XIV avait été le héros à Versailles. Vingt-quatre chevaliers rivaliseraient sous les yeux de celles dont ils seraient les champions : vingt-quatre dames, choisies par l'impératrice parmi les plus belles du congrès. La princesse Paul Esterhazy, Sophie Zichy et Marie de Metternich étaient parmi les élues, Dorothée de Talleyrand-Périgord aussi. Et c'était, pour le prince, une victoire considérable : la France et sa personne étaient ainsi doublement honorées, introduites, associées au plus près des événements qui comptaient.

Quand le baron Hager, un peu en avance pour vérifier si les consignes de sécurité avaient été respectées, pénétra dans la grande salle du Manège du palais impérial, il fut lui-même impressionné. Dans le vaste carré rectangulaire construit par Charles V, coupé de vingt-quatre colonnes corinthiennes où étaient appendus les écussons des chevaliers, ornés de leurs armes et de leurs devises, des gradins avaient été construits qui pouvaient accueillir près de douze cents spectateurs et trois orchestres composés des meilleurs musiciens de Vienne.

Hager assista à l'arrivée des souverains et des plénipotentiaires, à cette aristocratie d'or et de neige, dans des carrosses dorés, escortés de heiduques en caftan et ceinture de cachemire. Des flambées de bijoux descendaient des voitures, dans des nuages de dentelle et de tulle, et défiaient de leurs éclats les énormes lustres à bougies, dont la lumière tombait sur les robes noires des chevaux dressés en haute école espagnole.

Puis ce fut le tour des vingt-quatre dames. Elles défilèrent lentement pour qu'on puisse les admirer. Dorothée fit sensation. Avec ses cheveux noirs de jais, relevés sur sa nuque, sa peau très blanche, sa souveraine aisance, ses mines de châtelaine hautaine mâtinée d'ennui, elle tranchait parmi les blondes Autrichiennes qui, les joues rouges et le sourire benoît aux lèvres, ressemblaient à des poupées neuves à l'étalage.

Des joutes étaient prévues, des exercices d'adresse, des combats simulés bercés par la musique de Moscheles. Les chevaliers devaient, sans arrêter leurs chevaux lancés à plein galop, enlever des bagues à la pointe de leurs lances, puis perforer des têtes de Turcs et de Maures accrochées aux piliers. Mais rares étaient les preux assez aguerris à ces exercices pour éviter le ridicule. Le prince de Liechtenstein chut même de cheval et fut emporté, inanimé, aux cris épouvantés de quelques dames.

Mais le baron n'oubliait pas un instant de surveiller Talleyrand. Dans la tribune, le prince ne se départait pas d'un drôle de sourire, à peine esquissé sur ses lèvres fines. Il suivait sans indulgence les vents de la conversation, écoutait d'une oreille, tendant l'autre ailleurs, appuyant son sourire pour seule réponse aux remarques qui lui étaient adressées, tout occupé à jouir du moment comme une plante s'ouvre au soleil. Ce fut vers la fin de l'épreuve de joute qu'un homme chauve, aux bajoues couperosées, portant une grande pelisse en renard bleu, vint se poster à son côté. Le baron les vit discuter à voix basse, et le prince paraissait satisfait des propos qui s'échangeaient. Son sourire s'était accentué et il serra même furtivement, avant qu'il disparût, la main de son interlocuteur. Hager n'avait fait que l'entrevoir et il lui fallut quelques secondes pour mettre un nom sur la silhouette aperçue : c'était le comte Aldini, ancien avocat, ancien professeur de droit public à l'université de Bologne, l'un des anciens chefs du mouvement révolutionnaire italien. Il était fort étonnant que le ministre français se compromît à discuter avec un tel homme, que Napoléon avait fait comte, grand dignitaire et trésorier de l'ordre de la Couronne de fer, venu à Vienne pour défendre au congrès les intérêts d'Élisa Baciocchi, née Bonaparte, sœur de l'ex-tyran et grande-duchesse de Toscane. « Ce Talleyrand est décidément imprévisible, pensa le baron, et toujours capable, il nous faut nous en souvenir, de mener double ou triple jeu. »

Janez trouva sans difficulté *Le Cerf à deux têtes*, établissement en vogue parmi la jeunesse étudiante et les artistes, mais que fréquentait aussi volontiers le monde interlope de Vienne – souteneurs, agioteurs, agents d'affaires et mères maquerelles – et qui tirait son prestige de ces mélanges. La pièce centrale avait des allures de kermesse. Les filles de salle frôlaient les garçons de leurs grands corps ballonnés de jupes et ne protestaient pas quand les mains s'égaraient. Dans l'arrière-fond, des piliers divisaient l'espace en alcôves, chacune avec son public d'habitués se donnant des airs de société secrète. C'était là que se regroupaient les étudiants, par affinités politiques, géographiques ou religieuses, là notamment qu'était le siège des Pénitents écarlates.

Janez s'approcha du comptoir, où des rangées de bocks de bière tremblaient, déversant sur le bois leur trop-plein de mousse. L'homme occupé au remplissage était son informateur.

— Falkenried? chuchota-t-il en se lissant la barbe. Le traiteur à la cicatrice au menton? Non, cela fait plusieurs soirs qu'il ne vient pas. Mais ses amis sont là, troisième alcôve en partant de la gauche.

Quatre hommes étaient attablés, discutant à voix basse autour d'une bougie et de pots de bière vides. Ils portaient des habits fatigués, des perruques un peu grises et, pour deux d'entre eux, des justaucorps de coupe militaire. Aucun n'était de première jeunesse. Quand Janez s'approcha, ils cessèrent leur conversation.

— En effet, monsieur, dit l'un d'entre eux. Falkenried est une connaissance. Vous ne le trouverez pas : il est parti en voyage. Ce Maréchal que vous évoquez est venu quelquefois se joindre à nous. Ils étaient, je crois, en relation d'affaires.

— Maréchal est mort, dit Janez en promenant sur eux son regard transparent. Assassiné. Si vous savez quelque chose, vous avez tout intérêt à me le dire.

L'annonce glaça l'assemblée. Tous les quatre se regardaient en coin, atterrés.

— Mais que pourrait-on vous dire, monsieur?

— Par exemple à quoi correspond ce signe, dit Janez en saisissant le poignet de l'homme et en lui remontant la manche.

C'était, tatouée à même la peau, une pomme entourée d'un serpent, semblable au dessin trouvé dans la cassette secrète du rôtisseur.

— Ce n'est rien de particulier, dit l'homme en retirant son bras d'un coup sec, j'ai ça depuis l'enfance. Mais c'est vrai que le motif avait beaucoup plu à Maréchal au point, je crois, qu'il avait voulu le recopier.

À la façon dont ses lèvres tremblaient, Janez sut qu'il avait menti.

QUAND Janez retrouva Carême ce soir-là, dans sa cellule, alors que le calme était revenu dans les cuisines, celui-ci s'était installé sur une petite table en bois et, muni de feuilles de papier, d'une règle et de crayons, il était occupé à tracer de grandes lignes de perspective par-dessus le dessin précis d'un bâtiment.

— Vous reconnaissez? demanda-t-il à Janez sans relever la tête.

— Quoi donc?

— Le temple de Delphes!

Son regard brillait et il avait le sourire d'un enfant qui vient de faire une bonne blague.

— Tout malheur a du bon. Je profite de mon emprisonnement pour mettre la dernière main à l'ouvrage de pâtisserie que je prépare. L'essentiel en sera la présentation des dessins que j'ai réalisés en vue de ces pièces montées qui ont fait ma réputation. Il faut que les jeunes praticiens puissent s'en inspirer. Je compte le faire précéder d'un traité d'architecture exposant les cinq ordres selon Vignole ainsi que d'autres détails, car un bon praticien se doit d'être aussi bon dessinateur et architecte que bon pâtissier. Regardez.

Il fit passer à Janez divers croquis de rotondes, de temples et de ruines, de tours et de belvédères. Les proportions étaient remarquables et les dessins fort soignés, dignes d'un homme de l'art.

— Vous réalisez cela en pâtisserie?

— Assurément, monsieur, tout peut se faire en pâte d'office, en pâte d'amandes et en pastillage. Mais il y faut un savoir-faire qui ne s'acquiert qu'avec beaucoup de travail, de réflexion et de pratique. Et puis – ce dont nos jeunes apprentis sont fort dépourvus – beaucoup de patience. (Il s'interrompit, bâilla, se frotta les yeux.) Je n'ai pas vu l'heure passer et j'en ai oublié de manger. N'avez-vous pas une petite faim?

L'inspecteur dut bien reconnaître qu'il n'avait lui-même rien pris depuis le début de l'après-midi.

— Alors, ajouta le cuisinier, si vous ouvriez mon cachot et m'autorisiez à nous préparer quelque chose?

Janez se laissa faire.

Le cuisinier fouilla dans les réserves, ouvrit des armoires et des tiroirs, ralluma par magie le feu du potager, se mit à manier des poêles et des casseroles. Il finit par confectionner une omelette baveuse à souhait, lestée de morceaux de lard et parfumée de restes de truffes. Il sortit du garde-manger, entourée d'un torchon, une miche de pain à la croûte traversée d'énormes crevasses, éclatée comme un melon de septembre, le dessus plus foncé, à la limite du brûlé. Il découpa deux grosses tranches. Il remplit deux verres à ras bord de chignin-bergeron au goût de pierre.

— Un gratin de macaronis se prépare, dit-il en nouant sa serviette autour de son cou. C'est une recette de Maréchal. Le pape en raffolait, à ce qu'il prétendait.

Ils mangèrent en silence. Le feu du fourneau chuchotait à voix basse. Un papillon de nuit battait de l'aile contre les murs léchés par la lumière des lustres. Il semblait à Janez qu'il n'avait jamais mangé d'omelette meilleure.

— J'ai bien réfléchi à la piste du complot, dit Carême au bout d'un moment.

— Quel complot?

— Je vous en prie. Jouez le jeu. Laissez-moi vous prouver que je n'ai pas tué Maréchal. Laissez-moi vous aider à explorer une autre voie.

— Admettons le complot. Je vous écoute.

Janez posa sa fourchette et porta son verre à ses lèvres. Carême le fascinait, il ne pouvait le nier. Il était le représentant de cette classe d'hommes à l'énergie exceptionnelle qui avaient profité des formidables remous de la Révolution et de l'Empire pour monter à la surface et s'y maintenir à la force des bras. Le contraire de tous ceux qu'il avait jusque-là connus et qui ne devaient leur rang qu'au seul mérite de leur naissance.

— La clef de l'énigme est dans le voyage de Maréchal, dit Carême en parlant soudainement à voix basse comme s'il allait confier quelque chose de la première importance. Il devait aller à Hardersdorf et il s'est rendu à Schönbrunn. S'il y a complot, et donc si ce n'est pas uniquement pour rendre hommage à Marie-Louise et à l'Aiglon, c'est en toute logique pour y rencontrer quelqu'un. La question est alors de savoir qui et pourquoi. Qui? La réponse est sans doute à Schönbrunn. Pourquoi? La réponse se trouve nécessairement ici.

— Ici?

— Maréchal m'a demandé l'autorisation de s'absenter l'après-midi même précédant son départ. Il y avait donc urgence. J'en déduis qu'il avait une information capitale, recueillie par lui ou par un relais, mais d'une importance si grande qu'il devait sans tarder la transmettre à quelqu'un près du château de Schönbrunn. Comme il ne sortait pratiquement jamais, c'est qu'il avait recueilli l'information ici même. Qu'en pensez-vous?

— Connaissez-vous ce dessin?

Janez prit l'un des crayons avec lesquels Carême traçait ses perspectives et dessina sur un coin de papier la pomme entourée d'un serpent. Le maître queux s'approcha et l'examina attentivement.

— Cela me dit quelque chose. Peut-être l'ai-je déjà rencontré au cours de l'une de mes recherches. En quoi vous intéresse-t-il?

— Maréchal le conservait dans une cassette.

Carême parut soudain beaucoup plus concerné. Il fronça les sourcils, tourna le papier dans tous les sens.

— Pouvez-vous me le laisser? Je dois y réfléchir.

— Je prendrais bien du gratin.

Carême accentua son sourire jusqu'à la caricature. Il se leva, retira avec un manche le faitout du four, en piqua de son couteau la surface, prit deux torchons pour se saisir des anses et il vint poser le récipient brûlant sur un dessous-de-plat. Des bulles de fromage crevaient à la surface dorée, lâchant une odeur merveilleuse.

— Vous ne me prenez pas au sérieux, dit-il. Êtes-vous donc si persuadé de ma culpabilité?

— Je ne sais pas, répondit Janez, pensif. Cela dépend des moments. Le plus souvent, en effet, je suis convaincu que vous avez pu vous laisser aller à ce geste fou, par amour peut-être, ou alors par orgueil, juste pour tester vos limites… Mais d'autres fois, comme en ce moment, face à ce gratin, je dois bien reconnaître que je suis envers vous plein d'indulgence.

— Alors tendez votre assiette, monsieur, que je vous serve abondamment.

Ce fut quand Janez quitta Carême, à deux heures du matin, lorsque retrouvant le silence du hall et du grand escalier il se revit l'autre nuit descendant les marches comme un voleur, que l'idée germa dans sa tête et distilla son poison avec une rapidité foudroyante.

N'était-ce pas Dorothée elle-même qui le lui avait suggéré au dîner donné par son oncle? Il suffisait de faire le chemin inverse, de grimper en suivant la rampe de pierre, de traverser le palier du premier étage, d'ouvrir deux, trois portes peut-être – il ne se rappelait plus –, puis de suivre le long couloir qui menait à la cachette dérobée dans le boudoir de la jeune femme.

Il se laissa emporter par son désir et grimpa les marches quatre à quatre. Il ne courait pas, il volait et tout s'ouvrait devant lui et se mettait en place comme dans un rêve.

Il restait ce dernier obstacle : la porte donnant sur la cachette des appartements de Dorothée. Le verrou en avait-il été tiré ? Il ferma les yeux, appuya doucement, le cœur battant et les paumes moites. Cela s'ouvrit aussi facilement que l'on tourne une page. Dans la pénombre du feu finissant, il devina la chambre, la cheminée, le paravent, le grand lit à baldaquin et la forme allongée. Il ôta son chapeau, sa cape, les laissa choir sur le tapis. Il s'approcha.

La cuisse blanche et longue de Dorothée l'attendait sur le satin du lit, émergeant à demi des draps froissés. Il avança la main, flatta la chair qui, malgré le sommeil, frémit sous la caresse. Ses doigts remontaient lentement, glissaient le long de la peau douce, cherchaient à tâtons l'éveil des fesses. De l'autre main, il tira un peu sur le drap qui le gênait.

La surprise fut telle qu'il recula d'un bond, faillit trébucher sur un pouf, mit longtemps à reprendre son souffle, à maîtriser ses battements de cœur. Là, mise à nue, luisante à la lueur des cendres, enlacée à l'autre jambe de la jeune femme, s'allongeait une cuisse monstrueuse, grise et osseuse, terminée par un moignon difforme qu'on aurait dit doté de griffes. C'était une patte animale, le membre inférieur d'une créature surgie des Enfers. Il mit encore quelque temps à réaliser qu'il était face au pied bot de Talleyrand. Discrètement, il fit machine arrière.

XVI

En même temps que la neige, avec la même nonchalance désabusée, la même douceur glacée, cette identique façon de couvrir de silence et d'une beauté trop blanche la couleur et la forme des choses, une atmosphère nouvelle, mêlée de grogne et de sarcasmes, tomba sur Vienne au tournant de l'année.

Bien sûr, le moindre ragot, la moindre rumeur bien menée, s'échangeait encore à prix d'or au marché noir du commérage dans l'illusion flatteuse de l'acheteur et du vendeur de participer au congrès et de vivre un peu les excitantes péripéties de cette monumentale comédie à l'échelle de l'Europe.

Mais on se lassait peu à peu de ces souverains qui étalaient leurs richesses sans trop les dépenser, du renchérissement du coût de la vie, du prix exorbitant où étaient montés les loyers. On regardait maintenant avec dédain ces princes qui ne savaient pas se tenir, ces princesses qui se mêlaient aux demi-mondaines et aux cocottes et, à la vérité, ne valaient pas mieux qu'elles. Le peuple murmurait sur le passage des carrosses.

Le « congrès dansant » semblait d'ailleurs se givrer sous le froid. Le cœur n'y était plus. On entrait dans l'Avent. L'impératrice Maria-Luisa et l'archevêque de Vienne en rappelèrent les obligations : on cessa les festivités tapageuses ; on modéra la nature des amusements et l'on remplaça, sans entrain, les quadrilles par les tableaux vivants.

D'UN geste sec et précis, Antonin Carême fendit les poussins par le dos. C'étaient des poussins de Hambourg, les meilleurs qu'il fût. Le maître queux en avait réservé six pour lui et son « bon geôlier ». Comme l'autre soir, ils n'étaient plus que tous les deux, seuls, dans le silence glacé des cuisines, avec pour seuls compagnons le papillon de nuit qui continuait sa danse sur le mur et le feu rougeoyant du potager.

— Quelque chose me turlupine, dit Carême en parant les poussins et en les raidissant au beurre. Pourquoi ceux qui complotent pour enlever l'Aiglon, pour faire évader Napoléon ou en vue de je ne sais quel chimérique projet, auraient-ils recruté Maréchal ? Comment justifier qu'on ait demandé à mon rôtisseur, homme rude, peu conciliant, fort occupé et fort surveillé, de participer à un complot qui ne doit pas manquer de bras et de cerveaux ?

— Parce qu'il était un fidèle de l'ex-empereur ?

Carême fit la moue. Il assaisonna les poussins de sel et de Cayenne, les plaça entre deux couches de fin hachis truffé, les enveloppa de crépine et les déposa dans le beurre de la poêle bouillante.

— Ce n'est pas le seul bonapartiste, et cette raison ne peut suffire. Maréchal ne pouvait être utile aux comploteurs que s'il apportait un plus au complot. Or, qu'est-ce, Maréchal ? Beaucoup et peu à la fois : un ancien tambour de Napoléon, un rôtisseur expérimenté, un chef de partie dans les cuisines de Talleyrand. Laquelle de ces qualités pouvait représenter aux yeux des conspirateurs un intérêt certain ? La première, certes, en ce qu'elle était gage des sympathies du personnage. Mais c'est la troisième assurément qui donne à l'homme son importance : Maréchal n'était utile que parce qu'il était dans l'entourage du prince et qu'il pouvait le surveiller.

— Un rôtisseur, enfermé dans ses cuisines, pour surveiller un prince ?

— Faute de grive, on se contente d'un merle. Et puis, peut-être avait-il des accointances avec les valets de pied ? Peut-être avait-il des relais parmi les proches de Son Excellence ? C'est en ce sens que vous devez chercher.

Il retourna les poussins, les laissa se dorer à feu plus vif. Il s'apprêtait à découper du lard de poitrine et des oignons, mais Janez l'interrompit en lui touchant le bras.

— Pour moi, ce soir, les poussins suffiront. On m'attend à l'*Apollo* et je dois rester léger.

— Une femme…, sourit Carême en retirant la poêle du feu.

Janez ne répondit pas.

— À ce propos, dit encore le cuisinier, je vous suggère d'en rencontrer une autre, une amie à moi, Josepha. Elle est l'archiviste de la bibliothèque Palatine. C'est une personne très érudite. Si le dessin de Maréchal a une quelconque signification, elle le saura.

L'*APOLLO* était illuminé comme un palais des *Mille et Une Nuits* et l'on entendait, bien avant d'en pousser les portes, les vagues sonores de ses orchestres occupés sans relâche à faire valser des centaines de couples. Dès le grand vestibule, où des roses grimpaient en bousculade à des arceaux de bois, où des *Gretchen* à tresses et à robes brodées de fleurs prenaient votre manteau, votre chapeau et vos gants, on se laissait glisser dans un univers de rêve et d'enchantement.

De fait, Janez s'aperçut que Catherina se métamorphosait. Elle ne tenait plus en place, dansait déjà d'un pied sur l'autre, éclaboussait tout sur son passage dans le froufrou de ses robes et de ses jupons. Tout son être vibrait et clignotait sous les enchantements jetés par la musique.

— Attendez-moi donc ! s'écria-t-il en riant. Ce n'est sans doute pas la dernière danse de la soirée.

Catherina jeta un œil de connaisseuse à la silhouette gracile et élancée de son cavalier, mais très vite elle l'entraîna entre les allées des tables, légère et vaporeuse, s'orientant avec une facilité qui trahissait assez sa connaissance des lieux.

— Les voilà ! dit-elle en désignant, près de l'orchestre, un groupe extravagant, dans lequel Janez reconnut aussitôt quelques-uns des acteurs de *Nina ou la Folle par amour*.

Dans le vacarme de la musique, les présentations furent faites, mais Janez ne retint aucun nom. Il les trouva tous ridicules. La fille à côté de lui – une rousse à la coiffure comme un échafaudage qui jouait la servante de l'acte II – pencha vers lui son visage rubicond et lui confia que Catherina ne cessait de leur parler de lui.

Les musiciens s'étaient arrêtés. Les uns s'épongeaient le front, les autres vidaient, en haletant, des bières mousseuses que les garçons leur tendaient. Mais déjà les premiers mouvements de la danse suivante, une valse, se déployaient au-dessus des conversations.

— Eh bien, demanda Janez en se levant et en tendant son bras à Catherina, qu'attendons-nous ?

Elle parut surprise mais ses yeux flambèrent de plaisir. Sans une hésitation, il l'enlaça et elle vint se glisser au creux de son bras. Comme les autres, les yeux dans les yeux, ils se bercèrent sur place pour s'intégrer au rythme des violons. Quelques mesures d'abord, d'une hardiesse mesurée, leur permirent de se mettre à l'unisson. Elle fut surprise de le découvrir si habile à cet exercice où elle l'imaginait pataud, ne pouvant deviner qu'il était, au château de son père, un danseur émérite.

Soudain le chef d'orchestre leva sa baguette, un coup d'archet, un autre, la vraie valse s'élançait. Elle déferla comme une bourrasque qui emportait tout sur son passage. Les couples rompirent leurs amarres et furent emportés à la dérive. Elle riait, en s'accrochant à lui, tandis que la valse semblait entraîner l'*Apollo* tout entier, ses lustres et ses parquets, ses danseurs et ses buveurs, la bienveillance molle des artistes à leur table et l'air désabusé des garçons portant haut leurs plateaux et même au-delà, les bâtiments qui brillaient à travers les fenêtres, les toits de Vienne, les forêts, la lune et les étoiles.

Quand ils s'arrêtèrent enfin, que, rouge et à demi décoiffée, l'œil brillant et la bouche ouverte à la recherche de son souffle, elle lui sourit en s'appuyant sur lui plus fortement que tout à l'heure, elle se pencha vers son oreille, qu'une mèche humide recouvrait à demi, et murmura :

— S'il te plaît, fais en sorte que cette valse dure la vie entière.

La rue Vivienne, c'était Babylone, Samarkand, Sodome et Gomorrhe. On disait qu'après l'invasion elle avait à elle seule et en vingt-quatre heures vaincu les Cosaques en les noyant sous les colifichets, en les travestissant en mirliflors, en les ruinant d'emplettes pour leurs belles.

Du Palais-Royal aux Boulevards s'égrenait un long chapelet de boutiques de luxe, de marchands de guipures, satin, velours, cachemires, plumes et dentelles, éventails et parures. Tiriak s'y aventura avec des hésitations de paysan monté découvrir la ville. Il s'égara dans le passage des Panoramas, dans la galerie Vivienne, dans le passage du Perron, demanda plusieurs fois son chemin. Enfin, il découvrit la pâtisserie du célèbre Bailly.

C'était le palais du chocolat, de la praline et du macaron, le temple de la tourte et du pâté chaud. D'un côté, sur des présentoirs, des pâtés de bécasses, d'ortolans de Gascogne, de veau de Rouen, des tourtes de mauviettes de Pithiviers, de l'autre des pièces monumentales en pâte d'amandes et en sucre effilé, en petits choux et en nougat, posées sur des piédestaux. Dès l'entrée, des marmitons vêtus de blanc, avec à la ceinture un torchon et des couteaux aux manches travaillés, accueillaient le client et l'orientaient vers les comptoirs.

Tiriak se présenta comme de la police et demanda à parler à Bailly. Le commis hésita mais finit, sans doute par peur du scandale, par le conduire dans l'arrière-boutique. Bailly n'était plus très jeune, mais il était resté amoureux de son art au point de ne déléguer qu'à contrecœur certaines tâches à ses aides. En particulier, l'homme prenait souvent plaisir à mettre la main à la pâte, au sens premier du terme, affirmant que c'était là la gloire de son métier. Ce fut ainsi que Tiriak le débusqua, dans son coin de cuisine, éclairé uniquement par la lueur des braises du four voisin.

Bailly accueillit le policier sans retenue. C'était un être simple, sans vice et sans malice, le sourire facilement aux lèvres, l'œil gris sautillant sous des sourcils épais.

— Marie-Antoine ? dit-il. Il n'avait pas dix-sept ans quand il est venu me voir. Il avait apporté avec lui toute une série de plats de sa composition pour me convaincre de son talent. Il suffisait de l'écouter quelques minutes pour être persuadé qu'il deviendrait le grand maître d'aujourd'hui. Un monstre de travail, curieux de tout et attentif au moindre détail. Je n'ai mis que quelques mois pour le nommer premier tourtier. Et il n'a jamais fini de me surprendre.

Le pâtissier avait encore les yeux qui brillaient en parlant de son « meilleur élève ». Il expliqua longuement à Tiriak que Carême excellait notamment dans les pièces montées et qu'il lui avait vite confié celles destinées à la table du consul Bonaparte, puis à celle de Cambacérès. Avec l'argent gagné avec ces « extraordinaires », Carême avait monté sa propre pâtisserie, rue de la Paix.

— Le prince de Talleyrand était alors à l'apogée de sa carrière sous l'Empire, ajouta Bailly. Il était ministre des Relations extérieures, prince de Bénévent et grand chambellan. Sur ordre de l'Empereur, il devait offrir chaque semaine au moins quatre dîners de trente-six personnes choisies dans la diplomatie étrangère, l'aristocratie française et les grands corps de l'État. Passionné de grande cuisine, le prince avait pris cette charge très au sérieux. Pour améliorer sa table, il n'hésitait pas à muser dans tous les restaurants à la mode – Méot, Beauvilliers, Nodet, Archambaud, Robert – et à se rendre lui-même dans les boutiques réputées. C'est ainsi que, rue de la Paix, il a remarqué Carême et l'a pris à son service.

Il s'interrompit brusquement comme s'il venait de réaliser pour la première fois l'incongruité de la présence dans sa boutique de cet étranger aux curieuses lunettes et à l'accent pesant.

— Ainsi donc, monsieur, vous êtes de la police ?

— En effet, j'enquête sur Carême.

— Ne me dites pas que c'est encore cette vieille histoire de meurtre qui remonte à la surface ?

— De meurtre ?

— Celui dont fut accusé Carême…

Les yeux de Tiriak s'allumèrent derrière ses lunettes. Il avait trouvé.

XVII

Les raisonnements de Carême à propos du crime de Maréchal paraissaient d'une si limpide logique, d'une si fulgurante évidence, que Janez se demanda ce qui avait pu empêcher qu'il ne les tînt lui-même plus tôt. Il s'étonnait tout à la fois d'avoir accusé le cuisinier si vite et de douter maintenant aussi facilement de sa culpabilité, au point de mettre en cause non seulement sa propre clairvoyance mais même son intelligence. Il tenta de dévider le fil qui l'avait amené à soupçonner Carême et celui dont le déroulé l'invitait aujourd'hui à le regarder comme innocent. Tout tenait à la personnalité de l'homme, à sa capacité à séduire et à agacer pareillement son interlocuteur.

Janez se donna comme consigne prioritaire de préserver son jugement de ces deux sortes de pollution : un excès d'agacement et un excès de séduction. Mais il devait bien reconnaître que peu d'éléments restaient pour accuser Carême. En particulier, le mobile ne tenait pas. Carême, à l'évidence, n'avait aucun sentiment particulier pour Anna. Il n'y faisait jamais allusion. Leur rencontre ne semblait bien, l'autre soir, n'avoir été qu'un coup de sang.

La piste du complot devait donc être explorée avec la plus extrême rigueur, comme le réclamaient Hager et Talleyrand.

Janez s'adressa à Siber pour qu'il mît en branle les informateurs de la Hofpolizei infiltrés dans la résidence de Marie-Louise afin qu'ils tentent de se souvenir si quelque chose, le matin du crime, n'avait pas bouleversé le rythme quotidien de la maison de l'impératrice, si quelqu'un n'avait pas été surpris à une heure inhabituelle, dans un lieu incongru, ou ne s'était pas ému au-delà du naturel de l'annonce de la découverte du cadavre.

— Vous ne croyez donc plus à la culpabilité de Carême ? demanda d'un ton détaché le directeur supérieur de la police.

— J'explore d'autres voies, répondit Janez.

Au palais Kaunitz, c'étaient les relais éventuels de Maréchal qu'il lui fallait rechercher. Il interrogea donc son ami le maître d'hôtel autrichien, qui lui promit de questionner discrètement laquais et femmes de chambre.

— Si Maréchal rencontrait régulièrement quelqu'un des étages, dit-il avec son gros accent, je le saurai.

Enfin, Janez se rendit, comme le lui avait suggéré Carême, à la bibliothèque Palatine, rencontrer la dénommée Josepha.

C'était un chef-d'œuvre baroque, une salle allongée scandée par des frontons antiques et des colonnes triomphales, dont la forme rectangulaire s'adoucissait sous l'ovale d'une haute coupole et de larges fenêtres en plein cintre qui y laissaient entrer une lumière blanche.

Les tables étaient encombrées de volumes, de lecteurs penchés absorbés par leur lecture. Le silence pesant n'était troublé que par le déchirement de quelques toux, parfois par le bruit d'une page tournée ou d'une échelle déplacée. Janez s'avança muni de son sauf-conduit, demanda à voix basse au premier employé venu où il pourrait rencontrer « l'archiviste ». L'homme lui indiqua une porte.

— Je vous attendais, dit une voix de femme derrière une pile de livres.

D'abord il ne vit personne, puis, abaissant le regard, il découvrit une naine. Josepha avait la quarantaine, de grands yeux noirs, des cheveux tirés en arrière, la tête osseuse et les mains pâles. Elle était vêtue d'une robe grise en velours, surmontée d'une collerette en dentelle, à la manière d'une infante d'Espagne. D'un bond, elle était descendue de son tabouret.

— Vous m'attendiez ?

Elle rit, le poussa légèrement pour qu'il chût sur la chaise derrière lui.

— Nous voici presque à la même hauteur, dit-elle. C'est plus facile pour discuter.

Elle l'observa longuement, un sourire posé sur ses lèvres, semblant chercher au fin fond de ses pupilles quelque chose qui y serait tombé.

— Depuis son arrivée à Vienne, reprit-elle, Antonin Carême a dû passer ici presque autant de temps que dans ses cuisines. Il connaît tout le monde et sait, même du fond de la geôle où vous l'avez enfermé, m'envoyer des messages.

— « Geôle », reprit Janez, est un bien grand mot.

Josepha rit de nouveau. Son visage s'éclaira d'une lumière intérieure qui la rendait bien plus que belle, intéressante.

— Oh! monsieur, je connais des geôles redoutables qui n'ont pas de barreaux… Alors, ce dessin que vous devez me montrer?

Janez sortit de la poche de son veston le papier plié. Elle le prit, l'étala sur son bureau, se frotta le menton. Il était penché au-dessus d'elle, prenant garde à ne pas la toucher, mais respirant son odeur, un parfum bizarre, une odeur forte de verveine et de rose fanée.

— C'est bien ce que je pensais. Parlez-vous le grec? l'hébreu?

— Un peu de grec, mais il y a bien longtemps…

— Nous ferons comme si. Venez, j'avais déjà commencé les recherches.

Elle l'entraîna dans un petit réduit qui sentait le grenier, l'arrière-boutique, alluma deux bougeoirs, ouvrit, avec des précautions infinies, à l'emplacement marqué par un ruban rouge, un gros livre à couverture mêlée de bronze et d'or. Il n'en crut pas ses yeux : devant lui, enchâssé dans un texte écrit en grec ancien, il reconnaissait sa pomme et son serpent.

— Vous avez devant vous une « pomme serpentée », le symbole de la Société de l'arbre de gourmandise, dit-elle en baissant le ton, une secte dont on retrouve la trace depuis le bas Moyen Âge, sans doute constituée au retour des premières croisades. La société vénère le serpent qui, au paradis terrestre, a convaincu Ève de croquer la pomme de l'arbre de la Connaissance. Il a séduit la femme par la gourmandise, par le péché de chair, car la connaissance dont Dieu entendait priver l'homme était celui du plaisir des sens, de la volupté et de la jouissance.

De nouveau, elle eut un sourire magnifique qui illumina tout son visage. Elle semblait se délecter de l'étonnement qu'elle faisait naître dans les beaux yeux clairs de son visiteur.

— Puis-je vous demander à quelle occasion vous avez découvert la « pomme serpentée »?

Janez expliqua qu'il avait vu la « pomme serpentée » à deux reprises, une fois sur un papier dans la cassette du rôtisseur assassiné, l'autre fois tatouée au bras d'un ami du traiteur Falkenried. Josepha hocha la tête, pensive.

— Un rôtisseur, un traiteur…? Cela ne me surprend pas. Les

thèses de la société ont séduit, au cours des siècles, beaucoup d'officiers de bouche et, d'une manière générale, d'hommes travaillant dans la confection et le commerce des mets. Selon cette secte, l'enfer sera le paradis des gastronomes, une immense cuisine où les chaudrons n'en finiront pas de tressauter sous la chaleur des flammes. À l'inverse, le paradis sera un enfer, un monde sans joie, où l'on n'aura jamais faim, sans gourmandise et sans plaisir.

Elle referma l'ouvrage en prenant soin de marquer la page, se saisit d'un volume plus petit. Celui-là était rédigé en une langue que Janez ne connaissait pas. Aucun dessin ne l'ornait.

— Voici un livre très précieux, dit-elle, que m'a confié un ami rabbin. La communauté juive de Vienne suit de très près, pour mieux s'en protéger, les progrès des sectes de toute obédience sur le territoire de l'Empire. Il est ici très clairement indiqué que la Société de l'arbre de gourmandise s'est fortement développée dans notre ville à l'occasion des occupations françaises. Ce pays étant à la pointe en matière de gastronomie, il a été, par le biais des avancées des armées napoléoniennes, un vecteur très efficace d'expansion de la société.

— De sorte que ses membres ont été favorables à l'Empire français ?

— En effet, monsieur, et ce jusqu'aux derniers instants précédant sa chute. C'est ce qui est écrit ici.

Le 13 décembre, le feldmaréchal prince de Ligne, dont les bons mots n'avaient cessé de courir les salons et les fêtes, mourut, dans sa quatre-vingtième année, d'avoir, disait-on, attrapé froid après un rendez-vous galant. À ses funérailles, rendues avec tous les honneurs dus à son rang, on enterra avec lui un peu de l'insouciance du congrès. Dans la nuit du 30 au 31 décembre, un incendie ravagea le palais Razoumovski, celui-là même où avait été donné l'un des plus beaux bals organisés à Vienne, et ce fut comme un symbole d'assister impuissant, l'eau des réserves ayant gelé, au brasier de tant de livres, de meubles et de tableaux admirables, à l'effondrement dans les flammes de ces salles aux boiseries et aux parquets d'une valeur inestimable dans lesquelles on s'était tant amusé.

Le « congrès diplomatique » connut le même coup de froid. Le tsar grondait et tapait du poing, réclamant le tribut de ses victoires. Autour de Blücher, les militaires prussiens, s'attribuant presque tous le mérite de la défaite de Napoléon, clamaient haut et fort qu'on ne pouvait rien leur refuser. Les ambitions des deux nations belliqueuses s'associèrent et les deux délégations déposèrent ensemble un projet de règlement à accepter sous la menace du recours aux armes : la Prusse annexerait la Saxe entière. Le tsar laisserait à la Prusse la Posnanie mais aurait tout le reste de l'ex-duché de Varsovie, qui formerait un État indépendant uni à la Russie. La proposition était d'autant plus vigoureusement avancée que l'armée prussienne occupait déjà le pays convoité et que les troupes russes campaient actuellement en Pologne.

— En cas de refus, ce sera la guerre ! disait-on dans les délégations.

Les états-majors comptaient déjà les effectifs et préparaient fébrilement les plans des opérations militaires.

Le seul à ne pas s'affoler, le seul même à se réjouir, était le prince de Talleyrand. Il promenait son long sourire, son regard de chat goguenard, hochait la tête, approuvait, désapprouvait, poussant ses pièces sur un échiquier que lui seul maîtrisait. Devant les Néerlandais, les Bavarois, les Saxons, il soulignait ce que le projet avait d'inacceptable, comment il condamnait à terme leurs existences mêmes. Devant Metternich, il s'inquiétait du poids nouveau que prendraient la Prusse et la Russie et du danger que cela représenterait pour la paix future. Devant les Russes et les Prussiens, il admettait qu'on ne pouvait gommer les conquêtes militaires mais vantait les avantages d'un compromis bien négocié et les risques d'une nouvelle guerre. Devant les Anglais, il glissait, perfide, que le plan n'avait pas que des défauts. À tous, il répétait que l'Europe nouvelle ne naîtrait et que la paix ne serait durable que si chacun repartait insatisfait de ce congrès, car les grands équilibres ne naissent que de compromis. Il devenait l'arbitre. Le tsar cherchait à le corrompre, lord Castlereagh à le rencontrer, Metternich, en vue d'une alliance future, s'efforçait de s'attirer ses bonnes grâces. Aux dîners du palais Kaunitz, aux bals que donnait Dorothée, on voyait ainsi de plus en plus souvent les représentants de toutes ces puissances, grandes et moins grandes, qui, au début du congrès, s'étaient entendues pour bouder la France.

L'ENQUÊTE de Janez progressait à grands pas comme s'il avait fallu que Carême y mît sa « pâte » pour que les choses se décantent. Ce fut tout d'abord au palais Kaunitz qu'il y eut du nouveau. Le maître d'hôtel autrichien n'avait pas son pareil pour faire parler les laquais et les chambrières.

— Deux fois, dit-il, on a surpris Maréchal à discuter avec le marquis de La Tour du Pin-Gouvernet. La première, au début du mois d'octobre. Ils se sont entretenus dans la cour d'honneur, longuement, à l'abri de l'une des voitures qui y étaient rangées. Et selon le palefrenier qui les y a surpris, ils paraissaient se bien connaître. La seconde fois, ce fut le matin même de la disparition de Maréchal, dans le petit bureau du marquis, et la femme de chambre de qui je tiens cette information jure ses grands dieux que le nom de Napoléon a été prononcé à plusieurs reprises.

Il était très surprenant qu'un homme du rang du marquis de La Tour du Pin-Gouvernet s'abaissât à s'entretenir par deux fois avec un rôtisseur et plus surprenant encore que la conversation tournât autour de la personne de l'ex-empereur.

L'enquête à Schönbrunn avait également porté ses fruits. Un jardinier et un garde de la cour rapportèrent chacun séparément que, très tôt, le matin même où l'on avait retrouvé le corps de Maréchal, le baron Claude François de Méneval, secrétaire des commandements de l'impératrice Marie-Louise, avait été vu dans les jardins à traîner du côté de la grille de l'entrée principale.

Quand Janez rapporta ces dernières informations au baron Hager, celui-ci lui offrit non pas un mais deux cigares. Le ministre de la Police vivait ses plus durs moments depuis le début du congrès. Le maintien de l'ordre devenait difficile. Les rixes, les vols, les atteintes aux bonnes mœurs se multipliaient. Par ailleurs, la soudaine tension diplomatique qui régnait entre les légations accentuait la pression sur ses services. À la chancellerie, on exigeait de lui davantage d'informations sur les Anglais, car on redoutait que leurs hésitations ne fassent définitivement le jeu des intérêts russo-prussiens. Mais ceux-ci lui donnaient du fil à retordre. Les espionner tenait de l'exploit. Leur courrier était envoyé à Londres par la valise diplomatique et échappait à la curiosité du Cabinet noir. Les secrétaires de lord Castlereagh avaient pour consigne de ramasser et de brûler tous les papiers. Ils avaient fait venir de Londres jusqu'à leurs femmes de chambre. Dans les couloirs de la chancellerie, on commençait à mettre en doute le savoir-faire du baron Hager.

Aussi celui-ci accueillit-il avec soulagement les nouvelles apportées par Janez. Enfin un dossier qui avançait !

— Savez-vous, monsieur Vladeski, qui sont ces gens dont vous venez de me jeter les noms ? Le marquis de La Tour du Pin est le beau-frère du général Bertrand. Le général Bertrand est…

— Je sais qui il est, dit Janez. Héros d'Austerlitz, comte d'Empire, gouverneur général de ce qui furent les Provinces Illyriennes.

— En effet, mais il est pour l'heure davantage encore. Fidèle entre les fidèles, il a pris avec Napoléon le chemin de l'île d'Elbe. Il s'est interposé entre son maître et la foule haineuse et il l'a accompagné, avec son épouse, dans son exil de Portoferraio. Autrement dit, c'est le bras armé de l'ex-empereur à l'île d'Elbe. Et ce Méneval, le connaissez-vous ? Il fut ni plus ni moins que le secrétaire intime de Napoléon, le plus proche collaborateur de l'ex-tyran pendant près de douze ans !

Hager ne tenait pas en place. Il se leva et, les mains liées derrière le dos, il arpenta de long en large son bureau.

— Nous venons de reconstituer les principaux maillons de la chaîne du complot bonapartiste. Voilà comment cela s'est passé : La Tour du Pin est l'homme de Napoléon auprès de Talleyrand. Il fait passer des informations à Schönbrunn par l'intermédiaire de Maréchal. Celles-ci sont transmises à Méneval, lequel doit avoir un moyen de communiquer avec l'île d'Elbe et d'informer le général Bertrand, lequel avise Napoléon. Qu'en pensez-vous, Vladeski ?

— Tout cela est possible, monsieur. Mais je peine à croire que Maréchal ait joué ce rôle essentiel. C'était un simple rôtisseur. C'était quelqu'un de violent, amateur de boisson et donc peu sûr. Par ailleurs, l'équipe de surveillance indique qu'il n'a pratiquement pas quitté le palais Kaunitz, si ce n'est ses virées au *Cerf à deux têtes*.

— Vous avez raison, marmonna-t-il. Maréchal n'est pas un maillon habituel. Il n'a été employé cette fois-là que parce qu'il y avait urgence. Faute de mieux et sans doute en contournant le dispositif habituel… Il nous reste à savoir pourquoi. Continuez, monsieur Vladeski, continuez !

— Dois-je m'en entretenir avec le prince ?

— Certainement pas.

Le baron revoyait le ministre français discutant en aparté avec le comte Aldini. On ne pouvait pas savoir dans quel camp était un tel homme. Et n'était-ce pas lui qui avait choisi le marquis de La Tour du Pin pour l'accompagner à Vienne ?

— Mais faites-moi plaisir, Vladeski, laissez tomber cette histoire abracadabrante de Société de l'arbre de je ne sais quoi. La secte est inconnue de nos services. Quant à ce Falkenried, nous le recherchons toujours.

— Bien, monsieur.

CARÊME accueillit l'annonce des avancées de l'enquête avec le même enthousiasme que le baron Hager. Même s'il demeurait prisonnier, il sentait bien que le couperet s'éloignait.

— Mais il y a un mystère qui reste à résoudre, dit-il. Qui a assassiné Maréchal et pourquoi ? Admettons que nous ayons raison. Maréchal s'en va à Schönbrunn pour transmettre une information capitale à Méneval. Mais qui est cette personne qui le suit ? Il s'agit nécessairement de quelqu'un qui veut l'empêcher d'accomplir sa mission. Donc, de quelqu'un qui connaît lui aussi la nouvelle à transmettre.

Il avait fait cuire doucement un gigot d'agneau dans la cheminée, près des braises, retourné toutes les demi-heures, pendant trois heures et demie. Avec ce procédé, la viande s'imprégnait d'un subtil parfum de fumée.

— L'Allumette a disparu, dit Carême en reservant un peu de pommard à Janez. Hier matin, il ne s'est pas présenté, et, ce matin, il n'était toujours pas là. Il est parti avec ses affaires, probablement en volant un jambon et deux bouteilles de bordeaux.

— Cela a-t-il un rapport avec la mort de Maréchal ?

— Peut-être. L'Allumette n'avait-il pas – tout comme moi, je le concède – accès à l'armoire où était rangé ce fendoir avec lequel, selon vous, le rôtisseur a été assassiné ?

— En effet.

Carême avait coupé sur le gigot d'agneau des pièces de la souris. Il en tendit un morceau à Janez de la pointe de son couteau.

— À propos, avez-vous rencontré Josepha ? Surprenante personne, n'est-ce pas ?

XVIII

Ils prirent l'habitude de se voir tous les soirs, lorsque Carême avait fini son service et que Catherina avait laissé Janez pour se rendre à son théâtre. L'inspecteur ouvrait la cellule du maître queux, et, ensemble, ils discutaient tout en travaillant à leur souper.

Une fois, Carême prépara à l'inspecteur un brie, « le fromage par excellence », le préféré de Talleyrand. Carême l'avait tranché en deux dans son épaisseur et il avait badigeonné chacun des deux disques couleur de paille d'une huile de noix épaisse à la robe d'un vert sombre et doré comme les profondeurs d'un étang. Il avait tapissé l'un des grands cercles de truffes crues coupées en tranches fines, d'un soupçon de poivre concassé, l'avait recouvert du second. Il avait enveloppé le tout dans un torchon légèrement humide et avait posé le brie, dans les réserves, sur un matelas de paille. Quand ils ôtèrent le linge, le parfum de la truffe dut monter jusqu'aux étages. Ils dégustèrent sans se parler le fromage qui fondait sur leurs tranches de pain chaud, accompagné d'un pomerol qui soulignait sans l'effacer la saveur de leurs tartines. C'était un véritable festin. Ils restèrent ensemble jusqu'au petit matin, à déguster et à discuter.

— L'Allumette reste introuvable. Nos services le cherchent partout. En fouillant dans les rapports, j'ai découvert que le garçon sortait parfois du palais et avait rencontré lui-même, à quatre reprises, Johan Falkenried, le traiteur.

— Décidément, ce Falkenried revient souvent. Avez-vous fini l'examen des comptes de Maréchal ?

— Oui, et j'ai comparé les prix pratiqués avec ceux du *Cheval borgne*, l'établissement de Falkenried. L'homme a bien travaillé à perte. Pour être préféré à la concurrence, il a surpayé le droit de récupérer vos restes.

Janez, peu à peu, poussé par Carême, se mettait lui aussi à l'ouvrage et prenait progressivement plaisir à préparer des plats qu'ils se réservaient, juste pour eux, à déguster en solitaires, une fois les cuisines désertées. Jusqu'à tard dans la nuit, l'un aux casseroles et l'autre au billot, ils lançaient leurs bruits hachés et alternés, respiraient ensemble les bonnes odeurs qui sortaient des faitouts, goûtaient du bout des doigts les mixtures. Une relation étrange naissait entre eux, que Janez aurait eu bien du mal à qualifier. Le terme d'amitié l'eût sans doute rebuté, car il entrait trop d'intérêts dans ces longues heures passées ensemble, intérêt de Janez à faire avancer l'enquête, intérêt de Carême à sauver sa tête. Les réticences de l'un et de l'autre à se livrer totalement, à s'accorder une pleine et entière confiance, faussaient nécessairement les fondements de leur rapprochement. Mais ils devaient bien reconnaître qu'ils prenaient plaisir l'un et l'autre à se retrouver, à discuter et à travailler ensemble.

Et Janez était de plus en plus convaincu, d'une persuasion qui touchait autant le cœur que l'esprit, de l'innocence de Carême.

TIRIAK rencontra l'homme à l'heure et à l'endroit exact qu'on lui avait indiqués, entre la caserne Babylone et l'hôtel de Biron, marchant à petits pas de goutteux, appuyé sur une canne à bec rond.

— Vous ne pouvez pas le rater, lui avait dit la concierge de la rue du Bac quand Tiriak s'était présenté à l'adresse indiquée par Bailly. Il fait toujours la même promenade et il est réglé comme du papier à musique.

C'était un drôle de vieillard, un grand-père d'un autre temps, l'habit flottant autour d'un corps maigre, un gilet jaune à fleurs brochées, une perruque poudrée mise de travers sur sa tête et, sur un nez petit, des lunettes à monture de corne. Quand Tiriak l'aborda, il vint se placer tout près de lui et resta un instant à l'observer.

— De la police? répéta-t-il. Croyez-vous qu'à mon âge cela m'impressionne? Pour me questionner, monsieur, il faut être de mes amis.

Mais le petit vieux ajouta aussitôt qu'on pouvait l'être très facilement pourvu qu'on lui offrît un coup à boire. Et tandis qu'il entraînait Tiriak par de petits chemins jusqu'à la cave d'un marchand de vins, il lui souffla :

— Bailly a bien fait de vous donner mon nom et mon adresse. Malgré la différence d'âge considérable qui nous sépare, je dois admettre que j'étais à l'époque le seul ami de Carême... Je dis bien « à l'époque », parce que cela fait dix ans qu'il ne m'a pas fait l'honneur de prendre de mes nouvelles.

Ce ne fut qu'après avoir vidé quelques chopines de vin qu'il accepta de raconter l'histoire.

— Quand j'ai connu Carême, j'étais commis à la Bibliothèque nationale. J'ai vite repéré ce jeune homme qui arrivait toujours le soir, après la fermeture des boutiques, s'installait près du poêle et se passionnait pour les traités d'architecture. Il me demandait souvent les mêmes ouvrages, le *Recueil et parallèle des édifices anciens et modernes* de M. Dunand, professeur d'architecture à l'École polytechnique, et la *Règle des cinq ordres d'architecture* de Vignole. À force, nous avions noué des liens particuliers. Il se confiait à moi. J'étais le père qui lui avait toujours manqué… Il me payait le coup à l'occasion.

— On m'a parlé d'un meurtre, dit Tiriak, qui s'impatientait.

Le vieux prit le temps de finir son verre et de se resservir.

— Il y avait, travaillant à la même table que Carême, un étudiant lillois du nom de Thomazeau, qui habitait une mansarde en face de la bibliothèque. Il se joignait parfois à nous pour boire le verre. Très vite, nous avions pris l'habitude d'aller dîner chez lui, après la fermeture. Carême se mettait aux fourneaux, et c'était quelque chose de le voir cuisiner. Ce Thomazeau était marié à une jeunesse de son pays, Marie-Lucie, un joli brin de fille, la jambe bien faite…

— Certes, mais ce meurtre, donc? demanda Tiriak.

— Puisque tu es si pressé, j'y viens, l'ami : Thomazeau a été retrouvé assassiné. Antonin Carême a été aussitôt soupçonné du meurtre parce qu'on a découvert qu'il avait une liaison avec l'épouse de son malheureux compagnon.

— Il a été arrêté?

— Non, j'ai témoigné pour lui. J'ai dit que nous étions restés à boire ensemble toute la nuit du meurtre.

— Et c'était vrai?

Le vieux cligna de l'œil gauche, avec un rire silencieux qui lui fendait les mâchoires.

— Qu'importe, l'ami. J'étais sûr que ce n'était pas Carême.

— Et pourquoi donc?

— À cause de la façon dont Thomazeau avait été assassiné. Connaissant mon Antonin, il n'avait pu commettre pareille horreur…

Les flocons n'avaient cessé de tomber depuis deux jours. Le froid avait été si vif qu'il avait, dans la nuit, gelé le canal de Neustadt. Dès la nouvelle connue, les patineurs en avaient pris possession et on les voyait glisser, emmitouflés jusqu'au nez, déployant leurs élégantes arabesques, évitant les quelques coches d'eau qui s'étaient laissé surprendre par la glace.

Josepha portait un manchon et une toque de fourrure, une petite pelisse fourrée de zibeline qui la faisait ressembler à une grosse peluche. Elle avait donné rendez-vous à Janez dans un établissement au bord du canal. C'était un endroit charmant avec son petit jardin intérieur sous la tonnelle, sa fontaine à tête de lion.

— Vous êtes venu rapidement, dit-elle.

— Je ne résiste jamais à l'appel des jolies femmes.

Le visage bosselé de Josepha se fendit d'une légère grimace, marquant sans doute sa réprobation devant une phrase aussi convenue. Elle porta son regard au loin, à travers la vitre du café, jusqu'aux chevaux qui, au bord du fleuve, grelottaient de froid et fumaient des naseaux. Elle dégageait toujours cette odeur entêtante de verveine et de rose fanée qui rappelait le grenier ou l'arrière-boutique.

— J'ai travaillé pour vous, dit-elle en étalant des bouts de papier sur la table.

Il tenta d'y jeter un œil, mais c'étaient des mots jetés sans suite, d'une écriture à peine lisible.

— Tout d'abord, continua-t-elle, la Société de l'arbre de la gourmandise est bien implantée à Vienne, mais déguisée derrière la loge maçonnique des Gourmets, à laquelle, dit-on, Mozart aurait appartenu de même qu'à celle de la Bienfaisance. Il s'agit en quelque sorte d'un paravent. Ensuite, le dernier « recteur » connu de la Société était un Français, le célèbre Laguipière, alors au service du prince Murat.

— Laguipière ?

Le nom lui disait vaguement quelque chose. N'avait-il pas été cité dans le rapport que lui avait transmis le service d'espionnage du palais Kaunitz ?

— Vous ne connaissez pas Laguipière ?

Elle avait l'air consterné. Elle but son verre de eiswen à petites lampées, les sourcils froncés.

— C'était l'un des plus grands cuisiniers français de ces cinquante dernières années, le maître vénéré de Carême. Si vous aviez bien mené votre enquête, vous sauriez que Maréchal l'a secondé jusque dans ses derniers instants. Il était avec lui pendant la retraite de Russie, quand ils ont l'un et l'autre suivi le prince Murat. Maréchal l'a vu mourir devant Wilna. Il a tenu Laguipière dans ses bras à l'heure de son dernier soupir…

— Oui, dit-il. Je me souviens. Cela laisse penser que Maréchal était membre lui aussi de cette société.

— Mais il y a encore mieux, dit-elle en plissant ses grands yeux. D'après mes sources, à la mort de Laguipière, c'est ce Falkenried dont vous m'avez parlé qui serait devenu recteur.

— Mais comment savez-vous tout cela ?

Elle fit un geste évasif de la main.

— J'observe, j'écoute, je fouine. Et puis, l'on se confie facilement à moi. Je sais lire dans les âmes.

Elle sourit, posa sa main sur celle de Janez.

XIX

En ces premiers jours de l'année nouvelle, on ne parla plus que des États-Unis. Américains et Anglais s'y faisaient la guerre depuis 1812. Après l'abdication de Napoléon, le cabinet britannique avait pu redéployer ses forces et expédier de l'autre côté de l'Atlantique une puissante flotte pour resserrer le blocus des ports et harceler les côtes. Au mois d'août, les Anglais étaient entrés dans la baie de Chesapeake et avaient débarqué un petit corps expéditionnaire qui avait marché sur Washington, avait pris la ville et l'avait incendiée. Depuis, les succès s'équilibraient. Le duc de Wellington, nouveau commandant suprême des forces en Amérique, dès qu'il fut nommé, fit le bilan des opérations et, jugeant un effort supplémentaire inutile, s'engagea dans des pourparlers. La nouvelle tomba à Vienne le 1er janvier : la paix venait d'être signée à Gand entre la Grande-Bretagne et les États-Unis. L'équilibre du congrès en fut bouleversé. Les Anglais respiraient : toutes leurs ressources en hommes et en argent redevenaient disponibles pour une action éventuelle en Europe. Plus rien ne s'opposait à ce que la Grande-Bretagne s'investît davantage dans une opposition au projet des Russes et des Prussiens. Le 3 janvier fut signé un traité secret d'alliance entre la Grande-Bretagne, l'Autriche et la France, auquel étaient appelés à adhérer la Bavière, les Pays-Bas, le Hanovre et la Sardaigne. L'assurance que la nouvelle coalition s'opposerait, par les armes s'il le fallait, à leurs ambitions suffit à calmer les velléités belliqueuses de la Prusse et de la Russie. Personne en vérité, après tant d'années à se battre, ne désirait la guerre.

Talleyrand avait réussi ce que tous, au début du congrès, pensaient impossible : rompre l'alliance des puissances victorieuses et replacer la France battue au sein d'une vaste coalition dirigée contre les deux pays.

Quand, avec le début du carnaval, les bals reprirent de plus belle – seize étaient annoncés pour le seul mois de janvier –, on put mesurer l'influence nouvelle du ministre français au nombre des courtisans qui l'entouraient à chacune de ses apparitions, à tous ces uniformes, habits et robes du soir qui, lorsqu'il s'avançait en boitillant, Dorothée à son bras, s'efforçaient de le suivre en claudiquant pareillement.

Le tsar Alexandre eut ce mot qui était le plus beau compliment qu'il pût faire au représentant de la France vaincue : « Talleyrand fait ici le ministre de Louis XIV. »

MAIS le triomphe du ministre français atteignit son paroxysme le 21 janvier, lorsqu'il parvint à convaincre l'ensemble des membres du congrès, l'empereur d'Autriche en tête, d'assister à « l'anniversaire d'un jour d'horreur et de deuil éternel, un service solennel et expiatoire » à la mémoire du roi Louis XVI, décapité publiquement à Paris, vingt-deux ans plus tôt.

De l'avis de tous, ce fut une journée magique, orchestrée de main de maître.

Le service fut magnifique. Le discours en chaire de l'abbé Zaignelius, directeur de l'église Sainte-Anne de Vienne, écrit la veille par le comte Alexis de Noailles, sut d'autant plus émouvoir qu'il rappelait à tous les souverains présents, au-delà des pleurs et du sang de la Révolution, au-delà des soubresauts cruels que peut réserver le destin, et de l'éphémère de la vie humaine, l'impérieuse nécessité de bâtir le plus vite possible une forteresse pour la paix de l'Europe derrière laquelle ils pourraient protéger leurs trônes et leurs personnes. À chacun des silences de l'abbé, entre chacune de ses phrases, on entendait, jusqu'au fin fond des travées de la cathédrale, le sifflement de la lame tranchant le cou de Louis XVI et le cliquetis de sa couronne roulant sur les dalles de marbre.

Après l'office et jusqu'à tard dans la nuit, les salons du palais Kaunitz accueillirent tout ce beau monde au son des orchestres et des buffets dressés par Carême. Le chef avait donné sa pleine mesure, et tous se pressèrent pour admirer ses génoises aux fruits, ses sabots au sang, ses canetons au vin de Madère et surtout ses deux pièces montées colossales, l'une représentant le palais du Belvédère et l'autre la cathédrale Saint-Étienne.

Un à un, les invités venaient serrer les mains du prince de Talleyrand, partager sa douleur, compatir au destin du « roi martyr », s'extasier sur la grandeur et la profondeur de la cérémonie qui venait de se dérouler. Et tous feignaient d'oublier que celui qu'ils congratulaient était ce diable d'homme, cet évêque renié, cet aristocrate boiteux qui s'était depuis longtemps affranchi des lois de Dieu et de son milieu et qui, s'alliant avec ceux-là mêmes qui avaient fait chuter la royauté, avait glissé sans états d'âme, pendant ces vingt années, de régime en régime, sans autre fidélité qu'envers lui-même.

— FAITES-LE entrer ! dit le baron Hager à l'huissier.

Le ministre se tourna à demi, comme il aimait à le faire, les épaules dans l'axe du grand miroir de son cabinet reflétant de trois quarts les glaces incorporées aux boiseries. De cette façon, sans avoir l'air d'y prêter attention, il ne perdait rien de l'entrée de ses visiteurs. La silhouette s'avançait d'un pas décidé, d'un pas que les longues bottes aux semelles de corne rendaient sonore et musical. Épaules larges et taille fine, cheveux d'un noir de jais retenus en catogan par un ruban rouge, visage tanné et taillé au couteau où les yeux clairs brillaient comme éclairés de l'intérieur. « Décidément, pensa le ministre de la Police, cet homme est d'une beauté surprenante, de celles contre lesquelles un individu comme moi ne peut chercher à rivaliser. »

Il pivota pour faire pleinement face, cette fois, à Janez Vladeski.

— Je suis bien aise de vous voir, dit-il en faisant claquer sa phrase avec la même cadence que le policier avait fait claquer ses bottes sur le parquet. Durant toute cette enquête, j'aurai eu beaucoup de plaisir à travailler avec vous. Je voulais que vous le sachiez.

Il accentua un sourire qui se devinait à peine dans le fouillis de ses poils, invita Janez à s'asseoir, lui offrit comme chaque fois un cigare. Janez avait appris à se méfier des supérieurs qui semblaient d'excellente humeur.

— Vous en parlez comme au passé.

Le baron Hager se lissa longuement la barbe avant de répliquer, les yeux absents comme s'il continuait pour lui seul la réflexion. Il finit par se racler la gorge.

— Votre travail a été remarquable, monsieur Vladeski. Votre dernier rapport en particulier a permis à l'enquête d'accomplir des pas décisifs. Je ne regrette pas de vous avoir désigné, contre l'avis du directeur supérieur de la police de Vienne. En premier lieu, nous avons fini par obtenir des services de la chancellerie le renseignement que nous cherchions : nous savons désormais quelle est cette information capitale qui a pu conduire Maréchal à quitter précipitamment le palais Kaunitz pour tenter de prévenir Schönbrunn…

Janez ne répondit rien mais son menton carré se releva imperceptiblement.

— La veille du départ du rôtisseur, continua le ministre, le prince de Metternich en personne s'est entretenu avec le prince de Talleyrand d'un projet de transférer Napoléon, à la fin du congrès, de l'île d'Elbe à une prison plus lointaine, dans l'île Sainte-Hélène peut-être, isolée dans l'immensité de l'Atlantique sud.

— À la fin du congrès?

— Les Anglais hésitent encore. Mais l'idée est discutée. Si elle était mise à exécution, ce serait la fin de Napoléon. À l'île d'Elbe, l'ex-empereur existe encore un peu. Il garde des contacts avec le continent. Il peut espérer peser, par la menace qu'il représente. À Sainte-Hélène, il ne serait plus rien. Si Napoléon caresse encore l'idée de tenter quelque chose, il doit le faire maintenant, après il sera trop tard. Voilà ce qu'il était urgent de lui apprendre.

Le baron attendit une réaction qui ne vint pas. Le policier restait de marbre, le visage tourné vers son supérieur, les bras croisés, dans une position de repos respectueuse. Alors il reprit :

— Nous avons par ailleurs découvert une information capitale concernant ce Johan Falkenried que vous ne cessez de mentionner dans vos rapports. Mes services ont établi un lien entre cet homme et le dénommé l'Allumette, un lien qui n'aurait pas dû vous échapper : le vrai nom de l'Allumette est Helmut Falkenried, et c'est le fils du traiteur.

Le regard du baron coula de nouveau vers Janez par la fente de son œil bridé. Il y eut cette fois sur le visage massif un léger frémissement et quelque chose brasilla au fond des yeux de glace. Le ministre savoura cette victoire en prenant ostensiblement son temps.

— Cela explique sans doute certaines de vos constatations. Si ce Falkenried, pourtant réputé redoutable en affaires et même, pour tout dire, connu comme un fieffé coquin, a travaillé à perte avec Maréchal, c'est vraisemblablement parce qu'il avait convaincu le rôtisseur, en contrepartie, de prendre son garçon, l'Allumette, à son service. Qu'en pensez-vous ?

— Certains seraient prêts à beaucoup de sacrifices en effet pour travailler au côté de Carême.

Le ministre plissa les yeux et ne put réprimer un sourire ironique.

— Vous voilà, mon jeune ami, fort entiché de ce cuisinier, ce me semble. Mais ce n'est pas tout… Si, comme je vous l'ai déjà dit, la Société de l'arbre de la gourmandise est tout à fait inconnue de nos services, en revanche, nous connaissons parfaitement cette loge que vous citez dans votre dernier rapport, la loge des Gourmets. Et ce Falkenried, en effet, fait partie de ses membres. Votre information était toutefois en partie fausse.

— Fausse, monsieur ?

Le ministre resta, un instant, les yeux plongés dans ceux de Janez. Il en trouvait décidément la couleur magnifique. « Si j'avais eu un tel regard… », pensa-t-il, mais il ne poussa pas l'idée et s'attendrit sur lui-même. Il regretterait ce Vladeski.

— Oui, fausse. En ce que vous supposez des sympathies bonapartistes à cette loge alors que c'est tout le contraire. Presque toutes les loges de Vienne ont certes pris parti, très tôt, pour les idéaux de la Révolution française. Mais beaucoup, dont celle des Gourmets, ont changé d'avis après l'occupation napoléonienne et se sont donné pour tâche de provoquer la chute de l'Empire.

— Et vous en déduisez, monsieur?

— Que la loge des Gourmets avait eu vent, je ne sais comment, du rôle que pouvait jouer le rôtisseur et que Johan Falkenried a eu pour mission d'approcher Maréchal – d'abord en se portant adjudicataire, quel qu'en fût le prix, du marché des restes, ensuite en le faisant entrer dans cette Société de l'arbre de la gourmandise que vous évoquez. Falkenried en a profité pour placer son propre fils auprès de Maréchal.

— C'est une hypothèse, en effet.

Hager toisa son policier. Il commençait à se fatiguer de son insolence.

— Tout s'enchaîne désormais, monsieur Vladeski, vous le savez, et nous pouvons reconstituer l'histoire : notre chancellerie informe la légation française de ce que Napoléon sera bientôt exilé sur une île lointaine. Quelqu'un au courant de la nouvelle, le marquis de La Tour du Pin probablement, décide d'alerter au plus vite l'ex-tyran. Devant l'urgence, il charge Maréchal, qu'il sait un fidèle bonapartiste, de porter l'information à Méneval, au château de Schönbrunn, lequel est en relation avec l'île d'Elbe. Mais la nouvelle ne parviendra jamais à destination. L'Allumette a dû surprendre le marquis de la Tour du Pin confiant sa mission à Maréchal ou alors Maréchal, persuadé à tort que la Société de l'arbre est proche elle aussi de Napoléon, a parlé de sa mission à Falkenried. Toujours est-il que, la nouvelle connue, l'Allumette reçoit l'ordre de suivre le rôtisseur et de l'assassiner avant qu'il entre en contact avec quelqu'un de Schönbrunn.

— Je dois reconnaître que cela s'enchaîne assez bien, dit Janez. Nous en saurons plus quand nous aurons arrêté l'Allumette ou Johan Falkenried.

— Je les fais rechercher activement, mais, pour tout vous dire, ce n'est pas une priorité. Ils nous ont même rendu un fameux service. Sans leur intervention, Napoléon aurait été averti et, qui sait, il aurait peut-être tenté quelque chose…

— J'en déduis que Carême…

— Il sera libre demain matin.

— Ma mission est-elle terminée?

— Pas tout à fait.

Le baron se pencha sur son bureau et prit une feuille de papier. C'était du papier magnifique, du vélin satiné de Bath, blanc de lait, celui qu'il utilisait pour les grandes occasions ou pour clore, comme cette fois, une affaire qui finissait bien. Il se saisit de sa plume d'oie, griffonna quelques mots, apposa son cachet, puis, pour absorber l'excédent d'encre, il versa sur l'ensemble un mélange de sable, de poudre d'acajou et de buis. Il attendit quelques secondes puis, sans y prêter d'attention, souffla le mélange vers Janez. Quelques paillettes vinrent se poser sur le revers de la veste du policier.

— Je vous charge de porter ceci à sa destinataire. Après, je vous ordonne de prendre quelques jours de repos. Vous en avez besoin.

— Tout cela est si soudain, monsieur. Il faudrait vérifier…

— C'est fini, Vladeski. L'enquête est close. Amusez-vous… Cette actrice – Catherina, c'est cela? – me paraît une personne qui mérite toutes les attentions…

C'ÉTAIT fini?

Janez poussa son cheval sous le porche du palais Kaunitz et pénétra dans la cour immense au milieu des piétinements et des lumières de nombreux équipages. C'était encore un soir de réception et il faillit renoncer. Mais il ne pouvait résister à l'envie d'annoncer le soir même à Carême que, par décision du ministre qui ne prendrait effet que le lendemain, il était désormais un homme libre. Il lui devait bien ça. Et puis, il voulait voir son regard quand il prononcerait ces mots. Il voulait mettre ses yeux dans les siens et saisir au vol la petite flamme qui ne pouvait manquer d'y briller et qui pourrait peut-être définitivement le convaincre.

Janez prit lentement l'escalier qui menait vers les cuisines en pensant que c'était sans doute la dernière fois qu'il descendait ces marches. En retrouvant les salles en plein travail, il ressentit le même choc qu'au premier jour. C'était, entre les flammes des fourneaux, la vapeur des marmites bouillonnantes, le gaz mortel du charbon embrasé, la même frénésie, la même atmosphère de fin du monde. Les commis se démenaient, fouettés par les ordres du chef, saoulés par les odeurs et les arômes lourds, les yeux aveuglés par les feux et les reflets des cuivres rouges.

Carême était en retrait, comme un bon général, l'œil à ses troupes, et les mains occupées, travaillant toutes seules à plisser et ficeler des poules en galantine. Janez lui apprit la nouvelle. Sur l'instant, ses yeux brillants, largement dilatés, fixèrent ceux de Janez sans bien comprendre, tant son énergie était ailleurs, toute mobilisée par le combat qu'il était en train de mener. Mais quand l'inspecteur répéta ses propos, le cuisinier sourit, d'un sourire triste et fatigué. Il laissa reposer l'aiguille, les galantines à moitié cousues et, d'un geste spontané que Janez n'eut pas le courage d'éviter, il tomba dans les bras du policier. Le jeune chef pleurait, d'un pleur viril et contenu qui soulevait sa poitrine et que seul Janez pouvait deviner.

— J'ai eu si peur, chuchota-t-il. Si peur...

Il finit par relâcher l'étreinte et ils se fixèrent longuement, sans parler. Derrière eux, tout le monde s'était arrêté, car on avait compris que quelque chose d'essentiel était en train de se jouer.

— Ce n'était pas moi, dit simplement Carême en s'essuyant les yeux du revers de sa manche. Je te le jure sur ce que j'ai de plus cher.

XX

E T pourtant cela ne collait pas.

Plus il y réfléchissait et plus Janez en était convaincu. Le ministre avait beau dire, son raisonnement faisait peu de cas de quelques invraisemblances. Carême pouvait-il ignorer le lien de parenté entre l'Allumette et le traiteur ? Comment expliquer que la police autrichienne n'ait eu aucune information sur la Société de l'arbre de la gourmandise ? Comment la loge des Gourmets aurait-elle pu soupçonner que Maréchal allait jouer un rôle si essentiel alors que le ministre et lui-même s'accordaient à penser que le rôtisseur n'avait été sollicité que parce qu'il y avait urgence ? Et n'était-ce pas l'Allumette qui lui avait parlé la toute première fois de Johan Falkenried ? N'était-ce pas l'écuyer qui lui avait indiqué que le fendoir manquait dans les ustensiles habituels du rôtisseur ?

Janez s'enveloppa dans sa couverture. Il était nu, face à la nuit de Vienne. Un peu de jour, déjà, soulignait la ligne horizontale des toitures où l'ardoise gelée brillait aux endroits où la neige avait glissé. Des nuages argentés semblaient vouloir pénétrer la fermeté tremblante des murailles et boire, comme un buvard, l'encre sombre des vieilles bâtisses.

— Janez?

Catherina avait pris plus de la moitié du lit, couchée sur le ventre, les membres étalés. Son profil, aux traits gonflés par le sommeil, se découpait sur le blanc du coussin. Il sourit mais ne bougea pas. Quelque part dans la ville, loin sans doute, mais, trahi par le vent, un insomniaque jouait du piano. Il imagina une jeune fille, les cheveux défaits, en chemise de batiste, laissant courir ses longues mains sur le clavier. Il devinait ses doigts caressant les touches et les imita sur le rebord de sa fenêtre, reprenant le morceau qu'il avait aisément reconnu. C'était le thème principal de l'*Offrande musicale*, la dernière œuvre de Jean-Sébastien Bach publiée de son vivant. Il l'avait tant jouée autrefois.

Il se revit à la chapelle impériale répétant des heures durant. Il se revit écoutant les derniers conseils de son camarade Philippe Delelis, spécialiste de l'œuvre. Il se revit, le grand jour, massacrant le morceau devant les officiels et le verdict du directeur : « Tant de dons qui se sont éteints! Quelque chose en vous a renoncé à pousser plus haut. Et contre cela, ni vous ni moi ne pouvons rien. Votre père va en être très déçu. »

D'un mouvement du bras, il envoya valdinguer l'amas de la neige accumulé sur la rambarde.

— Janez, viens. S'il te plaît.

Catherina avait renouvelé son appel sans ouvrir les yeux, après avoir à l'aveugle tâté la place vide. Janez s'approcha, dégagea le visage de la jeune femme des mèches de cheveux qui le recouvraient à demi et il déposa sur ses lèvres un baiser si léger qu'il crut qu'elle ne s'en apercevrait pas. Mais Catherina ronronna comme un gros chat. Alors, il se recoucha moins parce qu'il avait sommeil que parce qu'il voulait qu'elle se rendormît.

— Janez, répéta-t-elle encore. Nous devons discuter toi et moi...

— D'accord, dit-il. Mais pour l'heure, il faut dormir.

— Quand alors?

Il la regarda, troublé par son insistance. De nouveau, il lui baisa les lèvres.

— Bientôt. Je te le promets. Je prends une journée et je suis tout à toi.

Elle soupira, se lova contre lui.

Janez chercha le sommeil mais n'y parvint pas. Les phrases de Hager revenaient, quoi qu'il fît. Elles tournaient sous son crâne. « Tout de même, pensait-il, les mains croisées derrière la tête. Quand on a eu en face de soi l'Allumette, qu'on a vu ce jeune garçon inconsistant, peinant à se concentrer un instant sur ses propos, peut-on l'imaginer dissimulé sous une capuche, pistant Maréchal dans la pénombre de la campagne viennoise et l'assassinant froidement à coups de fendoir? »

Cela ne collait pas et il trouverait pourquoi.

L E ruisseau coulait sur les pierres et les rayons du soleil traversant les fougères se réfractaient en stries d'or vert sur les eaux. Les paupières mi-closes, Janez se fit une visière de sa main pour mieux jouir de la vue et poussa sa monture. Par rapport à la dernière fois, le quartier de Leopoldstadt avait gagné en gravité, en beauté majestueuse. La neige en dissimulait toutes les imperfections. Il retrouva le carré des rues italiennes, les odeurs de polenta qui montaient des cuisines... Sur le fleuve glacé, les bateaux-lavoirs continuaient à abriter l'armée des lavandières en plein labeur.

Sans descendre de cheval, il fit signe à Anna. La jeune femme interrompit sa tâche et s'approcha.

— Tenez, dit-il en lui tendant le papier que lui avait confié Hager. Votre sauf-conduit. Vous pouvez quitter l'Autriche.

— Merci.

Elle essuya ses mains sur son tablier, prit le document du bout des doigts comme si elle craignait de toucher la peau de Janez puis glissa le sauf-conduit dans son corset.

— Carême est libre, dit-il encore. Votre mari a probablement été tué pour des raisons politiques.

Il avait espéré une réaction, un geste d'étonnement ou de joie qu'il eût pu interpréter. Mais elle ne broncha pas. Elle avait le soleil en face et elle dut poser sa paume sur son front pour se protéger, comme lui tout à l'heure. Ses yeux étaient plissés et sa bouche était déformée par une légère grimace. Janez chercha en vain à retrouver l'impression de leur dernière rencontre. Mais la fille qu'il avait devant lui n'était qu'une lavandière parmi d'autres, marquée par les lessives et le travail à l'extérieur. Ce n'était pas cette beauté cachée et dangereuse qu'il avait cru deviner.

— Peu m'importe, dit-elle. Je vous l'ai dit déjà.

— Qu'allez-vous faire maintenant ?

— Je vais partir. Avec l'argent, j'ai de quoi recommencer ma vie.

Il releva qu'elle n'avait pas dit « l'argent que vous m'avez donné » mais simplement « l'argent ».

— Bonne chance alors, ajouta-t-il simplement.

Janez soupira. Tout le monde avait l'air de se satisfaire des conclusions de l'enquête. Il tira sur les rênes et fit demi-tour.

Et pourtant quelque chose clochait.

C'ÉTAIT un jour de marché ordinaire, à l'Ochsengries, près de la rue des Hongrois, dans ce faubourg bordé par la Wien.

Janez pressait le pas entre les façades fatiguées. Il tentait de déchiffrer le nom effacé des gargotes qui jalonnaient le pourtour du marché. Il finit par trouver ce qu'il cherchait : *Die Tulli Katz*, une taverne dont l'enseigne représentait une jeune fille à couettes blondes et à poitrine opulente. Le Tzigane l'attendait, comme ils étaient convenus, à demi dissimulé sous un porche. Janez peina quelque peu à reconnaître dans ce mendiant voûté, dissimulé sous un manteau crasseux, Joseph, le chef tzigane qui l'avait accueilli avec tant d'insolence dans le campement près du fleuve. Mais quand l'homme releva son chapeau, c'était le même visage osseux, le même teint cuivré et la même flamme amusée dans les yeux.

— Nous avons eu un peu de mal à retrouver sa trace. Mais c'est là, dit-il. Au premier étage. Il faut prendre un escalier intérieur.

— Alors ne perdons pas de temps.

Un nuage de fumée âcre où restait une odeur de poisson frit emplissait la salle. Un brouhaha continu s'élevait dans la vapeur des soupes à l'oignon et des ragoûts de bœuf. Il y avait là tout un peuple laborieux, artisans, employés de bureau, ouvriers d'imprimerie. Tout au fond, un escalier de bois à palier de briques et à rampe de corde grimpait vers l'ombre de l'étage.

Joseph fit signe à quelqu'un et, très vite, il y eut une altercation à la table voisine. Un homme qui avait trop bu bouscula une servante et chut dans les bras d'un homme qui mangeait un plat de lentilles cuites avec du gras de lard. L'assiette bascula sur les genoux de son voisin, occupé à découper sa tranche de langue froide. Toute la salle encercla les protagonistes, qui commençaient à s'échauffer. Personne ne semblait faire attention à eux. Ils grimpèrent rapidement les marches. La pièce où avait logé Falkenried était au fond d'un couloir éclairé d'une mauvaise lanterne. Joseph crocheta la serrure sans difficulté. La pièce était toute simple. Il n'y avait là qu'un lit de paille, une chaise et une table, un broc d'eau vide et, sur une petite étagère, une assiette pleine de quelque chose sur lequel bourdonnait une armée de mouches. Personne n'était venu là depuis plusieurs jours.

— L'établissement appartient à celui qui a la pomme et le serpent tatoués sur le bras, dit Joseph. Tu avais raison : il a hébergé un temps son ami Falkenried, l'homme à la cicatrice au menton, et son fils, celui que tu appelles l'Allumette. Le fils a sans doute quitté la ville. Mais le traiteur est toujours à Vienne. On l'a aperçu hier matin non loin de son magasin de la Jaegerzeile.

— Merci, dit Janez, vous avez fait du bon travail.

Les Tziganes avaient été plus efficaces que la police autrichienne. Il fouilla chaque recoin de la chambre, regarda sous la paillasse, dans l'unique tiroir de la table. Rien. Tout avait été méticuleusement enlevé. Il éventra le matelas, vida la paille sur le sol, regarda entre les lattes du mauvais parquet, chassa les mouches de l'assiette. Tout ce qu'il découvrit, ce fut une carte à jouer, glissée entre les interstices du bois, portant au dos des roses entrelacées.

— T'es-tu renseigné sur la Société de l'arbre de la gourmandise?

Le Tzigane haussa les épaules.

— Personne ne la connaît ta société secrète. Quant au dessin, il n'existe que sur le bras de l'homme tatoué. Et c'est un Tzigane qui l'a dessiné.

— Un Tzigane?

Joseph vint poser fraternellement sa main sur l'épaule de Janez.

— Un vieux, un très vieux Tzigane originaire de Budapest. Il tient depuis plus de quarante ans une échoppe à côté de la Jesuiten-kirche. Un vrai talent d'artiste. Il grave aussi bien que tu joues du violon. Je lui ai montré le dessin. Il s'en souvient très bien. C'est lui qui l'a créé, il y a une vingtaine d'années.

— Il l'a créé ?

— Une pure invention, m'a-t-il juré, sortie tout droit de son imagination.

Janez grimpa quatre à quatre les escaliers de la bibliothèque Palatine. Cette histoire de société secrète commençait à sérieusement l'agacer. Il voulait en dire deux mots à « madame l'archiviste ». Mais sa colère retomba quelque peu en pénétrant dans l'édifice. Un rayon de soleil perçait les nuages et venait jouer dans la transparence des vitraux inondant le grand hall d'une lumière multicolore qui tombait en pluie sur le sol de marbre. Les grandes statues distillaient un silence de cathédrale.

— Monsieur Vladeski, vous ici ?

Il reconnut Achille Rouen, le secrétaire du prince de Talleyrand, des rouleaux de papier sous le bras.

— C'est un endroit extraordinaire, n'est-ce pas ? Trois cent mille volumes, pensez donc. Avez-vous vu la collection de livres mexicains écrits sur de la peau humaine, rapportés par Cortés ? Le manuscrit de Dioscoride ? La Bible annotée de la main de Luther ?

Janez n'avait rien vu de tout cela. Ils discutèrent un instant de la fin de l'enquête, de la thèse du complot napoléonien.

— Napoléon à Sainte-Hélène ? Sa Majesté l'eût souhaité en effet. Mais l'Autriche et l'Angleterre s'y opposent au motif que ce serait violer là la principale clause du traité de Fontainebleau, celle par laquelle est donnée à Bonaparte la souveraineté de l'île d'Elbe. Le prince de Talleyrand en est fort marri. Il militait aussi pour que l'ex-tyran fût envoyé le plus loin possible.

— Ce n'est donc plus à l'ordre du jour ?

— Il faudrait un miracle. Que Napoléon se mette lui-même dans son tort, qu'il se montre incorrigible, parjure, bref, qu'il viole lui-même le traité en tentant quelque chose…

« Décidément, pensa Janez en pénétrant dans la grande salle de la bibliothèque, ces subtilités diplomatiques m'échappent. » Il retrouva l'atmosphère confinée de la salle, lourde de silence et de poussière. Il n'y avait à cette heure que peu de visiteurs. Sans rien demander à personne, il prit le petit couloir qui menait jusqu'au bureau de Josepha, frappa puis, n'obtenant pas de réponse, il poussa la porte.

La pièce était vide, les livres rangés sur la table, les plumes sèches dans leur gobelet. L'archiviste devait être absente pour la journée. Il allait repartir lorsqu'il remarqua que la porte du petit réduit où elle l'avait conduit l'autre jour était entrebâillée. Il ne put résister. L'ouvrage était bien là, à l'endroit où elle l'avait laissé, avec sa reliure caractéristique tout en bronze et en or. Il l'ouvrit à la page marquée par le ruban rouge. Mais il n'y avait aucun dessin. Seulement un texte en grec ancien, d'une écriture serrée. Il feuilleta l'ouvrage, dans un sens, dans l'autre. Rien. Aucun dessin. Pourtant, c'était le même livre, il l'aurait juré.

— Eh, ne vous gênez pas !

Janez se retourna. Il avait devant lui un homme d'une cinquantaine d'années, portant une calotte grise sur la tête, un petit bouc au menton, une blouse grenat sous laquelle on apercevait un gilet tricoté.

— J'attendais Josepha, l'archiviste, dit Janez.

— Elle n'est pas là. Je suis son adjoint. Je peux vous renseigner ?

— Excusez-moi. Elle m'avait montré dans ce livre le dessin d'une pomme entourée d'un serpent auquel je m'intéresse et je ne le retrouve pas.

L'homme s'approcha de l'ouvrage et déchiffra le titre.

— Dans ce livre ? Vous devez vous tromper, monsieur. Il s'agit du *Traité sur les grandeurs et les distances du Soleil et de la Lune*, d'Aristarque de Samos, tel qu'il fut retraduit en grec en 1688 à Oxford par John Wallis. Aucune pomme et aucun serpent là-dedans, je peux vous l'affirmer.

Le cœur de Janez se mit à battre plus fort. Qu'est-ce que c'était que cette plaisanterie ?

— Je suis l'inspecteur Vladeski, dit-il. Dès que madame l'archiviste rentrera, vous lui conseillerez de se rendre le plus vite possible au siège de la Hofpolizei. Quant à cet ouvrage, il appartient désormais à la police d'État.

XXI

L a représentation de *Nina ou la Folle par amour* avait été pro-longée d'une semaine, mais déjà la troupe songeait au retour à Paris. Catherina avait évoqué l'échéance d'un ton empreint d'une grande tristesse et en cherchant les yeux de Janez. Il n'avait pas esquivé son regard, mais il n'avait rien répondu, attendant qu'elle se livrât davantage.

— Mais il n'est pas dit que je ne reste pas un peu plus, mur-mura-t-elle. J'ai une proposition d'un théâtre viennois. Et je commence à m'attacher à… cette ville. Que je connais à peine, d'ailleurs.

— Je t'ai promis de t'accorder du temps. Veux-tu que nous la visitions ensemble ?

Elle baissa la tête. Était-ce tout ce qu'il avait à lui proposer ?

— Je veux bien, finit-elle par lâcher avec un pâle sourire.

Ils sortirent dans la Vienne glacée de ce mois de février. Le paysage était un papier de soie gribouillé à la plume d'encre, du blanc partout raturé d'un peu de noir, avec dans l'air des odeurs d'encens refroidi et de chandelle éteinte. La bise soufflait de longues risées grises sur les jardins couverts de neige.

Il lui montra la « maison de l'Éléphant », où le sculpteur avait représenté au naturel le pachyderme étonnant offert par le Grand Turc à l'empereur Maximilien en 1552. Il lui fit visiter les plus belles églises de Vienne, avec, à l'intérieur, les merveilles de l'art baroque et, à l'extérieur, leur cortège de faux hommes troncs, sabrés, à en croire l'écriteau, à la bataille d'Essling par les hussards de Napoléon.

Ils se mêlèrent à la foule qui, malgré le froid, malgré les journées plus courtes, continuait à courir l'attraction et le divertissement. Ils arpentèrent les grandes artères qui, avec leurs cabarets, leurs cafés, leurs pâtisseries, leurs théâtres, leurs loges de marionnettes, se don-naient des allures de boulevard du Temple.

Janez tenait Catherina contre lui pour la protéger du froid et il prenait plaisir, tandis qu'ils conversaient, à mêler la buée de son souffle à la sienne. Comme la jeune femme s'abandonnait volontiers, qu'elle profitait de la moindre occasion pour se serrer un peu plus contre lui, il lui arrivait de se projeter sans y penser dans l'avenir. La suivre à Paris, pourquoi pas? Quitter la police autrichienne ne lui faisait pas peur et la perspective de retrouver la capitale française était plutôt pour le séduire. Mais il y avait ces cendres de cigare qu'on trouve quelquefois sous les canapés, cet instinct de survie qui pousse à ne pas ôter l'armure ni poser l'arme…

Des enfants portant babouches et turban leur tendirent des invitations pour aller voir le « Turc », l'automate de Mälzel, redoutable joueur d'échecs, un incroyable chef-d'œuvre de mécanique, la principale attraction pendant le congrès. Tous les jours en fin de soirée – en fin de soirée seulement –, les jolies femmes faisaient la queue pour aller consulter l'automate oriental, qui, d'une voix métallique, entre deux parties d'échecs, dévoilant les mystères de l'avenir, leur faisait connaître les sentiments secrets de leur amant volage ou leur annonçait leurs triomphes futurs.

— C'est une idée, sourit Catherina. J'aurais bien des questions à lui poser.

— Croirais-tu les réponses d'un automate?

— Il paraît qu'il ne répond que par oui ou par non. Je n'en demande pas plus.

Ils s'arrêtèrent pour se réchauffer devant un marchand de marrons. Le fourneau tressaillait et geignait sous les rafales du vent, épandant à flots une fumée qui piquait les yeux et s'en allait se perdre dans le froid.

— Pour nous deux…, murmura-t-elle.

Une bourrasque plus forte l'obligea à s'interrompre et à se protéger en levant l'avant-bras.

— Ne restons pas là, dit-il. Que dirais-tu de boire un chocolat?

Ils prirent par les allées boisées du Wurstelprater, où de multiples établissements proposaient aux promeneurs de quoi se réchauffer et se restaurer.

— As-tu une préférence? demanda Catherina devant le choix des enseignes qui battaient dans le vent.

Devant eux, une charmante guinguette s'ouvrait sur un petit jardin blanc de neige, abritée par une tonnelle. On sentait, dès la rue, des parfums de lait chaud et de crème à la cannelle. C'était parfait.

Janez allait proposer à Catherina d'en pousser le portique quand il aperçut un peu plus loin, accrochée au premier étage d'une vieille bâtisse, une pancarte en bois noir où étaient dessinées de superbes roses rouges entrelacées. Il en avait déjà vu de semblables : c'était l'exacte réplique du motif reproduit au dos de la carte à jouer trouvée dans la chambre de Falkenried.

— Là-bas ! cria-t-il en prenant le bras de Catherina.

La guinguette n'avait certes pas l'élégance des cafés du centre de Vienne mais elle était propre et bien tenue. La salle était baignée d'une vapeur tiède, et de bonnes odeurs de café chaud et de pâtisseries venaient se mêler au parfum âcre des bûches qui brûlaient dans la cheminée. Il y avait là un public bon enfant d'habitués.

Janez cherchait il ne savait quoi. Il promenait son regard clair sur les clients, sur les petits tableaux accrochés aux murs, sur l'enfilade des bouteilles rangées derrière le comptoir, sur les étagères. Ils s'attablèrent au fond de la salle, près du poêle. La patronne leur apporta sur un grand plateau deux gros bols de lait chaud parsemé de copeaux de chocolat, des tranches de pain d'épice et de grosses brioches moelleuses tout hérissées de fruits confits.

— Bon appétit, les amoureux !

Ils sourirent tous les deux et Janez se sentit soudain mal à l'aise. Catherina avait posé ses yeux dans les siens, sa main sur sa main et tout son être l'invitait à aborder ce sujet de première importance qui les concernait tous deux et qu'il aurait bien voulu éviter encore un peu. Il cherchait ses phrases quand elle l'attaqua de front.

— Si tu as des choses à me reprocher, lui dit-elle, ou des questions à me poser, c'est le moment ou jamais.

— Des reproches, aucun. Une question, peut-être…

Elle retira sa main, battit des cils.

— Eh bien, vas-y ! Je t'écoute.

— Quel est cet homme que tu reçois chez toi ?

Il l'aurait giflée que son visage ne se serait pas davantage décomposé.

— Un homme ? Chez moi ?

— Excuse-moi, dit-il. Je n'ai aucun droit sur toi…

— Mais si. Tu as tous les droits. Si tu le veux, tu as tous les droits… Un homme ?

— Oui. Qui fume le cigare… J'ai vu des cendres sous ton canapé, l'autre soir.

Ses yeux s'écarquillèrent. Elle resta un instant la bouche ouverte. Un mince trait de lait au chocolat doublait sa lèvre supérieure.

— Mon Dieu! souffla-t-elle. C'est donc ça. J'aurais dû te le dire…

Janez n'avait qu'une envie, celle de partir en courant. Tout cela ne rimait à rien. Il ne voulait surtout pas lui faire du mal, surtout pas rompre le charme de cette journée magique. Il détourna le regard.

En balayant la salle, il fut attiré par une table où – il l'aurait juré – l'un des hommes occupés à jouer aux dames avait tenté brusquement de se cacher de lui. Janez repoussa un peu sa chaise pour mieux l'observer. C'était un long maigre à perruque, avec une peau d'un jaune cireux, des oreilles mousseuses, des joues creuses tailladées de rides profondes. Il portait un gilet de soie noire, un habit bleu avec des boutons brillants et, autour du cou, une cravate blanche un peu passée qui lui faisait une gorge de dindon. Quand il comprit que Janez s'attardait sur lui, il porta sa main à son menton et se pencha lentement en faisant mine de s'intéresser soudain au jeu.

— En effet, continuait Catherina, ce soir-là, j'ai reçu un homme dans ma chambre. Un homme qui m'avait suivie depuis le théâtre et qui a tout fait pour me séduire. Un homme dont j'ai dû repousser les avances et que j'ai dû mettre dehors malgré son haut rang.

— Je ne veux pas connaître son nom, dit-il. À quoi bon?

Janez ne cessait d'observer l'homme qui venait de se lever. Il glissa quelques mots à ses compagnons, se saisit de son chapeau et de sa canne, une de ces cannes ficelées de cordes à boyaux dans lesquelles on dissimule facilement un sabre, puis il quitta la table. Quelqu'un l'interpella, et il se retourna une demi-fraction de seconde, assez pour que Janez aperçoive la cicatrice profonde qui partait de sa lèvre inférieure. C'était le traiteur. C'était Johan Falkenried.

— Au contraire, dit Catherina, tu dois le savoir…

— Hé, toi! cria Janez en se levant.

Johan Falkenried comprit immédiatement qu'il était découvert. Il se mit à courir jusqu'à la porte. Janez, sans hésiter, se lança à sa poursuite.

— C'était…

Janez était déjà sorti. Des bouffées d'air glacé entrèrent par la porte laissée ouverte et firent chanceler les flammes des bougies posées sur les tables.

— C'était le baron Hager, dit Catherina devant la chaise vide.

L'HOMME avait fui vers la droite, vers un lacis de ruelles où il espérait sans doute le semer. Mais Janez avait été assez prompt pour garder sa proie à distance raisonnable et ne pas la perdre de vue.

Ils débouchèrent dans des rues industrieuses, bordées d'échoppes et d'ateliers d'artisans. Ils prirent par des arrière-cours, descendirent un escalier encadré de voûtes.

Ils reparurent sur l'avenue au moment où la neige tombait de nouveau, lourde et serrée. Les passants hâtaient le pas, engoncés dans le collet de leur paletot, assourdis et aveuglés par les flocons. Des traîneaux passaient à toute vitesse aux lisières des parcs dans un gros bruit de galopades et de grelots. Janez commençait à se fatiguer mais l'homme semblait peiner plus encore à garder le rythme. Il choisit de plonger de nouveau dans le lacis des ruelles, prit à droite, à gauche, s'engagea entre deux rangées de maisons. Quand Janez s'engouffra à son tour dans le passage, l'homme avait disparu, mais il était tombé assez de neige pour y laisser l'empreinte des pas. Il tourna encore sur la droite. C'était un cul-de-sac.

Au bout d'une allée bordée par deux façades sans portes se dressait une petite église. On y accédait par quelques marches. Janez les gravit lentement, l'épée tirée. À son approche, un aveugle adossé à la porte, les sourcils et la barbe couverts de givre, murmura quelques mots en secouant des sous dans un gobelet.

— As-tu vu entrer quelqu'un ? demanda Janez en lui glissant quelques pièces.

— Oui, dit l'aveugle. Il m'a demandé de ne rien dire mais il a été moins généreux que toi.

Janez entra. L'église paraissait déserte. Elle était froide, étroite mais très haute, avec de longs piliers surchargés de saints compliqués qui se miraient dans les bénitiers pleins, sans autre lumière que celle de rangées de cierges devant des autels voilés de violet. Janez rangea son épée, se signa, s'avança lentement dans l'allée.

Il découvrit l'homme derrière le confessionnal, agenouillé sur un prie-Dieu, les mains jointes posées sur le velours. Il se recueillait, les yeux fermés, sa canne posée à côté de lui sur le marbre des dalles. Quand il sentit la présence de Janez, il se tourna vers lui. Il était moins jeune que ne le pensait le policier. Il semblait épuisé.

— Il n'y a pas d'autre sortie, dit-il comme pour s'excuser. Vous m'auriez rejoint tôt ou tard.

— Je vous cherche depuis longtemps.

— Pour tout vous dire, je ne suis pas mécontent que tout cela s'arrête et j'ai un peu forcé le destin en ne me cachant plus.

— Je vais vous arrêter et vous interroger.

— Je dirai tout. Et même, s'il le faut, je rendrai l'argent. Tout cela est allé trop loin. Il n'a qu'à se débrouiller.

— Vous risquez gros…

— C'est lui qui risque gros.

— Mais de qui parlez-vous?

— De Carême. C'est lui qui nous a payés, mon fils et moi, pour que nous disparaissions jusqu'à la fin du congrès.

QUAND Janez pénétra dans le bureau du baron Hager, il fut surpris d'y retrouver non seulement Siber, le directeur supérieur de la police de Vienne, mais également Tiriak. Le policier était fagoté comme un cocher tombé de son fiacre et portait de grosses bottes maculées de boue.

— Vous tombez bien, monsieur Vladeski, dit Hager. Vous connaissez Hans Tiriak? Siber a pris l'initiative de l'envoyer à Paris enquêter sur le passé d'Antonin Carême. Il s'est présenté à nous dès son arrivée, porteur de nouvelles qui, je crois, vont vous intéresser.

Tiriak inclina sa tête massive. Son œil gris souriait.

— Recommencez, lui dit le ministre. M. Vladeski s'est occupé personnellement de cette enquête, et il est important qu'il en connaisse tous les détails.

— Bien, monsieur. Marie-Antoine, dit Antonin Carême, est né en 1783 ou 1784 à Paris sur un chantier de la rue du Bac où son père, un ouvrier maçon, était employé…

Tiriak tenait sa revanche sur Janez et il n'entendait faire grâce à ses interlocuteurs d'aucune des circonvolutions de son enquête.

D'une voix traînante, il décrivit longuement les étapes de la fulgurante ascension du jeune cuisinier, n'omettant pas de noter au passage les sentiments contradictoires qu'avait fait naître l'ambitieux
jeune homme chez ses employeurs comme chez ses collègues.

— Nous connaissions tout cela, lâcha tout de même Janez, alors
que l'agent de Siber faisait une pause.

— En effet, Vladeski, marmonna le baron Hager. Ce n'est pas là
le plus intéressant. Allez-y, Tiriak, venez-en à l'affaire !

Tiriak se lissait du doigt l'arête du nez. Des gouttes perlaient à ses
tempes, juste au-dessus des branches métalliques de ses lunettes.

— Je sais cela de la bouche d'un vieil homme, un ancien commis de la Bibliothèque nationale…

Il raconta l'amitié qui liait l'homme et Carême, leur rencontre
avec l'étudiant Thomazeau, les soupers, après l'étude, qui les réunis-
saient chez ce dernier. Il évoqua l'épouse Marie-Lucie, la séduction
qu'elle avait pu exercer sur le jeune cuisinier, qui, jusque-là concentré sur sa réussite, était resté en dehors des « tentations féminines ».
Et puis, il évoqua le meurtre de Thomazeau et les soupçons qui
avaient pesé sur Carême une fois sa liaison avec Marie-Lucie découverte, enfin l'alibi fourni par le commis qui, au final, avait permis de
le mettre hors de cause.

— Malheureux précédent, n'est-ce pas ? releva Hager en se lissant la barbe.

— En effet, dit Janez. Mais Carême a été innocenté.

— Certes. Cependant le meilleur reste à venir. Racontez, Tiriak,
ce que vous savez du meurtre.

— Thomazeau a été sauvagement assassiné derrière les palissades d'un chantier, de nuit, par un homme qui, selon certains
témoignages, était dissimulé derrière une large cagoule. Il a été
abattu d'un coup de pistolet, puis, d'après les conclusions de
l'enquête, il a été déshabillé. On a brûlé ses vêtements et puis on
s'est acharné sur le corps, à l'aide d'un outil tranchant que l'on n'a
pas retrouvé…

— Trop de coïncidences, conclut Hager. Le même crime, le
même motif, à quinze ans de distance. Nous avons affaire à un
malade. Un homme talentueux, un génie même sans doute dans
son domaine, mais un tueur qui, confronté à la même situation, n'a

pu s'empêcher de refaire les mêmes gestes. Il vous a abusé, Vladeski.

Janez ne répondit pas. Cela n'aurait servi à rien de rappeler au ministre que c'était lui, obnubilé par sa peur d'un complot bonapartiste, qui l'avait conduit à abandonner sa conviction première : Carême avait tué Maréchal pour lui voler sa femme.

— Et vous, demanda Siber avec un sourire mielleux, quelle nouvelle nous apportiez-vous?

— La même que vous, monsieur. Celle de la culpabilité d'Antonin Carême.

Ils avaient été trop faibles pour se permettre d'être tièdes maintenant. La police d'État autrichienne – donc la chancellerie et donc l'empereur lui-même – avait été abusée par un homme qui s'était moqué de tout le monde. Et Talleyrand, en fin diplomate, comprit que cette fois il ne pourrait protéger son cuisinier. S'il ne voulait pas être accusé lui-même de tromperie, il devait se ranger dans le camp des dupés et réclamer, aussi fort que les autres, un châtiment exemplaire.

Lorsqu'au matin suivant Carême fut tiré de son lit pour être emmené à la prison d'État, Janez se fit un point d'honneur d'être là. Il assista à la scène en restant quelques mètres en retrait, les bras derrière le dos. Le jeune chef n'eut que le temps de s'habiller et de prendre quelques affaires. L'officier aboyait des ordres en autrichien, et il ne comprenait rien. Même ainsi, les cheveux en bataille, les traits bouffis par le sommeil, il se dégageait de lui une force extraordinaire, une énergie vitale à se battre et à surmonter tous les obstacles. Quand il aperçut Janez, il se précipita sur lui et les gardes, qui se méprirent sur ses intentions, le saisirent rudement et le plaquèrent au sol.

— Lâchez-le, ordonna l'inspecteur.

— Qu'est-ce qui se passe, Janez?... Vas-tu m'expliquer?

— C'est fini, Antonin. Nous savons tout.

— Tout quoi?

— Tu t'es bien moqué de moi, n'est-ce pas?

— Mais de quoi parles-tu?

Carême tentait de capter le regard de Janez, mais celui-ci ne le fixait que par intermittence. C'étaient des coups d'œil rapides, secs et froids, qui maintenaient la distance. Le visage de l'inspecteur était dur, fermé à tout échange, mais ce n'était pas celui d'un homme en colère, simplement celui d'un homme déçu, meurtri. Plus que la présence des gardes, plus que la rudesse de son arrestation, ce fut de découvrir chez Janez ce refus de tout dialogue qui fit s'affoler Carême. Il blêmit.

— Tu ne dois pas me laisser tomber, dit-il d'une voix blanche, si sourde qu'elle en était à peine audible. Ce n'est pas moi, Janez, je te le jure !

— Adieu, Antonin. C'est fini.

Janez fit un signe à l'officier et les gardes poussèrent Carême hors de la pièce. Pour sauver les apparences, il avait été convenu qu'on attendrait la fin du congrès pour le juger sommairement et le châtier. Officiellement, il était retourné en France. « Ce n'est pas à lui que j'en veux, tenta de se convaincre l'inspecteur, lui n'a fait que tenter de survivre, c'est moi qui me suis laissé berner. »

Janez, par acquit de conscience, poursuivit l'enquête jusqu'à son terme. Le château de cartes s'écroula rapidement. Falkenried et l'Allumette racontèrent comment Antonin Carême leur avait proposé une somme rondelette pour simplement disparaître jusqu'à la fin du congrès. Le maître d'hôtel autrichien finit lui aussi par avouer que c'était à la demande du jeune chef qu'il avait inventé les apartés entre Maréchal et le marquis de La Tour du Pin.

Quant à Josepha, elle parut tomber des nues.

— Vous auriez dû m'expliquer qu'il était question d'un meurtre ! Je ne serais pas allée si loin. Carême m'avait parlé d'un bon tour à jouer à un ami. C'est le genre de demande que je ne sais pas refuser !

— Vous m'avez ridiculisé, dit Janez en la recevant dans son bureau de la Hofpolizei. Vous méritez la prison.

Le mot « ami » qu'elle avait utilisé lui faisait mal. Non, il n'avait jamais été leur ami, ni celui de Carême ni celui de Josepha.

— Je suis consternée, dit-elle en baissant les yeux. Je ne savais pas, je vous le jure. Mais je dois avouer que je me suis bien amusée. Quel plaisir à imiter le texte et le dessin ! À inventer la Société de l'arbre de la gourmandise puis à me rattraper, quand vous avez douté de l'existence de cette dernière, grâce à la loge des Gourmets !

Il était désarmé par tant de sincérité. On aurait dit une petite fille hésitant entre la repentance et le fou rire. Sans qu'il pût dire très exactement pourquoi, il décida de lui pardonner. Il convainquit Hager de ne pas inquiéter l'archiviste, assurant qu'elle avait été abusée, comme eux tous, par l'habileté de Carême.

— Ces Français sont redoutables, reconnut le baron. Le cuisinier n'est pas moins doué que son maître. Acculé, il a saisi au vol notre crainte d'un complot et il nous a habilement confortés dans cette voie, utilisant tous les éléments à sa disposition. Un peu plus et il parvenait à ses fins.

XXII

Il y eut encore des soirées admirables : le 25 janvier, le grand bal à l'ambassade de Russie pour célébrer l'anniversaire de la naissance de l'impératrice Élisabeth – où le prince Galitzine perdit en une nuit toute sa fortune aux jeux de cartes, jusqu'à sa calèche, puis, misant au matin sur les harnais, regagna le tout –, le 4 février, un grand dîner chez Talleyrand en l'honneur du duc de Wellington – où la princesse Bagration tint la gageure de danser une valse avec chacun de ses amants du moment : le tsar Alexandre, le baron de Schoenfeld, le grand-duc Constantin, frère du tsar, le duc de Cobourg, les princes royaux de Bavière et de Wurtenberg et l'envoyé piémontais Bertone de Sambuy.

— Elle espionne pour mon compte, disait Metternich pour l'excuser. Et elle donne de sa personne.

— Elle a une manière d'écouter les secrets par-dessous la jambe, ajoutait Talleyrand, qui ne doit pas être commode tous les jours.

Le congrès allait sur sa fin – du moins le pensait-on –, et, les convenances balayées depuis belle lurette, l'on vivait ces instants autant que l'on pouvait, avec cet ennui amusé et cette lassitude heureuse des fins de soirée.

Sur le terrain diplomatique, le vœu de Talleyrand qu'il n'y eût au final que des solutions de compromis qui à la fois ne désobligeassent aucun et ne satisfissent personne semblait en voie de se réaliser. Le prince pouvait se vanter d'avoir limité la casse, d'avoir empêché la montée en trop grande puissance de la Prusse et de la Russie et d'avoir surtout rendu au royaume de France son rang dans le concert des puissances européennes.

La lumière pâle de l'aube débordait du creux des montagnes et jetait sur les cimes des arbres et les arêtes des toits des éclaboussures épaisses comme de la mélasse. Un peu de ce sirop sale gicla à travers les volets de la salle d'attente et vint maculer les pans de la robe en velours côtelé de la femme assise sur la banquette.

— Il faut y aller, maintenant, dit le préposé du service des postes. Je vais vous conduire.

Il s'avança dans la cour d'un pas pesant, en faisant traîner ses grosses chaussures. Catherina le suivit avec un pincement au cœur. Janez n'était pas là. Il ne viendrait pas lui dire au revoir. La malle-poste attendait avec sur le toit son chargement de tonneaux et de sacs arrimés. Les passagers avaient déjà pris place. Catherina confia sa malle aux deux portefaix et grimpa sur le marchepied. La rosée rendait les coussins de la voiture humides. Elle s'assit en s'excusant des pieds écrasés, serra le plus possible autour d'elle les plis bruissants de sa robe.

Elle allait quitter Vienne. Un moment de sa vie se refermait. Au bout de la route, c'était Paris, avec ce que cela signifiait d'espoirs et de craintes. Avec son mouchoir, elle nettoya un bout de vitre, grand comme un œil. Dehors, le palefrenier vérifiait le harnachement des chevaux et le cocher, son manteau déjà sur les épaules, finissait sa tasse de café dans laquelle il trempait une petite madeleine.

— Il faut y aller, dit le préposé.

— Je monte, répondit le cocher en lui tendant la tasse.

À cet instant précis, un pied botté se posa sur le marchepied et fit vaciller la voiture sur ses hauts ressorts. La tête et le buste d'un homme surgirent à l'intérieur de la malle-poste.

— Tu es là, Dieu soit loué !

L'homme était jeune encore, la peau mate, la mâchoire carrée, des cheveux noirs tirés en catogan et surtout des yeux d'un bleu émaillé, si clairs qu'ils mettaient mal à l'aise. Il souriait et son sourire illuminait tout son visage.

— Janez…

— J'ai cru que je n'arriverais pas à temps. J'ai plusieurs choses à te dire. Tout d'abord, cela…

Il se pencha et, sans se soucier des autres, il embrassa Catherina à pleine bouche. Puis il fit un pas en arrière et resta en équilibre sur le bord de la voiture.

— J'ai donné ma démission à Hager. La police autrichienne se passera de moi. Je te rejoins à Paris le plus vite possible…

— L'enquête n'est pas finie ?

— Si. Mais je ne peux partir comme ça… Ne t'inquiète pas. Et ne profite pas de ma courte absence…

Catherina n'arrivait pas à prononcer un mot. Il la rejoindrait vraiment ? À Paris ? Elle riait et elle pleurait tout à la fois.

— Il faut y aller, répéta le préposé.

— À Paris ! cria Janez en refermant la portière. Nous irons manger des meringues sur les Boulevards !

JANEZ écoutait attentivement le maître d'hôtel du café où il s'était attablé. Il parlait d'un ton précieux, en excellent français, légèrement penché vers lui. Ses yeux ne reflétaient rien, ni ennui ni passion.

— Quant à nos desserts, monsieur, sans vouloir nous vanter, ce sont les meilleurs de Vienne. Je vous recommande notre *Besoffener Kapuziner*, « capucin saoul », gâteau gorgé d'alcool, et nos *Gebackene Mäuse*, « souris » cuites au four, de délicieux beignets…

— Avez-vous des meringues ?

L'homme parut décontenancé. Son sourcil droit s'éleva haut entre ses favoris, tandis que son œil s'arrondissait.

— Non, monsieur.

— Alors, va pour les souris cuites.

Janez s'assit contre la fenêtre. Pourquoi n'était-il pas monté avec Catherina ? Qu'espérait-il en restant encore quelques jours à Vienne ? Avec sa serviette, il enleva la buée de la vitre. Il crut reconnaître Dorothée, dans un traîneau attelé de six chevaux, la tête posée sur l'épaule du jeune comte Trauttmansdorff, son cavalier au carrousel. Mais c'était une autre princesse lointaine dans les bras d'un autre prince d'opérette. Une pâle copie.

Le traîneau disparut dans un bruit de fouet et de grelots et il resta tout seul devant son assiette de *Gebackene Mäuse* et son grand bol de café.

— Je peux m'asseoir?

C'était Hans Tiriak. Il n'attendit pas de réponse et s'assit lourdement sur la chaise en face de Janez. L'inspecteur eut un mouvement de recul. Mais Tiriak était décidément un bien curieux personnage. Il l'observait par-dessus ses lunettes, avec son regard de myope, un sourire qui se voulait amical.

— C'est bon? finit-il par demander en désignant les beignets.

— Sers-toi, je n'ai pas très faim.

Tiriak ne se fit pas prier et commença à engloutir les pâtisseries.

— La vérité, dit-il, c'est que tu n'arrives pas à accepter la culpabilité de Carême.

— Je dois rentrer, dit l'inspecteur en se levant. Je te laisse finir.

— Attends… Je voulais te dire. Après toute cette enquête, si je devais choisir… Si l'on me demandait mon avis… eh bien, moi non plus je ne crois pas qu'il ait commis ce meurtre!

— Personne ne te demande ton avis.

Janez prit son chapeau, ses gants et il sortit.

— Le Turc! Allez défier le Turc! Le plus grand joueur d'échecs d'Europe. Un florin la partie et le droit de l'interroger.

Les gamins l'entouraient, et Janez, d'instinct, glissa la main contre sa bourse pour la protéger. Mais la troupe de petits sultans portant l'aigrette et les bottes à bout retourné, qui lui vantait l'attraction de Mälzel, le « Magicien du Prater », paraissait bien inoffensive. Il prit le papier qu'ils distribuaient. « Après tout, pourquoi pas, se dit-il. Cela me changera les idées. »

Il paya son florin et fut conduit par un gros chauve déguisé en Mamelouk dans une vaste pièce ornée de lourdes draperies et éclairée par des flambeaux accrochés aux murs.

Sur une petite estrade, assis sur un fauteuil en velours cramoisi, se tenait un automate vêtu d'un costume ottoman. Il semblait dormir, la tête penchée sur son torse, les bras posés sur les accoudoirs de son siège. Devant lui une petite table en marqueterie faisait corps avec son fauteuil et l'estrade. Sur celle-ci, un jeu d'échecs était déployé avec une partie en cours.

— À quel niveau voulez-vous jouer, monsieur? demanda le faux Mamelouk. Débutant, confirmé, expert? Selon le choix, en cas de victoire, vous aurez droit à une, deux ou trois questions.

— Expert, dit Janez en s'installant dans le fauteuil libre.

L'homme disposa les pièces à toute vitesse sur l'échiquier.

— Vous avez une demi-heure. Quand vous serez prêt à affronter le Grand Turc, dit-il, vous n'aurez qu'à claquer dans vos mains.

Il se retira après une courbette.

— Te voilà donc, mystérieux Turc, dit Janez à voix très basse.

Il se leva à demi et, tendant le bras, il caressa, sur la tête inerte, la joue de l'automate.

C'était dur au toucher, avec un tintement mat, du bois à n'en pas douter. Le travail était remarquable. Son inventeur, Mälzel, méritait mieux que son surnom de magicien : c'était un vrai sorcier. Janez avait lu quelque part que l'homme s'était fait connaître de l'Europe entière lorsque, le jour du mariage de Napoléon et de Marie-Louise, cinq ans plus tôt, il avait installé sur son balcon un automate chanteur qui roucoulait des épithalames en l'honneur des jeunes époux.

— Bien, dit-il, allons-y !

Il claqua dans ses mains. On entendit un bruit de ressorts et de roues dentées qui se mettaient en marche. Le Turc releva lentement la tête et son bras droit quitta l'accoudoir avec un mouvement sec.

— Une partie, monsieur?

Les lèvres rigides de l'automate avaient bougé mais le torse et la tête restaient bien droits, fixant quelque chose au-dessus de Janez. Le policier observa attentivement le visage de son adversaire. Si l'ensemble était en bois, les yeux devaient être en porcelaine. Il chercha un peu d'humanité dans le regard. Mais il n'y découvrit qu'une immobilité minérale, le travail soigné d'un habile artisan.

L'automate, avec des mouvements saccadés, tourna son torse vers l'échiquier et leva les sourcils comme s'il s'extasiait.

— Une partie en expert? Je suis flatté, dit-il d'une voix métallique qui prononçait chaque syllabe détachée et d'un même ton impersonnel. Si vous la gagnez, vous pourrez me poser trois questions et je vous répondrai.

L'automate reposa ses bras sur les accoudoirs et sa tête s'inclina d'un coup sec vers l'échiquier, puis, d'un mouvement gracieux, il invita Janez à jouer.

— Soit, dit-il. Allons-y.

Une odeur curieuse flottait dans la pièce. Janez se cala dans son fauteuil et observa l'échiquier. Il ne mit pas longtemps à reconnaître la partie qui y était déjà entamée. C'était le milieu de la huitième manche disputée en 1747 entre le Français François-André Danican, dit Philidor, et le Syrien Phillip Stamma, champion d'Angleterre, remportée, comme les sept premières, par le génie français. Elle avait été longuement analysée dans l'ouvrage rédigé par Philidor qu'il avait lu des milliers de fois dans la bibliothèque de son père. Il avait les blancs et il devait logiquement l'emporter.

Ce ne fut qu'au dixième coup qu'il découvrit la variante du Turc et le piège où il était tombé. Il fut mis en échec d'une manière imparable.

— Bravo, dit le Turc de sa voix saccadée. Vous vous êtes bien battu. Malgré la défaite, vous avez droit à deux questions.

— Je n'ai rien à demander à un morceau de bois et de ferraille, dit Janez.

L'automate tourna la tête à droite, à gauche. Il semblait sourire.

— Vous avez droit à deux questions, répéta-t-il sur le même ton.

Janez ne croyait pas au diable et aux sorciers. Et il doutait qu'un ingénieur, si habile fût-il, soit en mesure d'inventer une machine savante capable de gagner aux échecs contre un joueur de bon niveau et plus encore de lire l'avenir. Mais la supercherie, quelle qu'elle fût, était bien faite et méritait le respect. Il décida de jouer le jeu.

— Tu l'auras voulu, le Turc. Première question : Carême a-t-il tué Maréchal ?

L'automate cliqueta doucement en tournant la tête de droite à gauche.

— Non, dit-il d'une voix soudain plus aiguë.

Il baissa le menton et le releva.

— Votre deuxième question, s'il vous plaît.

— Eh bien, puisque tu es si fort, dis-moi alors qui a tué le rôtisseur Maréchal ?

Le Turc haussa de nouveau les sourcils, avec la même expression que quand il avait feint de découvrir l'échiquier.

— Je ne réponds que par oui ou par non, dit-il.

Ces mots firent bouillir Janez. Ce pantin, ou celui qui le manipulait, ne pouvait en rester là. Il ne pouvait impunément affirmer que Carême n'était pas coupable sans refuser de lui livrer le nom de l'assassin. « Calme-toi, pensa-t-il. Tu parles à un automate. » Mais le ridicule de la situation l'exaspérait. C'était contre lui-même, il le savait, qu'il se mettait ainsi dans une colère noire. Contre cette partie de lui-même qui refusait le résultat de l'enquête.

— Je veux savoir qui a tué Maréchal !

L'automate, cette fois, ne répondit pas. Ses lèvres bougèrent sans qu'aucun son en sortît.

— Tu ne veux pas me répondre, le Turc ? Tu ne sais pas qui a tué Maréchal ?

Il y eut le même bruit de ressorts et de roues cannelées que tout à l'heure. Mais le cliquetis d'une languette métallique coincée quelque part se fit entendre et l'échiquier se mit à trembler. La reine noire vacilla et chut sur le sol. La mécanique semblait s'enrayer.

— Monsieur, ça suffit ! dit le Mamelouk en entrant brusquement dans la salle. Votre demi-heure est achevée. Vous devez sortir.

— Soit, dit-il à voix haute. Tu as gagné, le Turc.

Et ce fut en sortant du chapiteau qu'il se surprit à analyser l'incident : la reine noire, le Turc avait désigné la reine noire. « Mon pauvre ami, tu perds l'esprit. »

XXIII

C'ÉTAIT un vieux bâtiment, couleur de boue, fermé de grosses grilles et de portes épaisses constellées de clous démesurés. Il y flottait une odeur d'écurie, de malt et de paille pourrie. Janez s'avança jusqu'à l'officier et le sergent qui contrôlaient les entrées et les sorties de la prison.

— Peu importe qui vous êtes, lui dit l'officier, les consignes sont strictes. Personne ne peut s'entretenir avec le prisonnier.

Janez sortit de dessous son manteau les papiers que lui avait donnés Hager au début de l'enquête pour se faire obéir, si nécessaire, des autorités civiles et militaires. Mais l'officier était un têtu. Sans cesser de mâchouiller sa pipe, il renouvela son refus. Tout ce que put obtenir Janez, ce fut d'être conduit jusqu'à la cellule pour vérifier les conditions de détention de Carême et de discuter avec les gardes chargés de sa surveillance.

Janez découvrit Carême, assis sur la paille, adossé au mur, recroquevillé sur lui-même. Le faible jour caressait son visage, très pâle, y creusant des ombres terribles qui noyaient son nez et sa bouche et, en contraste, faisaient saillir ses yeux. Il regardait droit devant lui.

— Depuis hier, il n'a rien voulu manger, lui dit le garde. Et c'est à peine s'il a bu. Au début, il était très agité. Il criait qu'il était innocent. Maintenant, il semble s'être résigné.

— Laissez-moi lui parler quelques instants, chuchota Janez. Juste quelques minutes.

— Désolé, dit le garde. Nous avons des consignes très strictes. L'homme est emprisonné pour raison d'État. Il est au secret absolu. Nous n'aurions même pas dû vous conduire jusqu'ici.

Janez sortit la bourse de sa poche. C'était, à peu de chose près, la prime que lui avait donnée Hager. Cette enquête ne l'aurait pas enrichi. L'homme hésita. Mais c'était beaucoup d'argent.

— Suivez-moi, souffla-t-il en faisant disparaître l'argent.

Ils descendirent quelques marches. La sentinelle joua avec ses clefs et fit sauter un lourd cadenas.

— Deux minutes, pas plus.

Janez s'avança vers la silhouette de Carême. Dès que ce dernier le reconnut, il se redressa fébrilement.

— Janez, c'est toi! Tu as enfin compris? Je suis innocent! Tu le sais! Il faut le leur dire!

— Nous n'avons que peu de temps, dit Janez. Écoute-moi. Concentre-toi et réponds à ma question : qui, à part toi, connaissait l'épisode du meurtre de l'étudiant lillois?

— Lui non plus je ne l'ai pas tué, bafouilla Carême en s'agrippant à Janez. L'enquête l'a démontré…

— Qui savait, à part toi?

Carême sembla enfin comprendre l'importance de la question. Son front se garnit d'une ride transversale. Il faisait un effort terrible pour maîtriser sa peur et réfléchir.

— Maréchal… J'ai raconté ma mésaventure un soir à Maréchal… à Maréchal et à Anna.

— Monsieur, dit la sentinelle en ouvrant brusquement la porte. Quelqu'un vient. Il vous faut sortir immédiatement !

— Ne pars pas ! Tu ne peux pas me laisser !

— Je reviendrai, mon ami. Je te le promets.

ANNA ?

Anna ? Cela ne tenait pas debout ! Certes, la jeune femme, par la mort de Maréchal, s'était libérée d'un mari violent mais de là à imaginer… En reprenant sa marche en direction de la cathédrale, Janez se demanda si Carême, feignant la panique, n'essayait pas de l'entraîner vers une nouvelle fausse piste. Le cuisinier pouvait-il passer pour victime alors qu'il l'avait surpris, dans les cuisines, avec Anna… ?

Janez s'adossa contre la devanture d'un marchand d'estampes et alluma l'un des cigares que lui avait donnés Hager. Il aspira lentement, expira. Dans l'air froid sans un souffle, les volutes montaient tout droit, rampant le long de la pierre du mur. Anna… À moins que… Il écrasa son cigare contre la brique. Il devait en avoir le cœur net.

Quand Janez arriva au palais Kaunitz, des valets étaient en train de renouveler, devant le porche, la paille qu'on y jetait pour étouffer le bruit des carrosses. Il s'avança d'un pas si décidé que les gardes en faction, habitués à ses visites, le laissèrent passer sans lui poser de questions. Il grimpa quatre à quatre les marches de l'escalier. Sur les paliers, des femmes de chambre changeaient les fleurs des vases. Ce fut à peine si elles levèrent la tête sur son passage.

Quelle heure était-il donc ? Une horloge à carillon, posée sur un guéridon, le renseigna opportunément : à peine dix heures. Une heure impossible pour se faire annoncer. Tant pis, il ne pouvait pas attendre. Il prit par le « chemin secret ». Il ouvrit une porte, une autre, déboucha sur la petite pièce au fond de laquelle était la porte dérobée donnant sur le couloir menant aux appartements de Dorothée. Il l'avait toujours trouvée vide, mais cette fois elle était occupée par trois chambrières qui repassaient du linge. La première poussa un cri en l'apercevant.

— Excusez-moi, dit-il, je ne voulais pas vous effrayer.

— Vous n'avez rien d'effrayant, monsieur, bien au contraire.

— Je crois que je me suis perdu, dit-il.

Elles pouffèrent toutes les trois. Celle qui semblait la plus âgée fut la première à reprendre son sérieux.

— Êtes-vous un peu ou beaucoup perdu, monsieur ? Si vous l'êtes beaucoup, il vous faut retourner sur vos pas. Mais si vous ne l'êtes qu'un peu, comme je le devine, alors il vous faut poursuivre votre chemin sans vous soucier de nous.

Il leur envoya un baiser et poursuivit sa course.

Il fut de nouveau surpris par la facilité avec laquelle il parvenait jusqu'à la chambre de Dorothée. Aucune porte n'était close, aucun verrou n'était tiré. Cette fois, elle était seule dans le lit. Il l'aperçut, de dos, couchée sur le côté. Elle devait avoir déjà sonné, car quelqu'un avait allumé un feu dans la cheminée et l'on entendait les bûches crépiter. À demi endormie, elle profitait de la douce tiédeur du lit. Ses cheveux noirs, teintés de roux par les reflets des flammes, s'étalaient sur son oreiller. Entre les draps chiffonnés, on apercevait sa jambe constellée de grains de beauté, plus blanche encore que le drap, et le début d'une fesse ferme et rebondie au-dessus de laquelle une chemise en fine batiste s'était tire-bouchonnée. Le tableau était ravissant, comme une miniature coquine du début du siècle précédent.

Il entrouvrit davantage la porte et le crissement léger du gond la fit se retourner. Quand elle le vit, elle ne marqua aucune surprise, ne fit aucun geste pour cacher sa nudité. Elle avait encore sur le visage une expression un peu nébuleuse, endormie, avec des lèvres gonflées et une douceur de pêche sur la peau.

— Vous entrez chez moi comme chez une fille.

— Excusez-moi, dit-il, mais je devais vous parler.

— Si j'appelle, mon oncle vous fera donner la bastonnade.

— C'est important, dit-il en s'asseyant au bord du lit. Il y va de la vie d'un homme.

Elle se redressa, remonta son coussin, s'étira, soupira. L'ironie affleurait maintenant sur ses lèvres et son œil dansait…

— Alors ? demanda-t-elle enfin. Comment puis-je sauver la vie d'un homme ?

— Le premier soir, dit-il, après le théâtre, quand vous m'avez conduit ici. Quelqu'un est venu vous apporter votre déshabillé et vous a aidée à le passer. Qui était-ce?

— Ah, ça, mon ami, comment voulez-vous que je m'en souvienne…

— Faites un effort, je vous en supplie. Était-ce votre chambrière?

Elle fit une grimace pour bien montrer que tout cela l'ennuyait, mais il vit qu'elle se concentrait…

— Non, dit-elle au bout d'un moment. Ce soir-là, je crois bien que Jeannette était de repos. C'était Anna qui la remplaçait.

— Anna? La femme du rôtisseur?

— Oui. Logeant dans le château, elle rendait souvent de menus services…

— Je dois m'en aller, dit-il. Tout de suite. Je suis désolé…

Il traversa la lingerie sous les gloussements des chambrières, descendit quatre à quatre les marches de l'escalier.

Anna… Ce soir-là, elle l'avait vu dans la chambre de Dorothée. Elle l'avait guetté. Elle avait laissé son foulard près des portes des cuisines pour l'inciter à descendre. Elle avait joué son jeu de séduction avec Carême, s'était jetée dans ses bras pour que lui, Janez, les découvre l'un et l'autre enlacés et en vienne à trouver un mobile…

Janez emprunta un cheval aux écuries du palais. Avec un peu de chance, il pourrait encore l'arrêter. Il partit, à grands coups de bottes, le long du canal en direction de Leopoldstadt.

TANDIS qu'il chevauchait, tout se mettait en place dans sa tête. Un soir, Carême avait confié à Maréchal et à sa femme la mésaventure qui lui était advenue lorsqu'il fréquentait la Bibliothèque nationale, comment il avait été accusé d'un crime qu'il n'avait pas commis. Il avait dû donner les détails, exposer comment l'homme était mort, par quel cheminement il avait pu être soupçonné. Anna avait dû tout noter : l'assassin à la cagoule, le meurtre au pistolet, le cadavre déchiqueté à coups de pioche ou de piolet, les habits brûlés. Elle avait compris qu'il suffisait de refaire les mêmes gestes pour que, tôt ou tard, Carême se vît de nouveau accusé de ce crime. C'était elle qui avait envoyé la lettre. Et elle aurait plus rapidement réussi si le cuisinier, paniqué par la similitude des deux meurtres, n'avait pas sauté sur l'hypothèse du complot bonapartiste et tenté de donner consistance à cette thèse pour sauver sa peau.

À l'entrée de Leopoldstadt, il dépassa un corbillard, vide et brinquebalant, si vieux qu'il pensa que c'était peut-être celui qui, suivi par un chien, vingt ans plus tôt, avait conduit Mozart à la fosse commune. Et soudain, il sut où il avait déjà respiré l'odeur qui flottait autour de l'automate turc… Un mélange de verveine et de rose fanée. Josepha! Ah ça! C'était donc là l'astuce de Mälzel, une naine enfermée dans le mécanisme! Voilà pourquoi le Turc n'ouvrait qu'en fin de soirée! Josepha, après sa journée de travail, s'amusait à défier les amateurs d'échecs et à dire la belle aventure! Cela le mit de bonne humeur. L'archiviste, une nouvelle fois, s'était jouée de lui.

Anna, la reine noire tombée de l'échiquier…, pensa-t-il encore. Se pouvait-il que l'étrange fille ait deviné que…?

Le soleil était au midi quand Janez arriva aux bateaux-lavoirs. Anna ne s'y trouvait pas. Alors, sans descendre de cheval, il chercha le chemin de la tanière où elle l'avait amené la première fois. Une femme à sa fenêtre préparait des raviolis de la grosseur d'un œuf, avec de la ventrèche de porc finement hachée, mêlée au foie de l'animal, écrasée dans des œufs, du fromage, du lait et des épices.

— Je vous reconnais, lui dit-elle. Vous êtes celui qui a donné à Anna de l'argent et le sauf-conduit. Vous ne la trouverez pas. Elle est partie presque tout de suite après votre visite. Cela va faire deux jours et deux nuits.

ÉPILOGUE

Le 7 MARS 1815. C'était l'aube givrée de six heures du matin. Janez poussa son cheval et, d'une main, il s'assura qu'il n'avait pas oublié ses pistolets d'arçon, sa carte, sa gourde et ses provisions de bouche.

Janez avait fait le plus vite possible. Mais il s'était donné le temps de rédiger un rapport exposant pour quelles raisons décisives il considérait que Carême était en définitive innocent et les éléments objectifs qui permettaient d'accuser Anna. Il avait eu d'abord l'intention de ne l'adresser qu'au baron Hager, mais, de peur que le ministre n'ait la tentation de jeter ses feuilles au panier, il avait pris soin de l'écrire en deux autres exemplaires, l'un destiné à Siber et l'autre au prince de Talleyrand. Talleyrand, il le savait, profiterait du rapport et du doute qu'il distillait pour obtenir la libération de son maître queux. Mais lui, Janez, ne pouvait se satisfaire d'un doute. Il devait, coûte que coûte, rattraper Anna. La rattraper et, si elle était bien coupable, la forcer à avouer…

En menant un train d'enfer, il avait peut-être encore une chance. Le laissez-passer de la jeune femme ne l'autorisait qu'à aller en Italie et, en cette période de l'année, les cols étaient difficiles à franchir.

Il dut ralentir dans une petite rue, l'une des dernières avant la sortie de Vienne, parce qu'une grosse berline lui bloquait le passage. Cela eut le don de l'énerver. Il n'avait pas une minute à perdre. Janez approcha son cheval à la hauteur du cocher pour lui tirer les oreilles.

— Voyez par vous-même, dit ce dernier. Impossible d'avancer.

Devant eux, à la porte de Vienne, une petite troupe leur bloquait le passage. D'autres voitures et d'autres cavaliers étaient arrêtés et attendaient sur une seule file. Janez se décida à dépasser la malle-poste et à s'avancer. Mais son cheval n'avait pas fait dix pas qu'un brigadier moustachu, dans un tintement de chaînettes et d'éperons, s'approcha de lui en brandissant une lanterne.

— On ne passe plus, dit-il. Instruction de la chancellerie. La route pour la France comme celle pour l'Italie sont bloquées jusqu'à nouvel ordre.

Les yeux de Janez brillaient dans la lumière de la lanterne.

— Écoutez, mon brave, je suis l'inspecteur Vladeski et je suis en mission. Je dois absolument franchir…

— N'insistez pas, monsieur. On ne passe pas. L'interdiction est absolue. Descendez de cheval.

Janez ne pouvait insister. Il avait donné sa démission au baron Hager et ne pouvait se prévaloir d'aucune autorité. Il attacha sa monture au tronc d'un arbre et partit à pied en quête d'information. Mais aucune des voitures immobilisées devant lui n'avait la moindre explication. Il allait revenir bredouille lorsqu'il aperçut, franchissant à cheval le barrage en sens inverse, le jeune Challaye. Il le héla, et le secrétaire d'ambassade, le reconnaissant, vint à sa rencontre.

— Connaissez-vous la raison de cet embarras?

— Comment, vous ne savez pas? Napoléon s'est enfui le 25 février de l'île d'Elbe. Il aurait été averti que la décision avait été prise à Vienne de remettre en cause les clauses du traité de Fontainebleau et de l'envoyer croupir au fin fond de l'Atlantique sud. Il joue son va-tout. D'après nos derniers renseignements, il aurait débarqué le 1er mars avec onze cents hommes à Golfe-Juan, près d'Antibes, et marcherait déjà sur Paris…

— Je dois aller en Italie et…

— Ah ça, mon ami, n'y comptez pas! Le prince Starhemberg lui-même vient de se faire refouler.

Janez serra les poings. Il ne pourrait pas rattraper Anna.

— Le prince Talleyrand doit être dans tous ses états, dit-il en se tournant vers le jeune Challaye.

— Lui? Vous n'allez pas me croire, monsieur. Mais depuis qu'il a appris la nouvelle, il est de la meilleure humeur. C'est à n'y rien comprendre.

— Vous voilà arrivée, dit l'homme. C'est le val d'Aoste. Vous n'avez plus qu'à continuer tout droit devant vous.

Elle sauta à terre en évitant les flaques, récupéra son sac.

— Merci, dit-elle en ramenant ses mèches folles derrière ses oreilles.

Le roulier porta la main à son chapeau de feutre, en signe d'au revoir, puis fit claquer sa langue. La carriole se mit en branle dans le bruit des essieux et du piétinement des chevaux. Elle prit le temps de regarder l'équipage disparaître au tournant de la route, puis elle se mit en marche. Le ciel était blanc et glacé, couvert de longs nuages plissés où s'étiraient de fines ombres violettes. Sur sa droite, quelques fumées inclinées comme les pointes d'une herse trahissaient la présence de fermes, peut-être même d'un village.

Elle obliqua dans cette direction. Le vent léger souffletait son visage, emmêlait ses cheveux, plaquait sur ses jambes les pans de sa robe grise. Elle marchait au milieu du chemin, son gros sac de toile sur l'épaule, le bras opposé tendu à l'horizontale pour maintenir son équilibre, dans la même attitude que lorsqu'elle brimbalait ses bassines de linge mouillé.

Elle franchit un pont de bois sous lequel grondait un torrent. Les habitations se faisaient plus denses. Elle marchait maintenant dans une rue. Elle débouchait sur une petite place, avec une église, un puits, la forge d'un maréchal-ferrant. Des chevaux attendaient, attachés par des cordes. Une douce chaleur sortait de la forge, dont les portes étaient grandes ouvertes. Elle ne put résister.

Elle franchit le seuil, posa son sac, s'approcha du feu. Elle tendit vers les flammes ses mains, qui aussitôt prirent un ton rouge violent, comme éclaboussées de sang. La chaleur l'envahit et elle ferma les yeux. Elle aurait pu maintenant, comme lui, tendre la main vers les braises ardentes, l'enfoncer sous les cendres jusqu'à la brûlure. La Bête était là, elle le savait, tapie dans l'ombre incandescente. Il suffisait d'attendre pour apercevoir le feu de son regard; il suffisait de tendre la paume pour que sa tête se dresse, s'offre à votre caresse et vienne vous lécher les doigts.

— Vous avez besoin de quelque chose, madame?

Que c'était bon d'entendre parler italien. L'homme était torse nu, le poil grillé, le front piqueté de noir par les escarbilles de sa forge. Il se tenait en face d'elle, une main sur la hanche et l'autre serrant une grosse tenaille.

— Non, dit-elle. Je voulais seulement me réchauffer.

Elle lui sourit, lissa ses cheveux derrière ses oreilles, reprit son sac et se dirigea vers la sortie.

— Attendez! dit-elle en se retournant.

Elle s'accroupit, ouvrit son sac.

— J'ai là quelque chose qui m'encombre. J'ai une longue route encore… Peut-être en aurez-vous l'usage?

Elle lui tendit un fendoir à éclater les os, un outil redoutable à la lame tranchante et dont le manche carré se terminait par une crosse enroulée de façon à assurer la meilleure tenue de main possible.

JEAN-CHRISTOPHE DUCHON-DORIS

Quand on sort tout ébouriffé de la lecture d'un roman de Jean-Christophe Duchon-Doris, secoué par ses intrigues à tiroirs, réchauffé par son style sensuel et chatoyant, on a peine à croire que l'auteur est président à la cour administrative d'appel de Marseille, professeur de droit à l'université d'Aix-Marseille III et animateur d'ateliers sur des sujets tels que « le contentieux de recouvrement ». Heureusement, pour le plus grand plaisir du lecteur, qu'après avoir « fait » l'ENA à Paris,  la nostalgie de son cher Midi le ramena à Marseille et que son amour de la littérature le fit se jeter dans une double vie. Avec sept romans et trois recueils de nouvelles, il est à présent l'un des écrivains les plus réputés de la sphère méditerranéenne française. Passionné d'histoire, de gastronomie, de bandes dessinées et de pêche à la girelle, il est aussi cofondateur, avec des copains marseillais, de L'Écailler du Sud (clin d'œil aux très sérieux Cahiers du Sud), éditeur de polars avé l'accent. Marié à une autre juriste, il vit à Marseille avec ses trois enfants.

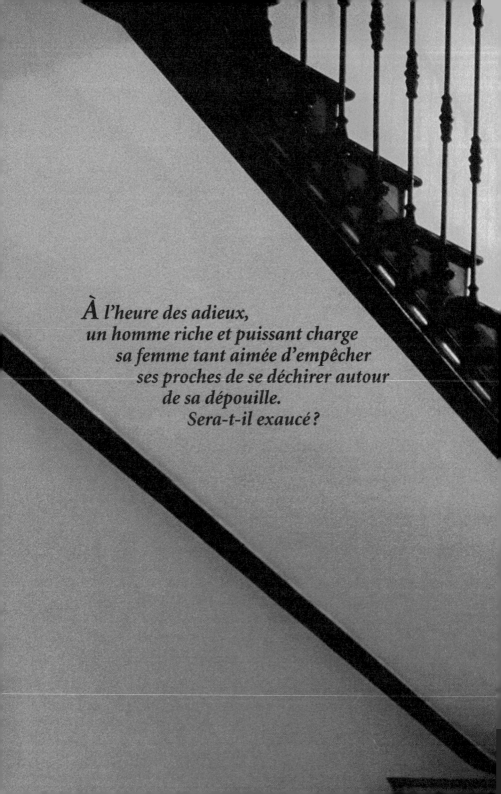

À l'heure des adieux,
un homme riche et puissant charge
sa femme tant aimée d'empêcher
ses proches de se déchirer autour
de sa dépouille.
Sera-t-il exaucé ?

1

Tᴏᴍᴀs quitta l'hôpital Américain sans se départir du sourire courtois qu'il avait réussi à conserver durant tout l'entretien. Mais une fois sur le trottoir du boulevard Victor-Hugo, il fut submergé par une bouffée d'angoisse qui transforma son expression affable en grimace.

Six mois, un an au mieux, le verdict était sans appel. Et malgré le tact dont le Pʳ Dubois avait fait preuve, impossible d'atténuer la brutalité du choc : Tomas venait d'être condamné. Son espérance de vie se réduisait désormais à si peu de chose que le sentiment de l'urgence lui fit stupidement presser le pas.

Avait-il jamais songé à la maladie en général, au cancer en particulier ? À soixante-quatre ans, il semblait toujours en pleine forme, avec sa robuste constitution d'Irlandais, et les médecins n'avaient guère tenu de place dans sa vie jusque-là. Au contraire de Berill, son épouse, qui courait d'un spécialiste à l'autre, consultait des homéopathes ou des acupuncteurs, aurait même écouté un marabout au besoin, et se portait de toute façon comme un charme.

— Berill, mon amour…, murmura Tomas.

Le vent était si froid qu'il releva le col de son pardessus de cashmere. Pour l'instant, la mort ne l'effrayait pas encore, mais la perspective de quitter Berill était au-dessus de ses forces.

« J'ai eu trente-deux années de bonheur fou. C'était mon lot, je ne peux pas me plaindre. »

Sa femme se débrouillerait sans lui, elle avait maintes fois prouvé sa force de caractère, en particulier lorsqu'il avait été fait prisonnier à Vienne, au début de la guerre, puis durant tout le temps où il avait disparu en Angleterre, engagé de l'ombre dans la Résistance. Elle saurait faire face, comme toujours, cependant il ne la verrait plus, ne s'endormirait plus à côté d'elle, ne pourrait plus plonger au fond de ce regard d'améthyste qui l'avait séduit une fois pour toutes.

Il se remémora son premier éblouissement, survenu à Madrid alors qu'il n'était qu'un jeune homme. Ce devait être en 1923 ou 1924, et, sur la piste du cirque, Berill était belle à damner un saint, moulée dans son maillot pailleté. Elle domptait des lions, ou du moins évoluait parmi eux, mais elle aurait aussi bien pu faire du trapèze ou chevaucher un éléphant, Tomas n'aurait rien remarqué d'autre qu'elle et elle seule.

De nouveau un sourire étira ses lèvres, parce que songer à la manière dont ils s'étaient rencontrés, Berill et lui, le mettait toujours dans un état euphorique. « La danseuse et les fauves »… Dieu, comme c'était loin ! Déjà très loin, et voilà que leur histoire allait s'achever. Y aurait-il des moments abominables avant l'adieu ? Sans doute la souffrance, la dégradation physique, les mensonges charitables prodigués à un mourant, ensuite l'agonie dans un lit d'hôpital.

Une petite voiture de sport frôla Tomas en klaxonnant, ce qui l'obligea à faire un bond de côté. Être écrasé à un carrefour aurait peut-être été une meilleure fin pour lui, mais un chauffard n'avait pas à en décider. Il vit la voiture qui revenait lentement vers lui, en marche arrière.

— Papa ! Tu rêvais ?

La tête à la fenêtre, Maureen l'observait avec curiosité.

— Je t'attendais à la sortie de l'hôpital, et tu es passé devant moi sans un regard, j'ai cru que tu voulais rire…

— Pourquoi es-tu venue ? demanda-t-il en s'installant sur le siège avant.

La Floride redémarra brutalement. Tout comme Berill, Maureen adorait les voitures et n'hésitait jamais à se commander un nouveau modèle, mais ce petit coupé Renault ressemblait davantage à un joli jouet qu'à une automobile.

— Tu n'as pas voulu que maman t'accompagne, elle m'a donc expédiée pour connaître les raisons du mystère. Et ça tombe bien, je voulais te parler loin de la banque.

— Tu peux le faire à la maison.

— Loin des oreilles de la famille aussi.

— Y a-t-il quelque chose de grave?

Oubliant un instant ses soucis de santé, il s'était tourné vers sa fille, qui haussa les épaules avec désinvolture.

— Grave, non. Néanmoins, je veux ton avis.

Concentrée sur sa conduite, Maureen restait de profil et Tomas put la détailler à loisir. Une belle jeune femme, vraiment, élégante et sûre d'elle, le genre de grande brune aux yeux bleus et au teint mat qui faisait se retourner les hommes. Pourtant, son air un peu hautain ou ses réflexions mordantes les empêchaient d'approcher, c'était comme si Maureen voulait se maintenir hors de portée. Une première expérience malheureuse avec un Italien coureur de dot l'avait poussée à commettre une seconde erreur, pire, en épousant un Espagnol. Deux ans plus tard, le mariage avait tourné au désastre puis au divorce alors qu'elle était enceinte. Depuis, elle habitait chez ses parents, où elle avait donné naissance à l'adorable petit Liam. Un prénom typiquement irlandais, choisi pour faire plaisir à Tomas.

— Je t'écoute, dit-il en constatant qu'elle se mordillait les lèvres.

— C'est au sujet de mon avenir à l'Irish, avoua-t-elle d'une traite. Tu as dit que tu comptais te retirer peu à peu des affaires, et qu'en conséquence tu envisageais une codirection entre Mathias et moi…

— Oui, ce sera la meilleure formule, ton oncle te fournira une aide précieuse.

— Je ne suis pas d'accord, papa. Mathias vieillit, il a des idées un peu obsolètes, et s'il dispose des mêmes pouvoirs que moi, je n'aurai jamais les coudées franches.

Abasourdi par ce qu'il venait d'entendre, Tomas regarda sa fille avec plus d'attention encore. S'était-elle mis en tête de se retrouver seule aux commandes de la banque? Malgré tous ses dons d'analyste financière, elle n'avait que trente et un ans, un âge ridiculement jeune pour inspirer confiance. L'Irish Blaque-Belair était une entreprise d'investissements prospère, qui possédait une solide réputation au sein des banques privées. Mais si les clients fidèles, institutionnels ou particuliers, avaient une confiance aveugle en Tomas, c'était en grande partie grâce au talent de Mathias, connu sur la place de Paris pour être l'un des meilleurs négociateurs du marché.

— Tu ne parles pas sérieusement, murmura Tomas d'un ton las.

L'égoïsme de sa fille le consternait, ainsi que son manque de discernement. En ce qui le concernait, pour accéder à la présidence de l'Irish, trente-cinq ans plus tôt, il avait fallu le décès de son père, puis de son grand-père; jamais il n'aurait songé à se débarrasser d'eux.

— Tu as besoin de Mathias.

— Comme *trader*, bien sûr…

— Pas seulement. Il possède une expérience et un instinct infaillible que tu n'as pas.

— Mais on ne marche plus au flair, papa! C'était bon à votre époque, aujourd'hui une formation de mathématicien est quasiment indispensable.

— Ce qui est indispensable, Maureen, c'est d'obtenir des résultats, or Mathias est très fort à ce jeu-là.

— Un jeu, exactement. À croire qu'il prend ses décisions dans une boule de cristal ou du marc de café!

— Tant qu'il prendra les bonnes, je me garderai de critiquer sa méthode. D'ailleurs, ne t'y trompe pas, ce que nous avons construit ensemble, Mat et moi, ne doit rien au hasard. Quand je ne serai plus là, il n'y aura que lui pour t'expliquer les rouages.

— Plus là? (Elle lui jeta un coup d'œil intrigué.) À propos, enchaîna-t-elle, comment s'est passée ta consultation? Le Pr Dubois t'a trouvé bien?

Elle s'en souciait seulement maintenant, c'était un peu décevant, mais, de toute façon, il n'était pas décidé à lui répondre.

— N'essaie pas de me distraire, Maureen. Nous parlions de

l'Irish et de la place que Mathias y tient. Je ne transigerai pas sur ce point, prends-en ton parti.

Il parlait rarement de manière aussi catégorique, sauf lorsqu'il était question d'affaires. D'un ton plus conciliant, il ajouta :

— Aucune grande banque, aucune compagnie d'assurances ne te fera confiance si tu es seule à la tête du conseil d'administration. Le nom de Mathias Károly est une valeur sûre, il te servira de caution tant que vous resterez en binôme. Un jour, tu pourras te passer de lui, il le faudra bien lorsqu'il prendra sa retraite, mais pour l'instant, c'est prématuré.

Maureen était en train de se garer, boulevard du Château, devant l'hôtel particulier des Blaque-Belair, et son exaspération était perceptible à sa façon de brutaliser la boîte de vitesses.

— Je ne voyais pas les choses comme ça, dit-elle lentement. Je pensais que *toi*, tu resterais à la tête du conseil, et Mathias dans son rôle habituel, avec moi à mi-chemin entre vous deux, au-dessous de toi, mais au-dessus de lui, désignée comme ton successeur évident…

— Tu me succéderas bien assez tôt, sois tranquille, murmura-t-il.

Allait-il devoir protéger Mathias contre elle, et aussi la protéger contre elle-même ? Durant les quelques mois qui lui restaient à vivre, serait-il contraint de refondre les statuts de l'Irish afin de partir en paix ? Il aimait profondément sa fille et la jugeait non seulement intelligente, brillante, mais de surcroît très douée pour la finance. Malheureusement, elle manquait encore de maturité, et, en cas de panique boursière, par exemple, elle n'aurait pas le sang-froid de Mathias. Il avait en ce dernier une confiance aveugle, fruit de leur longue collaboration. Lorsqu'il s'était décidé à l'embaucher à la banque, trente ans plus tôt, jamais il n'aurait pu croire que ce beau-frère venu du monde du cirque se révélerait si compétent, si vite indispensable. Et quand Mathias avait épousé la propre sœur de Tomas, Teresa, leurs liens s'étaient encore renforcés, leur complicité s'était muée en authentique affection.

Contrariée, Maureen était en train de jouer avec les clefs qu'elle venait de retirer du contact. Il eut envie de la prendre dans ses bras, comme lorsqu'elle était petite, pour la câliner jusqu'à ce qu'elle retrouve le sourire. Bientôt il ne serait plus qu'un vieil homme très malade, et cette idée le glaça.

— Il est tard, dit-il en ouvrant sa portière.

Soudain, il éprouvait le besoin impérieux de voir Berill. Chaque minute passée loin d'elle serait, désormais, une minute perdue.

PENCHÉE au bord du lit, Teresa vérifia que le petit garçon dormait paisiblement. Ses cheveux, très bruns, tranchaient sur l'oreiller dans la pénombre, et ses petits doigts étaient encore cramponnés à la crinière de son lionceau de peluche. Ni un ours, comme on en offre à tous les enfants, ni quelque autre animal, mais un lionceau, bien sûr !

— Bonne nuit, mon bonhomme, chuchota-t-elle avant d'éteindre la veilleuse.

Elle quitta la chambre en laissant la porte entrouverte. Liam était vraiment un adorable bout de chou, presque toujours de bonne humeur et très facile, mais pourquoi fallait-il que ce soit Teresa qui l'élève ? Ce soir, une fois de plus, Maureen ne verrait son fils qu'endormi.

— Quelle famille…, maugréa-t-elle.

Même si elle aimait profondément chacun d'entre eux, Teresa avait parfois l'impression de leur avoir consacré toute sa vie sans rien attendre en retour.

Alors qu'elle traversait le couloir pour jeter un coup d'œil dans la chambre d'Eleonor, la voix de Mathias l'arrêta.

— Trop tard pour leur lire des histoires ?

Il la rejoignit, la prit par la taille d'un geste familier et l'embrassa. Ensemble, ils allèrent voir la petite fille qui était plongée dans un profond sommeil, un album des contes de Perrault entre les bras.

— Elle n'aura bientôt plus besoin de toi, chuchota Teresa. Elle ne lit pas, elle dévore !

Sortant sur la pointe des pieds, ils s'éloignèrent sans bruit. Les deux chambres des enfants étaient proches de la leur, et Teresa n'avait que quelques pas à faire pour aller les voir au plus léger appel. Elle savait toujours comment les consoler d'un cauchemar, d'une dent douloureuse, d'une quinte de toux ou de la simple peur du noir. À vrai dire, les enfants étaient sa passion – peut-être parce qu'elle n'avait jamais pu en avoir ? –, et après s'être beaucoup occupée de Maureen et de son frère Hugh, elle avait tout naturellement repris son rôle de nounou lorsqu'ils étaient devenus parents à leur tour. Comment aurait-elle pu refuser ? Ni l'un ni l'autre n'avait eu de chance, pour des raisons bien différentes. Si Maureen avait choisi, à juste titre, de divorcer, en revanche Hugh avait vécu un drame en se retrouvant veuf le jour de la naissance de sa fille. Sa toute jeune femme, venue le rejoindre à Dublin où il effectuait son service militaire, avait succombé à une crise d'éclampsie, tandis que le bébé était mis au monde par césarienne. Hugh ne s'en était jamais tout à fait remis, et, depuis sept ans, il était resté célibataire, préférant se noyer dans le travail plutôt que s'intéresser à d'autres femmes.

— Je vais finir de préparer le dîner, annonça Teresa.

Car en plus des enfants, elle avait en charge l'intendance de la maison…

Elle descendit au rez-de-chaussée, traversa l'office et entra dans la grande cuisine spacieuse que Berill lui avait fait entièrement réaménager un an plus tôt. « Dis-moi ce que tu veux et tu l'auras ! » avait-elle promis tout en organisant les choses à son idée, comme toujours. Mais Teresa en avait pris son parti depuis longtemps, elle n'éprouvait même plus d'amertume ou de jalousie envers sa belle-sœur. À quoi bon, puisqu'il était impossible, au bout du compte, de résister à l'enthousiasme de Berill.

Elle souleva le torchon de lin qui protégeait la grosse boule de *brown bread* qu'elle avait fait cuire dans l'après-midi. La croûte était tiède et dégageait une délicieuse odeur. Teresa décida qu'elle ne couperait les tranches qu'au moment de passer à table. Avec une motte de beurre salé, ce pain était l'accompagnement idéal d'un bon saumon fumé au bois de chêne. Tomas allait se régaler !

— Qu'est-ce que tu nous prépares ? lança Maureen en entrant dans la cuisine. Je suis montée voir Liam, il dort comme un ange ! J'essaierai de rentrer plus tôt demain…

Vaine promesse, Maureen étant un bourreau de travail. Mathias s'amusait de son acharnement, mais il affirmait aussi qu'elle était très douée et représentait l'avenir de l'Irish.

— Une pièce de bœuf en croûte ! s'extasia Maureen qui avait ouvert la porte du four. Tu as mis des morilles, j'espère ? Mon Dieu, Teresa, que deviendrait-on sans toi dans cette famille… ?

La phrase n'était pas nouvelle, Berill l'utilisait souvent, mais de manière distraite ou désinvolte alors que Maureen y mettait une sincérité émerveillée. Hugh, de son côté, exprimait plutôt sa reconnaissance envers Teresa en lui envoyant régulièrement des bouquets de roses.

— Papa s'est enfermé avec maman, poursuivit la jeune femme, c'est merveilleux de les voir encore flirter à leur âge !

Teresa referma la porte du four sous le nez de Maureen.

— Tu l'as assez vue, tu l'empêches de cuire. Et tu vas te salir.

— Je boirais volontiers un peu de champagne ! annonça Berill qui venait d'entrer. Et Tom adorerait qu'on lui prépare un bon whiskey.

— Un Jameson ? proposa Maureen.

— Plutôt un Paddy bien tassé, avec un trait d'eau de Seltz et deux cubes de glace.

Un peu étonnée par cette demande inhabituelle, Teresa se tourna vers Berill et lui trouva les traits tirés, l'air anxieux, le regard fixe.

— Tom couve quelque chose ? s'inquiéta-t-elle.

Au lieu de répondre, Berill se dirigea vers le réfrigérateur pour y prendre une bouteille de veuve-clicquot. Son énorme chien, Bosco, un leonberg que lui avait offert Tom, la suivait pas à pas, comme de coutume, encombrant la cuisine et finissant toujours par chaparder un peu de nourriture. Teresa s'approcha de sa belle-sœur pour lui chuchoter à l'oreille :

— Tout va bien, tu es sûre ?

Sans conviction, Berill hocha la tête. Ses yeux semblaient pleins de larmes mais elle parvint à se dominer en esquissant un sourire contraint. À cinquante-huit ans elle en paraissait dix de moins, malgré la longue cicatrice qui barrait sa joue, et son regard étrange, couleur d'améthyste, restait absolument fascinant.

Mathias et Tom arrivèrent ensemble, lancés dans une de leurs assommantes discussions boursières, et il fallut le bruit du bouchon de champagne pour les interrompre.

— Pourquoi ne pas dîner ici ? suggéra Berill en emplissant les coupes. Il fait chaud dans la cuisine et ça sent tellement bon... Si Teresa accepte que nous envahissions son territoire, je serais d'avis de ne pas bouger !

Encore une fois, Teresa s'interrogea sur cette exigence insolite.

Que se passait-il donc, ce soir, pour que Berill veuille rester à la cuisine et pour que Tomas réclame du whiskey? Le chauffage de l'hôtel particulier fonctionnait à plein régime et la salle à manger n'avait rien de glacial, même si, en effet, l'atmosphère de la cuisine était de loin la plus agréable.

— D'accord, je vous accueille, mais puisque c'est le jour de sortie de Gloria, vous allez mettre le couvert!

Elle adressa un clin d'œil à Tomas qui lui répondit d'un sourire affectueux. Son frère s'était toujours montré protecteur avec elle, tout en la laissant agir à sa guise. Lorsque, jeune fille, elle avait craqué pour Mathias, il ne s'en était pas mêlé, se bornant à prendre Mathias à la banque afin de lui assurer une situation. Mais après tout, qu'aurait-il pu dire? Bien que la morale, au tout début des années 30, ait été assez rigide en Irlande, Tomas s'était permis d'épouser une femme étrangère, dénichée dans un cirque! Longtemps il l'avait courtisée, poursuivie, ne parvenant à la convaincre d'accepter le mariage qu'après cet accident qui l'avait laissée défigurée, et ils étaient rentrés ensemble à Dublin, au grand dam de la famille Blaque-Belair. Tomas était déjà assez têtu pour imposer Berill à tout le monde, rayant de la liste de ses amis ou relations ceux qui se permettaient de la regarder de haut. À l'époque, Berill traînait avec elle son frère, Mathias, et tandis que Tomas se prenait d'amitié pour lui, Teresa en tombait amoureuse et l'épousait deux ans plus tard. L'étrange quatuor ainsi formé ne s'était jamais séparé.

— Tu as mauvaise mine, Tom, décréta Teresa.

— Pas du tout! protesta Berill d'un ton tranchant. Cet hiver est interminable, il fait un froid de loup… Un autre verre, mon chéri?

Elle resservit Tomas sans attendre la réponse, puis, d'un geste infiniment tendre, s'appuya sur lui une seconde. Il leva la tête pour la regarder et, à cet instant, Teresa surprit son expression de profond désespoir. Décidément, quelque chose de grave avait dû arriver.

HUGH avait les mains gelées malgré ses gros gants fourrés, aussi se dépêcha-t-il de gagner la ménagerie, sa dernière halte avant de rentrer chez lui. Ce soir, il s'était attardé, inspectant longuement le canal couvert de glace, remettant de la paille au pied des arbres les plus fragiles, remontant le chauffage de la serre où les plantes tropicales passaient l'hiver. Ensuite, il était allé jeter un coup d'œil aux hangars où les éléphants et les girafes avaient été mis à l'abri.

Il déverrouilla la lourde porte de fer et pénétra dans l'antre des fauves. Derrière les barreaux de chaque cage, un animal somnolait, digérant son dîner, et l'arrivée de Hugh ne suscita aucune agitation. Tobias et Lilith, les deux tigres, étaient couchés l'un contre l'autre, comme d'habitude, seul couple inséparable de la ménagerie. Peut-être se décideraient-ils à faire un petit cette année? Hugh rêvait d'une naissance chez lui, imaginant par avance à quel point un bébé tigre fascinerait les visiteurs du parc.

Il longea les cages des lions, puis celles des panthères, sans rien remarquer d'anormal. Les employés faisaient bien leur travail, ainsi que l'attestaient la paille fraîche et l'eau des abreuvoirs, mais Hugh n'aurait jamais pu aller se coucher sans vérifier lui-même. D'ici deux ou trois semaines, dès que la température le permettrait, les fauves seraient relâchés dans leurs enclos, mais, pour le moment, ils n'avaient droit qu'à une heure de promenade quotidienne, ce qui exigeait un énorme travail de manipulation. Pas question que les animaux se rencontrent, ni s'échappent ni qu'ils attrapent froid, néanmoins il était impossible de les maintenir enfermés, car ils étaient habitués à une semi-liberté et avaient besoin d'exercice.

Hugh éteignit les rampes de néon, ce qui provoqua l'allumage automatique des veilleuses. Il referma la porte avec soin, enclencha le système d'alarme, puis il décida de piquer un sprint jusqu'à la maison pour se réchauffer. Cette fin du mois de janvier était anormalement glaciale pour la Touraine, et les cuves de fuel se vidaient à toute allure. Le compte en banque de la société Parc Belair aussi. Entre ses emprunts, ses frais de fonctionnement et ses employés, Hugh n'avait aucune marge de manœuvre. Néanmoins, depuis son ouverture, trois ans plus tôt, le parc avait attiré de très nombreux visiteurs, et la trésorerie suivait à peu près les prévisions initiales. Des prévisions établies avec un soin méticuleux par Mathias, qui avait vraiment été son allié dans l'aventure. Sans son appui, et sans sa mise de fonds qui avait constitué le premier apport, jamais Hugh n'aurait su monter son dossier financier, peut-être même n'aurait-il pas eu le courage de mener le projet à terme. C'était un pari si fou! Lorsqu'il s'était lancé, Hugh n'avait aucune expérience, aucun point de comparaison, l'idée était simplement née de sa fascination pour les animaux sauvages, et, à partir de là, il avait tout inventé. « Il faut que les gens aient l'impression de se promener librement dans un coin d'Afrique ! » se contentait-il de répéter, sans imaginer les montagnes qu'il aurait à remuer pour réaliser son rêve.

Hugh pénétra enfin chez lui, dans l'ancien relais de chasse qu'il avait entièrement retapé de ses mains.

Sans quitter son anorak, il se dépêcha d'aller ajouter deux grosses bûches sur les braises encore rougeoyantes. À longueur de journée il entretenait du feu dans la cheminée, néanmoins, il faisait froid dans la maison. Se mettant dos aux flammes qui commençaient à s'élever, il parcourut la pièce du regard. Sur le mur du fond, il avait installé une cuisine en partie dissimulée par un haut comptoir, et d'où il était il ne voyait qu'une batterie de cuivres luisant dans la pénombre. Près d'une des portes-fenêtres se trouvait la longue table à gibier dénichée à Tours, encadrée des six chaises de fer forgé offertes par sa mère. Enfin, devant la cheminée, les deux profonds canapés qu'il avait pu s'acheter à la fin de la dernière saison, et qu'Eleonor adorait parce qu'elle pouvait s'y pelotonner, y colorier, lire ou s'endormir.

Une bûche s'effondra dans un jaillissement d'étincelles et Hugh se retourna pour arranger le feu. À présent qu'il était réchauffé, il pouvait enlever son anorak, sa casquette, et enfin songer à manger quelque chose.

Il traversa toute la salle, contourna le comptoir et ouvrit le réfrigérateur. Alors qu'il débouchait une bière, il entendit frapper à l'un des carreaux et, devinant l'identité de son visiteur, il lui cria d'entrer.

— Bonsoir, Hugh ! lança la jeune femme qui venait de faire irruption, apportant une bouffée d'air glacial avec elle. J'ai fait un crochet par ici pour voir l'éléphante, mais elle va mieux, comme prévu, et j'aurais pu m'en dispenser ! Bon sang, quel froid, ce soir…

Avec un sourire compatissant, Hugh désigna sa bière.

— En voulez-vous une ?

— Je préférerais quelque chose de plus corsé.

Tandis qu'il lui servait un petit verre d'armagnac, Caroline alla se planter devant la cheminée. Bien que ne travaillant officiellement que deux matinées par semaine pour le parc Belair, elle passait presque chaque soir jeter un coup d'œil aux animaux. Associée avec son père dans une clinique vétérinaire située à Vendôme, les chats et les chiens ne l'intéressaient plus guère depuis un long stage dans une réserve, au Kenya, d'où elle était revenue éblouie. Spontanément, elle s'était présentée à Hugh deux ans plus tôt, lui offrant ses services, mais il avait longuement hésité avant de l'embaucher. Certes, il avait besoin d'un vétérinaire attaché au parc, toutefois il n'imaginait pas une jeune femme dans ce rôle. Son expérience des bêtes sauvages avait fini par emporter la décision, cependant Hugh ne parvenait toujours pas à se sentir à l'aise avec elle. Parce qu'elle lui évoquait sa femme, décédée sept ans plus tôt ? Isabelle, qu'il avait passionnément aimée, se destinait aussi au métier de vétérinaire. Si elle n'était pas morte en donnant naissance à Eleonor, sans doute aurait-elle été heureuse de bâtir ce parc, d'y soigner les animaux, d'y élever leur fille et peut-être d'autres enfants qu'ils auraient pu avoir...

— Perdu dans vos pensées, Hugh ? J'espère que vous n'avez pas de soucis pour l'ouverture ?

Les manières directes de Caroline le surprenaient toujours et il haussa les épaules.

— Aucun souci hormis ce froid polaire. À la fin du mois de février, je vais retrouver mes saisonniers de l'année dernière, ils reviennent tous et je n'aurai donc pas besoin de les mettre au courant, ce qui m'évitera une grosse perte de temps.

— Je suis sûre que les gens se plaisent chez vous, Hugh. Après tout, vous n'êtes pas le pire des patrons !

Elle éclata de rire puis tendit son verre afin qu'il lui redonne un peu d'armagnac.

— Lilith est étrangement calme en ce moment, reprit Caroline, et je trouve qu'elle a grossi. Peut-être nous réserve-t-elle une bonne surprise.

— Vous croyez qu'elle pourrait attendre un petit ? s'enthousiasma Hugh.

— Trop tôt pour le dire, mais j'ai de l'espoir.

Réchauffée par le feu, Caroline ouvrit sa veste de chasse. Elle portait un gros col roulé irlandais à torsades qui rappela à Hugh son enfance. Les vrais pulls d'Aran, tricotés à partir de la laine non teinte des moutons du Connemara, étaient admirablement chauds, et toute la famille Blaque-Belair continuait à en faire venir de là-bas.

— Je ne peux pas vous proposer de partager mon dîner, dit-il avec un sourire d'excuse, je n'ai que du cassoulet en boîte.

— Va pour le cassoulet, répondit-elle du tac au tac. Si je ne vous dérange pas…

— Non, pas du tout.

Il manquait de conviction, mais il n'eut pas le temps d'ajouter quelque chose d'aimable, car elle lui lança :

— Vous vivez comme un ours, vous devriez sortir davantage, surtout l'hiver !

Agacé, il la dévisagea. Sa ressemblance avec Isabelle s'arrêtait aux études vétérinaires et à l'engouement pour les animaux. Autant Isabelle avait été fine, douce, autant Caroline était brusque, comme taillée d'une seule pièce. Ses cheveux châtain clair, semés de mèches cendrées, étaient coupés court, avec une frange qui adoucissait un peu son regard perçant, presque noir. Grande, le teint mat, la carrure d'une nageuse et les ongles ras, elle avançait dans la vie à grandes enjambées. Parfois, Hugh regrettait qu'elle soit une femme, car elle aurait pu faire un bon copain.

— Merci du conseil, un de ces jours je vous emmènerai au cinéma à Tours, marmonna-t-il.

Il ouvrit deux boîtes de cassoulet, les versa dans une casserole qu'il mit à chauffer, puis disposa deux assiettes sur le comptoir. Qu'y avait-il de désolant à passer ses soirées dans cette maison qu'il adorait, au milieu de ce parc qui était son œuvre, sa raison de vivre ? Peut-être se comportait-il en reclus, mais il n'éprouvait pas l'envie de chercher l'âme sœur. Lors de ses rares et brèves aventures, il s'était toujours senti déçu, mal à l'aise, nostalgique. Les femmes semblaient le trouver irrésistible et il ne comprenait pas pourquoi.

— Venez manger, Caroline, c'est prêt.

Ils s'installèrent face à face, de part et d'autre du comptoir.

— J'adore votre maison, elle a vraiment une âme, constata-t-elle. Chez moi, c'est un peu… surchargé. Mon père est collectionneur, il y a des vitrines partout et on se prend les pieds dans les tapis !

Elle saisit sa fourchette pour attaquer son cassoulet comme si elle mourait de faim.

Hugh savait qu'elle habitait toujours chez ses parents, peut-être par souci d'économie, ou par peur de la solitude. Après tout, lui-même avait bien vécu un temps dans une aile de l'hôtel particulier familial, à Neuilly, après le décès d'Isabelle.

— Jeudi matin, rappela-t-elle, je vais vacciner les lions, il faudra me donner un coup de main.

— Je serai là, affirma-t-il. Jean-François et Ludovic nous aideront, ils sont prévenus.

Elle faisait consciencieusement son travail, il l'avait maintes fois constaté, et surtout elle ne manifestait aucune appréhension lorsqu'il s'agissait de soigner les fauves. Néanmoins, Hugh ne prenait jamais le moindre risque avec les animaux. Un incident pouvait provoquer la fermeture du parc, il en était tout à fait conscient.

— C'était votre grand-père, n'est-ce pas ?

Caroline désignait une vieille affiche de cirque que Hugh avait fait mettre sous verre avant de l'accrocher au mur.

— Vous m'avez déjà posé la question, dit-il en souriant. Oui, il s'agit de mon grand-père et de ma mère.

Durant quelques instants, ils contemplèrent le dessin en silence. Fascinée, Caroline finit par secouer la tête.

— Difficile à croire, je vous assure. « La danseuse et les fauves »…

Quittant son tabouret, Caroline s'approcha de l'affiche pour mieux l'examiner.

— Vilmos et Berill Károly… Drôles de prénoms !

— Hongrois. Très courants là-bas.

— Mais je vous croyais irlandais ? s'étonna-t-elle.

— Côté paternel, oui. Mais en ce qui concerne ma mère, tous ses ascendants étaient des Tziganes. C'est-à-dire des nomades d'Europe de l'Est.

— Lui aussi, donc, avec sa petite moustache et sa jolie veste à brandebourgs ?

Il détesta son ironie et répliqua, en désignant Vilmos :

— Mon grand-père est le seul homme de la famille à avoir fait la guerre. La première, la plus meurtrière. Lors de la seconde, les nazis l'ont déporté dans un camp dont il a réussi à s'enfuir, et il est revenu d'Autriche à Paris à pied. Je suis très fier de lui, malgré sa veste d'opérette !

À présent, c'était lui que la jeune femme regardait avec curiosité.

— Pourquoi le prenez-vous mal, Hugh ? C'était juste une boutade, vous savez que j'adore les gens du cirque et que j'ai beaucoup de respect pour eux.

Il se détourna, un peu gêné d'avoir été désagréable. La fatigue et le froid le rendaient encore moins sociable que de coutume.

— Bon, je ne veux pas vous chasser, dit-il avec un sourire désolé, mais je me lève très tôt le matin et il est déjà dix heures.

— Bien sûr, acquiesça-t-elle en se hâtant de renfiler sa veste. Je vous laisse… Merci pour ce cassoulet, je mourais de faim et de froid. À jeudi !

Sur le pas de la porte, elle lui adressa un signe amical avant de sortir. Il entendit le moteur démarrer, puis le crissement des pneus sur les pavés de la cour. Pourquoi l'avait-il quasiment mise dehors ? Il devenait un peu ours, elle n'avait pas tort. Après tout, elle était jeune, intéressante et pas laide, même si elle ne lui plaisait pas, et elle ne devait pas avoir l'habitude d'être expédiée de la sorte.

Avec un petit soupir résigné, il plongea les assiettes dans l'évier. L'hiver n'en finissait pas, c'était sûrement la raison de sa morosité.

À TROIS heures du matin, ni Tomas ni Berill n'étaient parvenus à s'endormir. Désormais la maladie était là, entre eux, et n'allait plus les quitter jusqu'à la fin.

Adossée à ses oreillers, Berill gardait sa lampe de chevet allumée alors que Tomas avait préféré éteindre la sienne. Dans la pénombre, le chien Bosco était venu poser sa tête au pied du lit.

Ils s'étaient tout dit ou presque, au moins l'essentiel. Pour une fois, Tomas n'avait pas essayé de préserver Berill en lui cachant la vérité, persuadé que le seul moyen d'atténuer le choc était de s'y préparer. Depuis plus de trente ans, ils s'étaient beaucoup ménagés l'un et l'autre, mais, à présent, il n'était plus temps.

« Nous avons des choses à faire, mon amour. Nos testaments sont devenus urgents », avait murmuré Tomas.

Pour lui, c'était simple, il léguait tout à Berill. Mais, après elle, la succession Blaque-Belair devait être organisée très précisément, et la banque allait se révéler un terrible casse-tête.

« Maureen m'inquiète. Elle me remplacera sans problème, à condition de garder Mathias avec elle, or elle le juge dépassé ! Pis encore, elle trouve exorbitantes les sommes investies dans le parc

Belair, et je ne veux pas qu'elle puisse s'immiscer dans les affaires de son frère. »

Repoussant l'angoisse qui lui broyait le cœur, Berill essayait de se concentrer sur l'avenir de leurs enfants, car elle ne voulait pas songer à la disparition de Tomas.

— Je suis accablé à l'idée de te laisser seule.

Dans la pénombre, la voix chaude de Tomas fit tressaillir Berill. Elle chercha sa main et la saisit, leurs doigts s'emmêlèrent. Seule ? Ses parents étaient enterrés à Budapest et, l'année précédente, le vieux et fidèle Sandor s'était éteint à son tour, laissant derrière lui un vide impossible à combler parce que Berill le connaissait depuis son enfance. Néanmoins, pour chacun de ces deuils, elle avait pu s'appuyer sur Tomas, trouver refuge entre ses bras, et elle ne supportait pas l'idée qu'il puisse l'abandonner.

— J'ai une chose à te demander, ma chérie.

Il avait dit cela si bas, et d'un ton si suppliant, qu'elle retint sa respiration.

— La perspective de devenir grabataire me fait horreur. Quand le moment sera venu de m'en aller, il faudra que tu me laisses partir dignement.

— Mon Dieu, Tom…, chuchota-t-elle, horrifiée.

Elle savait ce qu'il allait dire et ne voulait pas l'entendre.

— Souffrir ne m'effraie pas, poursuivit-il impitoyablement, mais je ne veux pas être incontinent, sénile, repoussant. Je ne veux pas retomber en enfance ou hurler comme un vieux chien à l'agonie. Si tu devais garder ce souvenir-là de moi, je préférerais me mettre une balle dans la tête cette nuit.

Jusqu'à cet instant, il n'avait parlé que des enfants, de la banque, de la manière dont il comptait mettre Berill à l'abri de tout. Des propos raisonnables qu'ils auraient pu tenir n'importe quand, mais maintenant, il était bien question de sa disparition, de sa mort.

— Tu feras ce que tu voudras, et je t'y aiderai, promit-elle en s'arrachant les mots.

Peut-être ce serment était-il très au-dessus de ses forces, néanmoins elle venait de s'engager et jamais elle n'avait failli à sa parole. Aider Tom à mourir ? Elle fut parcourue d'un long frisson qu'il dut percevoir, car il tenait toujours sa main.

— Je ne croyais pas, articula-t-elle avec peine, que ce jour arriverait si vite. On imagine qu'on s'en ira en premier, qu'on n'affrontera pas l'abîme. Ou plutôt, on n'imagine rien, on évite d'y penser. Comme si on avait l'éternité devant soi !

Se tournant brusquement sur le côté, elle se plaqua contre lui et le serra de toutes ses forces.

— J'ai profité de chaque moment avec toi, mais il n'y en a pas eu assez ! Oh, Tomas…

Pourquoi ne l'avait-elle pas aimé dès le début ? Pourquoi avait-elle perdu des mois, voire des années, avant de lui rendre tout cet amour qu'il lui avait donné sans compter ?

PHILIPPE se leva tandis que Maureen traversait la salle du *Fouquet's* pour rejoindre la table où il l'attendait. Ce petit déjeuner était devenu un rituel auquel ils sacrifiaient une ou deux fois par semaine.

— Tu es rayonnante, apprécia-t-il en la détaillant.

Elle portait une veste de vison miel sur une jupe de tweed, et ses cheveux relevés en chignon dégageaient son visage aux traits délicats. Chaque fois qu'il la voyait, Philippe éprouvait le même ravissement. Il commanda du café, des viennoiseries et des oranges pressées.

— Je n'ai pas beaucoup de temps ce matin, déclara-t-elle avec un petit sourire crispé.

C'était généralement le cas, mais parfois elle s'attardait un peu. Lui aussi était pressé, sachant qu'une montagne de travail l'attendait à son cabinet, néanmoins il était prêt à sacrifier n'importe quel dossier pour passer un moment avec Maureen. Et s'il avait choisi le *Fouquet's* comme lieu de rendez-vous, ce n'était pas pour être à la mode ou côtoyer les stars de la Nouvelle Vague mais pour pouvoir profiter de Maureen jusqu'à la dernière minute, car elle n'avait que quelques pas à faire pour gagner la rue François-Ier. De son côté, il devait reprendre sa voiture et retraverser la moitié de Paris.

— Hier, j'ai eu une conversation assez désagréable avec mon père au sujet de l'avenir de la banque. Il est d'accord pour que je le remplace, sauf qu'il me met mon oncle dans les pattes parce qu'il me trouve encore trop jeune, trop « verte » !

Philippe savait à quel point Maureen respectait Tomas Blaque-Belair, aussi fut-il surpris du ton cynique qu'elle venait d'employer pour parler de lui. Il l'observa pendant qu'elle dégrafait sa veste.

— Je me sens de taille à diriger cette entreprise dès aujourd'hui sans être chaperonnée, martela-t-elle soudain. L'Irish est toute ma vie, Phil, c'est la seule chose qui compte pour moi !

Elle tapa sur la table du plat de la main, inconsciente de la peine qu'elle lui infligeait. Certes, il avait l'habitude de sa froideur, de cette façon qu'elle avait de ne jamais l'inclure dans son existence, pourtant il eut l'impression qu'elle cherchait délibérément à le blesser.

— J'aimerais compter un peu aussi, dit-il à mi-voix.

Sourcils froncés, elle le contempla un moment avant de lâcher :

— Tu es un homme marié, Phil. Un père de famille, rappelle-toi. Et de surcroît un menteur, puisque tu trompes ta femme avec moi. Quel genre de sentiment devrais-je investir là-dessus ?

Une fois de plus, elle devait éprouver le besoin de le punir. Depuis le début, elle lui en voulait de ne pas être libre, de ne pas s'être séparé sur-le-champ de sa femme et de ses enfants. Mais comment aurait-il pu quitter Nicole du jour au lendemain, et surtout abandonner ses jumelles ? Au bout de quelques mois d'adultère, lorsqu'il avait réalisé l'ampleur de son amour pour Maureen, lorsqu'il avait compris qu'il devenait fou sans elle, c'était trop tard, elle n'avait plus confiance. Aujourd'hui, ils étaient installés dans une liaison chaotique qui les rendait malheureux l'un et l'autre.

— Ne m'accable pas, souffla-t-il.

Il la vit refermer sa veste et il fut pris de panique.

— Tu pars maintenant ? Veux-tu dîner avec moi demain soir ?

— Où ça ?

Elle le toisait, le mettant implicitement au défi. Elle supportait de moins en moins d'être raccompagnée à Neuilly en sortant d'un restaurant alors qu'elle aurait voulu aller boire un dernier verre et rentrer se coucher avec lui. Par discrétion, il arrêtait sa voiture à quelques dizaines de mètres de l'hôtel particulier, résigné d'avance à la scène qu'elle ne manquait pas de lui faire, ensuite il se dépêchait de regagner le domicile conjugal.

— Au *George V*, proposa-t-il. Je retiendrai une chambre et nous passerons la nuit ensemble, d'accord ?

— Tu vas t'inventer un voyage d'affaires ? ironisa-t-elle.

Mais sa voix était déjà plus tendre, elle ébaucha même un sourire.

— J'y serai à vingt et une heures, Phil. Réserve à mon nom.

Elle sortit son poudrier de son sac, jeta un coup d'œil au miroir puis se remit une touche de rouge à lèvres avant de se lever.

— Je me réjouis de passer cette soirée avec toi, chuchota-t-elle en se penchant vers lui.

Lorsqu'elle effleura sa joue, il sentit son parfum et faillit la retenir, pourtant il la laissa s'éloigner. Se séparer d'elle était chaque fois un déchirement, il allait penser à elle toute la journée. Et ce soir, en rentrant chez lui, il n'écouterait Nicole que distraitement et jouerait sans conviction son rôle de mari et de père…

TOMAS s'approcha de la fenêtre pour mieux voir voltiger les flocons. Lorsqu'il était enfant, il y avait toujours de la neige à Dublin, l'hiver. Durant un moment, il songea à sa jeunesse insouciante, à son grand-père Douglas, aux parties de rugby endiablées. Il eut même une pensée pour Ellen, cette jeune Irlandaise qu'il aurait pu épouser s'il n'avait pas rencontré Berill.

Cessant aussitôt de s'apitoyer sur lui-même, il retourna s'asseoir à son bureau. Les fées s'étaient penchées sur son sort en lui faisant trouver, à Madrid, la femme de sa vie. Contre toute logique il avait pu conquérir Berill, su la garder, que demander de plus? Il s'en irait sans une once de regret.

Il décrocha le téléphone, appela l'étude de son notaire et obtint un rendez-vous pour le lendemain. Ensuite il hésita un long moment, la main posée sur le bouton de l'Interphone. Devait-il mettre Mathias au courant dès maintenant? Ils auraient beaucoup de choses à régler ensemble, tant que Tomas en était encore capable, mais comment supporter chaque matin la compassion ou l'attendrissement? Leurs rapports de travail, généralement sans concession bien que teintés d'humour, allaient s'en trouver bouleversés.

Avec un profond sentiment de découragement, Tomas laissa retomber sa main. À l'hôpital Américain, le Pr Dubois ne lui avait laissé aucune illusion. La médecine ne possédait pas de traitement pour la leucémie, malgré les recherches menées depuis quelques années à l'Institut national d'hygiène. On savait que la maladie frappait surtout chez l'homme, à partir de cinquante ans, et qu'elle entraînait rapidement la mort.

Il se releva, retourna à la fenêtre. Pour l'heure, il se sentait à peine fatigué, il lui était difficile de croire que son organisme était déjà rongé et affaibli.

« N'attends pas, fais ce que tu as à faire, tout de suite. »

Après avoir observé la neige encore quelques instants, avec les toits des immeubles d'en face devenus blancs et les congères qui commençaient à se former dans les caniveaux, Tomas s'arracha à sa contemplation, quitta son bureau et alla frapper à la porte de Mathias.

2

CAROLINE hésita une seconde. Elle ne se maquillait quasiment jamais et ne possédait qu'une palette de fards Elizabeth Arden offerte par une amie. Prise d'une inspiration subite, elle ouvrit le boîtier, considéra pensivement les ombres à paupières. Pourquoi ne pas accentuer son regard sombre avec une touche de marron glacé ou de beige nacré ? Non, décidément, c'était ridicule, en tout cas à sept heures du matin ! Elle se contenta d'une goutte de son eau de toilette, ébouriffa d'un geste machinal ses cheveux qu'elle venait de sécher, puis quitta la salle de bains.

En bas, son père l'attendait dans la cuisine, fier du petit déjeuner qu'il avait concocté, comme chaque matin.

— Salut, Félix ! lança-t-elle avant de l'embrasser.

Elle avait l'habitude de l'appeler par son prénom depuis qu'ils travaillaient ensemble au cabinet vétérinaire.

— Œufs brouillés et pamplemousse pressé ! annonça-t-il de sa voix de stentor. Tu es bien jolie aujourd'hui, et tu sens bon…

Il trouvait toujours moyen de lui faire un compliment ou de lui dire quelque chose de gentil, sans doute parce qu'il la trouvait trop solitaire. À son âge, elle aurait pu être mariée, avoir des enfants et habiter loin de là. Lorsqu'elle était partie en Afrique, il avait été persuadé qu'elle ne reviendrait jamais à la maison, peut-être même pas en France, et, à son retour, il était tombé des nues en l'entendant annoncer qu'elle restait pour de bon, prête à s'associer avec lui.

Bien sûr, elle ne lui avait pas expliqué pourquoi. Ni raconté que, depuis le lycée, c'était toujours pareil, les garçons ne s'intéressaient pas à elle. Durant ses années d'études à l'école vétérinaire, elle était tombée amoureuse à plusieurs reprises, mais, chaque fois, l'élu de son cœur craquait pour une autre jeune fille, de préférence plus féminine, plus belle, plus fragile – plus *mijaurée*. Elle n'avait eu aucun amant et, se sentant complexée par son inexpérience, elle avait le tort d'accentuer son côté bon petit soldat.

— Je file au parc, annonça-t-elle la dernière bouchée avalée, mais je serai là cet après-midi pour te donner un coup de main.

Félix lui adressa un grand sourire et lui souhaita une bonne matinée. Ils travaillaient parfois ensemble, si les rendez-vous étaient trop nombreux, mais ils préféraient se relayer. Quand Caroline était au parc Belair, Félix assurait la consultation, et lorsqu'elle était au cabinet, il partait à la pêche.

Dehors, le froid était encore vif, mais, au moins, il n'y avait plus de neige comme deux semaines auparavant, et on pouvait presque imaginer les prémices du printemps.

En arrivant au parc, elle gara la 404 à l'emplacement habituel, juste devant l'infirmerie. La voiture de Hugh était à l'autre bout de la cour pavée, près d'une Mercedes rutilante qui devait appartenir à Berill Blaque-Belair. Caroline en fut vaguement contrariée, car, en présence de sa mère, Hugh était toujours moins disponible, or elle aimait bien arpenter les allées en parlant avec lui à bâtons rompus, s'arrêter pour observer un fauve, échanger des idées au sujet d'éventuelles améliorations. En fait, Caroline était beaucoup trop concernée par le parc, son intérêt ne se limitait pas aux animaux, elle avait envie de se mêler de toute l'organisation.

— Docteur Tardieu ! s'exclama Berill.

Elle sortait de la ménagerie, Hugh sur ses talons.

— Il paraît que Lilith attend un petit ? C'est vraiment merveilleux…

Son timbre grave ainsi qu'une trace d'accent slave rendaient sa voix envoûtante. Comme chaque fois qu'elle la rencontrait, Caroline s'étonna du charme que possédait encore cette femme proche de la soixantaine.

— Maman n'a pas résisté, soupira Hugh, il a fallu qu'elle grattouille l'oreille de Lilith et…

— Et il n'est rien arrivé, arrête de t'angoisser. Je ne ferai jamais ça devant ta fille, je te le jure, c'est juste un secret entre toi et moi.

Haussant les épaules, résigné, Hugh s'adressa à Caroline.

— On a lâché le mâle, Lilith est seule dans sa cage. Dès que vous l'aurez examinée, on la remettra en liberté. Un café d'abord?

Ils se dirigèrent ensemble vers le relais de chasse où il faisait bon, un gros tas de braises rougeoyant dans la cheminée. Les deux femmes s'installèrent devant le comptoir, tandis que Hugh mettait de l'eau à chauffer.

— Vous êtes très matinale, fit remarquer Caroline.

— Il faisait nuit quand j'ai quitté Paris, admit Berill en riant. Mais j'adore conduire et il n'y avait personne sur la route. À Tours, j'ai trouvé une seule boulangerie ouverte…

D'un geste désinvolte, elle désigna le sac de croissants que Hugh était en train de verser dans une corbeille.

— Je m'étonne que papa t'ait laissée partir! Il devait dormir à poings fermés, non?

Caroline vit le visage de Berill se crisper, ses lèvres se pincer, puis d'un seul coup elle se força à sourire.

— Ton père ne m'a jamais contrariée de sa vie, dit-elle doucement.

Dans ces quelques mots, elle avait mis une telle tendresse que Caroline l'observa soudain avec plus d'attention. Cette femme dissimulait une douleur, une angoisse indicible. Se faisait-elle du souci pour son fils? Le parc était, d'après Hugh lui-même, un gouffre financier, mais les Blaque-Belair possédaient une banque, ils semblaient à l'abri des problèmes d'argent. Caroline détailla le pantalon de velours noisette que portait Berill, son col roulé de cashmere beige agrémenté d'une broche, ses bottines en daim. Élégance parfaite pour une promenade dans la nature! À côté d'elle, Caroline était habillée comme un camionneur avec son blue-jean – une mode qui vous donnait l'air d'avoir emprunté le bas d'un bleu de travail –, son gros pull irlandais favori et ses bottes de caoutchouc kaki.

— Merci pour le café, dit-elle en glissant de son tabouret.

Berill lui adressa un sourire distrait, tandis que Hugh promettait de la rejoindre dans dix minutes. Le temps pour elle d'administrer un calmant à Lilith. Dans l'infirmerie, les barreaux des cages étaient trop rapprochés pour qu'un fauve puisse lancer un coup de patte meurtrier, et Caroline utilisait des seringues spéciales, munies de longues aiguilles, afin de travailler sans risque.

Au milieu de la cour, elle trouva l'un des employés, Jean-François, qui l'attendait. Ils échangèrent une poignée de main et elle lui demanda des nouvelles de son frère, parti cinq mois plus tôt sous les drapeaux en Algérie.

— Depuis que le FLN a rejeté la paix des braves proposée par de Gaulle, les militaires sont sur les dents. Tout ça finira très mal… Je ne sais pas si de Gaulle fera mieux que René Coty, et je m'en fous, tout ce que je voudrais, c'est que Paul revienne entier !

Bougon, il la précéda vers l'infirmerie tout en continuant à pester contre les hommes politiques. Engagé dès l'ouverture du parc, il était vite devenu le responsable de l'équipe, et Hugh avait une totale confiance en lui.

— Je vais vous pousser Lilith contre les barreaux, vous pourrez lui faire sa piqûre, dit-il en faisant coulisser une planche de bois qui permettait de rapetisser la cage.

Acculée, la tigresse s'assit dans un coin en feulant. Mentalement, Caroline salua l'habileté de Jean-François. Avec lui, il n'y avait jamais aucun problème, il savait s'y prendre. Elle injecta le calmant qui allait faire somnoler Lilith et permettre l'examen.

— Je ne l'endors pas tout à fait, expliqua-t-elle, je voudrais qu'elle prenne l'habitude de se laisser soigner. S'il y a un souci au moment de la naissance de son petit, autant qu'elle me tolère…

— Ne comptez pas là-dessus, doc ! Hugh n'acceptera pas que vous entriez dans la cage, vous le savez très bien.

Elle se tourna vers lui, sourire aux lèvres.

— Au Kenya, j'ai approché plus de fauves que vous n'en verrez de toute votre vie, et je n'ai pas eu une seule égratignure. Je ne fais pas de diagnostic par correspondance, il faut que je touche de mes mains.

— Vous essayez de le convaincre, Caroline ? Vous n'avez pas la moindre chance, Jean-François est incorruptible !

Hugh était arrivé sans bruit et il jeta un coup d'œil à Lilith qui bâillait, couchée sur le flanc.

— Dieu, qu'elle est belle…, murmura-t-il.

Ils restèrent un moment silencieux, tous les trois, occupés à regarder la tigresse.

— Votre mère ne nous rejoint pas ? finit par demander Caroline.

Lorsqu'elle venait au parc, Berill passait son temps près des fauves.

— Non, elle est déjà repartie, c'était vraiment une visite éclair.

Caroline se souvint de l'expression anxieuse de Berill. Avait-elle fait cet aller-retour uniquement pour embrasser son fils ? Hugh ne semblait pas inquiet, il n'avait pas non plus la tête de quelqu'un qui vient d'apprendre une mauvaise nouvelle, et Caroline en déduisit qu'elle se faisait des idées. D'ailleurs, ce qui se passait dans la famille Blaque-Belair ne la concernait en rien. Du moins essayait-elle de le croire, car, en réalité, Hugh prenait de plus en plus d'importance dans sa vie, dans ses pensées, dans son cœur. Mais bien sûr, il ne s'intéressait pas du tout à elle, comme tous les hommes dont elle s'était sottement entichée !

D'un geste résolu, elle passa la main à travers les barreaux, la posa délicatement sur le ventre de Lilith.

— NE te mets pas en colère, Tom, s'il te plaît…

La voix suppliante de son vieil ami aida Tomas à retrouver son sang-froid. Il connaissait Felipe depuis plus de quarante ans et ne pouvait pas mettre en doute sa probité.

— Je t'écoute, dit-il après un bref silence.

— Même si le divorce a été prononcé aux torts de Julian, il a le droit de voir son fils, et surtout il en meurt d'envie. Je sais ce que tu penses de lui, je sais aussi que Maureen ne veut pas le rencontrer, alors j'essaie de trouver une solution acceptable pour tout le monde.

Tomas soupira sans répondre. Quelques années plus tôt, Felipe et lui avaient été si heureux de marier leurs enfants ensemble ! Les deux familles entretenaient de solides liens d'amitié, l'avenir était assuré. Hélas ! il avait fallu déchanter, Julian se révélant un mari aussi volage que brutal.

— Liam est mon petit-fils aussi, Tomas, et je ne l'ai jamais vu, plaida Felipe.

— Tu peux t'inviter chez moi quand tu veux, tu es le bienvenu.

— C'est justement ce que je te propose. Laisse-moi venir chercher le petit. Je l'emmènerai à Madrid quelques jours, dans ma maison, c'est là que Julian pourra lui rendre visite. Ma femme veillera sur lui comme sur la prunelle de ses yeux, je te le jure. Ensuite, je te le ramènerai moi-même.

Cet enfant allait se trouver au centre d'enjeux effrayants, c'était une évidence que Tomas devait affronter dès maintenant. À Madrid, Felipe dirigeait une banque lui aussi, et Julian était son fils unique. S'il n'avait pas d'autre descendant, Liam serait un jour l'héritier de la fortune des Sabas.

— Maureen n'acceptera jamais, finit-il par déclarer.

— Elle t'écoutera, Tom. Maureen a la tête sur les épaules, j'ai beaucoup d'estime et d'admiration pour elle, je crois qu'elle comprendra si tu lui expliques les choses.

Tomas réfléchissait à toute vitesse. S'il ne cédait pas aux arguments légitimes de Felipe, qu'adviendrait-il? Maureen n'était pas diplomate, et elle prendrait mal toute demande émanant de son ex-mari, néanmoins elle ne pouvait pas ignorer la loi. Julian avait reconnu Liam, conçu durant le mariage et qui portait son nom. Pour convaincre Maureen, il suffirait sans doute de lui rappeler que Julian pouvait très bien revenir s'installer à Paris et demander à partager la garde de leur enfant. Et ça, il n'en était pas question.

— Que devient Julian? s'enquit Tomas d'un ton neutre.

— Rien d'intéressant. Il fait mon désespoir et tu le sais. Tu as de la chance, Tom, tes enfants ne t'ont pas déçu. Maintenant, pour tout t'avouer, je mène la vie dure à Julian, je ne lui donne pas une seule peseta et il m'en veut énormément. Il a fini par se trouver un travail à la Banque de Bilbao, mais j'attends qu'il y fasse ses preuves.

La voix de Felipe vibrait de colère et il y eut un silence avant qu'il reprenne, plus bas:

— Je croyais lui avoir inculqué mes valeurs, Tom. Peut-être changera-t-il un jour, mais ce qu'il a raté avec Maureen est un irrémédiable gâchis… Quoi qu'il en soit, il ne verra Liam que sous mon toit, je t'en fais la promesse solennelle.

— Très bien, trancha Tomas qui ne voulait plus entendre Felipe supplier. Laisse-moi en parler à Maureen et je te rappellerai demain afin que tu organises ton voyage.

Écourtant les remerciements de son vieil ami, il raccrocha,

accablé. Il avait si peu de temps devant lui et tant de choses à régler !

Il ferma les yeux une seconde et s'obligea à respirer lentement. Il était de plus en plus fatigué, son corps commençait à le lâcher. Mieux valait ne plus venir à la banque si c'était pour s'y traîner ou pour somnoler dans son bureau. Mathias avait toutes les données en main désormais, ils s'étaient mis d'accord tous les deux au terme d'une conversation très longue et très pénible. Tomas ne lui avait rien épargné, allant même jusqu'à préciser : « Fais attention à Maureen, elle aura envie de conduire le bateau sans son vieil oncle ! » Une mise en garde que son beau-frère avait parfaitement saisie. Ensuite, ils s'étaient attaqués aux statuts de l'Irish. Toujours efficace, Mathias avait pris conseil de leurs juristes et trouvé des solutions point par point dans l'imbroglio financier que serait la succession Blaque-Belair. Au milieu de la nuit, enfermés dans le bureau dont Mathias rendait l'atmosphère irrespirable avec ses cigarettes, ils s'étaient rendu compte que, depuis des heures, ils parlaient froidement de la mort prochaine de Tomas. Alors, Mat était parti à travers les étages déserts, il avait fini par dénicher une bouteille de whisky dans un placard et ils avaient trinqué jusqu'à l'aube tout en rédigeant des documents. Quand Tomas avait dit : « Si j'avais eu un frère, j'aurais voulu que ce soit toi », les yeux de Mathias s'étaient remplis de larmes. Lui ne parlait jamais de son véritable frère, Arno Károly, qui avait failli être un clown célèbre mais qui s'était laissé enrôler dans les rangs des nazis. Un drame familial que Berill n'évoquait jamais non plus.

Tomas se redressa, constatant qu'il avait failli s'endormir. Il n'avait mal nulle part, il était seulement horriblement las. Non, il ne viendrait plus à l'Irish, il ne tenait pas à ce qu'un collaborateur le découvre en train de ronfler sur son sous-main, ce serait un très mauvais exemple. Il s'empara d'un petit cadre en argent qui contenait la photo de Berill et le glissa dans sa poche. Après un dernier regard circulaire, il se leva, s'étira. Il allait prendre un taxi pour rentrer à Neuilly, car il ne se sentait pas en état de conduire. Sa conversation avec Felipe l'avait épuisé, déprimé, et rien n'était résolu.

Dès qu'il posa le pied sur le trottoir de la rue François-Ier, il se mit à claquer des dents. Seigneur ! Il en était déjà là ? Rassemblant ses forces, il leva le bras pour héler un taxi en maraude. Peut-être lui restait-il encore moins de temps qu'il ne l'imaginait. En s'affalant sur la banquette arrière, il marmonna son adresse d'une voix qu'il eut peine à reconnaître comme la sienne.

CONVIÉ par ses employés à partager leur repas, Hugh avait apporté trois bouteilles de bordeaux. L'atmosphère du réfectoire aurait pu être sinistre avec ses tables en Formica et sa vaisselle en Pyrex, or c'était un endroit gai et chaleureux grâce au poêle à charbon qui ronflait, et à toutes les affiches de cinéma que Jean-François avait punaisées sur les murs blancs. La dernière en date était celle du film d'Alain Resnais *Hiroshima mon amour*.

— Et bien sûr, tu es tombé amoureux d'Emmanuelle Riva? railla Hugh.

— Bien sûr, reconnut Jean-François d'un air extasié.

Intarissable dès qu'il s'agissait de cinéma, il se mit à parler de Chabrol, puis de Truffaut, tout en débouchant une bouteille.

— On trinque à la nouvelle saison? proposa-t-il enfin.

À trois jours de l'ouverture du parc, l'excitation commençait à gagner l'équipe. Les saisonniers devaient arriver dès le lendemain, ainsi que la gérante du salon de thé accompagnée de sa serveuse. Le surlendemain, ce serait l'ensemble de la troupe appelée à se produire sous le chapiteau avec ses caravanes colorées, ses dix-huit chevaux gris et ses écuries démontables.

— Il faut que cette année soit bonne, dit Hugh en choquant son verre contre celui de Jean-François.

— On fera tout pour, ce parc est notre bébé à nous aussi!

Pierre et Ludovic vinrent les rejoindre pour boire avec eux tandis que Nicolas surveillait la cuisson du lapin aux olives. Ces trois hommes avaient été choisis minutieusement par Hugh trois ans plus tôt. Pierre avait alors une quarantaine d'années, il appartenait au monde du cirque mais rêvait d'espace, et Hugh l'avait embauché autant pour son habitude des animaux que pour son sérieux. Un peu plus jeune, Nicolas était jardinier de formation, tandis que Ludovic, âgé de vingt ans à peine et débarquant tout droit de sa Bretagne natale, cherchait un métier hors du commun qui lui permette de vivre au grand air.

Le cas de Jean-François était différent. En le recevant, Hugh l'avait immédiatement reconnu comme l'un de ses anciens condisciples à l'université d'Assas, où ils s'étaient révélés aussi cancres l'un que l'autre durant une inutile année de droit. Par la suite, ils s'étaient perdus de vue, et Jean-François expliqua, sans donner de détails, qu'il avait subi un certain nombre de revers l'obligeant à trouver n'importe quel travail d'urgence. L'annonce passée par Hugh dans le journal lui avait sauté aux yeux, car le nom de Blaque-Belair était difficile à oublier. Hugh l'avait engagé à l'essai et, quelques mois plus tard, il lui confiait la responsabilité de toute l'équipe.

Jean-François était un garçon posé, sérieux, réservé. Entre Hugh et lui, très vite, un lien d'amitié s'était noué et, durant les nombreuses heures passées à arpenter le parc, des bribes de confidences mutuelles leur avaient permis de mieux se connaître. Hugh s'était laissé aller à évoquer la mort de sa femme, un sujet qu'il n'abordait pourtant qu'avec réticence, ainsi que sa difficulté à aimer de nouveau. Jean-François avait lui aussi livré ses secrets en parlant de son petit frère, Paul, qu'il avait quasiment élevé depuis le décès de leurs parents dans un accident de montagne. Chaque jour, il écoutait la radio pour avoir les dernières nouvelles en provenance d'Algérie, mort d'inquiétude en songeant à ce que Paul devait vivre là-bas.

— Que dit ton frère dans sa lettre ? s'enquit Hugh.

En triant le courrier, comme chaque matin, il avait vu l'enveloppe et s'était réjoui pour Jean-François.

— Ce qu'il dit ? Des horreurs… Ce que la presse dénonce ici n'est qu'un pâle reflet de ce qui se passe là-bas. Les succès militaires n'empêchent pas le FLN de conserver le contrôle de la population. Et puis tout ça est atroce, on torture ou on est égorgé, pas d'alternative. Paul deviendra fou avant la fin de son temps.

En parler avait fait pâlir Jean-François.

— Un gamin qui avait peur dans le noir et à qui je devais laisser une veilleuse, tu te rends compte ? Même quand je l'emmenais dans des fêtes foraines, il ne voulait pas se servir d'une carabine à plomb pour dégommer les pipes ou gagner une peluche… Tu imagines ce qu'il subit en ce moment ?

— Arrête de ressasser, marmonna Nicolas en posant le plat sur la table.

C'était dit gentiment, car, en réalité, Jean-François ne se confiait qu'à Hugh et n'ennuyait personne de l'équipe avec ses angoisses. Néanmoins, chacun savait à quel point son frère comptait pour lui.

— Ton lapin sent divinement bon ! dit Jean-François avec un large sourire.

— Profitez-en bien parce que, à partir de demain, ce sera une cuisine de cantine !

» J'attends une forte hausse de la fréquentation du parc, déclara Hugh en remplissant les verres. Nous avions très bien terminé, à l'automne dernier, grâce au bouche-à-oreille, mais, cette année, nous pouvons aussi compter sur la publicité, avec les affiches et les encarts dans les journaux comme *France-Soir* ou *l'Aurore*. J'espère que le public sera au rendez-vous…

— Y a pas à s'inquiéter, les gens vont faire la queue à l'entrée ! lança Ludovic de son ton bourru.

— Que Dieu t'entende, murmura Hugh.

MAUREEN s'était inclinée, de très mauvaise grâce, ne cédant que devant l'argument de la loi. Julian avait, en effet, le droit de voir son fils, même si le sort de cet enfant lui était tout à fait indifférent, et la solution proposée par Felipe semblait la plus acceptable. Sans illusions sur son ex-mari, Maureen conservait en revanche un bon souvenir des Sabas. « Une semaine, pas un jour de plus ! » avait-elle concédé du bout des lèvres.

Fort de cette victoire, Tomas s'était arrangé pour repousser la date du voyage de Felipe à la fin du printemps. Il ne souhaitait pas revoir son vieil ami, pas dans cet état d'épuisement qui marquait déjà ses traits et voûtait sa silhouette. À des troubles visuels s'ajoutaient des pertes d'équilibre : la maladie progressait à pas de géant, désormais la course contre la montre était engagée.

Si Berill vivait très mal le déclin de Tomas, elle avait le courage de ne pas le montrer. En apparence, elle était seulement un peu plus attentive à ses moindres désirs, un peu plus tendre dès qu'elle s'adressait à lui, mais, au fond d'elle-même, une horrible panique menaçait de la submerger. Dans ces moments-là, elle allait sangloter contre l'épaule de Mathias. Comment la vie avait-elle pu couler aussi vite ? Tomas allait mourir, et Berill elle-même arrivait au seuil de la vieillesse, elle ne pouvait pas y croire, encore moins s'y résoudre.

Mathias l'écoutait, la serrait dans ses bras, lui rappelait qu'elle serait toujours sa petite sœur, la Gitane aux yeux violets qu'il avait juré de protéger. « Tu dansais dans une cage pendant que je faisais le clown, regarde le chemin que nous avons parcouru ! » Grâce à Tomas, ils en étaient pleinement conscients tous les deux, Tomas qui avait fait d'eux des gens heureux, et qui s'apprêtait à partir en leur confiant l'avenir des Blaque-Belair.

Heureusement, Hugh était loin, et Maureen trop absorbée par la banque. À leurs questions sur la santé de leur père, Berill donnait des réponses évasives. Elle prétendait attendre des résultats d'examens, des compléments d'analyses. Pendant ce temps-là, elle préparait le dernier voyage que Tomas voulait faire à Dublin. Il avait choisi de finir ses jours dans sa maison de Parnell Square, dans la ville où il était né et où il désirait être enterré.

Berill faisait face, parce qu'elle avait promis. Promis d'aider Tomas à disparaître avant de devenir un objet de pitié, promis de lui tenir la main à l'instant décisif, afin qu'il s'éteigne en la regardant. Mais cet engagement lui était insupportable, car tout ce qui était funèbre ou macabre l'avait toujours mise très mal à l'aise. Berill aimait la vie, la passion et l'excès, le rire et le danger, elle avait pu affronter des fauves ou marcher au-dessus du vide sur un fil d'acier, mais elle n'était pas certaine de pouvoir affronter la mort.

Bien que tenue à l'écart, comme souvent, Teresa avait tout deviné. Le visage de son frère ne laissait aucune place au doute, elle le voyait se marquer un peu plus chaque jour, et lorsqu'il annonça son départ prochain pour Dublin, elle comprit que c'était la fin.

— Ta recommandation est une catastrophe ! tonna Mathias en lançant le dossier sur le bureau de Maureen.

Debout devant elle, il l'obligeait à lever la tête, et elle le considérait avec stupeur.

— Cette valeur ne va pas dans le bon sens, Maureen, comment as-tu pu te tromper à ce point ? En commettant des erreurs de ce calibre, on donne une très mauvaise image de la banque.

— Arrête donc de crier, bon sang ! Personne n'est infaillible, non ?

Elle quitta son siège, fit le tour du bureau et vint se planter devant Mathias.

— Écoute, ça va remonter, je suis sûre de mon analyse.

— Sûre ? Ah, quelle cruche !

Tiquant sous l'injure, Maureen toisa son oncle avec fureur.

— Ne me parle pas sur ce ton, Mat. Tu n'es pas mon père, ni le patron de l'Irish.

— Oh, quand je dis « cruche », je me modère ! Pourquoi n'es-tu pas venue me voir avant de lancer ta recommandation ?

— Parce que tu n'es pas…

— Bardé de diplômes ? Eh bien, ça ne m'empêche pas d'être de bon conseil ! Toi, tu as fait plonger deux gros clients, alors j'espère qu'ils te croiront de bonne foi, parce que s'ils t'estiment malhonnête, les autorités de marché vont s'en mêler, et ce sera le discrédit !

Il écumait de rage, lui qui n'avait presque jamais de mouvement d'humeur. Sur le point de répliquer, Maureen fut arrêtée par l'arrivée inopinée de sa mère.

— Vous devriez fermer la porte quand vous vous querellez ! lança Berill d'un ton glacial.

Après les avoir observés l'un après l'autre, elle haussa les épaules.

— Un établissement financier est le dernier endroit du monde où se comporter comme des chiffonniers. Qu'est-ce qui se passe ?

— Rien, maugréa Mathias.

— Oh, que si ! s'insurgea Maureen. D'abord, je constate que n'importe qui peut entrer dans mon bureau sans frapper, ensuite, que, dès que je prends une initiative, j'ai toute la famille sur le dos, que…

— Nous ne sommes pas n'importe qui, ton oncle et moi. Quant à la famille, félicite-toi de l'avoir.

Un bref silence les sépara tous les trois, puis Maureen articula distinctement :

— Maman, il y a longtemps que tu ne travailles plus à l'Irish. Les choses ont changé et papa m'a confié un certain nombre de responsabilités, que j'assume pleinement. Mathias n'a pas à venir m'adresser des reproches en hurlant.

— Je ne peux pas te regarder couler la boutique les bras croisés, riposta Mathias. Faire acheter du Carfonds est bien la pire de tes initiatives !

Berill esquissa un geste apaisant afin qu'ils se taisent tous les deux. Elle avait les traits tirés, le regard éteint.

— Tom m'attend en bas dans un taxi, nous filons au Bourget. Notre avion décolle à midi, mais je voulais vous dire au revoir.

— Vous ne deviez pas partir la semaine prochaine? s'étonna Maureen.

— Ton père a préféré avancer notre voyage. Il a… hâte de se retrouver à Dublin.

Son émotion était si tangible que Maureen fronça les sourcils.

— Papa paraît très fatigué ces temps-ci, j'espère qu'il se reposera vraiment là-bas. La maison est prête pour vous recevoir?

Au lieu de répondre, sa mère la contempla quelques instants, l'air pensif, puis elle secoua la tête comme si elle renonçait à dire quelque chose. Mathias contourna le bureau et alla poser sa main sur l'épaule de Berill.

— Tomas sera très bien à Parnell Square, murmura-t-il. Vas-y, ma grande, je m'occuperai de tout en ton absence…

Sa manière de vouloir diriger les choses raviva toute la colère de Maureen qui lui lança un regard noir.

— Bon, je me sauve, décida Berill en se levant.

Encore sous le coup de son altercation avec Mathias, Maureen s'aperçut qu'elle n'avait pas posé à sa mère une question essentielle qui la tarabustait depuis plusieurs jours. Elle voulut la raccompagner pour lui parler, mais Berill avait déjà quitté la pièce. Se tournant vers son oncle, la jeune femme demanda :

— On ne nous cache rien à propos de papa? Cette histoire de convalescence en Irlande me dépasse. S'il est malade, il a tort de partir, il serait mieux soigné ici.

À peine ces phrases prononcées, Maureen éprouva soudain une sorte d'angoisse. Son père s'était montré extrêmement discret quant à ses problèmes de santé, mais sa fatigue et son amaigrissement devaient avoir une autre explication qu'un « petit souci lié à l'âge ». Comment avait-elle pu se satisfaire de ces mots qui ne voulaient rien dire?

— Mat, tu m'écoutes?

Le visage de Mathias n'exprimait rien, toutefois il possédait l'art de dissimuler ses sentiments derrière n'importe quelle expression. Un talent qu'il devait sans doute à sa formation de clown, dans sa jeunesse!

— Sur ce sujet, Maureen, ce n'est pas moi qu'il faut interroger…

Il lui tourna le dos et sortit en prenant soin de refermer douce-ment la porte. Que savait-il de ce voyage, au juste ? Maureen avait du mal à croire qu'il ait été mis dans une confidence dont ses parents l'auraient délibérément exclue, elle… Personne ne voulait donc voir qu'elle n'était plus une gamine, mais une femme ! Une femme de tête, qui ne tarderait pas à donner la preuve de ce qu'elle valait.

Sur le point d'appeler sa secrétaire par l'Interphone, elle suspen-dit son geste. Non, d'abord son père, elle devait en avoir le cœur net. Mais à qui s'adresser ? À Teresa ? Hugh n'était probablement au cou-rant de rien. Il vivait sur une planète à part, dans son coin de Tou-raine qu'il prenait pour l'Afrique.

Maureen se rassit et se mit à jouer avec son stylo. Pourquoi acca-bler son frère ? Elle-même ne s'intéressait pas davantage à la famille, à force de ne penser qu'à la Bourse et aux chiffres. Entre la banque et ses disputes avec Philippe, elle avait à peine le temps d'embrasser Liam, le soir. Son merveilleux petit garçon qui, dans quelques semaines, allait partir pour Madrid… Elle chassa cette pensée désa-gréable et essaya de se concentrer sur son père. Depuis combien de mois dépérissait-il ? À quel moment avait-il cessé de venir à l'Irish ? Éperdue de vanité, elle s'était imaginé qu'il était en train de lui pas-ser les rênes, alors que peut-être il se sentait malade ? Voire *très* malade.

Parcourue d'un frisson, Maureen croisa les bras et les serra autour d'elle pour repousser l'impression de froid et de vide qui la gagnait. Une seconde, elle pensa à appeler le Pr Dubois, à l'hôpital Américain, mais il ne lui dirait rien, coincé par le secret médical et cette réticence à nommer certaines maladies par leur nom.

Le cancer – un mot qu'on ne prononçait pas – avait-il touché son père ? Si, par malheur, c'était le cas, pourquoi tout ce mystère ? Tomas trouvait-il ses enfants trop égoïstes pour les tenir au courant ?

Atterrée, Maureen essaya de se remémorer les détails des der-nières semaines. L'air anxieux de sa mère, les traits creusés de son père, leurs regards d'une connivence désespérée… Et elle n'avait rien vu, rien voulu voir !

Elle se leva, fit quelques pas hésitants vers la fenêtre, puis décida brusquement qu'elle était hors d'état de travailler. Ramassant son sac, elle sortit en hâte. Avant tout, elle allait interroger Teresa jusqu'à obtenir la vérité, ensuite elle filerait en Touraine, elle devait avoir une conversation avec Hugh.

À DUBLIN, un pâle soleil faisait miroiter les eaux noires de la Liffey et blanchissait les façades des maisons georgiennes. Si la ville n'était pas vraiment prospère, elle avait pourtant conservé sa belle architecture du XVIIIᵉ, ses places élégantes, ses cours intérieures, ses portes richement colorées. Avec le printemps, les fleurs s'épanouissaient dans les squares, de la musique s'échappait des innombrables pubs, et l'air léger venu de la mer donnait une atmosphère de fête à la capitale de l'État libre d'Irlande.

Tomas ne voyait rien de tout cela, car il déclinait rapidement. Il passait presque toutes ses journées allongé sur le sofa de chintz fleuri du salon, face au bow-window. Berill restait assise dans une bergère à côté de lui, attentive à ses moindres désirs. Pour la durée de leur séjour, elle avait engagé deux femmes de chambre chargées de l'entretien de la maison, du ravitaillement, de la cuisine et du linge. Car même si Berill s'efforçait de ne pas traiter Tomas comme un grand malade, elle ne voulait pas le laisser seul un instant, considérant que chacune de leurs conversations avait son importance, chaque geste tendre, chaque regard.

Aux coups de téléphone de Maureen ou de Hugh, elle répondait invariablement la même chose : « Votre père ne souhaite voir personne. » Scandalisée, Maureen avait tout essayé – cajoler sa mère ou la menacer de prendre le premier avion –, sans obtenir d'autre réponse que cette fin de non-recevoir. Pour atténuer la dureté du refus, Berill avait néanmoins prétendu que Tomas se soignait et qu'il aurait peut-être une rémission, alors qu'en réalité seul le vieux Dʳ Kilmore était admis à Parnell Square, à la condition expresse de ne pas parler de médecine.

Kilmore avait été là, sept ans plus tôt, lorsque la femme de Hugh s'était mise à convulser, quelques heures avant de succomber à une crise majeure d'éclampsie. C'était lui, vieux praticien irlandais bourru, qui avait soutenu Hugh durant ces moments terribles, et il avait en quelque sorte gagné le droit d'être présent aux côtés de Tomas aujourd'hui.

Au téléphone, Maureen avait traité sa mère d'égoïste, lui arrachant un petit rire sans joie. Dans l'agonie de Tom, il n'y avait pas de place pour leurs enfants, c'était ainsi. « Ton père veut vous épargner le spectacle de sa fin, si son heure a sonné, et alors c'est de moi qu'il aura besoin, de personne d'autre. »

Durant les rares moments où il retrouvait un peu d'énergie, Tomas évoquait un par un les problèmes auxquels Berill allait se trouver confrontée. Elle lui avait raconté cette histoire de valeur en chute libre, recommandée par Maureen et qui avait fait hurler Mathias. La maladie le rendant indulgent, Tomas s'en était amusé, car c'était bien la preuve que sa fille ne pourrait pas se passer de Mathias. Néanmoins, les affaires d'argent ne l'intéressaient plus guère puisqu'il avait fait son possible pour planifier sa succession. Ce qui l'inquiétait davantage était la solitude de leurs enfants. Hugh veuf et Maureen divorcée représentaient un échec dont Berill et lui portaient une part de responsabilité. À trop aimer sa femme, Tomas n'avait-il pas négligé ses enfants ? Certes, il leur avait transmis son âpreté au travail – Hugh se donnait un mal de chien pour son parc, et Maureen ne vivait que pour la banque –, mais leur vie sentimentale était un désert, et ils se révélaient incapables d'élever eux-mêmes leurs enfants. Eleonor, qui possédait déjà une très forte personnalité, ne tarderait pas à échapper au contrôle de Teresa ; quant à Liam, sans doute condamné à être tiraillé entre les Blaque-Belair et les Sabas, il aurait forcément besoin d'un père un jour.

Quand il parlait de Liam, Tomas s'attendrissait sur cet enfant qui incarnait pour lui l'avenir de la dynastie, celle de son grand-père Douglas, le fondateur de l'Irish Blaque-Belair à Dublin. « Tu m'as donné une bien belle descendance, miss Károly », répétait-il à Berill d'un ton extasié. Et soudain il devenait silencieux, se perdant avec délice dans des souvenirs dont chacun lui était précieux. Berill face aux lions, Berill devant la tente réservée aux artistes du cirque de Madrid, l'éclat de rire de Berill lorsqu'il lui avait demandé s'il pouvait lui faire la cour…

Elle ne pleurait pas. Elle parvenait même à lui sourire presque naturellement, or elle avait l'impression de marcher à l'échafaud, un pas après l'autre, jusqu'à l'instant où Tomas déciderait qu'il était temps pour lui d'en finir.

Parfois, lorsqu'il s'endormait, épuisé, elle faisait lentement le tour de la maison. De pièce en pièce, elle reconstituait les images du passé. Cette demeure, achetée pour elle par Tomas juste avant leur mariage, avait abrité autant de joies que de chagrins. Les premiers mois, elle se le rappelait très bien, elle fuyait les miroirs pour ne pas voir l'horrible cicatrice de son visage, cette marque indélébile laissée par les griffes d'une lionne en colère. À l'époque, Tomas lui répétait inlassablement qu'elle était la plus belle des femmes, mais elle ne le croyait pas, comment l'aurait-elle pu ? Belle, elle l'avait été avant l'accident, et toutes les déclarations d'amour de Tomas ne pouvaient rien y changer. Ainsi qu'elle s'y était engagée, elle l'avait finalement épousé, mais une année entière avait été nécessaire pour qu'elle se résigne à le rejoindre dans son lit. Puis Maureen était née, ensuite Hugh, et certains de leurs jouets traînaient encore dans la nursery.

Certains jours, Tomas trouvait un prétexte afin d'obliger Berill à sortir. Par exemple, il lui réclamait en souriant un *Irish stew* de chez *The Oval* afin qu'elle descende O'Connell jusqu'à Middle Abbey Street. « C'est le meilleur de tout Dublin, presque aussi bon que celui de Teresa ! » plaidait-il. Mais il ne le mangeait pas, bien entendu, il était seulement content qu'elle ait pris l'air.

Un matin, il exigea très sérieusement qu'elle aille lui acheter un *Claddagh ring*, une alliance aux motifs celtiques symbolisant la fidélité. Elle courut quelques orfèvres, changea de rive, marcha durant des heures sans s'en apercevoir et, finalement, trouva le bijou à l'autre bout de la ville, après de longues hésitations. Cet anneau allait accompagner Tomas dans son dernier voyage, elle le savait, et durant tout le chemin du retour, qu'elle fit à pied, elle dut ravaler ses larmes.

En rentrant à Parnell Square, l'une des femmes de chambre la prit à part dans le vestibule pour l'informer que son mari était monté se coucher, et aussi qu'il y avait eu un « petit problème » avec le sofa du salon, qu'elle avait nettoyé de son mieux, mais, bien sûr, ces choses-là pouvaient arriver quand on était malade comme monsieur.

Glacée, Berill devina aussitôt quelle avait dû être l'humiliation de Tomas. Avant de gagner le premier étage, elle donna aux deux femmes de chambre leur congé pour la soirée puis alla chercher elle-même une bouteille de champagne qu'elle mit dans un seau à glace.

Lorsqu'elle rejoignit Tomas, il était assis sur leur lit, calé par tous les oreillers, et il lui adressa un sourire piteux auquel elle répondit par un éclat de rire qui sonnait horriblement faux.

— Je refuse d'entendre parler de ça comme si c'était la fin du monde, Tom !

— C'est la fin du mien, répondit-il doucement. Je t'ai vue corriger tes chiens pour leur apprendre la propreté, n'est-ce pas ? En ce qui me concerne, je crains de ne plus pouvoir contrôler grand-chose. Mon Dieu…

Il semblait avoir du mal à respirer et il dut chercher son souffle pour achever :

— Tu sais ce que je veux maintenant, ma chérie.

Elle secoua la tête, luttant contre l'affolement, mais il ne la laissa pas protester.

— Tu le sais, puisque tu nous as monté du champagne…

Comme elle se doutait bien qu'il n'avait plus la force de faire sauter le bouchon, elle s'y attaqua fébrilement.

— Écoute, Tom, tu ne peux pas décider d'une chose aussi grave simplement parce que…

— Je l'ai décidé il y a longtemps, et nous étions d'accord.

Le champagne fusa hors de la bouteille et Berill en répandit un peu partout sur le plateau en versant.

— Très bien, murmura-t-elle, très bien… Je suis là, je vais t'aider.

Des mots vides de sens, qu'elle prononçait sans presque les comprendre. Être témoin était déjà au-dessus de ses forces, elle ne l'aiderait pas, non, n'appuierait évidemment pas sur la détente, ne lui servirait pas le verre d'eau nécessaire ou… Mais de quelle manière comptait-il mettre fin à son agonie ? De cela, ils n'avaient jamais discuté.

— N'aie pas peur, Berill. Je veux juste ta main dans la mienne, et contempler tes yeux. Ils sont vraiment violets, c'est fou.

Elle remarqua seulement à cet instant qu'il avait beaucoup plus de cheveux blancs que quelques jours plus tôt. À force de le regarder, elle ne l'avait pas vu changer. Saisissant une coupe sur le plateau, elle la lui apporta, l'aida à boire une gorgée de champagne.

— Margit, ta mère, chuchota-t-il, elle aussi avait choisi de ne plus attendre.

— Maman ? Tu m'as toujours dit que…

— À quoi bon ? Tu sais, à l'époque Hugh n'arrêtait pas de l'interroger à propos du monde du cirque, il lui posait mille questions alors qu'elle refusait de se souvenir parce que c'était trop douloureux pour elle. Elle avait laissé un petit mot d'adieu sur sa table de chevet, et Hugh aurait pu se sentir coupable. Alors Mathias a fait disparaître les boîtes de somnifères vides et le petit mot, c'était mieux comme ça. Il m'a mis au courant mais pas toi, tu aurais eu trop de peine.

— Encore une cachotterie, Tomas, murmura-t-elle avec une infinie tendresse.

Durant leur vie entière, il l'avait préservée de tout, gardant pour lui les mauvaises nouvelles. À présent, la seule chose qu'elle pouvait faire pour lui était de ne pas faillir.

— Est-ce que tu es prête ?

La question arracha à Berill un gémissement de désespoir. Elle hocha la tête tout en se mordant la langue jusqu'à avoir un goût de sang dans la bouche. D'un pas mécanique, elle alla vers le plateau, se servit une coupe qu'elle vida d'un trait.

— Encore une…, dit Tomas derrière elle.

Docile, elle continua à boire, de dos, avalant l'excellent champagne comme du poison. Quand elle se retourna enfin, elle vit qu'il tenait un tube dans sa main. Pétrifiée, elle le regarda ingurgiter les comprimés un à un, puis, brusquement, elle se jeta sur lui.

— S'il te plaît ! hurla-t-elle en lui saisissant le poignet.

— Berill, tu m'as promis…

— Je ne peux pas !

— Tu m'as promis.

De sa main libre, il s'empara du verre d'eau posé sur la table de chevet. Après quelques gorgées péniblement dégluties, il reprit son souffle, tandis que Berill se laissait glisser et tombait à genoux sur le tapis à côté de lui.

— Je suis condamné, ma chérie, souviens-toi. Ce n'était qu'une question de jours, et je ne veux pas mourir comme un chien.

Il termina le tube de médicaments qui roula le long du drap. Berill se redressa un peu, le cœur battant tellement fort qu'elle avait l'impression de suffoquer. Elle planta son regard dans celui de Tomas puis chercha sa main à tâtons. Quand leurs doigts s'emmêlèrent, il chuchota :

— Je t'attendrai là-haut, je serai là pour t'accueillir, mais ne viens que le plus tard possible, nos enfants ont besoin de toi.

Afin qu'il puisse voir ses yeux tels qu'il les avait adorés, elle parvint à ne pas pleurer, continuant à le fixer.

— L'amour ne meurt jamais, articula-t-elle.

— Non, mon amour, jamais.

Sa voix semblait pâteuse, déjà lointaine. Berill aurait voulu lui parler encore, mais elle n'avait plus rien à dire. Elle serra davantage ses doigts. Paupières mi-closes, il commençait à s'endormir, pourtant il respirait toujours. Écrasée par le silence complet de la maison, Berill se mit à attendre, incapable du moindre geste. Comment avait-elle pu se croire assez forte pour subir ce supplice ? Au bout d'un très long moment, elle ferma les yeux à son tour, et, dans un murmure continu, se mit à réciter des prières. Tomas était en train de partir, en paix, comme il l'avait voulu, mais elle-même se trouvait au bord d'un gouffre de terreur. Le chagrin et la solitude allaient s'abattre sur elle dès qu'elle rouvrirait les yeux, dès qu'elle cesserait de s'adresser à Dieu.

Un bruit de cloches, au-dehors, la fit tressaillir. Elle prit conscience de ses genoux douloureux et, dans sa main toujours crispée, de la main inerte de Tomas. Desserrant ses doigts un à un, elle laissa monter le flot de larmes qu'elle retenait depuis des jours, des semaines, des mois.

— Bon voyage, Tom ! hoqueta-t-elle avec un sanglot qui lui déchira la gorge.

3

Madrid, 1962

AU-DESSUS du lit de Liam, Maureen et Julian échangèrent un coup d'œil presque complice. Le petit garçon, qui allait sur ses six ans, s'était endormi d'un coup, en plein milieu de l'histoire.

— Je lui lirai la fin demain, chuchota Julian.

Il posa le livre de contes sur la commode, adressa un sourire à Maureen puis lui tint la porte, la laissant sortir la première.

— Demain, nous prenons l'avion, rappela-t-elle, tandis qu'ils longeaient la galerie conduisant au patio.

Les quatre jours qu'elle venait de passer à Madrid, chez les Sabas, avaient été particulièrement agréables, comme toujours. Felipe et Josefa se mettaient en quatre pour recevoir leur petit-fils et ils traitaient Maureen en invitée de marque.

Pour Felipe, qui avait été très chagriné par le décès de son vieil ami Tomas, le petit Liam était le mélange de son propre sang et de celui des Blaque-Belair, aussi le chérissait-il de façon parfois excessive, mettant en lui tous ses espoirs. Une nurse était engagée lors de chaque séjour de l'enfant, sa chambre débordait de jouets et de vêtements, et, au moindre éternuement, le meilleur pédiatre de la ville était aussitôt convoqué.

— Après votre départ, plaisanta Julian, papa va faire la tête pendant au moins trois semaines ! Mais je le comprends, moi aussi je me languis de vous deux…

Il laissa sa phrase en suspens, sans obtenir d'autre réaction qu'un petit sourire de Maureen. Malgré tous les efforts qu'il déployait, elle gardait ses distances, estimant que le traiter en ami était déjà une faveur. Elle n'avait rien oublié de leurs querelles, de la manière dont il l'avait trompée, humiliée.

Dans le patio, où Josefa avait fait servir des olives farcies et du vin frais, Maureen s'installa à sa place favorite, sur la balancelle. Le train électrique et la voiture téléguidée avec lesquels Liam s'était amusé une partie de l'après-midi avaient disparu, rangés par les domestiques. Un ordre impeccable régnait systématiquement dans la maison Sabas, reflet de la rigueur que Felipe appliquait à toute chose. Julian en avait fait les frais, étant considéré avec courtoisie mais défiance par son père. Celui-ci le tenait pour un raté depuis qu'il avait reconnu ses torts dans le divorce, puis avoué avoir mené une vie de débauche à Paris au lieu d'y travailler. Toutefois, il semblait aujourd'hui très différent du jeune homme avide de plaisirs qu'il avait été quelques années plus tôt.

— Manzanilla ? proposa Julian.

Leurs doigts se frôlèrent sur le verre qu'il lui tendait, mais elle n'y prêta pas attention. Elle était en train de songer à Philippe, à leur rendez-vous du lendemain soir. Toujours pressé de la voir lorsqu'elle revenait de Madrid, il dissimulait de son mieux la jalousie qu'il éprouvait vis-à-vis de Julian Sabas. Maureen en jouait sans scrupules, s'amusant à laisser planer le mystère sur ses rencontres avec son ex-mari. Elle ne se demandait même plus pourquoi elle torturait Philippe de la sorte, pourquoi leurs rapports étaient si conflictuels. Outre sa réticence à quitter sa femme et ses filles – il avait mis deux ans à s'y décider ! –, son divorce traînait en longueur. En conséquence, il n'avait pas pu soutenir Maureen lors du pire moment de son existence : le jour de l'enterrement de Tomas. Perdre son père avait été pour elle une terrible épreuve, qu'elle avait affrontée seule, ne pouvant décemment pas emmener Philippe avec elle à Dublin.

— Deux pesetas pour tes pensées, dit Julian en la tirant de sa rêverie.

— Je ne suis pas certaine que tu aimerais les connaître. Et puis, ce ne serait pas cher payé…

Ils furent interrompus par l'arrivée de Felipe qui vint s'asseoir face à Maureen.

— Josefa nous prépare un *cochinillo asado*, annonça-t-il, avec des petites asperges sauvages en entrée.

En réalité, Maureen n'appréciait pas vraiment le cochon de lait rôti, mais elle faisait toujours honneur à la cuisine de Josefa qui se donnait un mal fou derrière ses fourneaux. À chaque voyage, la paella, le *cocido* et les calmars cuits dans leur encre étaient de rigueur.

— Veux-tu nous laisser quelques instants, Julian ?

Surpris par le ton sec de son père, Julian se raidit mais obtempéra. Pour manifester son mécontentement, il s'éloigna à grandes enjambées.

— J'ai été très heureux de t'avoir un peu à la maison, commença Felipe. Tu es ici chez toi, tu le sais…

Maureen acquiesça d'un petit signe de tête puis, spontanément, elle posa sa main sur celle de Felipe.

— Je vous aime beaucoup, dit-elle avec douceur. C'est toujours un plaisir pour moi quand je peux accompagner Liam.

Si elle n'était pas disponible, Felipe venait lui-même chercher son petit-fils à Paris et l'y ramenait. Fidèle à la promesse faite à Tomas, il veillait farouchement sur l'enfant, n'hésitant pas à rabrouer

Julian dès que celui-ci prétendait prendre une quelconque initiative paternelle.

— Je vieillis, Maureen, poursuivit Felipe. La disparition de ton père m'a beaucoup choqué et m'a donné conscience de mon âge, de la maladie qui peut s'abattre à tout moment… Quand je pense à quelle vitesse Tomas a été emporté !

Dès qu'il en parlait, l'émotion l'étreignait, et il dut faire un effort pour se dominer.

— Tom était un homme extraordinaire, d'une droiture et d'un courage inimaginables, mais je ne t'apprends rien. Par certains côtés, tu lui ressembles énormément, tu es aussi volontaire et travailleuse que lui, ton succès à la tête de l'Irish le prouve.

Maureen s'abstint de tout commentaire, acceptant le compliment en silence et se gardant bien de rappeler qu'elle n'était pas seule à diriger la banque, ainsi que son père l'avait décidé avant de mourir. Par bonheur, Mathias restait dans l'ombre, et c'était à elle que revenait tout le mérite de leur irrésistible progression sur les marchés financiers. Sans doute Felipe n'était-il pas tout à fait dupe, mais Maureen ne tenait pas à s'en expliquer avec lui.

— Julian m'a énormément déçu, poursuivit-il, et quand je vais disparaître, Dieu seul sait ce qui arrivera. Il est capable de tout flamber, par paresse, par bêtise ou par vice !

— Ne soyez pas si dur avec lui, protesta-t-elle. Il a changé, il a mûri.

— Changé ? Tu veux dire qu'il donne le change, oui ! Il m'a toujours joué le numéro du fils modèle, et j'y ai cru, mais plus maintenant. Je tiens à mettre sa mère à l'abri de ses fantaisies, ainsi que mon petit-fils.

Attentive, Maureen médita un moment les derniers mots de Felipe, refrénant son envie de prendre la défense de son ex-mari. Malgré les mauvais moments qu'il lui avait fait passer, il n'était pas un monstre, et de façon paradoxale, l'essentiel de ses problèmes venait précisément de son père. Se mesurer à Felipe ou essayer d'être à sa hauteur avait traumatisé Julian dès son enfance.

— À la Banque de Bilbao, poursuivit Felipe, Julian se tient à carreau, je le sais par son directeur. En revanche, j'ignore qui il fréquente, car nous nous voyons peu en dehors des séjours de Liam.

Peut-être se remariera-t-il un jour, peut-être avec la pire des filles de bas étage ? Je n'en serais même pas surpris. Quand je pense qu'il a eu la chance de t'épouser, toi, et qu'il a tout gâché ! Bref, je suis en train de mettre un peu d'ordre dans mes affaires. Liam se retrouve en tête de mon testament, je voulais t'en avertir.

— Felipe, vous ne pouvez pas faire ça…

— Pourquoi ? Je ne déshérite pas Julian, il aura de quoi s'amuser après moi et satisfaire ses vilains penchants. Mais de là à l'imaginer dilapidant ce que les Sabas ont mis plusieurs générations à construire, c'est non ! Je te connais, je sais que tu élèveras bien Liam, et quoi qu'il arrive, il ne pourra pas être pire que Julian. Si je disparais plus vite que prévu, tu sauras gérer au mieux son capital en attendant sa majorité.

Maureen se mordit les lèvres pour ne pas répondre trop vite. Plaider pour Julian reviendrait à aller contre les intérêts de Liam. Entre son fils et son ex-mari, elle n'avait pas à hésiter, pourtant elle trouvait Felipe excessif, injuste, et elle avait envie de protester.

— Josefa est d'accord ? demanda-t-elle prudemment.

— Josefa ?

Il dévisagea Maureen d'un air surpris, puis son visage s'éclaira.

— Les choses sont très différentes chez nous. Si fort que j'aime Josefa, elle n'a rien de comparable à ta mère. Berill est une femme vraiment… incroyable, à qui Tomas disait tout, bien entendu, et d'ailleurs Berill a même été capable de diriger l'Irish pendant la guerre, alors qu'elle n'avait aucune idée de la finance, c'est inouï ! Ton père n'avait pas de secret pour elle, il la vénérait à juste titre et il tenait toujours compte de son avis sur n'importe quel sujet, mais vois-tu, Josefa n'est pas Berill. Je l'angoisserais inutilement si je lui demandais de prendre une décision importante. Elle se tordrait les mains, irait mettre un cierge à la cathédrale et finirait par se lancer dans une interminable recette pour le dîner. Tu comprends ?

C'était sans doute exact, pourtant Maureen jugea les propos de Felipe assez méprisants. Il tenait son épouse pour quantité négligeable, rejetait impitoyablement son fils unique et, à l'instar de son ami Tomas, il décidait de ce qui adviendrait pour les autres après lui. Maureen avait été un peu choquée, lors de la succession Blaque-Belair, de constater qu'au-delà de la tombe son père entendait veiller encore sur elle, lui adjoignant Mathias de force et la privant de tout droit de regard sur les affaires de Hugh. Or Felipe s'apprêtait à faire bien pis avec Julian.

Dans un grand bruit de talons claquant sur les dalles, Josefa fit son apparition, vêtue d'une robe noire à volants.

— C'est bientôt prêt! annonça-t-elle avec un grand sourire. Si vous avez terminé vos conciliabules…

Julian avait dû se plaindre de la manière dont il s'était fait renvoyer du patio, ce qui parut agacer Felipe. Il se leva pour servir un verre à son épouse et le lui tendit sans un mot. À les voir côte à côte, elle dans cette robe qui ne lui allait pas, et lui avec son habituelle expression sévère, Maureen constata que, en effet, ce couple ne ressemblait en rien à ses parents. Berill avait l'air d'une reine à côté de Josefa, et Tomas avait su piquer des fous rires que Felipe s'interdisait depuis toujours. Pauvre Julian!

Ils se dirigèrent vers la salle à manger. Demain matin, Julian allait se proposer pour conduire Maureen et Liam à l'aéroport, et comme d'habitude Felipe lui répondrait : « Je m'en charge. »

Assise à la droite du maître de maison, sur une chaise cloutée tendue de cuir, Maureen lança un regard indulgent à son ex-mari qui venait de les rejoindre. Ici, à Madrid, elle s'était tout de même bien amusée avec lui quelques années plus tôt. À l'époque où il n'était encore que son fiancé, il lui avait fait découvrir le flamenco, les corridas, les bons crus de la Rioja, puis l'avait promenée à travers toute l'Espagne jusqu'en Andalousie dont elle conservait un souvenir émerveillé. Mais elle n'avait pas compris qu'il comptait sur le mariage pour se libérer et qu'elle ne serait qu'un instrument.

— Verrais-tu un inconvénient à ce que Liam commence à apprendre l'espagnol lorsqu'il est avec nous? s'enquit Felipe.

— Aucun. Ma mère parle je ne sais combien de langues, et elle affirme que ça lui a beaucoup servi dans l'existence. Et puis, Liam doit pouvoir s'exprimer dans sa langue paternelle, c'est tout à fait normal.

Cette référence à Julian, avec son titre de père, parut beaucoup réjouir son ex-mari. De l'autre côté de la table, il lui adressa un sourire éblouissant. Pas son sourire de séducteur, juste un sourire vraiment heureux.

HUGH retira ses bottes avec une grimace de douleur. Il avait tellement marché qu'une ampoule au talon le torturait depuis le milieu de l'après-midi. Recru de fatigue, il se laissa tomber sur le profond canapé où Eleonor avait oublié un livre et un serre-tête. De plus en plus capricieuse, elle était partie la veille au soir en boudant, en traînant les pieds, remorquée par Teresa qui semblait dépassée. Mais, à soixante ans, était-ce encore à elle de s'occuper de sa nièce ?

Avec un long soupir, Hugh appuya sa tête contre les coussins de velours. Hormis son fichu caractère, Eleonor le comblait. Vive, intelligente, brillante élève à l'école, où elle avait carrément sauté une classe, c'était une enfant très attachante, qui rappelait tout à fait Maureen au même âge. « Et encore, soutenait Mathias, tu n'as pas connu Berill gamine, elle tenait tête à tout le monde, exactement comme ta fille ! » Or la petite poursuivait l'idée fixe d'habiter avec son père, et, chaque dimanche, le moment de se séparer devenait une épreuve de force. Hier encore, avant de regagner Paris avec Teresa, Eleonor avait clamé qu'elle voulait rester, allant jusqu'à prétendre qu'elle en avait assez de vivre à Neuilly avec des gens trop vieux pour elle. Hugh avait dû sévir et hausser le ton, navré d'avoir saisi au passage l'expression peinée de Teresa. Se faire traiter de personne âgée par cette petite peste à qui elle se consacrait corps et âme avait, en effet, de quoi l'accabler, mais Teresa s'était contentée de faire miroiter à l'enfant une halte au tout nouvel aéroport d'Orly, où Maureen et Liam débarquaient dans la soirée, en provenance de Madrid. Eleonor avait cédé, excitée par la perspective de voir atterrir des avions, et aussi parce qu'elle aimait bien son cousin Liam, un *sacré mioche*, comme elle l'appelait.

« Mioche » ou « vieux » étaient des mots condescendants, pourtant Eleonor savait parfois faire preuve de tact. Ainsi, lorsqu'elle s'était trouvée en présence de Paul, le frère de Jean-François, elle n'avait pas eu un seul regard vers son bras mutilé, engageant très naturellement la conversation avec lui. Quand elle le voulait, elle pouvait discuter de n'importe quoi, se montrer drôle ou câline, et bien entendu tous les employés du parc l'adoraient. Jean-François avait été très sensible à cette gentillesse manifestée envers son frère, car tout ce qui touchait Paul le bouleversait. Le bras perdu en Algérie n'était que la blessure visible de ce que Paul avait subi pendant deux ans – il y avait aussi les cauchemars, le regard fou, la nervosité à fleur de peau et le cynisme désabusé. Un homme qui n'avait plus rien à voir avec le petit frère élevé tendrement.

Quittant son canapé à regret, Hugh se traîna au premier étage où il prit une longue douche avant d'enfiler des vêtements propres et des mocassins. Un apéritif était organisé au salon de thé pour toute l'équipe du parc, une heure après la fermeture. On fêtait la naissance d'un girafon survenue une semaine plus tôt, menée à bien par Caroline malgré de grosses difficultés qui avaient maintenu tout le monde debout une partie de la nuit. Ce moment intense, suivi d'une explosion de joie, montrait la solidarité des employés et leur implication. Paul lui-même avait semblé très ému, or la vie d'un animal était sans doute quelque chose de dérisoire en regard de ce qu'il avait vécu. Pourtant, c'était lui qui, le premier, avait serré Caroline dans son bras unique en la félicitant. S'en souvenir arracha un sourire à Hugh. En réalité, Paul regardait Caroline exactement comme un chien regarde un os : avec avidité. Néanmoins, ce garçon taciturne et traumatisé n'était pas une mauvaise recrue pour le parc. Hugh l'avait embauché sur un coup de tête, d'abord parce que son histoire était bouleversante, et aussi pour ne pas perdre Jean-François. Comment celui-ci aurait-il pu rester avec un frère handicapé à sa charge ? Paul, de toute façon, ne savait rien faire, ayant été appelé sous les drapeaux alors qu'il venait de commencer ses études. Hugh lui avait proposé un salaire décent ainsi qu'une chambre pour un emploi de surveillance. Chargé de vérifier en permanence clôtures, barrières, fossés, accès divers et portes de hangars, visiteurs égarés ou animaux malades, Paul s'en sortait très consciencieusement. Et ce qui, au début, n'avait été qu'un geste généreux de la part de Hugh était désormais indispensable à la sécurité du parc.

Jetant un coup d'œil à sa montre, Hugh rejoignit en hâte le salon de thé où régnait déjà une joyeuse ambiance.

— On a fait un nombre d'entrées record, ce week-end ! lui lança Jean-François dès qu'il l'aperçut.

De plus en plus souvent, Jean-François lui donnait un coup de main pour la comptabilité, comme s'il ne savait que faire pour le remercier d'avoir engagé son frère.

— La saison a été magnifique, approuva Hugh. Je crois même qu'à certains moments il y avait trop de monde dans les allées !

Les visiteurs devaient pouvoir se promener paisiblement et s'attarder où bon leur semblait. L'un des postes d'observation privilégiés était une longue paroi de verre trempé permettant de voir les lions en train de manger ou de dormir au soleil. À cet endroit, mieux valait éviter l'affluence pour ne pas perturber les fauves.

— Le succès vous fait peur ? lança Caroline d'un ton ironique.

— Pas du tout. Mais je tiens à ce que les gens ne soient pas déçus.

— Ils n'en ont pas l'air, croyez-moi, intervint la gérante du salon de thé. Quand ils arrivent ici, morts de soif, ils en ont pris plein les yeux !

Rondelette, la quarantaine rayonnante, Mireille Gallois voyait défiler des centaines de personnes chaque jour et tenait son établissement d'une main de fer.

— On porte un toast à notre vétérinaire, ajouta-t-elle en tendant un verre de vouvray pétillant à Hugh.

— À vous, et merci pour cette naissance, dit-il avant de trinquer avec Caroline.

La jeune femme était, comme à son habitude, vêtue d'un pantalon de velours et d'un col roulé à grosses côtes. Aussi peu féminine que possible, mais énergique, chaleureuse, sympathique. Durant l'été, Hugh l'avait invitée plusieurs fois à partager son tardif dîner au relais de chasse. Ils avaient eu nombre de conversations passionnantes sur les animaux, l'avenir du parc, et même sur des sujets comme la politique ou la littérature, et ils étaient presque toujours tombés d'accord. « Vous êtes une amie précieuse », lui avait-il avoué un soir, n'obtenant qu'un petit rire nerveux en guise de réponse. Pourtant, il était sincère, il se sentait bien avec elle, en tout cas beaucoup mieux qu'en compagnie de ses conquêtes éphémères.

— Votre admirateur vous observe, fit-il remarquer avec un sourire malicieux.

Au fond de la salle, Paul regardait effectivement dans leur direction.

— Son bras lui fait mal, dit-elle à mi-voix.

Hugh fronça les sourcils, perplexe, aussi ajouta-t-elle :

— Un membre amputé peut occasionner des souffrances qui n'ont rien d'imaginaire.

— Dites-lui d'aller voir un médecin, il vous écoutera.

— La médecine ne peut rien pour lui. Avant tout, il faut qu'il accepte. Son handicap, son avenir différent de ce qu'il avait dû imaginer... Il est vraiment mal dans sa peau.

Elle se tut brusquement parce que Jean-François s'approchait d'eux, une bouteille à la main.

— Je remplis vos verres?

Il les servit d'office, échangea un clin d'œil avec Hugh et s'éloigna vers les cavaliers du cirque qui venaient d'entrer.

— Vous les avez invités aussi? s'étonna Caroline.

— Ils partent demain, c'était l'occasion de leur dire au revoir. J'ai adoré leur spectacle, d'ailleurs ils ont rempli le chapiteau tout le long de la saison.

— Faites-les revenir l'année prochaine.

— Non, il faut se renouveler. Je trouverai autre chose. Mais pour ça, je vais être obligé d'aller un peu à Paris pendant l'hiver...

— Tant mieux! Vous êtes trop casanier, Hugh.

— Je suis très bien chez moi, et dès que je m'absente, j'ai peur qu'il arrive quelque chose.

— Jean-François veille au grain, vous le savez très bien, ne vous cherchez pas d'excuses.

Il eut un sourire de gamin – le genre de sourire qui la faisait complètement craquer –, mais soudain son expression se modifia. Il fixait quelqu'un à l'autre bout de la salle, et Caroline jeta un coup d'œil par-dessus son épaule.

— C'est cette fille qui vous rend tout chose? persifla-t-elle d'un ton presque agressif.

— Oui, admit-il. Linda, l'écuyère de la troupe... Chaque fois que je l'ai vue à cheval, j'ai été...

— Subjugué?

Elle posait la question mais, en réalité, elle avait remarqué depuis des mois que, dès que cette Linda se trouvait dans les parages, Hugh la suivait du regard.

— Eh bien, au lieu de faire ces yeux de merlan frit, pourquoi ne tentez-vous pas votre chance?

Se détournant, Hugh haussa les épaules, puis il entraîna Caroline vers le bar.

— Elle est fiancée avec l'un de ses partenaires et ne m'a jamais accordé une seule seconde d'attention. De plus, ma mère m'a mis en garde, les gens du cirque sont très chatouilleux, or ceux-ci sont de vrais Tziganes. On ne plaisante pas avec l'honneur des filles chez eux ! Rendez-vous compte, mon père et ma mère n'ont jamais été en tête à tête avant leur mariage, mon oncle Mathias leur servait systématiquement de chaperon…

— C'était une autre époque, dit-elle du bout des lèvres.

Elle accepta un dernier verre, agacée de se sentir toujours trop concernée par tout ce qui touchait à Hugh. Qu'il soit attiré par une fille aussi séduisante que Linda n'avait pourtant rien d'étonnant. Gracieuse, fine, avec ses cheveux longs, ses yeux de biche et son air farouche, elle était exactement le contraire de Caroline. Le genre de petite femme qu'un homme avait envie de protéger… et de déshabiller !

— Je vais vous laisser à vos fantasmes, déclara-t-elle. Je suis crevée, il faut que je rentre.

— Je vous raccompagne à votre voiture, dit-il en la reprenant par le bras.

Surprise de cet excès de gentillesse, elle faillit rire et répliquer qu'elle n'avait pas peur de l'obscurité, mais elle s'en abstint. Après tout, sa galanterie prouvait qu'il se souvenait qu'elle était une femme, elle aussi.

Une fois sortis du salon de thé, le silence de la nuit les enveloppa. Il faisait presque froid, à présent, l'automne était bien installé, encore quelques semaines et le parc fermerait.

— Je compte m'octroyer deux ou trois mois de vacances cet hiver pour retourner en Afrique…

L'idée venait juste de l'effleurer, pourquoi donc l'énonçait-elle à haute voix ?

— Trois mois ? Vous n'y pensez pas ? Et pourquoi pas trois ans tant que vous y êtes ! Vous ne pouvez pas me faire ça, Caroline. À qui voulez-vous que je fasse confiance ? Il y a toutes les vaccinations et tous les bobos à soigner pendant que les animaux sont en cage, sans parler du stress de l'enfermement. Vous connaissez chacun d'entre eux, ils ne toléreront personne d'autre…

Au moins, elle serait regrettée pour raisons professionnelles, à défaut d'une déclaration plus personnelle.

— Pas trois mois, insista-t-il.

Son obstination de gamin la fit sourire dans l'ombre.

— Très bien, patron, combien de temps m'accordez-vous ?

— Janvier, par exemple. C'est un mois triste ici mais beau là-bas, en quatre semaines vous devriez vous être changé les idées et votre bronzage sera parfait.

Elle éclata de rire, soudain égayée, puis elle ouvrit la portière du break et s'installa au volant. Son voyage inventé de toutes pièces venait de se transformer en vrai projet. Au retour, elle aurait forcément mille choses à lui raconter, ce qui promettait des discussions passionnées devant la cheminée du relais de chasse. Ravie, elle démarra sur les chapeaux de roue.

LORSQUE Bosco, le chien de Berill, était mort de vieillesse, Mathias avait acheté un berger de Beauce dans un élevage réputé. Choisi pour sa tête d'ourson, le chiot était vite devenu un énorme mâle, impressionnant par sa taille et son allure, mais toute la famille avait l'habitude de voir Berill flanquée de bêtes de ce genre, qu'elle dressait à la perfection et qui la suivaient comme son ombre. Mokba fut donc rapidement accepté par chacun à Neuilly, tenant à la fois son rôle de chien de garde et de compagnon pour Berill. Toute sa vie elle avait eu besoin de caresser des pelages, de grattouiller des oreilles, de sentir de grosses pattes se poser sur ses épaules, c'était son paradis perdu et Mathias le savait, tout comme Tomas l'avait su.

La disparition de Tomas avait créé un gouffre autour de Berill, cependant elle avait eu assez de force de caractère pour surmonter son chagrin et sa solitude. Chaque matin, avant de se lever, elle considérait l'oreiller vide à côté du sien, en murmurant une prière pour que Tomas, où qu'il soit, ait trouvé la paix. Le moment de le rejoindre arriverait bien assez tôt, elle avait des devoirs à remplir d'ici là, ainsi qu'elle le lui avait juré.

Se retrouver veuve l'avait rapprochée de Teresa. Comme elle ne mettait quasi plus les pieds à l'Irish et qu'elle espaçait ses visites chez les grands couturiers, elle restait davantage dans l'hôtel particulier, se réfugiant volontiers à la cuisine que Teresa emplissait toujours de senteurs délicieuses. L'odeur des recettes irlandaises lui évoquait

Tomas avec nostalgie, et assister aux repas des enfants lui permettait de mieux les comprendre. Eleonor, avec son caractère affirmé, et Liam, qui posait mille et une questions, lui rappelaient beaucoup Maureen et Hugh, dont elle s'était peu occupée à cause de la banque, aussi tenait-elle à se montrer une grand-mère efficace. Aux deux enfants attentifs elle parlait de Tomas, grand-père mythique trop tôt disparu, des guerres qui avaient déchiré le siècle et aussi du cirque, bien sûr, avec leur arrière-grand-père dompteur de lions. De l'errance des Károly à travers l'Europe jusqu'à la montée en puissance de la banque Blaque-Belair, elle leur faisait vivre l'extraordinaire aventure des générations qui les avaient précédés, et ils l'écoutaient, bouche bée l'un comme l'autre, oubliant de manger jusqu'à ce que Teresa les rappelle à l'ordre.

Dans la chaleur douillette de la cuisine, une fois les enfants partis se coucher, Berill et Teresa continuaient à égrener des souvenirs, attendant que Maureen et Mathias rentrent de l'Irish. Mais généralement, au lendemain de ces soirées de bavardage, Berill éprouvait un soudain besoin d'action ou d'évasion, alors elle prenait sa voiture pour filer en Touraine voir Hugh – et surtout ses fauves – ou bien elle se rendait faubourg Saint-Honoré et dépensait des fortunes dans les boutiques de luxe.

Certains jours, elle se sentait comme un navire lancé et bien rodé, courant encore sur son erre, mais dont le moteur n'était plus alimenté. Dans ces moments-là, elle sifflait Mokba, le faisait grimper dans son Alfa Romeo flambant neuve et l'emmenait courir au bois de Boulogne. Sur la plaine de Bagatelle, mains dans les poches et larmes aux yeux, elle parlait à son chien pour ne pas penser à Tomas, indifférente aux promeneurs qui se retournaient, intrigués par cette femme d'un certain âge à l'allure toujours superbe.

Le plus discrètement possible, Mathias veillait sur elle. Il tremblait de la savoir, conduisant à tombeau ouvert, sur la route de Touraine lorsqu'elle décidait de filer jusqu'au parc Belair, mais il la connaissait trop bien pour chercher à l'en dissuader. Jamais Berill n'avait eu le sens du danger, et si son destin l'attendait dans un virage, Mathias ne pourrait rien y changer. En revanche, il la tenait au courant des développements de l'Irish, et exigeait sa présence au conseil d'administration. En fait, il s'inquiétait de certaines initiatives plus ou moins heureuses de Maureen, et il comptait sur Berill pour tenir le rôle d'arbitre. Mais comment l'aurait-elle pu ? Autodidacte, Berill était bien consciente de ne jamais avoir réellement maîtrisé le monde de la finance, et à l'époque où elle s'était retrouvée à la tête de la banque, par la force des choses, elle avait seulement eu de la chance, de la présence d'esprit, de l'instinct. Tout comme Mathias, qui ne fonctionnait que grâce à son flair exceptionnel. À présent, dans un monde moderne où l'économie s'emballait avec le nouveau franc et le Marché commun, de solides diplômes étaient sans aucun doute nécessaires, or Maureen les possédait, et, à ce titre, Berill lui faisait confiance. D'ailleurs, le temps était venu de passer la main, de s'effacer devant la génération suivante, du moins l'affirmait-elle à Mathias qui haussait les épaules avec indulgence. Il savait que Berill, en perdant Tomas, avait perdu une partie de son énergie, mais il savait aussi qu'elle la retrouverait peu à peu, et que « s'effacer » ne ferait pas longtemps partie de son vocabulaire.

Assis par terre, Paul semblait fatigué, amer, et son frère ne parvenait pas à le dérider malgré ses plaisanteries.

— On peut descendre boire une bière, proposa finalement Jean-François.

Il leur arrivait de passer un moment seuls au réfectoire, alors que tous les autres employés étaient déjà couchés, car Paul redoutait toujours le moment d'aller dormir. Des cauchemars d'embuscade peuplaient ses nuits ou, bien pis, il rêvait qu'il avait encore ses deux bras.

— Non, je n'ai pas soif, marmonna-t-il.

« Plus » soif aurait été l'expression exacte, Paul buvant beaucoup de vin au cours des repas. Pour l'instant, avec les saisonniers et la joyeuse ambiance des dîners, personne ne l'avait remarqué, mais le parc allait fermer et il n'y aurait bientôt plus que Pierre, Ludovic et Nicolas. À ce moment-là, les excès de Paul risquaient de provoquer des commentaires, même si tout le monde manifestait beaucoup de compassion à son égard.

Les mois passant, Jean-François s'inquiétait de ne pas discerner d'amélioration dans l'état de son frère. Incapable de se résigner, Paul n'acceptait pas son infirmité, être handicapé à vie le rendait fou.

— Un de ces jours, tu m'emmèneras à Tours, que je me paye une pute!

— Arrête, Paul...

— Eh bien, quoi? Figure-toi que j'ai des besoins, comme les autres mecs, sauf qu'aucune femme digne de ce nom ne me regardera jamais.

— Pourquoi crois-tu ça? Je ne pense pas qu'une fille serait rebutée par ton bras, mais te complaire dans ton malheur les fera fuir, c'est certain.

— Tu dis une *fille*, et moi je parlais d'une *femme*. Pas une oie blanche ou une laissée-pour-compte qui voudrait se caser à tout prix, même avec un invalide!

Jean-François leva les yeux au ciel, devinant où son frère voulait en venir. Il n'allait pas tarder, à coups d'allusions lourdes, à évoquer son obsession : Caroline, dont il était éperdument amoureux en secret.

— Si j'étais normal, j'aurais bien essayé de draguer notre véto, voilà quelqu'un de formidable... Elle est jolie, intelligente, volontaire, pas sophistiquée pour deux sous... Mais bien sûr, c'est Hugh qu'elle regarde, quoi d'étonnant? Et lui, il ne s'aperçoit de rien, cet abruti!

— Tu le traites d'abruti? Tu as tort. Il s'est montré plutôt compréhensif et généreux, non?

— C'est vrai, ricana Paul, il m'a fait la charité en m'embauchant chez lui, seulement tu m'excuseras, il est né avec une cuillère d'argent dans la bouche, alors qu'est-ce que ça lui coûte, hein?

— Un salaire. Des charges sociales. Du chauffage et de l'électricité. En plus, il te fait confiance, et ça n'a pas de prix.

— C'est à *toi* qu'il fait confiance! C'est toi son pote, et tu lui rends trois mille services parce que tu te sens débiteur, à cause de moi. Quand je te vois ramer sur la comptabilité, à faire des heures supplémentaires non payées, je trouve qu'il profite bien de la situation.

— Si c'est pour débiter des bêtises pareilles, je préfère ne plus t'entendre! explosa Jean-François.

Ses liens d'amitié avec Hugh s'étaient considérablement fortifiés, au fil du temps. Leur complicité, leur estime mutuelle, ainsi que les responsabilités partagées, donnaient à Jean-François l'impression d'avoir trouvé sa place ; il n'en aurait changé pour rien au monde.

— Tu voudrais que j'aie la reconnaissance du ventre ? soupira Paul. D'accord, d'accord…

Son moment de révolte semblait passé, il allait de nouveau sombrer dans sa neurasthénie maussade, contre laquelle il n'essayait même pas de lutter. Jean-François, qui était resté à moitié allongé sur son lit durant la discussion, se leva et rejoignit son frère. Il s'assit par terre à côté de lui et passa un bras autour de ses épaules, rencontrant la manche vide et inutile.

— On devrait accompagner plus souvent Ludovic et les autres en virée, maintenant que le parc est fermé, ils vont aller s'amuser tous les samedis soir à Tours.

Devant le refus de se distraire de Paul, Jean-François ne mettait plus les pieds au cinéma, ce qui lui manquait. Il n'avait pas vu *la Guerre des boutons*, dont tout le monde parlait, ni *Octobre à Paris*, qui relatait le massacre lors de la manifestation algérienne de l'année précédente. Il avait également laissé tomber une petite amie occasionnelle qu'il aimait bien, pour donner à Paul le temps de récupérer et de s'acclimater, mais plus le temps passait et moins ils s'évadaient du parc.

Tournant la tête vers son frère, il lui jeta un bref regard. Sans son air renfrogné, Paul aurait pu être un très beau garçon. Il avait toujours les cheveux blonds soyeux de son enfance, que Jean-François peignait alors chaque matin avant de le conduire à l'école. Il s'était tellement occupé de Paul, petit, qu'au moment du décès de leurs parents il avait tout naturellement continué à l'élever. Sa mutilation avait ravagé de chagrin Jean-François, mais son changement de caractère était encore plus dur à supporter.

MAUREEN avait essuyé l'orage sans broncher et sans baisser les yeux. Elle se tenait bien droite dans le fauteuil que son père avait occupé avant elle – ayant jugé légitime de prendre son bureau –, tandis que Mathias allait et venait, apparemment incapable de s'asseoir.

— Tu ne peux pas te permettre d'entraîner un institutionnel là-dedans ! Ce que tu apprends dans les dîners en ville n'est pas ce que tu *sais*, en tant que banquier. Si lors d'une soirée arrosée on te divulgue des informations, tu n'as pas le droit de t'en servir ! C'est un délit, Maureen.

Elle savait qu'il avait raison, mais elle ne voulait pas l'admettre à voix haute, comme dans chacun de leurs affrontements.

— Dieu que tu es coléreux, soupira-t-elle. Et tellement à cheval sur les principes…

— Encore heureux !

— Mais quand j'ai un contact privilégié, je…

— C'est de la malhonnêteté. En cas de problème, tu ne pourrais même pas te justifier.

Elle le toisa, agacée de ne pas arriver à le contredire.

— Dis-moi, Mat… Lorsque tu commettais une bévue, est-ce que papa te faisait ce genre de scène ?

Surpris, il la dévisagea en silence puis parut se troubler.

— Eh bien… Ne le prends pas mal mais, même si ça te paraît très prétentieux, je n'ai pas souvenir d'avoir commis de grosses erreurs, ce qui fait que nous n'avons jamais eu de différends, Tom et moi !

Il l'énonçait sans le moindre orgueil, presque gêné de ce constat d'une évidente vérité. Maureen fouilla dans sa mémoire sans rien y trouver d'autre que des discussions calmes entre son père et son oncle. Lorsque leurs points de vue divergeaient, ils en parlaient posément, et, la plupart du temps, Tomas se mettait à rire devant la « scandaleuse inspiration » de Mathias. Il le portait aux nues tout en s'amusant de son talent de négociateur, un don inné qui l'avait toujours sidéré. Mathias ne possédait aucune autre formation que celle acquise au contact de Tomas et de l'Irish, il se contentait de se servir de son flair avec une chance déroutante. À côté de lui, Maureen se sentait scolaire, appliquée, besogneuse.

— Si tu as fini de me houspiller, j'ai du travail, déclara-t-elle d'un ton rogue.

Avec un haussement d'épaules résigné, Mathias quitta le bureau et elle se retrouva seule, toujours assise bien droite dans son fauteuil directorial. Sans le veto absolu de sa mère, elle aurait volontiers expédié Mathias à la retraite. « Ah, oui ? Et pour engager qui à sa place ? » s'indignait Berill, inébranlable. En fait, c'était une question épineuse qui préoccupait Maureen depuis plusieurs mois et qu'il faudrait bien finir par traiter. Malgré toute sa compétence, Mathias vieillissait, il était plus timoré qu'avant, et moins à l'aise sur les valeurs nouvelles du marché.

Songeuse, Maureen se mit à pianoter sur le sous-main de cuir. Nul n'étant irremplaçable, elle finirait bien par trouver le moyen de se débarrasser de son oncle. Parce que tant qu'il serait là, avec ses leçons de morale et ses certitudes, elle ne pourrait pas diriger l'Irish à son idée. Elle resterait une gamine désignée comme « la fille de Tom, la nièce de Mat », des appellations qui la faisaient bouillir.

Durant quelques instants, Maureen laissa ses pensées dériver.

— Seigneur ! Philippe…

Elle avait promis d'être chez lui vers vingt heures et elle était déjà en retard. Sa Lancia était garée devant l'immeuble et elle ne perdit pas de temps pour se faufiler dans la circulation. Ce soir, Philippe avait décidé de tester une nouvelle recette de Saint-Jacques au safran, suivie d'une côte de bœuf marchand de vin qu'il réussissait à merveille. Pour Maureen, il adorait se mettre de temps en temps aux fourneaux, ravi de l'épater avec son savoir-faire. Était-ce la douce Nicole, son ex-femme, qui lui avait appris à si bien cuisiner ?

Elle descendit les Champs-Élysées, prit la place de la Concorde puis s'engagea dans le boulevard Saint-Germain. L'appartement de Philippe se trouvait place Saint-Sulpice, avec un balcon donnant sur l'église et la fontaine. Maureen aimait bien y dormir de temps à autre, mais pas question d'y prendre ses habitudes. Pourtant, Philippe multipliait les attentions, il avait été jusqu'à lui acheter des déshabillés de soie, des mules en chevreau et un grand flacon de son parfum favori, l'*Heure Bleue* de Guerlain. Régulièrement, il lui parlait mariage, mais elle se contentait d'en rire. Pourquoi lui sacrifierait-elle sa liberté ? Elle n'avait pas envie d'avoir d'autres enfants puisqu'elle ne parvenait même pas à s'occuper correctement de Liam. D'ailleurs, elle était redevenue Maureen Blaque-Belair avec satisfaction, après avoir été Mme Sabas, et elle ne comptait pas changer d'identité une fois de plus.

Philippe lui ouvrit la porte dans un nuage de fumée, consterné d'avoir laissé brûler ses échalotes pendant qu'il était au téléphone.

— Mon client avait de nouveaux éléments dans le cadre d'une

affaire affreusement compliquée, alors j'ai pris des notes en oubliant que la poêle était sur le feu... Je suis désolé, Maureen, je vais aérer.

Son air piteux la fit sourire et elle alla s'installer dans le salon, tandis qu'il filait à la cuisine. Lorsqu'il avait loué cet appartement, il ne possédait pas le moindre meuble, ayant tout laissé à Nicole et à ses filles. Maureen l'avait alors accompagné chez les antiquaires, les brocanteurs, mais aussi les designers, où il l'avait systématiquement laissée choisir. Des fauteuils Knoll voisinaient ainsi avec une paire de bergères Louis XV bien rembourrées, une grande table de verre et d'acier trônait devant une bibliothèque anglaise en acajou. Partout, un peu du désordre typique des célibataires, avec des livres ouverts, des journaux, des pochettes d'allumettes près de cendriers pleins.

— Je t'ai préparé un Martini, annonça-t-il en la rejoignant.

Il lui tendit son verre où flottaient un zeste de citron et deux cubes de glace.

— Les dégâts sont réparés ?

— Oui, je ferai tout au dernier moment, ce sera plus raisonnable, mais raconte-moi ta journée d'abord.

— J'ai eu un déjeuner intéressant avec l'un des responsables de cette grosse compagnie d'assurances dont je t'avais parlé, mais ensuite Mathias est venu me faire toute une histoire dans mon bureau, comme d'habitude ! Nous sommes de moins en moins souvent d'accord, lui et moi, la cohabitation devient très pénible...

D'un petit mouvement de cheville, elle envoya promener ses escarpins. La jupe légèrement fendue de son ensemble Pierre Balmain mettait ses jambes en valeur, elle le savait, et elle en lut la confirmation dans le regard de Philippe. Il vint s'asseoir en tailleur sur le tapis, tout près d'elle, et fit courir ses doigts sur les bas de soie.

— Non, protesta-t-elle en riant, on mange d'abord !

Levant la tête, il lui adressa son éblouissant sourire d'avocat.

— On fait tout ce que tu veux, ma chérie, dans l'ordre que tu préfères.

C'était parfaitement exact, il ne la contrariait jamais. Peut-être même était-il trop docile avec elle, effrayé à l'idée qu'elle puisse le quitter, et sans doute frustré par ses refus successifs. Elle ne voulait pas vivre avec lui, encore moins l'épouser, elle ne lui accordait de soirées ou de nuits qu'au gré de ses envies.

— Pour en revenir à Mathias, soupira-t-elle, tu dois croire que je le déteste, mais ce n'est pas le cas.

— Ah bon?

— Je t'assure. D'abord, il a apporté des affaires extraordinaires à l'Irish, je ne l'oublie pas, ensuite, c'est mon oncle, et j'ai de l'affection pour lui. Mais Hugh a toujours été son préféré. Quand nous étions petits, mon frère ne le quittait pas d'une semelle, et Mat adorait ça, vu qu'il n'a jamais eu d'enfant. Papa essayait de ne pas en prendre ombrage, mais c'était sûrement difficile à accepter pour lui de voir Hugh en extase devant Mat! Il faut dire qu'il y a eu toutes ces années où papa n'était pas là, et Hugh avait besoin d'un modèle paternel. En plus, le cirque le fascinait, tout ce qui touchait aux Károly le faisait rêver. Quand on voit où ça l'a conduit!

— Où donc? Le parc Belair est plutôt une réussite, non?

— Peut-être, en apparence, mais à quel prix!

Elle se pencha en avant et prit distraitement la main de Philippe dans la sienne. Parler de sa famille la soulageait, surtout avec un auditeur aussi attentif.

— Pas moyen de voir les comptes d'exploitation du parc, imagine-toi que Mat garde ça pour lui! Il est actionnaire, à titre personnel, mais le financement de départ a été pharaonique, et je suis persuadée que l'Irish a beaucoup plus investi qu'on ne veut bien me le dire.

Un peu étonné, Philippe la dévisagea avec insistance avant de rétorquer :

— Mais enfin, Maureen, tu es la *directrice* de cet établissement financier, comment peut-on te dissimuler un dossier?

Elle abandonna sa main, contrariée par la question pourtant logique qu'il venait de soulever.

— La famille, lâcha-t-elle d'un ton sec. Tu n'as pas idée de ce que ça représente de travailler en famille! En plus, ma mère fait partie du conseil d'administration, et dès que je mets le parc Belair sur le tapis, elle sort ses griffes. C'est comme si personne ne voulait admettre que Hugh est un rêveur, pas un gestionnaire, or si tu connaissais mon frère…

Penser à lui la rendit songeuse et elle s'interrompit. Rêveur, Hugh? Oui, d'une certaine manière, car il avait trouvé sa vocation presque par hasard, au détour des récits de leurs grands-parents, quand Vilmos et Margit évoquaient le cirque. Les vieilles affiches criardes et naïves où figurait leur mère au milieu de lions ou de tigres l'hypnotisaient. Et pendant ce temps-là, il ne fichait rien en classe et avait lamentablement raté ses études. Plusieurs inscriptions universitaires s'étaient toutes soldées par le même échec, jusqu'au moment de son service militaire effectué à Dublin. Là, il s'était marié en grand secret avec une fille que personne ne connaissait, enceinte de lui jusqu'au cou, puis s'était par malheur et presque aussitôt retrouvé veuf et père de famille alors qu'il n'avait pas la moindre situation. Un parcours somme toute très décevant, qui s'était soldé par cette idée chimérique d'un parc d'animaux sauvages, que la famille Blaque-Belair avait financé sans frémir.

— Tu me trouves trop sévère? s'enquit-elle avec un sourire d'excuse.

— Très intransigeante, en tout cas.

— Je le suis pour moi, je ne vois pas pourquoi les autres y échapperaient!

Elle essayait de plaisanter, mais Philippe la regardait d'un drôle d'air. Évidemment, en comparaison de Nicole, elle devait faire figure de dragon. Pour le rassurer, elle se pencha vers lui et l'embrassa, d'abord avec douceur, puis de façon plus intense, jusqu'à ce qu'il referme ses bras autour d'elle, la faisant glisser de la bergère sur le tapis.

— On va peut-être inverser l'ordre, si ton dîner peut attendre, chuchota-t-elle.

LE barrissement puissant fit trembler les cloisons du hangar. D'un coup d'œil machinal, Hugh vérifia que la chaîne entravant l'éléphante était toujours en place. Pourquoi s'agitait-elle ainsi? À cause de la pluie qui fouettait violemment le toit de Fibrociment? Du vent qui sifflait sous l'immense porte coulissante? Il s'approcha, regrettant de ne pas pouvoir appeler Caroline pour lui demander son avis, mais la jeune femme ne rentrait de Nairobi que dans quelques jours, il devrait attendre.

L'éléphante semblait avoir recouvré son calme. Avec sa trompe, elle prit une brassée de fourrage qu'elle porta à sa bouche. Pensif,

Hugh la contempla un moment encore, puis il s'assura que les abreuvoirs étaient pleins avant d'aller contrôler la température du hangar sur le thermomètre mural. Tout était parfaitement normal.

Une porte métallique claqua soudain derrière lui, le faisant sursauter, mais la voix de Jean-François s'éleva aussitôt :

— Tu es là aussi ? Je l'ai entendue s'agiter depuis l'enclos des zèbres et je me demandais…

— Non, elle va bien. Mais j'en parlerai à Caroline dès son retour, je la trouve un peu perturbée en ce moment, ce n'est pas la première fois qu'elle fait du chahut.

Ils savaient l'un comme l'autre à quel point un éléphant peut vite devenir furieux ou incontrôlable. En principe, le hangar était prévu pour résister aux assauts des pachydermes en cas de panique, néanmoins l'expérience n'avait jamais eu lieu et la sécurité restait théorique.

— Le temps doit s'améliorer en début de semaine, on les remettra un peu en liberté à ce moment-là, décida Hugh.

D'un hochement de tête, Jean-François approuva. Faire tenir tranquilles les animaux dans leurs abris durant les périodes froides était vraiment une difficulté majeure.

— On a une livraison retardée, annonça Jean-François, mais les stocks sont suffisants pour faire face.

— J'espère bien ! S'ils doivent se serrer la ceinture, nos pensionnaires ne seront pas d'accord…

Manger occupait les éléphants quinze ou seize heures par jour, et les nourrir supposait un ravitaillement constant. Dans ce domaine aussi, Jean-François prenait de plus en plus de responsabilités.

— Tu viens boire un verre à la maison ? proposa Hugh.

— Non, je te remercie, je vais retrouver Paul, il n'a pas le moral.

Pudique, Jean-François parlait peu des problèmes que lui posait son frère, mais Hugh les devinait sans mal.

— Si je peux faire quelque chose…

— Tu as déjà fait bien assez.

Dès qu'ils sortirent du hangar, la pluie s'abattit sur eux et ils se mirent à courir. Dérapant sur les pavés trempés de la cour, Jean-François fila en direction du bâtiment des employés, tandis que Hugh fonçait vers le relais de chasse. Devant sa porte, il aperçut la silhouette d'un homme vêtu d'un ciré qui tentait de s'abriter sous l'auvent.

— Bonsoir! lança Hugh. C'est moi que vous cherchez?

Il distinguait mal les traits de l'inconnu et se hâta d'ouvrir, précédant son visiteur.

— Entrez, je vous en prie. Que puis-je pour vous?

En allumant, il découvrit un homme d'une bonne soixantaine d'années, au visage émacié. Ses cheveux clairsemés avaient été plaqués par l'averse, et sous ses grands yeux sombres s'étalaient des cernes bistre. Le ciré noir était déchiré à certains endroits, laissant voir une veste de velours râpé.

— Vous êtes Hugh Károly? articula l'homme avec un accent étranger assez prononcé.

— Non, je…

— Enfin, Blaque-Belair, c'est ce que je voulais dire. Mon nom à moi est Károly, et vous êtes mon neveu.

Saisi, Hugh dévisagea l'inconnu. La ressemblance avec Mathias n'était pas évidente, pourtant il y avait effectivement quelque chose de familier dans les traits de cet homme.

— Arno? interrogea Hugh d'une voix étranglée.

— Au moins, vous êtes au courant de mon existence. Mais s'ils vous ont parlé de moi, vous allez vouloir me flanquer dehors, non?

Avec un sourire amer, Arno Károly rejeta la tête en arrière, épiant la réaction de Hugh.

— Je suis venu en taxi, mais il est reparti, ajouta-t-il au bout d'un instant de silence. C'est à lui que j'ai donné mon dernier billet de 100 francs. Il faut beaucoup de forints contre vos francs lourds, et j'ai changé tout ce que j'avais à la frontière…

— Vous venez de Hongrie? parvint à demander Hugh qui essayait de mettre de l'ordre dans ses idées.

— Oui, de Budapest. J'habite là-bas et j'y travaillais jusqu'à la semaine dernière.

Hugh n'était allé que deux fois à Budapest, lors de l'enterrement de Vilmos puis de Margit, et il ne possédait guère de souvenirs de cette ville somptueuse où les gens lui avaient semblé si tristes.

— Si c'est maman ou Mathias que vous vouliez voir, ils sont à Paris, pas ici.

— Je sais bien. Je n'ai pas frappé chez vous par hasard, ni Berill ni Mat ne m'ouvriraient leur porte.

De cela, Hugh ne doutait pas. Les très rares fois où sa mère avait accepté de parler d'Arno, elle s'était montrée assez virulente pour appeler Arno « le sale traître », mais sans expliquer le motif exact de sa haine.

— Auraient-ils une bonne raison de vous refuser l'hospitalité ? s'enquit-il prudemment.

Arno hésita, le regard soudain fuyant, puis il marmonna :

— C'est si loin, tout ça ! Est-ce qu'on ne peut pas faire un seul faux pas dans toute une vie ?

Il paraissait voûté, à présent, et encore plus misérable.

— Écoutez, jeune homme, je n'ai nulle part où aller, il fait nuit et il pleut. Je projette ce voyage depuis très longtemps, j'ai même pris des cours de français ! Il faut au moins m'écouter. Après…

Hugh se décida à bouger. Il se dirigea vers la cheminée, remit deux grosses bûches sur les braises.

— Enlevez votre ciré et venez vous réchauffer. Je vais faire du thé pendant que vous me raconterez votre histoire.

Cet oncle mystérieux, surgi de nulle part, ne lui inspirait aucune confiance, néanmoins il ne pouvait pas le jeter dehors pour l'instant. Et aux sentiments confus qui l'agitaient s'ajoutait évidemment une immense curiosité. En se retournant, il vit Arno se débarrasser d'un petit sac à dos, puis accrocher avec soin son ciré à une patère. Il s'approcha du feu et se perdit dans la contemplation des flammes naissantes. Éclairé par en dessous, son visage avait vraiment l'air taillé à coups de serpe. Hugh s'éloigna vers le coin cuisine, à l'autre bout de la grande salle, et mit de l'eau à bouillir.

— Comment m'avez-vous trouvé ? demanda-t-il en disposant des tasses et une boîte de biscuits secs sur le comptoir.

— Je n'ai jamais cessé de m'intéresser à la famille.

Cette réponse n'en était pas une, mais Hugh devina qu'il ne lui servirait à rien de harceler l'autre de questions abruptes. De toute façon, il allait tout dire, tout déballer, il était venu pour ça.

À petits pas comptés, prenant le temps d'observer les meubles et les objets, Arno le rejoignit et s'assit sur l'un des hauts tabourets. Alors qu'il ouvrait la bouche, sans doute pour commencer son récit, il resta brusquement figé, les yeux rivés à la vieille affiche que Hugh avait fait encadrer, celle qui intriguait tant Caroline.

— Seigneur…, souffla Arno.

Il ne parvenait pas à détacher son regard du dessin naïf et coloré – mais terriblement ressemblant –, où figuraient Vilmos en dolman à brandebourgs, Berill dans son collant pailleté, et un monstrueux tigre sautant dans un cercle enflammé.

— « La danseuse et les fauves » ! C'est l'affiche de Paris, la saison de 1925 au cirque d'Hiver, non ? Papa faisait trembler les femmes de l'assistance, et ma sœur séduisait immanquablement tous les hommes ! Les Bouglione prétendaient que les tigres n'étaient là que pour la décoration, ils plaisantaient, bien sûr. D'ailleurs, maman avait tellement peur qu'elle refusait toujours d'assister au numéro. Elle a été bien inspirée si on pense à ce qui est arrivé à Londres… Je n'y étais pas, mais j'ai pleuré quand j'ai appris, pour Berill. Elle était si belle ! Pas seulement ses yeux incroyables, son visage aussi, son corps : tout était parfait. Sans cet accident, ils auraient fait le tour du monde, d'autant plus qu'elle avait un culot dément avec les fauves… Au fond, c'est paradoxal, mais parfois je crois que le cirque me manque. Pourtant, Dieu m'est témoin que j'ai voulu le quitter !

Désemparé, Hugh l'écoutait sans chercher à l'interrompre ni à l'encourager. Dans ce flot de paroles, les mots « papa » et « ma sœur » lui avaient semblé très incongrus, presque choquants. Pourtant, Vilmos et Margit avaient bien eu trois enfants, dont cet Arno qui, à l'époque, s'était illustré comme clown.

Clown, c'était vraiment difficile à croire. Hugh poussa vers lui la boîte en fer qui contenait des tuiles aux amandes faites par Teresa. Pour l'instant, il n'avait rien appris du drame familial, mais il n'était plus très sûr d'avoir envie d'entendre la suite. Arno se mit à engloutir les tuiles l'une après l'autre, les faisant craquer bruyamment. À le voir mastiquer avec entrain, on se disait qu'il n'avait probablement rien mangé de la journée. Quand la boîte fut vide, il releva les yeux vers Hugh et le contempla un moment avant de reprendre :

— Un jour, j'en ai eu assez de faire l'auguste. J'avais du succès, mais je savais bien que je ne serais jamais Grock ! Lui avait du génie, et puis c'était un vrai musicien… Bref, la piste ne m'amusait plus, je m'y sentais ridicule. Tout ça à cause d'une femme, forcément, une belle Allemande dont j'étais tombé amoureux à Berlin. Je croyais qu'elle serait la grande passion de ma vie, alors j'ai tout plaqué sans regarder en arrière. Elle, ce qui la faisait se pâmer, c'étaient plutôt les soldats, les uniformes, les grands discours musclés, le national-socialisme...

Il n'avait pas quitté Hugh du regard, et maintenant il semblait guetter une quelconque approbation.

— Vous êtes trop jeune pour avoir connu tout ça, enchaîna-t-il devant le silence de Hugh. On ne peut pas imaginer ce que c'était si on ne l'a pas vécu. Hitler n'était pas un charmeur de serpents, il possédait un charisme incroyable et ce qu'il disait soulevait vraiment les foules. La grande Allemagne, un monde meilleur, plus juste et plus beau... Ruth y croyait de toutes ses forces, moi je l'ai suivie. Pour lui plaire, je me suis engagé dans la Wehrmacht.

De nouveau, il y eut un silence, interminable cette fois. Arno finit par boire son thé, qui devait être froid, puis il posa ses coudes sur le comptoir et mit sa tête entre ses mains.

— C'est drôle que vous m'écoutiez sans rien dire... Vous ne voyez vraiment pas où je veux en venir? Je pensais qu'on m'avait tellement craché dessus dans la famille que vous connaîtriez ça par cœur!

Hugh se sentait glacé, cependant il ne voulait pas bouger. À l'autre bout de la pièce, les bûches s'effondrèrent dans une gerbe d'étincelles.

— On m'a très vite cherché des poux dans la tête à cause de mon origine tzigane. Pour les nazis, les Tziganes étaient comme les juifs ou les homosexuels : bons à éliminer. J'avais très peur que Ruth l'apprenne, et je voulais rester dans l'armée, mais il fallait que je donne une preuve de ma bonne foi, de mon engagement.

Sa voix s'était mise à trembler. Malgré lui, Hugh se pencha un peu au-dessus du comptoir, incapable de proférer un son.

— Mes parents habitaient Vienne à ce moment-là, murmura Arno. Ma sœur voulait absolument les ramener en France, chez elle, parce qu'elle avait peur pour eux. Les déportations ont eu lieu bien avant le début de la guerre, les gens le savaient, et Berill se démenait comme une diablesse, ma mère me l'avait appris. J'ai attendu le plus possible, alors que j'étais moi-même en danger, et quand j'ai été certain qu'ils avaient quitté l'Autriche, je les ai… dénoncés.

Hugh fit un pas en arrière, sans même s'en apercevoir, et heurta l'évier derrière lui.

— Dénoncés? articula-t-il. Vilmos et Margit?

— Qu'importe puisqu'ils n'étaient plus là! Je pensais que leur maison et leurs biens seraient saisis, la belle affaire! C'était un moindre mal, non? Sauf que…

Là, il s'interrompit, à bout de souffle. Hugh le considérait avec horreur, et les larmes qu'il voyait couler sur les joues creuses ne parvenaient pas à l'attendrir.

— Sauf que mon père était resté! hoqueta Arno. La tête de mule! Resté là dans quel but, hein? Il n'y avait rien à sauver, qu'est-ce qu'il croyait? La politique ne l'avait jamais intéressé, il ne savait même pas pourquoi on l'avait envoyé se battre en 14! Et moi, chaque fois que j'avais essayé de le mettre en garde, il s'était contenté de me regarder d'un air réprobateur, sans rien comprendre. En réalité, il n'a jamais écouté que Berill, et c'est bien pour ça que j'étais sûr qu'il l'avait suivie en France. Mais voilà, il était chez lui quand ils sont venus l'arrêter, et ils l'ont expédié au camp de Lackenbach.

Hugh ferma les yeux une seconde, littéralement écrasé par ce qu'il était en train d'apprendre. Les pièces manquantes du puzzle venaient de se mettre en place, comblant les vides laissés par les quelques phrases mystérieuses et sibyllines entendues au sujet du « sale traître ».

— Avoir désigné mon père ne m'a servi à rien, poursuivit Arno de manière à peine audible. L'armée m'a jeté hors de ses rangs et Ruth m'a laissé tomber. Je me suis retrouvé sans famille, sans femme, sans métier et sans argent.

— Vous espériez une récompense? lança Hugh d'une voix blanche.

Arno laissa retomber sa tête entre ses mains, sans doute pour échapper au regard brûlant du jeune homme. Ils restèrent un moment sans parler et sans bouger, avec le seul bruit de la pluie qui continuait de fouetter les vitres.

Hugh s'écarta de l'évier, contourna le comptoir et traversa la pièce. Il ranima le feu pour faire quelque chose, pour s'occuper les mains. Tout en tisonnant et en évitant de se retourner, il lâcha d'une traite :

— Parce que ma mère était folle d'inquiétude, mon père est parti chercher le vôtre en Autriche, mais il a été arrêté et emprisonné à Vienne. Quand votre père a réussi à s'évader du camp de Lackenbach, mon père à moi a vu ses conditions de détention se durcir.

Il se redressa, fit volte-face.

— Comment avez-vous pu regarder sans honte cette affiche, tout à l'heure ? Quelle place est la vôtre dans notre famille ?

— Tout ce que vous avez envie de me dire, lança Arno depuis son tabouret, Berill me l'a déjà servi. J'avais essayé de la voir une fois, à Lausanne, il y a bien des années de ça, mais elle n'était pas prête à pardonner, et je suppose qu'elle ne le sera jamais. Reste mon frère, mais…

Ainsi, ils avaient eu la même idée. Mathias était l'homme le plus généreux qui soit, sans doute le seul membre de la famille apte à éprouver de la pitié pour Arno. Il avait grandi avec lui, partagé la misère de leur jeunesse errante, puis galéré à ses côtés lorsqu'ils cherchaient des contrats de clowns dans les cirques d'Europe. S'il conservait une once de tendresse ou de mélancolie pour ce passé commun, peut-être accepterait-il de le rencontrer, de l'écouter ?

— Je vais téléphoner à Mathias, proposa Hugh.

— Pas ce soir ! S'il vous plaît…

Même de l'autre bout de la pièce, Hugh discerna la terreur qui crispait soudain le visage d'Arno.

— Je n'aurai pas la force de recommencer, plaida-t-il.

Affronter son frère, qui devait représenter son dernier espoir, allait nécessiter toute son énergie. Or il paraissait au bout du rouleau.

— Demain matin, ajouta-t-il d'une voix pressante, vous l'appellerez et vous me le passerez, ou alors vous le ferez venir ici, mais maintenant, je voudrais juste un coin pour dormir… Vous avez bien une grange ou une cabane à outils ?

Hugh n'hésita qu'une seconde. De toute façon, il n'aurait pas laissé un chien dehors par ce temps, et cet homme épuisé était son *oncle*.

— J'ai une chambre dans le bâtiment où logent mes employés, et il y a un réfectoire au rez-de-chaussée où vous trouverez de quoi manger. Je vous y conduis, suivez-moi.

4

Madrid, 1965

Maureen était absolument ravie d'avoir emmené Eleonor avec elle à Madrid. Ensemble elles avaient visité la ville et fait du shopping sans trop se soucier de l'écrasante chaleur de cette fin de septembre. Malgré ses quatorze ans à peine, Eleonor se révélait d'une compagnie aussi agréable qu'intéressante. Au musée du Prado, ses commentaires sur la peinture espagnole, de Vélasquez à Goya, avaient sidéré Maureen, tout autant que ses connaissances historiques. Mais l'adolescente savait aussi être frivole, elle l'avait montré dans le quartier de Salamanca, parmi les boutiques de luxe. Finalement, elles étaient allées se reposer un peu à l'*Embassy*, une vieille pâtisserie typique et désuète où elles avaient commandé des tartelettes au citron. De là, elles avaient appelé Julian pour qu'il vienne les chercher en sortant de sa banque et les ramène chez les Sabas avec tous leurs paquets.

Pendant ce temps-là, Josefa s'était occupée de Liam et de la préparation du dîner, tout en allant jeter de fréquents coups d'œil à Felipe. Depuis quatre mois, le malheureux était cloué dans un fauteuil d'infirme, paralysé et privé de la parole à la suite d'un accident vasculaire cérébral. Son malaise avait eu lieu un soir très tard, alors qu'il travaillait dans son bureau, et Josefa, qui dormait à poings fermés, ne l'avait découvert que le lendemain matin. Soigné plus tôt, peut-être aurait-il eu de moins lourdes séquelles, mais rien ne permettait de l'affirmer. D'après ses médecins, bien qu'il soit incapable d'articuler un mot cohérent, il devait être lucide.

Dans le patio, où régnait une température supportable, Josefa avait préparé des *tapas* et du vin pétillant du Penedés. Elle accueillit son fils, Maureen et Eleonor à grand renfort d'exclamations joyeuses.

— Enfin, vous voilà! Quelle chaleur aujourd'hui, n'est-ce pas? Liam a joué en maillot de bain autour du bassin tout l'après-midi! C'est un amour de petit garçon, il est beaucoup plus facile à occuper que tu ne l'étais à son âge, Julian!

Maureen esquissa un sourire devant l'enthousiasme de Josefa.

Liam était vraiment l'infant chez les Sabas, mais il n'en profitait jamais pour faire des caprices, c'était un enfant sage et souriant par nature. À moins qu'il ne le doive à l'éducation parfaite de Teresa?

Au milieu du patio, la fontaine qui ornait le bassin produisait un bruit d'eau agréable, rafraîchissant. Assise à sa place favorite, sur la balancelle, Maureen se sentait détendue, heureuse d'être là, loin de ses soucis parisiens, et somme toute assez satisfaite du regard éloquent que Julian posait sur elle. Chaque fois qu'elle séjournait à Madrid, il se faisait plus charmeur, plus séducteur.

Elle termina son verre de vin puis décida d'aller changer de chemisier avant le dîner. Avant de gagner sa chambre, elle fit un détour par celle de Felipe afin de passer cinq minutes avec lui. La porte était ouverte et la garde-malade s'affairait à débarrasser le plateau.

— Il n'a presque rien mangé ce soir, soupira-t-elle en croisant Maureen. Vous venez lui tenir un peu compagnie? Je remonterai dans un quart d'heure pour le mettre au lit.

L'expression parut très cruelle à Maureen. Si Felipe était capable de comprendre et de penser, à défaut de pouvoir s'exprimer, comment supportait-il d'être « mis au lit », de recevoir sa nourriture cuillerée après cuillerée, d'être lavé avec un gant de toilette par une inconnue?

Elle alla s'asseoir face à lui, se força à sourire sans compassion.

— Il a fait une chaleur torride à Madrid, cet après-midi, dit-elle d'un ton très naturel. J'ai emmené ma nièce, Eleonor, visiter les musées et faire les boutiques. C'est une jeune fille prodigieusement intelligente, je crois qu'elle tient de ma mère à qui elle ressemble par certains côtés… A-t-on conduit Liam auprès de vous?

À peine posée, elle regretta sa question, sachant que Felipe ne pouvait pas lui répondre, pourtant elle vit briller une lueur d'intérêt dans son regard. Il tenta même de hocher la tête, n'obtenant qu'un mouvement désordonné de sa mâchoire.

— Liam vous adore et, ne vous inquiétez pas, je lui ai expliqué que vous étiez malade pour le moment, mais que tout s'arrangerait bientôt. La médecine avance à pas de géant, je suis persuadée qu'il ne faut pas perdre espoir.

Felipe s'agita un peu dans son fauteuil et Maureen, spontanément, posa une main sur son bras. Le contact la surprit, elle n'avait pas remarqué à quel point il était devenu maigre.

— Felipe…, murmura-t-elle.

Sans doute avait-il mille choses importantes à dire qu'il n'était pas en état d'exprimer et qu'elle ne parviendrait jamais à deviner.

— Je sais que vos affaires sont en ordre, lâcha-t-elle très vite, c'est votre secret et il est bien gardé, ne vous en faites pas. En attendant, je continuerai à venir avec Liam aussi souvent que d'habitude. J'ai beaucoup d'affection pour vous, Felipe, et je suis navrée de ce qui vous est arrivé.

— Tu es là? s'étonna Julian depuis le seuil de la chambre. Le dîner sera bientôt servi…

Maureen remarqua l'expression furieuse qui tordait soudain le visage de Felipe. Il parvint à éructer deux syllabes sans signification avant de retomber dans son apathie.

— Ne te fatigue pas à lui faire la conversation, je crois qu'il n'a plus sa tête, ajouta Julian avec une insupportable désinvolture. La garde-malade va venir le coucher et lui donner le bassin, il vaut mieux le laisser.

De nouveau, un éclair de rage traversa le regard de Felipe, à qui Maureen adressa un sourire apaisant. En se levant, elle pressa une nouvelle fois son bras maigre, puis elle rejoignit Julian et l'entraîna dans le couloir.

— Tu as tort de croire qu'il ne comprend rien, chuchota-t-elle. Et tu ne devrais pas l'humilier de la sorte.

— Moi? Mais tu vois bien qu'il est gâteux! On ne peut pas le traiter autrement que comme un enfant, il n'arrive même pas à s'alimenter tout seul, il ne sait plus où est sa bouche!

Apparemment, l'état de son père ne lui causait aucune peine. Sans doute prenait-il sa revanche sur la dureté dont Felipe avait toujours fait preuve avec lui, néanmoins Maureen jugea ses propos inacceptables.

— Parle moins fort, s'il te plaît!

Elle fila vers sa chambre, Julian sur ses talons.

— Je ne te trouve pas très charitable, déclara-t-elle sèchement en ouvrant une armoire. Je t'imaginais plus respectueux d'autrui.

Elle s'empara d'un chemisier de soie bleu ciel à gros pois blancs et entreprit d'ôter le sien qu'elle jeta sur son lit.

— Maureen, tu es splendide… J'ai le droit de dire ça?

En train d'enfiler une manche, elle suspendit son geste et resta immobile. Son soutien-gorge était une petite merveille de dentelle noire, le genre de lingerie fine qu'adorait Philippe et qu'elle achetait pour le rendre fou. Mais le regard de Julian sur elle lui procurait aussi un certain plaisir qu'elle fit durer quelques instants.

— Je suis toujours amoureux de toi, dit-il tout bas, je n'ai jamais cessé de l'être…

Elle le laissa approcher jusqu'à ce qu'il s'arrête, à un pas d'elle.

— Tu es une femme inoubliable, Maureen, et je n'ai pas réussi à te remplacer.

— Tu me traitais mal, rappela-t-elle.

— Une fois, une seule!

Il faisait allusion à ce jour où il l'avait bousculée alors qu'elle était enceinte de Liam, ce qui avait provoqué sa chute sur le carrelage de la cuisine. Elle ne s'était pas fait mal, mais au lieu de s'excuser et de l'aider à se relever, il lui avait donné du bout de sa chaussure un petit coup de pied aux fesses. Cet incident, à lui seul, aurait suffi à sonner le glas de leur mariage, mais de surcroît Julian buvait beaucoup à l'époque et découchait sans prévenir. Le divorce avait été mené tambour battant, après que Tomas eut mis son poing dans la figure de son gendre.

— Tu m'en veux encore? J'étais ivre, tu le sais très bien.

— Oh, même à jeun, tu me trompais avec toutes les filles qui passaient!

— Je détestais me sentir enchaîné, or je l'étais, parce que je t'aimais infiniment plus que je ne l'aurais voulu. Un comportement de crétin immature, tout ça parce que je crevais de peur à l'idée d'être père, et maintenant, quand je vois Liam, et surtout quand je te vois, toi…

Très doucement, il effleura son épaule nue, ce qui la fit tressaillir. Jusqu'où pouvait-elle pousser le jeu? Les doigts de Julian étaient en train de glisser sur sa peau avec une affolante douceur. Il posa une main au creux de ses reins et l'attira à lui.

— Tu ne t'es pas déshabillée devant moi sans le vouloir, n'est-ce pas?

Elle n'avait pas oublié qu'il était un bon amant, différent de Philippe mais tout aussi capable de la faire grimper au septième ciel.

Elle se souvenait d'avoir fait l'amour avec lui dans des endroits insensés, comme l'ascenseur de leur immeuble, et d'avoir parfois aimé qu'il la bouscule un peu pour l'obliger à sortir de sa réserve.

— Quand on a été mari et femme, on est assez intimes pour se voir en sous-vêtements, non ? Inutile de chercher à me séduire, Julian, il y a un homme dans ma vie et je ne suis pas infidèle.

Alors qu'elle allait se dégager, il la retint contre lui, fermement mais sans brutalité.

— Juste un baiser, souffla-t-il.

Il l'embrassa en prenant son temps, avec une habileté consommée, jusqu'à ce qu'elle se sente beaucoup plus troublée qu'elle ne l'aurait voulu.

— On vous attend pour passer à table ! claironna la voix d'Eleonor, dans le couloir.

Maureen jeta un coup d'œil vers la porte restée ouverte où sa nièce venait de s'encadrer. Les avait-elle vus en train de s'embrasser ? Son expression ironique le laissait supposer, elle était tout à fait capable de s'être éloignée avant de revenir plus bruyamment.

— Nous sommes prêts, ma chérie, dit Maureen d'un ton naturel.

Après tout, elle avait le droit de faire ce qu'elle voulait, elle était une femme libre et ne devait des comptes à personne, même pas à cette adolescente trop intelligente qu'elle appréciait de plus en plus.

Ce ne fut qu'en passant devant la chambre close de Felipe qu'elle repensa à l'attitude de Julian, un quart d'heure plus tôt. Le malheur de son père, loin de le chagriner, faisait plutôt son affaire. La revanche d'un faible, qui n'avait pas osé se révolter lorsque Felipe, en pleine possession de ses moyens, l'avait jugé et rejeté. Julian se voyait-il déjà à la tête des affaires de son père ? Il risquait d'avoir une très mauvaise surprise !

La dernière équipe d'ouvriers avait terminé le chantier huit jours plus tôt, cependant une odeur de peinture fraîche régnait encore partout dans l'hôtel particulier. Berill allait d'une pièce à l'autre, assez satisfaite du résultat, et raccrochait les tableaux.

Elle accorda un soin particulier à un Matisse qui avait été la dernière acquisition de Tomas et qu'elle souhaitait éclairer au mieux.

Elle se souvenait très bien de ce coup de folie, quelques jours avant d'apprendre qu'il était atteint de leucémie, et de son excitation de gamin. « Felipe sera malade de jalousie en apprenant ça! » Il avait téléphoné à son vieil ami le soir même, et ils avaient parlé de peinture un long moment. N'était-ce pas Felipe qui avait initié Tomas en le traînant dans tous les musées madrilènes du temps de leur jeunesse? Le premier achat de Tomas avait été un portrait à la plume de Yeats figurant un pêcheur irlandais, et, par la suite, il avait craqué trois ou quatre fois dans sa vie pour des artistes contemporains. Le Matisse restait cependant son meilleur investissement.

Berill acheva de régler la barre lumineuse, jaugea le résultat puis se désintéressa du tableau. Elle songeait trop souvent à Tomas, et c'était précisément pour moins y penser qu'elle avait entièrement rénové la décoration de la maison.

— Maman? Maman! Je ne reconnais plus rien, ici, mais c'est absolument superbe!

Jetant son gros blouson sur un fauteuil à médaillon, Hugh se précipita vers sa mère qu'il prit dans ses bras et fit tournoyer.

— Toi aussi, tu es magnifique, beaucoup trop élégante pour un fils comme moi.

— Je trouve, en effet, que tu t'habilles de plus en plus mal, plaisanta-t-elle.

— Je débarque de ma campagne, n'oublie pas! Je ne suis venu que pour toi... et pour ma fille, et aussi pour Mat, bien sûr.

— Et pas pour moi? s'exclama Teresa qui venait d'entrer.

— Non, toi au moins, tu me rends visite. Mais maman m'a négligé ces temps-ci.

— J'avais ce chantier sur les bras, protesta Berill avec un geste large.

— Et l'aile de Maureen, tu y as touché? s'enquit Hugh.

— Tu sais bien qu'elle n'a pas le temps de s'occuper de ces choses-là, il n'y a que l'Irish qui compte. Elle m'a seulement demandé du moderne, et je crois qu'elle est contente du résultat.

— C'est d'une froideur à couper le souffle, précisa Teresa avec un clin d'œil.

— Mais pas du tout! Il y a beaucoup de blanc et de noir, du verre et de l'acier, des tapis géométriques...

— Je vois, dit Hugh en levant les yeux au ciel. Géométriques…
Comme les tenues d'Eleonor?

— De quoi parles-tu, mon chéri? De ces ravissantes petites
robes Courrèges? Ta fille ressemble à un modèle de Mary Quant, elle
est à croquer. Seulement voilà, tous les pères sont les mêmes, quand
la gamine commence à ressembler à une femme…

De nouveau, Berill laissa échapper son rire en cascade. Avoir
Hugh à la maison la rendait gaie, elle se reprocha de ne pas descendre en Touraine plus souvent.

— Quand te décideras-tu à construire une chambre d'amis? lui
lança-t-elle.

— Je n'ai pas d'argent à dépenser pour ça.

Il se salariait modestement, afin de ne pas mettre en péril les
comptes de l'exploitation, et réinvestissait les rares bénéfices dans
l'acquisition d'animaux ou d'équipements pour le parc.

L'arrivée de Maureen et de Mathias créa une diversion momen-
tanée, jusqu'au moment où Maureen crut bon de demander à son
frère :

— Je t'ai entendu parler d'argent. Tu es venu pleurer misère?

— Pas du tout, je…

— Ah, non! trancha Berill d'un ton sec. Épargnez-moi ce genre
de discussion, voulez-vous?

Mais Tomas le lui avait prédit, leurs enfants allaient fatalement se
quereller un jour au sujet du parc Belair.

— Pourquoi? insista Maureen avec une candeur très étudiée.
Puisqu'il est là, pour une fois, c'est l'occasion ou jamais.

— L'occasion de quoi? Tu as quelque chose sur le cœur?

Hugh était trop droit pour fuir les questions.

— À toi de me le dire, car, vois-tu, le dossier de ton parc est un
sujet tabou, à la banque comme en famille! Je suppose que ta gigan-
tesque machinerie exotique ne s'est pas financée toute seule?

— Bien sûr que non.

— Alors, il me semble que je suis concernée.

Après avoir échangé un regard avec Mathias, Berill reprit la
parole.

— Il n'y a aucun mystère là-dedans. Le premier à mettre de
l'argent, à titre personnel, dans le projet de ton frère, a été Mathias.

Tomas a décidé d'en faire autant, et d'autres investisseurs ont suivi. Hugh a contracté un gros emprunt, auprès d'une banque nationale, avec d'une part une hypothèque sur la propriété, et d'autre part la caution de l'Irish.

— La caution ? répéta Maureen, horrifiée. Mais vous êtes cinglés ou quoi ?

Elle s'adressait à son frère, cependant Berill réagit violemment.

— Ce pluriel vise qui, ici ? Ton oncle ? Moi ? Surveille tes expressions, Maureen, et surtout, abstiens-toi de me demander des comptes.

— Des comptes ? C'est moi qui dirige la banque Blaque-Belair, et, d'après toi, je n'aurais pas le droit de voir les comptes ? Ma parole, vous vivez tous sur un nuage !

— Peut-être, mais dans ce cas tu y es assise avec nous. Je ne crois pas que ta situation laisse à désirer, et je te rappelle que tu ne l'as pas faite toute seule, tu as eu la chance d'avoir un père et un grand-père banquiers. Hugh a choisi une autre voie, il était logique que nous l'aidions à s'y engager.

— Il n'a rien choisi du tout, répliqua vertement Maureen, il s'est jeté là-dedans au petit bonheur la chance, pour plaire au côté Károly de la famille !

— Et toi, murmura Hugh, tu t'es lancée dans la finance par hasard ?

Avant que l'un ou l'autre ait le temps d'ajouter quelque chose, Berill explosa.

— Où vous croyez-vous ? s'écria-t-elle d'une voix cassante. J'ai beau avoir été élevée dans une roulotte, on ne s'y disputait pas comme des chiffonniers, mon père ne l'aurait jamais supporté !

Sa colère fut immédiatement perçue par son chien, qui se leva avec un grognement sourd et vint se placer à côté d'elle, prêt à la défendre. D'un geste d'une douceur inattendue, elle posa sa main sur la tête de Mokba et lui susurra quelques mots en magyar.

— Quant à vous deux, reprit-elle plus bas mais de façon tout aussi autoritaire, auriez-vous eu cette discussion de marchands de tapis devant Tomas ? Vous imaginez que tout vous est permis parce qu'il est mort ? Mais je suis encore là, vous attendrez de m'avoir enterrée pour parler d'héritage et d'argent !

Saisis, Maureen et Hugh restèrent silencieux, tandis qu'Eleonor faisait son entrée dans le salon, tenant Liam par la main.

— Ambiance…, constata la jeune fille sans regarder personne.

Lâchant la main de son cousin, elle traversa la pièce pour aller embrasser son père. Dans sa minijupe et ses petites bottes vernies blanches, elle révélait une silhouette absolument parfaite.

— J'aurais adoré vivre dans une roulotte, dit-elle à sa grand-mère avec un sourire malicieux.

Embarrassés par sa présence, autant que par celle du petit garçon, les adultes ne savaient pas comment revenir à une conversation plus anodine.

— Vous n'êtes pas près d'avoir l'apéritif, ajouta Eleonor, parce que vous avez fait peur à cette pauvre Jeanne qui est discrètement repartie avec son plateau…

— Au lieu de faire de l'humour, va donc chercher ce plateau toi-même, suggéra Hugh.

Il se pencha pour prendre Liam dans ses bras et le jucher sur ses épaules, puis il se tourna vers sa sœur.

— On en reparlera quand tu veux, je n'ai rien à cacher.

Maureen hocha la tête, pas vraiment convaincue mais sans doute désireuse de ne pas envenimer la situation. Berill, qui les observait, en déduisit que ce n'était que partie remise. Sans son intervention brutale, suivie de l'arrivée des enfants, jusqu'où aurait dégénéré la querelle ? Certes, Hugh était persuadé qu'il n'avait rien à cacher, mais quand Maureen aurait connaissance des sommes réellement engagées… Par bonheur, Mathias vérifiait chaque année les livres comptables du parc Belair, et il affirmait que tout allait bien. Néanmoins, Berill n'était pas assez naïve pour croire que Hugh s'enrichirait jamais, même en cent ans d'exploitation. Et Maureen avait peut-être de bonnes raisons de se sentir tenue à l'écart, ou flouée. Après tout, Mathias et Teresa avaient consacré beaucoup d'argent à l'aventure de Hugh, et Tomas aussi.

La soirée menaçait d'être une succession d'affrontements et Berill lâcha un soupir excédé. Au même instant, Jeanne vint annoncer qu'on demandait Maureen au téléphone, précisant qu'il s'agissait d'une communication en provenance de l'étranger. Dès qu'elles eurent quitté la pièce, Mathias en profita pour s'approcher de Hugh.

— Laisse tomber le sujet du parc avec ta sœur, c'est une discussion stérile.

— Tu ne crois pas qu'il vaudrait mieux crever l'abcès une fois pour toutes?

— Je n'en suis pas sûr.

Pourquoi fallait-il que l'argent divise une famille? En regard de sa propre jeunesse, Berill estimait que ses enfants avaient été tellement gâtés, tellement privilégiés! Quand Mathias avait dix-sept ans, il braconnait dans les bois autour de Budapest afin de rapporter un peu de viande, car il n'était pas question d'en acheter. Elle eut la vision fugitive d'un feu de camp, devant leurs deux vieilles roulottes, avec Vilmos assis sur un marchepied, fumant une de ses horribles cigarettes de papier maïs dont il conservait précieusement les mégots. Margit faisait sauter des châtaignes dans une poêle cabossée, tandis qu'elle-même déchiffrait un journal ramassé dans un caniveau. Assis à l'écart, Mathias et Arno dépiautaient un lièvre. Dans cette image du passé que lui livrait soudain sa mémoire, le visage d'Arno lui parut d'une effrayante netteté. À cette époque-là, Berill aimait bien ses deux frères, sans faire de différence entre eux. L'un ou l'autre l'accompagnait où qu'elle aille, pour la protéger et lui tenir compagnie. Par la suite, Mathias avait assumé pleinement ce rôle d'ange gardien, évinçant peu à peu Arno qui s'était alors consacré à d'autres tâches. Mais durant toute son enfance puis son adolescence, Berill avait été très proche de ses frères, très complice avec eux pour faire face à la misère qui menaçait alors la famille Károly. Bien plus tard, lorsque Mathias et Arno entraient ensemble en piste, sous leurs déguisements de clowns, elle restait souvent en coulisses pour le plaisir d'entendre les éclats de rire qu'ils déclenchaient. Arno était le plus doué, il avait fini par être engagé seul. Après…

Pour une fois, Berill n'essaya pas d'étouffer ses souvenirs. Même après s'être convaincue qu'Arno était mort pour elle, il lui était impossible de l'oublier tout à fait. Aujourd'hui il vivait à Paris, et bien qu'elle ait refusé de le revoir, elle pensait à lui malgré elle. Peut-être que, la vieillesse arrivant, elle y penserait de plus en plus souvent? Elle savait que Mathias et Hugh avaient fini par lui trouver un emploi de gardien d'immeuble. Ironie du sort, Arno habitait maintenant au coin de la rue Amelot et de la rue Oberkampf, à deux pas du cirque d'Hiver où il s'était produit quarante ans plus tôt. Mathias n'avait pas donné d'autres détails, pas insisté sur la compassion qu'il éprouvait peut-être. Arno était là, voilà tout, sans travail et sans argent, dans l'incapacité de regagner la Hongrie d'où il venait, et Mathias n'avait fait que son devoir. « Il ne pouvait pas rester chez Hugh, ni aller s'inscrire à la soupe populaire, n'est-ce pas ? » Berill, horrifiée par ce fantôme surgi d'une autre vie, n'avait rien voulu entendre.

— Maman ! Tu m'écoutes ?

Debout devant elle, Maureen faisait une drôle de tête. Berill s'arracha difficilement au flot de pensées qui l'avait emportée loin de Neuilly.

— Excuse-moi, chérie. Tu disais ?

— C'était Julian, au téléphone, répéta Maureen.

La douceur de sa voix et son visage défait annonçaient une très mauvaise nouvelle.

— Maman, Felipe vient de mourir.

— Felipe ? Mon Dieu…

Berill eut l'impression que son cœur ratait un battement. Felipe était l'ami de toujours, presque le double de Tomas, en disparaissant il allait emporter avec lui une foule de souvenirs précieux, que plus personne ne saurait évoquer. Anéantie, Berill se leva, prête à monter dans sa chambre pour y pleurer en paix, mais, au même instant, elle avisa son petit-fils, dont personne ne s'occupait, et sur les joues duquel roulaient de grosses larmes. Instantanément, Berill se raidit, refoula son propre chagrin comme elle savait si bien le faire, et elle tendit les bras vers Liam.

SAGEMENT assise dans un coin de la loge, Eleonor attendait qu'Arno ait terminé la distribution du courrier dans les étages. C'était la troisième fois qu'elle venait le voir, fascinée par ce mystérieux grand-oncle dont personne ne voulait parler. Elle avait dû câliner Mathias pour obtenir l'adresse, et déployer beaucoup de diplomatie pour arracher à Hugh quelques renseignements.

Devant elle, une table de bois blanc couverte d'une toile cirée constituait, avec trois chaises de plastique et quelques étagères au mur, tout le mobilier de la pièce. Une porte ouvrait sur une minuscule cuisine aveugle et une autre, fermée celle-là, devait donner sur la chambre. Malgré le dénuement évident, tout était rigoureusement propre. Un ordre quasi militaire.

Eleonor entendit Arno qui traversait le hall de l'immeuble en parlant à un locataire. Son français n'était pas mauvais, mais il conservait un fort accent.

— Tu es encore là ? s'étonna Arno en entrant.

— J'ai tout mon temps, affirma la jeune fille. Tiens, je vous ai apporté du chocolat.

Une ombre de sourire illumina le visage maigre d'Arno.

— C'est gentil à toi… Est-ce que ta grand-mère sait que tu me rends visite ?

Il posait toujours la même question, à laquelle Eleonor répondait de la même manière :

— Bien sûr que non.

Le sourire disparut aussitôt. Apparemment, se réconcilier avec Berill était l'obsession d'Arno.

— Elle ne le tolérerait pas. Je suis désolée.

Parmi les rares informations glanées sur Arno, il y avait cette lointaine appartenance au parti nazi durant la guerre, le genre de choses que sa grand-mère ne pardonnerait jamais.

— Voulez-vous que nous allions au cirque, un de ces jours, tous les deux ? demanda-t-elle gentiment. C'est juste à côté…

L'expression effarée d'Arno n'était pas très encourageante, pourtant il finit par marmonner :

— Chez Bouglione ? Eh bien, c'est une drôle d'idée !

Chaque été, au parc Belair, Eleonor voyait des gens de cirque, et toute la famille semblait garder des liens particuliers avec ce monde-là, mais la raison qui la poussait à vouloir entraîner Arno au cirque d'Hiver était surtout de voir sa réaction. Elle n'imaginait pas d'autre moyen pour le faire sortir de sa réserve et avoir droit à quelques confidences.

— Un jeudi après-midi, peut-être, avec les enfants, dit-il encore.

Quelque chose le gênait mais il était tenté, c'était le principal. Eleonor se leva et lui tendit la main.

— À bientôt, alors !

Elle ne souhaitait pas l'embrasser tant qu'elle n'en saurait pas davantage à son sujet.

MAUREEN avait pris soin de se faire accompagner par le notaire de la famille Blaque-Belair pour se rendre à la convocation de celui des Sabas, qui devait procéder à l'ouverture du testament de Felipe.

Lors de l'enterrement, elle avait été traitée avec de grandes marques d'affection, Josefa et Julian la plaçant à côté d'eux pour les condoléances, mais elle ne se faisait guère d'illusions quant à la suite des événements. Si Felipe avait réellement pris les dispositions testamentaires dont il lui avait parlé trois ans plus tôt, il risquait d'y avoir un épouvantable scandale. En conséquence, Maureen avait préféré réserver une chambre au *Ritz*, à deux pas du Prado.

Il faisait froid à Madrid en ce début d'hiver, avec un ciel plombé qui rendait les rues tristes. Arrivés ensemble par avion, Maureen et Me Calvet se présentèrent à dix heures précises à l'étude où Josefa et Julian attendaient déjà. Une heure plus tard, le notaire espagnol avait achevé la lecture des dernières volontés de Felipe, qui se révélaient pires que prévu pour les Sabas. La quasi-totalité de ses biens revenaient à son petit-fils Liam, hormis la superbe maison de Madrid dévolue à Josefa avec une petite rente, et quelques legs de moindre importance destinés à certains de ses employés ainsi qu'à des associations caritatives. La part que Felipe n'avait pas pu retirer à Julian, son fils unique, était soigneusement constituée par un petit paquet d'actions de la banque Sabas, qui le laisserait tout à fait minoritaire, un capital intouchable, dont les intérêts seraient servis annuellement, une villa d'été sur la Costa Brava, ainsi qu'un appartement de trois pièces situé dans un quartier populaire de Madrid. À croire que Felipe avait choisi, en connaissance de cause, tout ce qui pourrait contrarier Julian, peut-être l'humilier, mais aussi et surtout l'empêcher de flanquer l'argent par les fenêtres.

Profondément choqués, Julian et Josefa restèrent d'abord sans voix, puis ils se tournèrent ensemble vers Maureen qu'ils dévisagèrent avec horreur, comme si elle était responsable de ce qu'ils venaient d'entendre.

Julian lui lança un regard assassin avant de s'adresser au notaire.

— C'est légal?

— Bien entendu! répondit l'Espagnol avec un haut-le-corps. Ce testament, authentique, a été reçu ici en présence de deux témoins, à une époque où M. Felipe Sabas était en parfaite santé.

Maureen en profita pour traduire à Me Calvet quelques phrases qui lui avaient échappé durant la lecture.

— Je ne comprends pas, bredouilla Josefa, les larmes aux yeux. Qui va gérer la fortune de Liam jusqu'à sa majorité ?

— Sa mère.

— Pas son père ?

— Non. La clause d'administration des biens est formelle, Mme Maureen Blaque-Belair y est expressément désignée.

— Comment t'y es-tu prise ? lâcha Julian d'une voix blanche. C'est pour mieux l'embobiner que tu venais si souvent le voir ?

— Je t'en prie, Julian, dit-elle posément. Liam est ton fils.

Crispé par une expression de haine, Julian interpella le notaire à nouveau.

— Que voulez-vous que je fasse de cet appartement minable ?

— Vous pourrez soit continuer à le louer, soit informer votre locataire que vous désirez le vendre, et, dans ce cas, le lui proposer en priorité, soit le récupérer pour l'habiter vous-même.

— Vous voulez rire ?

— Non, monsieur Sabas, je ris rarement lors de l'ouverture d'une succession, répondit vertement le notaire.

Josefa, toujours égarée, ne quittait pas Julian des yeux, comme si elle attendait de lui une quelconque solution.

— Ma secrétaire va vous proposer un autre rendez-vous, pour l'établissement de certains documents, mais vous souhaiterez sans doute venir à mon étude séparément ?

Maureen acquiesça avant d'ajouter :

— Je reste à Madrid quelques jours…

— Tu n'es pas la bienvenue ! cracha Julian, hors de lui.

— … et on peut me joindre au *Ritz*. Me Calvet, qui s'occupe de mes affaires, va vous laisser les coordonnées de son étude à Paris. Je vous serai reconnaissante de hâter les formalités indispensables.

Elle se leva, délibérément hautaine. Même si l'attitude de Julian ne la surprenait pas, elle était déçue. Elle le savait buveur, jouisseur, paresseux, mais l'avait cru moins intéressé, et capable de mieux se dominer. Après tout, l'argent de Felipe n'allait pas à un étranger, il restait dans la famille puisque Liam portait lui aussi le nom de Sabas.

Elle adressa un petit salut muet à Josefa, ignora Julian et quitta le bureau, Me Calvet sur ses talons.

— Quel mauvais moment, dit-elle entre ses dents dès qu'ils furent dans l'ascenseur.

— Surtout pour eux!

La repartie du notaire, qui était aussi un ami, la fit éclater de rire.

— Oui, je pense qu'ils ne s'y attendaient pas. En réalité, Felipe tenait son fils pour un incapable, et sa femme pour une bécasse. Il avait pris sa décision il y a plusieurs années déjà, sans leur en parler, mais il m'avait mise dans la confidence. Et pour tout vous dire, je trouve qu'il a été bien inspiré, car, lorsqu'il a eu son attaque, sa femme et son fils l'ont traité sans le moindre respect. Il ne pouvait pas protester, le pauvre, puisqu'il n'avait plus la parole, mais j'imagine qu'il devait penser à son testament avec satisfaction.

— C'est un héritage considérable pour Liam, fit remarquer Me Calvet.

— Les Sabas sont une très vieille famille, qui menaçait de s'éteindre jusqu'à ce que Liam arrive. Felipe avait une passion pour lui, peut-être parce qu'il pouvait reporter sur cet enfant tous les espoirs que Julian avait déçus.

— En tout cas, la situation est plutôt conflictuelle, je resterai donc très vigilant jusqu'à ce que la succession soit close.

Ils se séparèrent à une station de taxis, le notaire regagnant l'aéroport et Maureen son hôtel. Une fois dans sa chambre, Maureen se fit monter une demi-bouteille de champagne et une assiette de fruits de mer, bien décidée à fêter ce qui venait d'arriver. Elle n'avait plus aucun souci à se faire pour l'avenir de Liam, il serait carrément riche au jour de sa majorité. D'ici là, pour gérer au mieux la banque privée Sabas, peut-être devrait-elle envisager une sorte de fusion avec l'Irish? Du temps de Tomas et de Felipe, les deux établissements financiers avaient souvent coopéré, un rapprochement plus important pouvait parfaitement s'envisager.

Durant un instant, Maureen observa les bulles de champagne qui se pressaient dans sa coupe. Rester quelques jours à Madrid ne lui déplaisait pas, elle connaissait la ville et savait où aller se distraire. Si le temps s'arrangeait, elle irait se promener dès le lendemain au Retiro, juste à côté, ou prendrait un taxi pour aller jusqu'à la Casa del

Campo passer un moment dans le jardin zoologique. Hugh le connaissait-il? Sans doute pas, mais elle pourrait toujours lui rapporter des brochures.

Elle grignota distraitement quelques gambas, laissant son esprit vagabonder sur toutes les perspectives qui s'offraient à elle.

PAUL suivait le moindre des gestes de Caroline, tandis qu'elle rangeait l'armoire à pharmacie de l'infirmerie. De temps à autre, elle jetait un produit périmé dans une grande poubelle en fer.

— Personne ne met jamais d'ordre, ici! maugréa-t-elle.

Mais nul n'aurait osé toucher aux nombreux médicaments, flacons, seringues et vaccins entreposés sous clef. Paul, qui observait la jeune femme chaque fois qu'il en avait l'occasion, la connaissait suffisamment pour deviner que sa mauvaise humeur avait d'autres causes. Il attendit qu'elle ait terminé et verrouillé avant de chuchoter, d'une voix timide :

— Quelque chose vous ennuie, ou bien quelqu'un vous a fait de la peine…

Elle lui jeta un coup d'œil surpris, puis esquissa un sourire.

— Si on veut.

Paul avait son idée là-dessus, et même si elle ne parlait jamais de sa vie privée, il avait la certitude que Hugh était responsable de sa tristesse. Normal, ce type s'adressait à elle comme à un copain de régiment! Si Paul avait eu la chance inouïe de compter tant soit peu pour Caroline, il l'aurait volontiers couverte de fleurs et de poèmes, mais la vie était mal faite, et ce n'était pas nouveau.

De plus en plus fréquemment, Paul pensait à Hugh de façon presque haineuse, sa reconnaissance du début s'étant muée en rancune, sans doute à cause de cet amour impossible pour Caroline, et parce qu'il lui devenait intolérable de se désespérer au sujet de quelqu'un que l'autre méprisait souverainement. Si Hugh l'avait embauché, c'était pour ne pas perdre Jean-François, ou pour se donner bonne conscience, mais sûrement pas par grandeur d'âme. En conséquence, Paul ne lui était redevable en rien, rien du tout.

Il releva la tête et découvrit, stupéfait, que Caroline avait les larmes aux yeux et le menton qui tremblait.

— Qu'est-ce qui vous arrive, toubib? bredouilla-t-il.

— C'est sans importance, Paul. Je finirai bien par me blinder…

À quoi faisait-elle allusion ? À cette fille que Hugh avait ramenée chez lui l'avant-veille et qui avait passé la nuit là.

— Si vous parlez de la blondasse mal coiffée que vous avez vue hier, vous n'avez aucun souci à vous faire ! lança-t-il en espérant lui remonter le moral.

— Vous croyez ça ? Cette fille était peut-être vulgaire, Paul, mais plus jeune et beaucoup plus jolie que moi.

— Non, bien sûr que non, vous, vous êtes belle.

Jamais il n'avait osé le lui dire et il se sentit rougir jusqu'aux oreilles. Heureusement, elle ne le regardait pas, elle avait pris une serviette en papier au distributeur pour se moucher.

— Salut la compagnie ! lança Hugh qui venait d'entrer dans l'infirmerie. Il fait un froid de loup, dehors, je crois même que ça commence à geler. Caroline, vous devriez rentrer avant que les routes deviennent impraticables.

— J'ai des pneus à clous, répondit-elle d'un ton rogue. J'aurais voulu vérifier le contenu de l'autre armoire, mais, si je vous gêne, je peux m'en aller tout de suite.

— Me gêner ? Pourquoi dites-vous ça ?

Paul jugea son indifférence révoltante. Caroline avait besoin d'être consolée, rassurée, et tout ce que ce type trouvait à faire était de lui répondre du bout des lèvres !

Leur tournant le dos, Caroline se mit à fourrager rageusement dans des cartons de compresses. Afin de se rendre utile, Paul prit un plateau de seringues en verre et l'introduisit dans le stérilisateur qu'il mit en marche. Il aimait beaucoup l'atmosphère de l'infirmerie, les soirs d'hiver, et il serait volontiers resté là toute la nuit à seconder Caroline. Parfois, elle s'installait à son petit bureau pour remplir des dossiers ou mettre des fiches à jour, et, dans ces cas-là, Paul allait lui chercher un café au réfectoire. En le buvant, elle prenait volontiers le temps de bavarder avec lui.

Toujours debout près de la porte, Hugh hésitait. Paul espéra qu'il finirait par se sentir de trop et s'en aller.

— Ne vous croyez pas obligé de rester, marmonna Caroline. Si vous avez un rendez-vous galant, allez-y, on se débrouillera très bien, Paul et moi !

Paul baissa la tête, brusquement galvanisé par cette expression merveilleuse : « Paul et moi ». Oh, si seulement il existait le moindre espoir que ce fût vrai ! Mais non, pourquoi une femme comme elle se serait-elle encombrée d'un invalide ? Ils étaient amis mais ne seraient jamais amants, alors que ce crétin de Hugh n'aurait eu qu'un mot à dire pour qu'elle tombe dans ses bras. Un mot qu'il ne dirait pas, l'imbécile, la laissant languir en vain, un mot qu'il réservait sans doute à d'autres, ces garces aguicheuses ramassées n'importe où.

Relevant les yeux, il découvrit que Hugh le considérait avec attention.

— Tout va bien, Paul ?

— Oui, oui. Je vais aider le toubib à ranger.

— Parfait. Alors, je n'ai plus qu'à commencer ma tournée d'inspection. À demain !

Caroline continuait à s'affairer et ne lui fit pas l'aumône d'un regard. Résolument, il s'approcha d'elle, lui effleura l'épaule ;

— À demain, Caroline, répéta-t-il.

Il avait envie de l'inviter à partager le dîner qu'était en train de préparer sa mère, arrivée sans prévenir une heure plus tôt. Coutumière de ces visites inattendues, elle avait apporté un ragoût de mouton mitonné par Teresa et qu'il suffirait de réchauffer pour embaumer tout le relais. Mais les routes étaient en train de geler pour de bon et Hugh n'avait pas de chambre d'amis à proposer à Caroline puisqu'il comptait céder la sienne à sa mère et dormir sur le canapé.

Après une dernière hésitation, il se décida à sortir. À peine la porte de l'infirmerie refermée, le froid l'enveloppa. La nuit était claire, étoilée, et la lune faisait briller le givre sur les pavés de la cour, tandis qu'il se hâtait vers sa Jeep.

Dans la lumière jaune des phares, le paysage était étrange, presque fantomatique avec les hautes palissades de bambou, l'eau miroitante du canal qui entourait certaines parcelles, les grands arbres exotiques protégés du gel par des tulles blancs. Nul doute qu'un promeneur égaré ici en pleine nuit connaîtrait la peur de sa vie ! Mais heureusement, personne ne pouvait pénétrer dans le parc.

Après avoir longé le mur de verre trempé tant apprécié des visiteurs, Hugh continua sa route vers les derniers enclos, ne remarquant rien d'anormal.

Il vira le long du mur d'enceinte, redescendit vers le lac artificiel. Peut-être aurait-il dû emmener Paul avec lui plutôt que le laisser en tête à tête avec Caroline qui semblait avoir besoin de tranquillité. Bien sûr, elle était tout à fait capable de se débarrasser de lui si elle le souhaitait, mais sa gentillesse l'en empêcherait probablement. Elle traitait Paul avec naturel, sauf qu'elle ne lui demandait jamais quelque chose nécessitant d'avoir deux mains pour le faire. Sous son apparence bourrue, c'était une femme sensible, loyale, intelligente et généreuse. Une femme attirante, aussi, même si elle ne faisait rien pour se mettre en valeur. Mais comment l'aurait-elle pu? Difficile de soigner des éléphants ou des tigres en minijupe Courrèges! L'idée arracha un sourire à Hugh, comme souvent lorsqu'il songeait à Caroline. Son côté baroudeur finissait par l'attendrir, d'autant plus qu'elle n'avait vraiment pas froid aux yeux et qu'elle était un vétérinaire hors pair. De temps à autre, lorsqu'elle passait la soirée chez lui, il regrettait que leurs rapports se soient figés dans ce mélange de camaraderie et d'estime réciproque qui empêchait tout autre approche. Il se souvenait pourtant que, durant les grosses chaleurs de l'été, il avait parfois regardé à la dérobée ses jambes musclées et bronzées émergeant de son short. Ou bien l'échancrure de ses chemises d'homme qui laissaient tout de même deviner ses formes généreuses. Néanmoins, prendre le risque de détruire leur amitié aurait été vraiment stupide, voire inconséquent. Il avait besoin d'elle en tant que vétérinaire du parc, et aucune ambiguïté entre eux n'était souhaitable. D'autant plus qu'il ignorait tout de sa vie privée, dont elle ne parlait jamais.

Il arrêta la Jeep près de la ménagerie, coupa ses phares et fut très surpris par la totale obscurité. Normalement, les six petites fenêtres munies de barreaux auraient dû laisser passer la lumière des veilleuses. La ménagerie n'était jamais tout à fait plongée dans le noir, à cause des risques d'incident avec les fauves, et le circuit des veilleuses était alimenté par un générateur pour pallier les coupures de courant.

Intrigué, Hugh descendit de voiture, prêta l'oreille, mais n'entendit aucune agitation particulière. Il se saisit de la torche qu'il gardait sous son siège et gagna la porte. En entrant, il dirigea le faisceau lumineux le long des cages sans rien remarquer d'anormal. Un ou deux feulements, assez peu rassurants dans la pénombre, l'accompagnèrent tandis qu'il remontait l'allée centrale. Habitué à l'odeur forte, il n'y prêtait pas attention, vérifiant machinalement les grilles tout en s'interrogeant sur le problème d'électricité.

À mi-parcours, il s'arrêta net, se figea. Il ne parvenait pas à croire à l'image qu'il venait d'enregistrer. Étaient-ce les ombres projetées par la torche qui avaient créé un effet d'optique ? Tous ses sens en alerte, il revint lentement sur ses pas. Devant la cage des tigres, il s'arrêta de nouveau, les yeux rivés sur la grille entrouverte. Ce qu'il voyait correspondait à son pire cauchemar, celui de tout responsable d'animaux dangereux. Sans faire de mouvement brusque, il éclaira le plancher couvert de paille et aperçut un bout de pelage rayé. Son cœur battait tellement vite qu'il se mit à respirer par la bouche, cherchant son souffle. De toute façon, il n'y avait rien d'autre à faire qu'à refermer cette foutue grille le plus vite possible. Il leva la main en décomposant son geste, posa les doigts sur un des barreaux. Sa paume était moite, de la sueur coulait dans son dos et il étouffait, engoncé dans sa canadienne. Il referma la main, poussa la grille le long de son rail, entendit le claquement de la serrure, immédiatement suivi d'un grognement sourd.

— Doucement, mes beaux, tout va bien…

Sa voix mal assurée résonna de manière étrange, mais il continua à murmurer des paroles apaisantes tout en éclairant fébrilement tous les coins de la cage. L'un des deux tigres, couché, fouaillait de la queue et le regardait, mais l'autre avait disparu.

— Oh, non, mon Dieu, non…

En un éclair, mille pensées contradictoires l'assaillirent. Un fauve s'était échappé et se trouvait forcément quelque part dans la ménagerie. Où ? Dans l'allée centrale, comme lui ? Et pourquoi les autres étaient-ils si tranquilles ? Et comment cette grille avait-elle pu s'ouvrir ?

« Regarde autour de toi, abruti, n'attends pas qu'il te saute dessus, les animaux voient très bien dans le noir et tu ne l'entendras même pas approcher ! »

Il releva la torche qui tremblait dans sa main, balaya l'allée déserte. Impossible de rester là, statufié, sans rien tenter. Repartir d'où il était venu ? À l'autre bout du bâtiment se trouvait une grande porte de fer qui n'était peut-être pas fermée non plus, puisque tout allait de travers, et qui donnait sur une vaste cour bitumée où pouvaient stationner les camions.

Luttant pour recouvrer son sang-froid, Hugh finit par avoir le courage d'avancer vers le fond de la ménagerie. Le tigre avait dû chercher une issue, et, sans doute la découvrir, sinon les autres bêtes auraient été beaucoup plus agitées. À chaque pas il éclairait le sol devant lui, puis les cages de part et d'autre. Parvenu à la dernière, il sentit que l'air devenait soudain plus froid et il dirigea le faisceau de sa torche vers la porte en fer qu'il découvrit à moitié ouverte. Le tigre était donc bien à l'extérieur, en liberté.

Une nouvelle bouffée d'angoisse lui fit serrer les dents. Sa mère n'avait aucune raison de sortir du relais de chasse, ni les employés de leur bâtiment bien chauffé, mais où se trouvaient Caroline et Paul à cet instant ? En train de quitter l'infirmerie ? De se dire au revoir près de la voiture de Caroline ?

« Ce tigre n'attaquera personne, il n'a pas faim, il n'est pas agressif... »

Mais il s'agissait d'un mâle de 250 kilos, qui pouvait prendre peur dans un environnement inconnu pour lui, ou carrément paniquer s'il voyait des humains se mettre à courir en hurlant. Avant tout, Hugh devait le localiser.

Laissant ouverte la porte en fer, il fit demi-tour. Si le fauve voulait reprendre le même chemin pour rentrer, il fallait qu'il en ait la possibilité. Sans bruit, Hugh retraversa la ménagerie et émergea dans la petite cour pavée. La nuit claire aurait pu lui permettre d'éteindre sa torche, mais peut-être était-il plus vulnérable dans l'obscurité. Le fauve avait pratiquement accès à n'importe quelle partie de la propriété, sauf, hélas, à son propre territoire protégé par de trop hautes clôtures !

Hugh se dirigea vers sa Jeep, car il n'imaginait pas franchir à pied la courte distance qui le séparait du relais de chasse. De là-bas, il appellerait le bâtiment des employés, verrait comment s'organiser avec Jean-François et les soigneurs, déciderait si la gendarmerie devait être prévenue. Mais d'abord, il devait s'assurer que Caroline avait bien quitté les lieux et ne se trouvait pas en danger.

Le bruit de la détonation le cloua sur place. Sa première pensée fut que quelqu'un tirait sur le tigre, mais, presque en même temps, il comprit qu'il venait d'entendre la balle siffler tout près de son oreille. Par réflexe, il se jeta contre la portière de la Jeep, s'accroupit et reprit son souffle. Un deuxième coup de feu atteignit la carrosserie, du côté opposé, et Hugh rentra la tête dans les épaules. Depuis quelques minutes, il avait subi tellement d'émotions qu'il ne parvenait plus à réfléchir. Autour de lui, le silence était revenu. Il éteignit la torche qu'il n'avait pas lâchée, puis, sans se redresser, leva la main gauche pour ouvrir la portière. La voiture ne lui offrirait qu'une protection dérisoire contre un revolver, mais il ne voyait rien d'autre à faire que de s'enfuir d'ici le plus vite possible. Pourquoi le visait-on, lui ? Et qui donc s'était introduit dans le parc en pleine nuit ? Quel échappé d'un asile ou quel tueur ?

Il prit une profonde inspiration avant de grimper d'un bond sur le siège, mit le contact et démarra en trombe. La Jeep vira sur les pavés rendus glissants par le gel puis bondit en avant. Au-delà de la cour se trouvait un large chemin sablonneux que Hugh remonta à toute allure. À travers les branches dénudées des arbres, il aperçut les lumières du relais et se mit à espérer que le bruit des coups de feu n'avait fait sortir personne. Malheureusement, des silhouettes s'agitaient sur le perron, bien visibles à présent. Il freina juste devant, faisant gicler une gerbe de sable.

— Hugh ! s'écria Caroline. Où étiez-vous ? On a un sacré problème…

— Pas qu'un seul ! affirma-t-il en sautant hors de la voiture. Tout le monde dans la maison, vite !

Sa mère était en train de parler à Jean-François, mais il la prit par le bras et la fit rentrer en hâte. Une fois à l'intérieur, la porte bien refermée, il leur expliqua en quelques phrases rapides ce qui venait d'arriver.

— Donc il y a un cinglé qui se promène ici, bien décidé à descendre quelqu'un, et un tigre en liberté. Voilà, qui dit mieux ?

— Le tigre, on l'a vu passer, répondit Berill, c'était vraiment… hallucinant.

Elle portait son blouson de fourrure, qu'elle ouvrit sans le quitter, comme si elle était décidée à ressortir.

— Vous avez vu Tobias ? articula Hugh. Il rôde près des habitations ?

— Les gars sont prévenus, intervint Jean-François. Personne ne sort avant qu'on ait arrêté une stratégie.

— Quelle stratégie ? D'abord il fait nuit, ensuite c'est un fauve, pas un caniche, imagine qu'il sorte de l'enceinte et aille se balader sur la route ?

— Il ne sortira probablement pas, affirma Berill. Sa femelle est toujours dans la ménagerie ? Alors, il ne s'en éloignera pas. Il doit chercher son territoire habituel, ou seulement à revenir d'où il vient.

— Maman ! Sois réaliste, il peut arriver n'importe quoi ! On va appeler les gendarmes et organiser une battue.

— Sûrement pas. Tu veux qu'ils l'abattent comme un nuisible ? Écoute-moi, Hugh, ce tigre est né en captivité, il a été élevé au biberon par son dresseur allemand. On peut essayer de le faire rentrer en douceur, il y a une chance sur deux pour que ça marche.

— Et l'autre chance ? C'est qu'on se fasse bouffer ?

Berill se raidit et Hugh regretta aussitôt le ton agressif qu'il venait d'utiliser. Après tout, seule sa mère savait vraiment ce que représentait un face-à-face avec un fauve en liberté, elle l'avait payé assez cher pour pouvoir se targuer d'une expérience que personne ne possédait.

— Tu as peut-être raison, admit-il d'un ton radouci, mais nous n'échapperons pas aux gendarmes, quoi qu'il arrive, parce qu'il y a un type, dehors, qui a un flingue et qui tire.

Dans le silence qui suivit, Hugh perçut nettement un malaise. Il se tourna vers Caroline, qui baissa les yeux, puis vers Jean-François qui murmura :

— Je n'en suis pas certain, mais… Il se pourrait que Paul ait eu un coup de folie, ce soir…

— Folie ? répéta Hugh, atterré.

— En ce moment, il n'est pas bien dans sa peau, toujours à ressasser les mêmes trucs et à en vouloir au monde entier… Tout à l'heure, je l'ai entendu entrer dans sa chambre en coup de vent, en ressortir presque aussitôt et dévaler l'escalier. Les gars qui étaient en bas au réfectoire m'ont dit qu'il avait l'air illuminé et qu'il dissimulait quelque chose sous son blouson. Ils n'ont pas vu quoi, ils ont pensé à une bouteille mais… Mais je sais qu'il a conservé un revolver rapporté d'Algérie.

— Jean-François, souffla Hugh, tu l'as laissé garder ça ?

— Il y tenait tellement que…

— Et pourquoi me viserait-il, moi? Je ne lui ai rien fait!

Caroline fit un pas en avant, se racla la gorge, puis débita, d'un ton artificiel et avec un sourire très crispé :

— Je crois qu'il s'est mis des idées stupides en tête. Il m'imagine sans doute amoureuse de vous, or il est très jaloux. Très protecteur, aussi. Je ne sais pas ce qui a pu lui laisser penser que vous… ou lui…

Stupéfait, Hugh la dévisagea, puis il sentit qu'il avait soudain très chaud aux joues. Pour se donner une contenance, il prit son paquet de cigarettes dans la poche de sa canadienne et se mit à jouer avec.

— Tu ne vas pas fumer? protesta Berill. Il y a des choses plus urgentes à faire!

Joignant le geste à la parole, elle referma son blouson, enfila ses gants.

— Où comptes-tu aller, maman?

— Chercher Tobias. Paul n'a aucune raison de me tirer dessus, n'est-ce pas?

— Mais tu es folle!

— Je t'en prie, Hugh.

Redressée de toute sa taille, elle le toisait sans indulgence, prête à imposer sa volonté. Ne l'avait-il pas toujours connue ainsi, déterminée, surprenante, efficace? Elle ne ressemblait à personne, et ses soixante-cinq ans n'y changeaient rien.

— Tu sais ce qui va arriver à ton parc si tu restes là à te lamenter? Si on ne rattrape pas Tobias sans incident et sans publicité?

— Très bien, céda-t-il, on va prendre des torches électriques et y aller tous les quatre.

Son regard effleura le fusil accroché au-dessus du comptoir de la cuisine.

— N'y pense même pas, lui lança Berill, nous ne partons pas en safari!

Déjà près de la porte, elle ôta ses mocassins élégants et chaussa des bottes fourrées qu'Eleonor avait laissées là. Dépassé par les événements, Hugh chercha l'aide de Caroline, mais celle-ci ne le regardait pas, elle observait Berill, bouche bée.

— Madame Blaque-Belair, murmura-t-elle, ce n'est pas raisonnable…

— Quel vilain mot! s'esclaffa Berill. Allez, ma petite Caroline, venez, vous verrez que je ne suis pas une si vieille dame que ça.

Elle ouvrit et fit un pas dans la nuit, obligeant Hugh à réagir. Il la rejoignit d'un bond, suivi de près par Jean-François et Caroline, et la prit fermement par le bras.

— C'est moi qui passe devant, dit-il d'un ton sans réplique.

À LA même heure, au *Ritz* de Madrid, Maureen voyait Julian pénétrer dans sa chambre. Elle avait crié d'entrer, croyant que c'était le garçon d'étage, et elle fut stupéfaite de découvrir son ex-mari.

Depuis leur altercation chez le notaire, ils ne s'étaient pas donné signe de vie, et Maureen avait mis à profit son séjour madrilène pour chercher un pied-à-terre.

Certaine de rester brouillée avec Julian et Josefa, elle voulait pouvoir venir à Madrid avec son fils aussi souvent que nécessaire. Après tout, Liam était à moitié espagnol – surtout depuis qu'il était l'héritier de la banque Sabas! –, il fallait donc qu'il devienne parfaitement bilingue et soit aussi à l'aise en Espagne qu'en France. Quant à elle, d'innombrables démarches l'attendaient, or elle ne pouvait pas passer sa vie au *Ritz*. La veille, elle avait visité deux ou trois appartements dans le centre-ville, et le jour même une petite maison de briques rouges qui lui plaisait beaucoup. Lancée dans ses recherches immobilières et ses projets d'avenir, elle avait un peu oublié Julian, son dépit, sa hargne.

— J'ai dû graisser la patte au concierge, à la réception, pour qu'il me laisse monter jusqu'à ta chambre, déclara-t-il en riant. Et ça, c'était mon alibi, mon sésame…

Il sortit sa main de derrière son dos, brandissant un bouquet de fleurs.

— Avec mes regrets les plus sincères pour mon comportement chez le notaire, mais le testament de papa m'a mis hors de moi. Je savais qu'il ne m'aimait guère, je n'aurais pas dû être aussi choqué… Sauf qu'être poursuivi par son mépris, au-delà de la tombe, est assez difficile à accepter.

Méfiante, Maureen le contempla quelques instants puis lui fit signe de poser ses fleurs sur un guéridon.

— La femme de chambre leur trouvera un vase, dit-elle avec

un sourire poli. Veux-tu que nous poursuivions cette conversation au bar ?

— Si tu préfères. Si tu trouves ma présence trop incongrue au pied de ton lit !

Elle se contenta de hausser les épaules.

— J'ai faim, je grignoterais bien quelque chose.

Ils descendirent jusqu'au bar où Julian commanda deux assiettes de *tapas* composées de poulpes à la galicienne, de calmars frits et de jambon *serrano*, ainsi qu'une bouteille de rioja.

— Je suis venu faire la paix, Maureen. Il m'a fallu quelques jours pour digérer tout ça, pour me souvenir qu'on ne peut pas contenter tout le monde et son père. Le mien voulait un fils parfait, je ne l'ai pas été et il ne me l'a pas pardonné. Déjà, quand j'étais enfant, il me considérait avec un certain cynisme, persuadé d'avance que j'allais le décevoir. Le moindre faux pas était sanctionné d'un commentaire assassin, le genre de sentence qui te marque au fer rouge.

— Es-tu certain de ne pas être atteint par la maladie de la persécution ? ironisa-t-elle.

— Pourquoi ? Oh, je sais que tu l'aimais bien, mais regarde de quelle manière il a traité maman ! La petite rente qui va lui être versée suffira à peine à entretenir la maison, elle a déjà renvoyé une partie du personnel. Pourtant, elle a été une épouse modèle, il n'avait aucune raison de se venger d'elle, sauf qu'elle me défendait systématiquement, ce qu'il ne supportait pas.

Maureen se mordit la lèvre pour ne pas répondre qu'en réalité Felipe tenait Josefa pour une tête de linotte, incapable de gérer quoi que ce soit et prête à céder au moindre caprice de son fils.

— De toute façon, ajouta Julian d'un air résigné, le testament est inattaquable et nous devons faire avec. Que tu t'occupes de la banque Sabas en attendant qu'elle revienne à Liam ne me gêne pas, je te pense plus douée que moi pour la finance…

Sa sincérité avait quelque chose de touchant. Au fond, sa vie n'avait jamais été facilitée par son père, il n'était pas ce qu'on appelle un enfant gâté, et être le fils d'un homme irréprochable se révélait sûrement très lourd à porter.

— Vois-tu, Maureen, mon principal problème est que je ne parviens pas à t'en vouloir parce que je suis toujours amoureux de toi.

Tu m'as quitté, tu m'as privé de mon fils, tu as récupéré l'affection que papa ne voulait pas me donner, nous devrions être fâchés pour l'éternité, or, la seule chose dont j'ai envie quand je te regarde, c'est tenir ta main et la garder un peu dans la mienne.

Joignant le geste à la parole, il prit la main de Maureen, la retourna et embrassa doucement sa paume. Troublée par ce contact, autant que par la complète reddition que Julian affichait, Maureen ne chercha pas à se dégager. Comme il était penché sur elle, elle voyait ses cheveux très bruns, brillants, et, de sa main libre, elle les effleura.

— Maureen?

La voix de Philippe, totalement improbable à cet instant, la figea. Levant les yeux, elle le découvrit debout devant leur table.

— Navré de te déranger, dit-il d'une voix glaciale. Je voulais te faire une surprise, et je constate que, en effet, c'en est une…

Maureen se redressa et tenta de reprendre contenance en faisant les présentations.

— Julian, le père de Liam, et voici Philippe, un ami.

— Pas seulement un ami, vous vous en doutez bien! précisa Philippe à Julian.

Il les contemplait comme s'il voulait se convaincre de ce qu'il avait vu.

— Je crois qu'il ne me reste plus qu'à trouver un avion pour le retour, dit-il enfin.

Alors qu'il se détournait, Maureen jaillit de son siège. Consciente de ce qui était en train d'arriver, elle cherchait désespérément le moyen de se justifier.

— Tu imagines des sottises, dit-elle en le prenant par l'épaule pour l'éloigner de la table où Julian attendait la suite des événements d'un air goguenard.

— Vraiment? railla Philippe. C'était pourtant criant de vérité, je t'assure.

Il avait toujours été jaloux de Julian, du passé de Maureen, de ce mariage qu'elle avait accordé à un autre et qu'elle lui refusait obstinément. L'un derrière l'autre, ils traversèrent le bar feutré, se retrouvèrent dans le hall de l'hôtel.

— Je t'en prie, Phil, souffla Maureen.

Elle avait du mal à le suivre tandis qu'il gagnait la sortie à grandes enjambées. Devant la porte à tambour, il se retourna brusquement et elle buta contre lui.

— Restons-en là, Maureen. Tu me rends vraiment malheureux. Avant ce soir aussi…

Très raide, il lui adressa un simple signe de tête avant de disparaître.

ASSIS sur les pavés gelés, Paul pleurait à gros sanglots convulsifs, la tête sur les genoux. Il s'était recroquevillé contre le mur extérieur de l'infirmerie où il avait dû rester prostré un long moment. Hugh l'avait aperçu le premier, dans la lumière de sa torche, et s'était immédiatement rendu compte que le garçon n'était plus dangereux pour l'instant, que sa crise était passée. Jean-François lui avait néanmoins arraché le revolver des doigts, puis l'avait déchargé et conservé. Par discrétion, Berill et Caroline s'étaient alors éloignées de quelques pas, tandis que Paul bredouillait des phrases incompréhensibles.

Aux questions brusques de son frère, il ne parvenait pas à répondre, s'étouffant dans ses larmes et refusant de relever la tête.

— C'est toi qui as ouvert la cage? Toi qui as coupé le générateur? Oh, bon sang, Paul, quel pauvre con tu fais!

Jean-François semblait si furieux que Hugh s'interposa.

— Il faut qu'il aille se réchauffer, il est en état de choc.

— Il t'a tiré dessus! explosa Jean-François. Peu importe qu'il ait froid ou qu'il pleure!

Mettant un genou à terre pour se retrouver à la hauteur de son frère, il s'adressa à lui d'une voix dure :

— Qu'est-ce qu'on va devenir, maintenant? Tu y as pensé? Tu vas aller chez les flics pendant que je pointerai au chômage, et tout ça pour quoi? Allez, viens.

Il le prit par son bras valide et le remit debout sans ménagement. Paul se laissait faire, inerte à présent, les larmes brillant sur ses joues.

— Emmène-le chez moi, ordonna Hugh. On verra ce qu'on va raconter aux autres.

La situation restait trop chaotique pour réfléchir sereinement, avec ce tigre toujours en liberté. Mais, d'avance, Hugh savait qu'il n'appellerait pas les gendarmes. Ce qui s'était produit cette nuit ne devait pas sortir de l'enceinte du parc Belair. L'avertissement de sa mère résonnait encore à ses oreilles et il allait en tenir compte. Déclencher une enquête ferait une trop mauvaise publicité et déboucherait peut-être sur une fermeture pour manque de sécurité.

— Où sont passées ta mère et Caroline? demanda Jean-François.

Hugh se retourna d'un bloc, balayant de sa torche la cour déserte.

— Elles ne sont tout de même pas parties seules à la recherche de Tobias?

Berill en était tout à fait capable, mais pourquoi Caroline l'aurait-elle suivie? Son expérience des animaux sauvages la rendait toujours très prudente, elle ne se serait pas lancée sur les pas d'un fauve dans l'obscurité!

— Garde Paul avec toi et remets-moi la lumière partout, y compris les projecteurs extérieurs! jeta Hugh à Jean-François.

Il maudissait soudain la présence de sa mère, précisément ce soir, et se sentait paniqué à l'idée de la savoir en danger. Comment son père avait-il pu supporter de vivre avec une femme aussi fantasque et têtue, qui n'écoutait aucun conseil?

Hugh quitta la cour en direction des grands hangars. Tobias pouvait être attiré par l'odeur des zèbres ou des singes. À moins qu'il ne soit déjà loin, carrément sur la route, ou même dans une forêt avoisinante! Quelle distance un mâle de sa taille en bonne condition physique arrivait-il à parcourir? Et quel genre d'accident provoquerait-il immanquablement, s'il quittait l'enceinte? De quoi faire les gros titres des journaux, et aussi faire faillite, réduisant à néant des années d'efforts et de succès.

Quand les puissants réverbères s'allumèrent, éclairant les allées et les abords des bâtiments, Hugh éteignit sa torche. Au moins, il n'allait plus chercher comme un aveugle, ainsi qu'il l'avait fait une heure plus tôt dans cette foutue ménagerie où il avait connu l'une des pires terreurs de sa vie!

Il perdit du temps à vérifier chaque porte de hangar, puis décida de revenir sur ses pas pour récupérer la Jeep. Parvenu à proximité de la ménagerie, il aperçut les silhouettes de Caroline et de Berill qui en sortaient, et il se dirigea vers elles avec soulagement.

— Voilà! Il est rentré chez lui! lui lança Berill de loin.

Son sourire radieux se passait d'explication, néanmoins Hugh demanda :

— Tobias ? Vous l'avez vu ?

Entre incrédulité et euphorie, il dévisagea sa mère, puis il baissa les yeux vers la pique qu'elle tenait négligemment. Il s'agissait d'un long bâton terminé d'un embout métallique que les soigneurs utilisaient parfois pour aider un fauve à sortir d'une cage ou à y entrer. L'instrument n'était pas destiné à blesser mais uniquement à faire du bruit contre les barreaux.

— Qu'est-ce que tu trafiques avec ça ? demanda-t-il.

— J'ai dû le guider. Oh, nous avons été très efficaces, Caroline et moi ! Elle est passée par le couloir de derrière pour cloisonner la cage et empêcher Lilith de sortir. Parce qu'il a fallu ouvrir la grille, et bien sûr, c'était le moment délicat. Mais Tobias s'est laissé manier très gentiment quand il a compris qu'il ne m'impressionnait pas... Je lui ai parlé en allemand, ça l'a bluffé !

Elle éclata de son rire en cascade, la tête renversée en arrière, les joues rouges de plaisir. Hugh ne l'avait pas vue aussi gaie depuis très longtemps, depuis l'époque où son père était encore vivant.

— Maman...

Il ne trouva rien d'autre à lui dire et choisit de s'adresser à Caroline.

— Vous n'avez pas pu l'en empêcher ?

— Non. Nous sommes tombées dessus à l'entrée de la ménagerie. Il marchait de long en large, pas vraiment énervé mais un peu inquiet. Nous avons supposé qu'il voulait retourner se coucher près de sa femelle.

— C'était merveilleux ! ponctua Berill. Un vrai numéro de cirque, ça m'a rappelé ton grand-père... Mais maintenant, je suis gelée, je rentre au relais, je vous laisse tout fermer pendant que je réchauffe le dîner !

Elle s'éloigna la tête haute, en fredonnant. Les avait-elle laissés seuls délibérément ? Elle n'avait sans doute pas froid, pas après ce qu'elle venait de faire.

— Quelle soirée démente, souffla Caroline.

Il la précéda à l'intérieur de la ménagerie, alla jeter un coup d'œil à Tobias et Lilith, puis éteignit les rampes de néon et mit en route les veilleuses. Tout en remontant l'allée, il passa un bras autour des épaules de Caroline, d'un geste un peu emprunté.

— J'ai eu très peur, dit-il seulement.

— Comment va Paul?

— Aucune idée. Jean-François veille sur lui.

— Qu'allez-vous faire, Hugh?

— Concernant Paul? Je n'en sais rien. Mais nous réglerons ça entre nous.

— Oui, c'est plus sage.

— À propos de sagesse, comment avez-vous pu…?

— Quoi? Rentrer le tigre? Je l'ignore, j'étais pétrifiée. Votre mère est stupéfiante, Hugh! Je n'étais pas en mesure de lui tenir tête. Ni à elle, ni à Tobias. Pour être honnête, si j'avais été seule, je n'aurais rien tenté, je serais restée plantée là comme une statue. Je l'ai entendue lui parler, donner des ordres. C'était à la fois guttural et doux, il a fait ce qu'elle voulait. La pique, elle l'a prise en passant, elle ne l'avait pas au début. Je n'avais jamais vu quelque chose d'aussi fou que cette femme d'un certain âge, si sûre d'elle, faisant avancer ce fauve comme si elle rentrait une vache à l'étable!

Hugh se retint de rire, car la voix de Caroline n'exprimait aucune dérision, seulement un grand respect.

— Nous allons manger, ensuite je vous trouverai un coin pour dormir, il n'est pas question que vous preniez la route maintenant. Et puis, nous devons parler de Paul.

Ils étaient presque arrivés à la porte du relais et Hugh s'arrêta, ôtant son bras des épaules de Caroline.

— J'ai une question à vous poser, dit-il d'un ton hésitant. Vous avez dit que Paul s'imaginait que… que vous étiez amoureuse de moi.

— C'est ridicule! bougonna-t-elle.

— Ah, bon? Dommage, parce que, en ce qui me concerne, c'est le cas.

Il s'attendait à une réflexion ironique mais n'eut droit qu'au silence.

— Désolé, finit-il par murmurer.

Elle ne devait pas l'être, car elle le prit brusquement par le cou, l'attira à elle et l'embrassa avec autant de maladresse que d'enthousiasme.

5

Aussi contrarié de surprendre sa petite-nièce que d'être surpris lui-même, Mathias resta figé quelques instants avant d'entrer dans la loge.

— Tu es là, toi ? bougonna-t-il à l'adresse d'Eleonor.

Arrivée la veille de New York, elle devait s'envoler pour Dublin le surlendemain, et jamais il n'aurait imaginé que, durant ces trois jours à Paris, elle prendrait le temps de rendre visite à Arno.

Il se tourna vers son frère, assis de l'autre côté de la table, et lui découvrit une mine épouvantable. Les mains crispées sur la toile cirée, Arno avait le teint gris et les yeux cernés.

— La santé, ça va ? hasarda Mathias.

— Une mauvaise grippe que je traîne, répondit Arno.

— Et qu'il ne soigne pas ! renchérit Eleonor.

Mathias remarqua alors un paquet de boules de gomme, un sirop pour la toux et un tube d'aspirine posés à côté d'un sac en provenance d'une pharmacie. Était-ce Eleonor qui avait effectué ces achats ?

— Va voir un médecin, suggéra-t-il.

Sa proposition ne reçut aucun écho. Arno devait avoir des problèmes d'argent, son salaire de concierge étant dérisoire, mais Mathias ne voulait pas aborder le problème devant Eleonor.

— Je me sauve, déclara la jeune fille en se levant.

Elle croisa le regard de Mathias, à qui elle adressa une prière muette, aussi la suivit-il jusque dans le hall de l'immeuble.

— Ta place n'est pas ici, chuchota-t-il. Ta grand-mère serait folle d'apprendre ça.

Eleonor fronça les sourcils, puis finit par hocher la tête.

— Aide-le, alors. Tu vois bien qu'il en a besoin !

— Ne joue pas les redresseurs de torts, Leo, c'est une situation que tu ne peux pas comprendre.

— Surtout si personne ne me l'explique.

Lui tournant le dos, elle gagna la porte cochère de sa démarche décidée. Désemparé, Mathias revint dans la loge.

— Tu n'as pas l'air d'aller très fort, dit-il en se forçant à sourire. Voilà de l'argent pour aller consulter, et pour les remèdes.

Après avoir déposé cinq billets de 100 francs près du flacon de sirop, il ajouta :

— Si je peux faire quelque chose d'autre…

Arno baissa les yeux vers l'argent puis les releva et considéra son frère avec une drôle d'expression.

— Il y a une chose, oui. Je voudrais rencontrer Berill.

— Impossible.

— Tu ne veux pas la conduire ici, un jour ?

— Écoute, laisse tomber l'idée de voir Berill, tu lui as fait trop de mal. D'abord et avant tout, en ce qui concerne papa, mais aussi son mari, Tomas, qui a perdu des années de sa vie à cause de toi. Elle ne te pardonnera rien, pour elle, tu n'as pas d'excuse.

— C'est le passé ! s'emporta Arno. Qu'elle me donne au moins la parole cinq minutes, merde ! Je sais par la petite que vous allez tous faire la fête à Dublin, pour ses soixante-dix ans, mais quand vous rentrerez, je veux que tu l'amènes ici, ou bien j'irai me pendre à la sonnette de votre hôtel particulier jusqu'à ce qu'on m'ouvre ! Je n'ai pas assez payé, dis ?

De nouveau, la toux l'obligea à s'interrompre. Mathias attendit qu'il se soit apaisé pour répondre.

— Payer, ça ne signifie rien. Il y a des choses dont on ne peut pas s'acquitter, et je pense que tu le sais. Berill ne cherche aucune vengeance, elle t'a rayé de sa vie, c'est tout.

Les épaules d'Arno s'affaissèrent d'un coup, comme s'il cessait de se révolter, vaincu. Il laissa tomber sa tête dans ses mains en murmurant :

— Tu ne comprends pas que j'en crève ?

Ému malgré lui, Mathias détourna son regard. Arno ressemblait à un pauvre diable auquel on aurait obstinément refusé le pardon. Il ne restait rien du clown de leur jeunesse, rien non plus du nazi. Un type seul, qui n'était plus personne.

D'un geste furtif, Mathias ajouta quelques billets avant de se lever et de quitter la loge. Sur le trottoir de la rue Amelot, il s'arrêta pour prendre une profonde inspiration. Y avait-il quelque chose à tenter, en aurait-il la volonté, et était-ce souhaitable ?

PHILIPPE aurait donné n'importe quoi pour se sentir indifférent, hélas! il ne l'était pas, loin de là. Avoir accepté ce dîner le mettait au supplice, par quelle aberration s'était-il cru guéri? Parce qu'il n'avait pas revu Maureen depuis bientôt quatre ans, il s'était imaginé qu'il pourrait passer une soirée avec elle en ami, toute passion apaisée, or il avait reçu comme un coup de poing à l'estomac tandis qu'elle traversait la salle du restaurant. Pour se donner une contenance, il s'était levé et forcé à sourire en lui avançant sa chaise.

À présent, il l'écoutait, mais surtout il la regardait, avide, résigné à retomber sous son charme et à voir l'enfer recommencer. Aucune femme ne lui avait fait oublier Maureen, aucune ne lui arrivait à la cheville.

— … rester brouillés pour l'éternité. Qu'en penses-tu?

— Rien, répondit-il honnêtement. Tu m'as laissé un souvenir aussi amer qu'ébloui.

La quarantaine lui allait bien, elle était au summum de son épanouissement, et les fines rides qui soulignaient à présent ses grands yeux sombres ne la rendaient que plus émouvante. Comme à son habitude, elle était d'une parfaite élégance, vêtue d'un tailleur Yves Saint Laurent et n'arborant qu'un seul bijou, un superbe collier orné de pierres précieuses.

— Pourquoi se contenter de souvenirs? Tu m'as manqué, Philippe.

— Malgré Julian?

Il prononçait le prénom avec réticence, exaspéré dès qu'il évoquait cet homme.

— Ce soir-là, Julian était juste venu faire la paix.

— À vous voir, j'aurais juré qu'il était plutôt là pour faire l'amour.

— Il le souhaitait peut-être, mais pas moi! Je le connais trop bien, je n'aurai plus jamais confiance en lui. Mais comprends-le, Phil, il avait vu toute sa fortune lui passer sous le nez, il fallait bien qu'il tente quelque chose. Tu es mal tombé, au beau milieu de son numéro de charme, ensuite j'ai passé la nuit seule, à pleurer et à laisser des messages sur ton répondeur.

— Tu t'es lassée vite! protesta-t-il. Si tu avais insisté, quelques jours plus tard…

— Après, j'étais vexée de ton silence. Et très occupée ! Cette succession a été un cauchemar, sans parler de la fusion avec l'Irish, qui n'est toujours pas effective.

— Tu n'y es pas parvenue en quatre ans ?

— Je ne peux pas tant que ma mère et Mathias s'y opposent.

Il réprima un sourire, certain qu'elle allait entamer un discours financier. Non, décidément, elle n'avait pas changé, mais il l'aimait telle qu'elle était.

— Pourquoi m'as-tu proposé ce dîner, Maureen ?

Pas une seconde elle ne chercha à fuir son regard. Autant elle était féminine, autant elle ne minaudait jamais.

— J'ai une faveur à te demander.

— D'avance, je suis flatté, railla-t-il. Un service juridique ? Un point de droit à éclaircir ?

— Pas du tout. Je voudrais que tu m'accompagnes à Dublin ce week-end.

Il s'attendait si peu à une demande de ce genre qu'il ne sut que répondre. Au bout de quelques instants, elle enchaîna :

— Il s'agit d'une fête de famille. Pour ses soixante-dix ans, ma mère a voulu réunir tout le monde, et, à cette occasion, rouvrir notre maison de Parnell Square, qui est très agréable, tu verras…

Ce futur signifiait qu'elle n'imaginait pas un refus, néanmoins il continua à se taire, attendant la suite.

— Je n'ai pas envie d'y aller seule. Tu vois, je suis honnête avec toi, la raison est toute simple, toute bête, j'en ai assez d'être l'éternelle célibataire. À quarante-deux ans, ça fait un peu… laissée-pour-compte, non ?

Elle le disait avec un accent ironique, mais, sous la provocation, il y avait une sorte de douleur, très pudique, qui bouleversa Philippe. Sans hésiter, il sacrifia son week-end de chasse en Sologne, prévu de longue date chez des amis.

— Rassure-toi, Maureen, rien au monde ne te donnera l'air d'être laissée pour compte ou abandonnée au bord d'une route. Mais je serai ton chevalier servant, c'est entendu.

Fallait-il qu'il soit vulnérable, face à elle, pour céder si facilement ! Il la vit sourire et retrouver toute son assurance, pourtant il eut la certitude d'avoir découvert une faille dans sa carapace. Il n'était donc pas le seul à avoir des faiblesses. Saurait-il en profiter, cette fois?

— Phil, tu es vraiment gentil de m'accompagner à Dublin, mais s'il y a quelqu'un dans ta vie, je comprendrais que tu…

— Non, personne.

Autant jouer cartes sur table. Depuis leur rupture, il n'avait eu que des aventures sans lendemain, trop blessé et encore trop amoureux pour se lancer dans une autre histoire. Mais elle? Comment expliquer qu'une femme comme elle soit toujours seule? Malgré son fichu caractère, nombre d'hommes avaient dû lui tourner autour, pourquoi s'adressait-elle à lui, précisément, pour l'escorter dans ce week-end familial? À l'époque de leur liaison, elle n'avait pas jugé bon de le présenter à sa mère, et la seule fois où il avait été invité à un dîner, boulevard du Château, c'était en qualité d'avocat, pas en tant qu'amant.

JEAN-FRANÇOIS jeta un coup d'œil à la longue liste tapée à la machine par Hugh, et il réprima un sourire.

— Ajoute le numéro de téléphone des pompiers, tant que tu y es! Je t'ai dit que tu pouvais partir tranquille, alors arrête de te torturer en imaginant le pire. Il n'arrivera rien, je te le promets.

Chaque fois que Hugh devait s'absenter, il serinait la même litanie de recommandations à Jean-François. Lors de son voyage de noces au Kenya, il avait fallu toute la force de persuasion de Caroline pour qu'il accepte de s'éloigner du parc dix jours de suite.

— Je passerai tous les soirs, je vous l'ai promis, rappela Félix en adressant un clin d'œil à sa fille.

Dès la première rencontre, il s'était pris de sympathie pour son gendre. Depuis le temps qu'il entendait chanter les louanges du parc Belair, il avait bien deviné l'attrait que Hugh exerçait sur Caroline, mais la demande en mariage l'avait pris de court. Une demande en bonne et due forme, effectuée par Hugh dans la salle d'attente du cabinet vétérinaire, un soir d'hiver. Félix n'en était pas revenu.

Installés dans le bureau situé au-dessus du salon de thé, les trois hommes évoquèrent encore quelques détails, puis Hugh proposa d'aller boire un verre chez lui.

— J'ai encore de la compta à finir, je vais rester là, s'excusa Jean-François.

— Tu verras ça demain, viens avec nous.

Au fil du temps, Jean-François avait pris en charge presque toute la partie administrative que Hugh se contentait désormais de superviser. Les choses s'étaient faites naturellement, par accord tacite entre eux, d'une part parce que Jean-François aimait bien les chiffres, d'autre part parce qu'il désirait s'investir davantage dans l'entreprise. Son amitié pour Hugh était devenue indéfectible depuis la nuit où Paul avait eu sa crise de folie. Un épisode auquel personne n'avait donné suite, qui restait un secret absolu entre Hugh, Jean-François, Caroline et Berill. Livrer Paul aux gendarmes l'aurait sans aucun doute conduit à un internement psychiatrique ou à une inculpation pénale, et Hugh n'avait pas pu s'y résoudre. Magnanime, il s'était expliqué avec Paul, puis avait proposé d'essayer de lui trouver un travail ailleurs, mais le malheureux ne voulait pas s'éloigner de son frère, ni du parc. Une situation sans issue, à laquelle Hugh avait pourtant trouvé une solution en exigeant que Paul se fasse soigner. S'il acceptait d'être suivi par un psychologue, Hugh était prêt à passer l'éponge et à le garder. Éperdu de reconnaissance, Jean-François avait pris les choses en main. Une fois par semaine, il emmenait son frère à Tours chez le médecin, puis passait avec lui la soirée en ville. Cinéma, théâtre, restaurant ou boîte de nuit : il obligeait Paul à mener une vie normale, à voir du monde, et même à draguer des filles. Le reste du temps, il le surveillait comme le lait sur le feu. En quelques mois, l'état moral de Paul s'était considérablement amélioré, comme si le fait de raconter ses obsessions et ses cauchemars à un thérapeute le soulageait enfin. À cet étranger qui l'écoutait sans le juger, sans doute décrivait-il toutes les horreurs subies en Algérie, la violence des combats et la peur de mourir, l'abomination de se réveiller sur un lit d'hôpital avec un bras en moins. Ainsi, peu à peu, il s'était débarrassé de ses idées fixes, avait vaincu quelques-unes de ses insomnies, et, un beau jour, il avait eu le courage d'affronter Hugh et Caroline ensemble. Il y était allé seul, se présentant à la porte du relais la tête haute, enfin capable de demander son pardon.

— Allez, Jean-François, insista Hugh, tu viens le boire, ce verre ?

Félix les précéda vers l'escalier extérieur, toujours d'accord pour déguster un des whiskeys irlandais de son gendre.

— Rapportez-moi une ou deux bonnes bouteilles de Dublin, Hugh !

— Si votre fille est d'accord, je vous en ferai expédier une caisse, répliqua-t-il. En attendant, il doit m'en rester un peu à la maison…

La voiture de Caroline n'était nulle part en vue, donc elle n'avait pas terminé son après-midi de consultation au cabinet vétérinaire. Se marier n'avait rien changé à sa manière d'exercer son métier, qui restait la grande passion de sa vie après Hugh.

— Je ne le reverrai jamais, ja-mais ! C'est clair ? Je ne veux pas en entendre parler, je ne veux pas savoir qu'il existe encore, ni que tu es assez faible pour te soucier de lui !

Hors d'elle, Berill reprit son souffle, tandis que Mathias restait silencieux. À l'autre bout du salon, Teresa se racla la gorge, comme si elle allait dire quelque chose, mais finalement elle choisit de sortir et referma doucement la porte derrière elle.

— Il va très mal, plaida Mathias.

— Que m'importe !

— C'est notre frère…

— Non, plus pour moi, et tu le sais.

Il connaissait bien sa sœur, il comprit qu'elle ne céderait pas s'il ne trouvait pas d'arguments plus convaincants.

— Arno a besoin de ton pardon pour être en paix.

— Je ne tiens pas à ce qu'il soit en paix, Mat ! D'ailleurs, pourquoi *mon* pardon ? Tu lui as accordé le tien ? As-tu oublié dans quel état nous avons récupéré papa ? Et encore, par miracle, parce qu'il avait réussi à s'évader, sinon nous ne l'aurions jamais revu, il serait mort dans son camp comme un chien, il n'aurait même pas de sépulture ! Tout ça à cause de son propre fils qui l'avait dénoncé aux nazis. Aux nazis, souviens-toi, dont Arno avait rejoint les rangs… Mon Dieu, comment peux-tu tirer un trait là-dessus ?

— C'était il y a très longtemps, Berill.

— Il y a des crimes impardonnables, Mat.

— Si tu voyais Arno aujourd'hui, tu serais moins catégorique.

— Sûrement pas. Ne me reproche pas d'être intransigeante, je l'ai toujours été davantage pour moi-même que pour les autres. Pourquoi faudrait-il tout absoudre et ne rien se permettre ? Je ne sais pas tendre l'autre joue, c'est vrai, mais j'aurais pu essayer si Arno m'avait trahie, moi, et si le compte à régler avait été entre lui et moi.

Pour papa, je ne le tiendrai jamais quitte. Ou alors, il n'y a pas de justice. Excuser les criminels de guerre et les traîtres, c'est du révisionnisme !

De nouveau, elle s'emportait, et Mathias se hâta d'essayer une autre approche.

— Berill… Regarde-toi aujourd'hui. Tu as tout obtenu de la vie, un mari exceptionnel qui t'a adorée, une position sociale enviable, des enfants qui ont réussi, des petits-enfants prometteurs, un passé sans tache : absolument tout ce qu'on peut espérer dans l'existence. Tandis qu'Arno n'a rien. Vraiment rien. Tu es entourée de l'amour des tiens et tu peux dépenser sans compter. Partie du bas de l'échelle, tu t'es construit un vrai destin qui te permettra de t'en aller sans regret. Tu vas fêter ton anniversaire dans des flots de tendresse et de champagne, tu pourrais même faire tirer un feu d'artifice ! Mais la pitié, dans tout ça ? La charité, la compassion, la main tendue ? Prends garde à ne pas juger du haut de ta tour d'ivoire, à ne pas t'enfermer dans le bon droit, à ne pas jeter une ombre sur ton parcours sans faute.

Atterrée, sa sœur le regardait, les yeux écarquillés. Ses yeux magnifiques, d'une couleur tellement improbable, et toujours aussi lumineux malgré l'âge. Des deux mains, elle saisit le dossier d'une chaise qu'elle serra jusqu'à ce que ses doigts blanchissent.

— Mathias, tu me demandes l'impossible, dit-elle d'une voix rauque. Je ne sais pas. Je ne sais plus, maintenant…

Au moins, il l'avait touchée, il n'espérait rien d'autre.

Le chauffeur de taxi avait longé les quais de la Liffey pour faire plaisir aux deux jeunes gens. Patrick désignait chaque monument à Eleonor, ajoutant un commentaire précis sur telle ou telle période de l'histoire irlandaise, et décrivait les charmes très différents des deux rives.

— Chérie, tu t'appelles Blaque-Belair, c'est un nom connu par ici, tu n'as pas le droit d'être aussi ignare ! avait-il dit avec un grand rire, avant de s'engouffrer dans le taxi.

Eleonor aimait beaucoup le rire de Patrick, et elle appréciait qu'il connaisse Dublin comme sa poche. Pour rattraper son retard quant à ses origines, elle avait grand besoin d'un guide tel que lui.

— Tu me raconteras tout sur le quartier de Parnell Square, exigea-t-elle. C'est là que mon père est né, dans cette maison où nous allons, que mon grand-père Tomas avait achetée pour ma grand-mère. Lui-même était né de l'autre côté du fleuve, vers Mansion Square, tout comme mon arrière-arrière-grand-père Douglas, le fondateur de la banque.

— Avec tout ce qui te rattache au pays, je ne comprends pas que tu n'aies jamais eu envie de mieux le connaître !

Ils en avaient déjà longuement parlé. L'Irlande était ce qui les avait rapprochés sur le campus de l'université américaine où ils se sentaient aussi déracinés l'un que l'autre. Eleonor avait tenu à faire ses armes là-bas. Bon élève et joyeux garçon, Patrick était en fin de cursus, mais il avait pris Eleonor sous son aile, fier de se montrer avec une fille aussi jolie et aussi brillante. Car non seulement Eleonor raflait les meilleures mentions aux examens tout en suivant plusieurs programmes, mais, de surcroît, elle rayonnait, avec ses grands yeux en amande, son teint pâle et ses longs cheveux auburn. Depuis qu'il l'avait rencontrée, Patrick ne regardait plus aucune autre fille, tout à fait subjugué par sa personnalité.

— J'ai hâte d'être présenté à ta grand-mère si c'est à elle que tu ressembles, déclara-t-il tandis que le taxi s'arrêtait devant la maison des Blaque-Belair.

— Ma grand-mère, ma tante… Oh, les femmes de la famille risquent de t'asphyxier, mais tu pourras toujours trouver refuge auprès de mon père, c'est un type fantastique ! Parle-lui de zèbres ou de panthères et tu feras sa conquête.

Un peu éberlué, mais disposé à s'amuser, Patrick paya le chauffeur puis grimpa les marches du perron derrière Eleonor qui secouait déjà le heurtoir de cuivre. La porte s'ouvrit presque aussitôt sur un adolescent dégingandé au sourire charmeur.

— Tout le monde commençait à s'inquiéter, cousine, ton avion a atterri depuis au moins trois heures…

— Ne sois pas rabat-joie, Liam ! Nous avons fait un détour pour aller saluer les parents de Patrick, et puis nous nous sommes offert un grand tour de la ville, dont je me souvenais très mal.

— Vous êtes vraiment un Irlandais pure souche ? lança Liam à Patrick. On ne va plus les tenir quand ils sauront ça !

D'un geste, il désigna la double porte du salon, d'où s'échappaient des rires et des bribes de conversation.

— Est-ce que Teresa est aux fourneaux? s'enquit Eleonor.

— Depuis l'aube, évidemment.

— Alors le dîner sera divin!

— En attendant, il y a une sorte de brunch, si vous avez faim. À moins que vous n'ayez décidé de rester dans l'entrée pour la durée du séjour...

Liam les précéda, ouvrant la porte d'un geste solennel.

— Les Américains! claironna-t-il.

Hugh fut le premier à se précipiter vers sa fille, qu'il serra dans ses bras avec effusion. Puis les présentations eurent lieu, plongeant Patrick dans la pire des confusions lorsque Eleonor déclara :

— Un camarade d'université qui ne devrait pas tarder à demander ma main.

Par bonheur, Berill éclata de rire, comme s'il s'agissait d'une plaisanterie, et elle vint prendre Patrick par l'épaule pour le conduire au buffet.

— Voilà une assiette, servez-vous bien, car nous dînerons très tard. Ainsi, vous êtes né à Dublin?

— Oui, mes parents habitent Lord Edward Street, près de la cathédrale.

— Et à quoi vous destinez-vous, jeune homme?

— Au droit des affaires.

— Juriste? C'est un métier d'avenir.

Durant deux ou trois secondes, elle le dévisagea avec une curiosité qu'elle ne prit pas la peine de dissimuler. Blond aux yeux bleus, le sourire franc, grand et athlétique : quelque chose en lui rappelait irrésistiblement Tomas au même âge. Émue, Berill détourna son regard.

— Vous avez une maison magnifique, dit doucement Patrick.

Avait-il senti son désarroi? Ou bien la prenait-il pour une vieille dame qui avait facilement la larme à l'œil? Elle le regarda de nouveau et ne vit que de la gentillesse dans son expression.

— Et voici notre Espagnole, escortée d'un *caballero*! lança Liam depuis la porte.

Maureen venait d'entrer, suivie par un homme au visage vaguement familier.

— Quelle mouche te pique? demanda-t-elle à son fils en s'arrêtant devant lui. Tu pourrais dire bonjour autrement!

— C'est juste un jeu, maman, répondit l'adolescent avec un air de fausse contrition.

Il embrassa sa mère tout en jetant un coup d'œil inquisiteur à Philippe. De loin, Berill comprit la situation et se hâta de les rejoindre.

— J'ai eu le plaisir de vous recevoir à Neuilly, il y a quelques années de cela. Comment allez-vous, cher maître?

Un peu raide, Philippe s'inclina sur la main qu'elle lui tendait.

— Madame Blaque-Belair…

— Appelez-moi Berill. Les amis de Maureen sont toujours les bienvenus, je suis ravie que vous soyez des nôtres. Vous allez vous restaurer un peu, et puis on vous montrera votre chambre.

Elle se souvenait bien de lui à présent. Lors du dîner qu'elle venait d'évoquer, elle avait eu la certitude que cet avocat était l'amant de sa fille, mais il n'était jamais revenu, et Maureen n'en avait plus parlé.

Avec son sens aigu de l'observation, Berill étudia Philippe quelques instants tout en bavardant. Un homme mûr au visage intelligent, à peine inquiet de se retrouver dans cette assemblée d'inconnus, et apparemment très concerné par Maureen qu'il ne pouvait pas s'empêcher de couver du regard. Avait-elle enfin trouvé – ou retrouvé – un partenaire à sa mesure?

Dans les minutes qui suivirent, Berill nota qu'Eleonor et Maureen s'étaient à peine saluées, qu'en revanche Patrick avait entamé une conversation animée avec Hugh et Caroline comme s'il les connaissait de longue date, tandis que Mathias, égal à lui-même, restait dans son coin sans se mêler aux conversations. Elle s'approcha de lui, sourire aux lèvres.

— Je crois que la soirée sera bonne, n'est-ce pas?

Affectueusement, il passa un bras autour de ses épaules, l'attira à lui.

— Hugh semble heureux, je suis content, dit-il à voix basse.

De tout temps, Hugh avait été comme un fils pour Mathias, à tel point que Tomas avait failli en prendre ombrage. Mais Tom était trop généreux et trop honnête, il n'avait pas commis cette erreur.

— Tu penses à lui? chuchota Mathias.

Pas même étonnée qu'il ait deviné ses pensées, Berill soupira :
— Son fantôme est partout ici.

« Berill, tu m'as promis », avait imploré Tom avant de hâter sa fin. Elle s'était accrochée à la parole donnée, lui avait tenu la main tandis qu'il s'en allait. Et ces instants de chagrin insurmontable avaient eu lieu entre ces murs, auxquels Berill voulait maintenant redonner vie.

SATISFAITE, Teresa laissa retomber le torchon sur les boules de *brown bread*. Ce soir, pas question du traditionnel *Irish stew* – on ne pouvait tout de même pas faire un pot-au-feu pour un dîner de gala ! –, aussi avait-elle patiemment choisi sur le marché un magnifique saumon sauvage qu'elle comptait servir en entrée, agrémenté de crevettes de la baie. Le plat de résistance se composait de noisettes d'agneau et de médaillons de veau, disposés sur un lit de légumes grillés. En accompagnement, de petits beignets de pomme de terre râpée seraient servis avec une fondue de céleri.

La fatigue commençait à se faire sentir après cette journée passée devant les fourneaux, mais le résultat en vaudrait la peine, Teresa était contente d'elle. Tout l'après-midi, chaque membre de la famille, en pénétrant dans la cuisine pour venir l'embrasser, s'était extasié sur les odeurs délicieuses et l'aspect très élaboré des préparations. Exactement comme au bon vieux temps, lorsqu'ils habitaient tous Dublin.

Elle se laissa tomber sur un tabouret. Pour la énième fois, elle jeta un coup d'œil circulaire sur cette cuisine où elle avait préparé des repas durant tant d'années. Quitter l'Irlande avait été pour elle un déchirement, elle s'était rendue aux raisons de Berill la mort dans l'âme, et uniquement parce qu'il s'agissait de la guerre, de l'avenir de l'Irish. Si elle n'avait pas beaucoup aimé Lausanne, où ils s'étaient réfugiés durant quelques années, en revanche elle avait fini par apprécier Paris, et l'hôtel particulier de Neuilly qui était désormais son foyer.

— Tu as besoin d'un coup de main ?

Eleonor se tenait sur le seuil, sourire aux lèvres.

— Non, ma chérie. Tout est prêt, je ne vais pas tarder à monter m'habiller. Ton ami Patrick n'est pas avec toi ?

— Il est retourné chez ses parents pour se changer. Comment le trouves-tu ?

— Merveilleusement irlandais !

Eleonor éclata de rire puis vint s'asseoir en face de Teresa.

— Je le pense aussi. Et nous aurions bien besoin d'un peu de sang gaélique pour réaffirmer nos origines, n'est-ce pas ? D'ailleurs, je me sens tout à fait à ma place dans ce pays, je l'adore. Tout comme cette maison. Je croyais pourtant que j'y serais mal à l'aise...

Elle était redevenue sérieuse, presque grave soudain, et Teresa en fut tout attendrie.

— Ton père redoutait ce week-end, il a dû te le dire...

— Papa est très secret, Tess. Il ne m'a jamais beaucoup parlé de ma mère, sauf pour m'avouer qu'il était fou d'elle. Je ne possède que deux photos, et il a conservé la troisième.

— Ils ont passé si peu de temps ensemble qu'il ne doit pas avoir beaucoup de souvenirs d'elle.

— Lui, non. Mais... mais ma mère n'était pas sans famille ? Elle avait bien des parents ?

Sur la défensive, Teresa acquiesça d'un hochement de tête tandis qu'Eleonor poursuivait, impitoyable :

— Pourquoi ces gens-là n'ont-ils pas voulu me connaître ? Je suis leur petite-fille, après tout !

Ainsi, c'était là qu'elle voulait en venir, à ses grands-parents maternels auxquels personne ne faisait jamais allusion. Teresa étouffa un soupir.

— Je crois qu'ils ont très mal réagi au décès de leur fille, déclara-t-elle prudemment. Ta mère était leur unique enfant, elle représentait tout pour eux, sa mort les a rendus fous de chagrin. Ils auraient voulu qu'elle soit ramenée en France, mais ton père s'y est opposé, alors ils ont fait le voyage jusqu'ici, pour l'enterrement, et ils ont refusé catégoriquement d'aller te voir à l'hôpital. Je crois que, dans leur douleur, ils rendaient Hugh responsable et... et toi aussi, sans doute. Nous n'avons plus eu aucun contact avec eux, par la suite.

— Responsable ? murmura Eleonor.

— Ils avaient besoin d'un bouc émissaire, chérie.

— Je comprends, seulement, avec le temps, ils auraient pu avoir des regrets, changer d'avis, au lieu de quoi ils m'ont rejetée une fois pour toutes! Et plus tard, papa n'a pas souhaité que j'habite avec lui en Touraine alors que j'en crevais d'envie. En somme, Tess, si tu n'existais pas, qui se serait occupé de moi?

Teresa se contenta de lui tapoter tendrement la main.

— Bon, je n'ai pas été malheureuse, enchaîna la jeune fille. Tu étais là, avec Mat, et puis il y avait grand-mère, tellement généreuse, sans oublier Liam qui est comme mon petit frère… Mais même sans m'apitoyer sur mon sort, j'ai toujours eu l'impression qu'on m'avait coupée de quelque chose. Ce matin, j'ai demandé au chauffeur de taxi de passer devant l'hôpital, et je me suis sentie tout à fait bouleversée de penser que j'étais née là, par césarienne, pendant l'agonie de ma mère. On lui a ouvert le ventre alors qu'elle était déjà dans le coma, elle ne m'a jamais vue, jamais tenue…

Les yeux brillants de larmes, elle avala sa salive à plusieurs reprises, cherchant désespérément à se reprendre. Au bout d'une longue minute, elle réussit à achever, d'un ton plus léger :

— Patrick est formidable dans ce genre de circonstances, il a les mots qu'il faut, l'attitude juste. Un quart d'heure plus tard, je n'y pensais plus, je regardais les rues de Dublin. Tess, je crois bien que je suis amoureuse de lui et que je vais l'épouser sans trop attendre. Je voulais que tu sois la première à le savoir.

Ahurie, Teresa resta quelques instants à scruter le visage de la jeune fille. Depuis toujours, Eleonor la surprenait avec sa manière d'annoncer si simplement les choses les plus inattendues. Mais pourquoi voulait-elle se marier à dix-huit ans? Parce qu'elle avait rencontré un Irlandais censé la faire renouer avec ses origines? Pour trouver enfin l'image du père que Hugh n'avait pas été en mesure de lui donner?

— J'ai du temps devant moi, reprit Eleonor. Je ne me fais aucune illusion, Maureen aura du mal à m'accepter à la banque et je dois m'occuper d'autre chose en attendant. Fonder une famille très jeune me paraît une bonne idée, non?

— Ne me demande pas mon avis, souffla Teresa, je suis complètement dépassée. Malgré tout, il y a une question que je dois te poser, chérie. Aimes-tu vraiment Patrick? Assez pour toute une vie?

— Comment veux-tu que je le sache? Il me plaît, je suis bien avec lui et j'ai envie qu'il soit le père de mes enfants. Ce n'est pas suffisant?

Secouant la tête, Teresa demanda encore :

— Pourquoi faut-il que tu aies cette conversation avec moi ?

— Parce que c'est toi qui m'as élevée, tiens !

La réplique était sans pitié pour Hugh. Teresa voulut prendre sa défense, mais elle n'en eut pas le temps, car Berill venait d'entrer à son tour dans la cuisine.

— Tu es magnifique ! s'exclama Eleonor avec une spontanéité qui fit sourire sa grand-mère.

Berill avait choisi de porter une robe rouge au drapé savant, divinement coupée par Nina Ricci. Son âge ne changeait pas grand-chose à sa silhouette, à peine moins mince, à peine moins droite, et son port de tête conservait la même fierté qu'à l'époque où elle entrait en piste dans la lumière des projecteurs.

— Nous aurons toutes l'air de dindes à côté de toi, ajouta sa petite-fille.

— Si c'est comme ça, je vais garder mon tablier, ironisa Teresa.

Elle se leva, sa fatigue oubliée, et se dirigea vers la porte. Même si sa robe n'était pas signée d'un grand couturier, il était temps d'aller l'enfiler. Toutefois, avant de sortir, elle s'arrêta un instant pour s'adresser à Berill.

— Notre Leo veut te parler d'une chose très importante... qui va beaucoup te réjouir !

— Vraiment ? Serait-il question de M. Patrick Crawford ? Il m'a fait une excellente impression.

— À moi aussi, répondit Eleonor en souriant. Au point de vouloir devenir Mrs Crawford.

— Sur-le-champ ? riposta Berill.

— Pourquoi attendre ? Je finirai mes études, ne t'inquiète pas, et puis je te ferai des arrière-petits-enfants irlandais. Ensuite, je m'attaquerai à la banque quand Maureen sera fatiguée d'y régner seule.

— D'ici là, peut-être que Liam...

— Il n'en a pas la moindre intention, je pense que tu le sais.

Eleonor soutint le regard inquisiteur de sa grand-mère durant un bref instant, puis elle ajouta :

— Je serai à la hauteur, je te le promets.

— Oh, bien sûr ! Inutile de prononcer des serments, je te connais par cœur, et si je devais miser sur quelqu'un de la famille, ce serait sur toi. Tu es une drôle de fille, Eleonor, mais je suis persuadée que tu mèneras bien ta barque à ton idée, et là où tu veux aller. Maintenant, pour ce qui est de te marier, tu dois en parler à ton père avant tout.

— Et que crois-tu qu'il dira? Il ne m'a pas demandé mon avis pour épouser Caroline! Que j'aime beaucoup, par ailleurs.

— Vraiment?

— Oui. Ils étaient faits pour s'entendre, ils ont les mêmes passions. Et puis Caroline a la sagesse de ne pas me donner un petit frère ou une petite sœur, j'avoue que ça me fait plaisir. J'aurais mal vécu l'arrivée d'un bébé dans cette maison où il n'y a jamais eu de place pour moi. On m'a assez expliqué qu'il était impensable et impossible d'élever un enfant au milieu d'un parc zoologique pour ne pas m'administrer la preuve du contraire aujourd'hui.

— Leo..., soupira Berill.

Mais il ne servait à rien de protester. Eleonor était trop mûre pour son âge, trop intelligente et déterminée, à quoi bon nier l'évidence?

— Ton père était alors un homme seul, se borna-t-elle à rappeler.

Elle ne précisa pas que Caroline avait tout fait en vain pour être enceinte.

PHILIPPE était en train d'enfiler sa veste de smoking lorsque Maureen vint le rejoindre. Elle portait une robe bustier de Dior en satin crème et des escarpins à très hauts talons. Quand elle s'approcha de lui, il sentit son parfum, l'*Heure Bleue*, dont il avait conservé le souvenir longtemps après leur rupture.

— Toute la maison bruit de commérages et de questions! s'esclaffa-t-elle. Ta présence les intrigue beaucoup, je suis ravie.

— J'espère ne pas être qu'un amuseur public, marmonna-t-il en vérifiant son nœud papillon.

— Ne bougonne pas, tu sais très bien que je suis ravie de t'avoir ici avec moi. D'ailleurs, tu n'es pas le seul centre d'intérêt, cette petite peste d'Eleonor essaie de me voler la vedette avec son Irlandais.

— La petite peste, comme tu dis, est une très jolie jeune fille, vraiment! Et ta mère a dû être une femme splendide. En les voyant, je comprends pourquoi tu es si belle, c'est de famille!

Le compliment parut lui plaire, car elle ne trouva rien à répliquer.

— J'aurais aimé qu'il n'y ait pas assez de chambres d'amis, ajouta-t-il, ainsi j'aurais pu partager la tienne.

— C'est une proposition, Phil? Fais attention, je pourrais bien l'accepter!

De nouveau elle riait, mais de manière un peu artificielle. Jusqu'où devait-il pousser l'avantage qu'elle venait de lui accorder?

— Si tu viens me retrouver au cœur de la nuit, je serai le plus heureux des hommes.

En le disant, il lui avait posé une main sur l'épaule, et le contact de sa peau nue provoqua une telle flambée de désir qu'il la lâcha tout de suite.

— Je ne suis pas guéri de toi, constata-t-il amèrement.

Pour oublier l'envie démente qu'il avait de la serrer contre lui, il s'éloigna vers la commode où était posé son sac de voyage.

— J'ai apporté un petit cadeau pour ta mère. C'est une gravure anglaise du siècle dernier représentant une écuyère sur la piste d'un cirque.

Il prit le tube de carton contenant la gravure et fit signe qu'il était prêt à descendre.

— Grands dieux, Mat, pourquoi?

Éblouie, Teresa regardait les trois rangs de perles qui luisaient sur le velours noir de l'écrin.

— Ce n'est pas mon anniversaire, et c'est une vraie folie.

— En choisissant la broche de Berill, je n'ai pas pu résister. Il y a longtemps que je voulais t'offrir des perles, mais je n'ai jamais le temps de courir les bijoutiers, alors j'ai saisi l'occasion.

Elle se garda bien de lui faire remarquer qu'il avait trouvé du temps sans problème pour faire un cadeau à sa sœur. Depuis la mort de Tom, il était celui qui offrait à Berill des fleurs, des bijoux et des chiens, comme s'il voulait à la fois adoucir sa vie de veuve, et lui prouver sa reconnaissance.

Il prit délicatement le collier que Teresa n'avait pas encore osé toucher, le lui mit autour du cou et attacha le fermoir de diamants.

— Voilà. C'est très beau sur toi, j'en étais certain. De toute façon, avec le mal que tu t'es donné aujourd'hui, tu méritais bien un petit présent!

« Petit présent » semblait comique au vu de la griffe du joaillier. Mais Mathias était ainsi, l'argent ne l'intéressait pas, sauf pour faire plaisir à ceux qu'il aimait. Douze ans auparavant, sans sourciller, il avait investi presque toutes leurs économies dans le parc de Hugh, heureux de participer à l'aventure. D'ailleurs, il ne s'agissait pas d'investissement, il ne demanderait jamais un sou à son neveu, il était simplement heureux de sa réussite. « On doit réaliser ses rêves, n'est-ce pas ? » avait-il expliqué à Teresa qui s'affolait parfois de ses générosités. La dernière libéralité en date de Mathias était tout de même un éléphanteau, offert à Hugh pour Noël !

— Eleonor veut épouser ce Patrick Crawford, annonça-t-elle.

— Rien ne m'étonne, venant d'elle. Et puis, elle aurait pu choisir pire, il m'est très sympathique.

— Moi aussi, mais elle n'a que dix-huit ans !

— C'est déjà une femme, Tess. Tu n'avais pas remarqué ? Elle sait ce qu'elle veut et elle a beaucoup d'ambition. Bien que ce soit la fille de Hugh, c'est à Maureen qu'elle ressemble. En mieux. Elle est aussi brillante dans ses études et aussi passionnée par la finance, mais en plus elle possède un grand sens moral, qui doit lui venir de Tom, et une touche de fantaisie, d'inattendu qu'elle tient peut-être de sa mère.

— À ce propos, sais-tu qu'elle s'interroge sur ses grands-parents maternels ?

— Elle s'interroge sur *tout* ce qu'on essaie de lui cacher. Elle cherchera sans doute à les rencontrer, tout comme elle rend visite à Arno depuis des années ! Ne t'inquiète donc pas pour elle, laisse-la aller son bonhomme de chemin.

Songeuse, Teresa garda le silence quelques instants, puis murmura :

— J'espère que Liam ne sera pas en travers de ce chemin…

— Liam ? Non, ce sera Maureen, l'obstacle, pas Liam. Car tous les projets qu'on fera pour ce garçon tomberont à l'eau, je te le garantis. Liam est une résurgence Károly, c'est merveilleux !

Apparemment, l'idée le réjouissait.

— Tu sais, ma chérie, toi qui les as en quelque sorte élevés tous les quatre, Maureen et Hugh, puis Eleonor et Liam, jamais tu n'avais remarqué le chassé-croisé ? Liam devrait être le fils de Hugh, et Eleonor la fille de Maureen, ce serait logique. Mais dans les familles, les gènes se répartissent bizarrement… Bon, on descend?

Rarement coquette, Teresa jeta pourtant un regard au miroir avant de sortir de la chambre. Les trois rangs de perles fines rehaussaient de façon superbe le décolleté de sa robe noire, néanmoins, elle avait l'air de ce qu'elle était en réalité : une vieille dame irlandaise un peu fatiguée.

BERILL présidait, avec l'aisance donnée par quatre décennies de grands dîners, mais comme elle avait acheté une table ronde pour la circonstance, il semblait n'y avoir rien de protocolaire dans la disposition des convives. Un extra, embauché pour aider la femme de chambre à servir, dispensait quiconque de quitter sa place, hormis Teresa, bien entendu, qui ne pourrait sans doute pas s'empêcher d'aller contrôler les derniers instants de cuisson.

Philippe se trouvait à la droite de Berill, et Patrick à sa gauche, tous trois lancés dans une conversation sur les mérites de la France.

— Vivre et travailler à Paris représente une vraie chance, croyez-moi, affirma Berill au jeune Irlandais. Autant je suis heureuse de me retrouver à Dublin pour quelques jours, autant j'y mourrais d'ennui à longueur d'année! Quant aux affaires, n'en parlons pas, l'économie sera très longue à redresser, et tout s'embrase pour un oui ou un non avec l'Ulster. Il faut que l'Irlande s'ouvre aux instances internationales, qu'elle adhère à la Communauté européenne, en un mot qu'elle se réveille, mais, avant tout, elle doit enterrer la hache de guerre.

Comme le jeune homme acquiesçait d'un hochement de tête un peu raide, Berill enchaîna :

— Vous me trouvez sévère? C'est ce que Teresa me disait lorsque j'ai décidé d'aller faire prospérer notre établissement financier ailleurs que sur cette île! En réalité, l'idée ne venait pas de moi, elle émanait du grand-père de mon mari, le fondateur de l'Irish Blaque-Belair Bank.

— Tu as été bien inspirée de l'écouter! lança Maureen. Mais je me demande si nous n'aurions pas dû rester à Lausanne, si la Suisse n'est pas, en définitive, un meilleur endroit pour les investissements, au vu des capitaux qui y affluent.

— Je serais morte d'ennui là-bas aussi, répliqua Berill. Est-ce qu'aucun d'entre vous ne réalise à quel point la France est un pays de cocagne?

— Malgré la révolution des étudiants, il y a deux ans? insinua Patrick avec un sourire malicieux.

— Révolution est un bien grand mot pour qualifier Mai 68. L'ennuyeux, après les événements, a été la défiance à l'égard du franc, on a même frôlé la panique quand le gouvernement a fermé la Bourse pendant cinq jours, au mois de novembre.

— Au moins, Patrick, connaissez-vous la France? s'enquit Philippe.

— J'y suis allé deux fois, et je crains de n'avoir retenu de Paris que la tour Eiffel, le Louvre et les quais de la Seine.

— Rassure-toi, je te montrerai bien autre chose, déclara Eleonor avec un grand sourire.

Une façon de signifier à chacun que, ainsi qu'elle l'avait annoncé, Patrick allait prendre de l'importance dans sa vie.

— D'abord, ajouta la jeune fille, Paris n'est pas la France, et tant qu'on n'a pas vu la Touraine… Pour les châteaux de la Loire, bien sûr, mais surtout pour le parc Belair!

— Je l'ai visité l'année dernière et j'ai été très impressionné, déclara tranquillement Philippe.

L'expression étonnée de Maureen renseigna Berill sur la nature des relations unissant sa fille et cet avocat, qu'elle jugeait par ailleurs tout à fait charmant. Ils avaient dû rompre leur liaison durant un certain temps, et les retrouvailles étaient apparemment récentes.

Son regard effleura alors Hugh. S'il était plutôt silencieux parmi cette bruyante tablée, en revanche, il semblait le plus serein, celui qui profitait le mieux de la soirée. La présence de Caroline, à côté de lui, y était pour beaucoup. Néanmoins, il avait trouvé son équilibre le jour où il avait conçu son projet de parc animalier.

— Bon anniversaire, maman! dit Hugh en prenant son verre.

Ils la regardaient tous avec tendresse, prêts à porter un toast. Paradoxalement, elle se sentit soudain très seule. Tom lui manquait chaque jour, ne plus construire et ne plus se battre lui manquait, être devenue l'aïeule l'atterrait.

Elle choisit de sourire, certaine de savoir encore dissimuler ses états d'âme, et elle leva sa coupe.

— Dans ce genre de circonstance, je crois qu'il faut infliger un petit discours à sa famille, n'est-ce pas ? Eh bien, que vous dire… J'étais ce qu'on appelle une enfant du siècle puisque je suis née en 1900, à Budapest. Pour nos invités, voilà qui les renseigne sur mon grand âge ! Mais je n'ai jamais été d'une folle coquetterie, comme en témoigne cette cicatrice qui fut davantage mon emblème que mon handicap. Sans elle, je n'aurais probablement pas épousé Tomas Blaque-Belair, perdant ainsi la meilleure chance de mon existence.

Elle promena son regard sur les visages attentifs autour d'elle avant de reprendre :

— Si j'ai tenu à vous réunir ici, à Dublin, c'est pour rappeler à mes enfants qu'ils sont irlandais, qu'ils ont vu le jour dans cette maison et qu'on doit toujours se souvenir de ses origines. Les miennes, dont je suis fière, appartiennent aux Tziganes d'Europe de l'Est, des saltimbanques comme on dit, bref à ces gens du voyage dont le cirque est la vraie patrie. Jusqu'ici, et du plus loin qu'il m'en souvienne, la vie m'a comblée, j'en rends grâce à Dieu chaque matin. De la roulotte tirée par un cheval, dans mon enfance, jusqu'à ces hommes que j'ai regardés, en direct, marcher sur la Lune l'année dernière, je peux dire que j'ai vu bien des choses. Le monde bouge vite et il faut le suivre, comme Maureen, ou s'en exiler, comme Hugh. Quels que soient vos choix, à chacun je souhaite d'avoir autant de bonheur que j'en ai connu, et pour ça souvenez-vous qu'on doit s'aider soi-même avant d'espérer la moindre aide du ciel ! Maintenant, je bois à votre santé et à la mienne, en vous remerciant du fond du cœur d'être là, avec moi.

Elle vida sa coupe d'un trait, tandis qu'ils restaient à la contempler, médusés, les verres toujours levés mais oubliant de boire. De tout temps, Berill avait été une femme hors norme, impossible à classer dans une catégorie, et, ce soir, elle le montrait une fois de plus, malgré ses soixante-dix ans. Elle savait être un chef de clan, ou même une louve s'il s'agissait de défendre les siens, mais elle pouvait aussi se désolidariser d'eux en leur rappelant d'où elle venait et qui elle était restée.

Mathias fut le premier à sourire et, imitant sa sœur, il but cul sec.

6

Paris, janvier 1974

— L A seule manière d'être équitable, suggéra Mathias, ce serait de libérer Hugh de ses dettes.

— Comme tu y vas ! s'emporta Maureen. La famille a mis un fric fou dans son zoo et…

— Tu es très méprisante d'appeler ça un « zoo ». Sa conception du parc animalier est révolutionnaire, le succès qu'il rencontre le prouve.

— Un succès à peine rentable, nous sommes d'accord ?

— Parce que les crédits qui pèsent sur l'exploitation sont trop lourds. Surtout ajoutés à des frais de fonctionnement de plus en plus importants. Hugh est un maniaque de la sécurité, donc il ne travaille jamais en sous-effectif, et au premier rivet rouillé il est capable de changer tout un grillage. Il nourrit bien ses bêtes, ne lésine pas sur les assurances, replante à longueur d'année…

— Possible. Mais en quoi dois-je me sentir concernée ? Est-ce que Hugh s'inquiète quand j'ai des soucis à l'Irish ?

— Maureen, tu ne t'es pas endettée pour acheter cet établissement financier, qui d'ailleurs ne t'appartient pas.

— Justement ! Hugh est propriétaire de son affaire, moi pas.

Berill, qui les avait écoutés patiemment jusque-là, finit par quitter son siège et, leur tournant le dos, alla se poster devant l'une des fenêtres. En bas, dans la rue François-Ier, un embouteillage s'était formé et des automobilistes klaxonnaient.

— Maman, dit doucement Maureen derrière elle.

Faisant volte-face, Berill toisa sa fille.

— Ce que j'entends, dans ce bureau qui a été celui de ton père et le mien, me dépasse complètement. Remarque, c'est peut-être l'époque qui me dépasse !

Après un haussement d'épaules significatif, elle s'éloigna de Maureen et se mit à marcher de long en large.

— Comme tu le sais, je pourrais décider aujourd'hui d'une répartition des parts de l'Irish qui te laisserait majoritaire, et en échange solder les crédits de Hugh. Seul problème, Hugh n'aurait quasiment rien à transmettre à Eleonor, or c'est elle qui représentera l'avenir de la banque après toi.

Reprenant son souffle, elle attendit de voir l'effet produit par ses paroles, puis elle ajouta :

— De plus, je considère que Liam est très largement à l'abri du besoin grâce à son grand-père Felipe, ce qui n'est pas le cas d'Eleonor, et j'aimerais que mes deux petits-enfants aient des chances égales.

— Ce qui signifie que tu vas favoriser Eleonor au détriment de Liam ? Je rêve !

— Au détriment, non. Que je sache, ton fils est nanti, sans doute davantage qu'il ne le souhaite, d'ailleurs !

Furieuse, Maureen retourna s'asseoir dans son fauteuil directorial. Lui rappeler la récente déclaration de Liam ne pouvait que l'exaspérer. Pour elle, préparer le concours vétérinaire de Maisons-Alfort était une aberration due à l'influence de Hugh et de Caroline, ce qui augmentait son ressentiment à l'égard de son frère. Mais lors des résultats du bac, Liam avait sauté de joie au vu de ses notes dans les matières scientifiques, indispensable sésame à l'inscription qu'il briguait. « C'était ça ou, au pire, médecine ! » avait-il martelé avant d'aller faire la fête avec ses copains. Depuis, il passait la plupart de ses week-ends au parc Belair, appréciant l'aide de Caroline durant cette année d'intense préparation.

Maureen pressa le bout de ses doigts contre ses tempes pour chasser la migraine. Elle se sentait souvent incomprise au sein de sa famille, tout comme elle ne comprenait pas son propre fils.

— Rien ne change, je suis toujours en lutte contre vous deux, soupira-t-elle.

— Nous deux ? s'étonna Berill. Je viens si peu à l'Irish…

— Tu viens pour soutenir Mat dès que je suis en guerre avec lui !

— Je t'ai proposé à plusieurs reprises de m'en aller, lui rappela gentiment son oncle.

— J'ai besoin de toi quand je suis à Madrid !

— Peut-être, mais je vieillis, Maureen, et j'ai vraiment envie de m'arrêter. La Bourse m'amuse moins, depuis quelque temps.

— Bon sang, Mat, tu vas me rendre folle !

— Parce que tu veux trop de choses à la fois. Tout posséder, tout diriger…

Une éventuelle fusion avec la banque Sabas ne pouvait s'envisager avant la majorité de Liam, et Berill avait fait savoir qu'elle y serait carrément opposée. Par conséquent, Maureen se sentait écartelée entre Paris et Madrid, mais, jusque-là, elle avait tenu bon en se persuadant que Liam choisirait la voie de la finance. À présent, elle ne savait plus que faire. Peut-être Mathias avait-il raison, peut-être était-elle aveuglée par un excès d'ambition.

— Prends Eleonor avec toi et forme-la, suggéra Berill. Elle n'attend que ça.

— Elle attend surtout un bébé ! ironisa Maureen.

— Et alors ? Je ne crois pas qu'elle ait l'intention de passer sa vie à pouponner.

Sceptique, Maureen prit néanmoins le temps de réfléchir avant de répondre. D'un côté, Eleonor l'effrayait comme une rivale potentiellement dangereuse, de l'autre, elle se reconnaissait dans cette nièce qui aurait pu être sa fille. Par ailleurs, la maintenir à l'écart de l'Irish ne serait bientôt plus possible, alors pourquoi ne pas être la première à lui tendre la main, à l'initier ? Si elles parvenaient à s'entendre, elles pourraient un jour former une codirection redoutable. Un duo de femmes avisées. Des banquières face à un monde presque exclusivement composé d'hommes : l'idée ne manquait pas de piquant.

— Je vais le lui proposer, bien entendu, déclara-t-elle d'une voix ferme.

Berill et Mathias échangèrent un coup d'œil que Maureen fit semblant de ne pas voir. En ayant l'air de leur avoir cédé, elle pourrait obtenir d'eux d'autres concessions. Et le plus ravi de l'affaire serait Philippe, qui lui réclamait à cor et à cri un peu de disponibilité. Leur liaison avait repris, mais leurs emplois du temps respectifs les empêchaient souvent de profiter l'un de l'autre.

— On te laisse travailler, décida Berill qui remettait son manteau de fourrure.

— Ne m'attendez pas ce soir, je ne rentrerai pas, répondit Maureen.

— Amitiés à Philippe, alors ! Et dis-lui de venir dîner à la maison un de ces soirs…

Sa mère la regardait avec une tendresse inhabituelle. Parce qu'elle aimait bien Philippe ou parce qu'elle était heureuse d'avoir casé Eleonor à l'Irish? Maureen lui sourit, éprouvant une soudaine bouffée de gratitude.

— Je ne m'attarde pas non plus, je suis crevé, déclara Mathias.

À soixante-douze ans, ses cheveux étaient blancs mais toujours aussi fournis. Et son talent de *trader* intact, malgré son manque d'enthousiasme. Eleonor aurait-elle les mêmes dons? Saurait-elle négocier, d'instinct, avec une telle réussite?

APRÈS s'être languie devant les vitrines, Eleonor avait fini par s'acheter un sac chez Saint Laurent Rive Gauche, frustrée de ne pas pouvoir craquer pour des tailleurs pantalons ou des ensembles en velours à cause de sa grossesse qui était proche du terme.

Pendant ce temps-là, Patrick, grand amateur de peinture moderne, avait écumé les galeries d'art du quartier. Comme convenu, ils se retrouvèrent à six heures dans un café, rue des Beaux-Arts.

Avant de se marier, ils avaient pris le temps d'achever leurs études, puis la noce s'était faite à Dublin, les Blaque-Belair et les Crawford rivalisant de civilités. Adorée par ses beaux-parents, la jeune femme les avait convaincus de ne pas chercher à retenir Patrick en Irlande. « Nous reviendrons un jour, mais pour l'instant, il faut nous laisser faire nos armes ailleurs. » En réalité, elle appréciait beaucoup l'Irlande et envisageait même d'y réimplanter une succursale de l'Irish dans le futur. Mais, dans l'immédiat, elle attendait l'arrivée du bébé, et elle voulait que cette naissance ait lieu à Paris.

Bardé de diplômes, Patrick avait été facilement engagé dans un important cabinet d'avocats d'affaires, situé boulevard Haussmann, où il traitait surtout les dossiers en rapport avec l'Angleterre ou les États-Unis. Pendant ce temps, Eleonor avait déniché un appartement à louer, avenue des Ternes, à mi-chemin du travail de Patrick et de l'hôtel particulier de Neuilly.

— Où veux-tu dîner ce soir, mon chéri?

Patrick raffolait de la cuisine française, des brasseries et des écaillers parisiens, des tables gastronomiques comme des petits bistrots.

— Fais-moi une de ces surprises dont tu as le secret.

— Très bien, dit-elle après un instant de réflexion, nous irons à *la Closerie des Lilas*, tu vas adorer.

Alors qu'elle portait sa tasse de thé à ses lèvres, elle suspendit son geste. Inquiète, elle la reposa et prit une profonde inspiration.

— Patou, je crois qu'il y a un problème…

Son mari se pencha brusquement au-dessus de la table et lui prit la main.

— Qu'est-ce que tu as? Tu es toute pâle!

— Écoute…, il se pourrait que bébé arrive un peu en avance.

— Quoi?

Déjà debout, il héla un chasseur à qui il réclama un taxi de toute urgence, puis il jeta un billet près de la théière.

— Nous filons à la clinique, dit-il en aidant Eleonor à se lever.

— Mais ce n'est peut-être pas ça, protesta-t-elle sans conviction.

Bien qu'elle ait préparé son accouchement avec soin, une vague de panique était en train de la submerger. Elle pensa au visage de sa mère, sur les photos qu'elle possédait. Une belle jeune femme insouciante, comme elle-même cinq minutes plus tôt.

— Tout ira bien, murmura Patrick. Je suis là, je ne te quitte pas, tu seras avec ton médecin dans quelques minutes.

— À cette heure-ci, la circulation est démente…

— J'appellerai la police s'il le faut! Viens, ma chérie, laisse-moi m'occuper de tout. Juste pour cette fois, d'accord?

Eleonor s'accrocha à lui tandis qu'il essayait de sourire, apparemment fou d'angoisse.

EN extase, Liam détaillait une fois de plus la vieille affiche représentant Vilmos et Berill dans leur numéro.

— Tu me la légueras par testament! lança-t-il à Hugh.

— Ne parle pas de malheur, bougonna Caroline.

— Tu l'auras, promit Hugh, mais pour l'instant je la garde, c'est mon fétiche.

— Grand-mère est superbe, là-dessus. Crois-tu que ce genre de dessin soit fidèle?

— La tête du tigre est disproportionnée, mais maman était sublime à vingt ans, paraît-il.

— Elle a toujours beaucoup d'allure, souligna Caroline. La dernière fois qu'elle est venue, elle portait un petit chapeau de feutre avec une plume, et à part elle, je ne vois pas quelle femme de son âge pourrait se mettre ça sur la tête sans être ridicule !

L'affection de Caroline pour Berill ne faisait que croître avec les années, et, depuis le jour où elle l'avait vue faire rentrer Tobias dans sa cage, elle l'admirait sans réserve. De toute sa belle-famille, c'était Berill qu'elle préférait, la jugeant plus accessible et plus drôle que les autres, sans doute parce qu'elle avait davantage vécu et voyagé, qu'elle était née dans la misère et avait forgé seule son destin.

Abandonnant sa contemplation de l'affiche, Liam alla ouvrir le réfrigérateur et prit trois bières qu'il distribua.

— Assez travaillé pour aujourd'hui, décida Caroline. Tu dois avoir la tête farcie !

— J'ai la chance d'avoir un prof particulier, je n'ai pas le droit de me plaindre, répondit-il avant de boire une longue gorgée.

— Si tu échoues au concours, je serai très vexée.

— Pas question d'échec, je *veux* être véto. D'ailleurs, j'ai un très bon contact avec les bêtes, à la maison, c'est moi que Mokba préfère, après grand-mère, bien entendu.

— Ce n'est pas une raison pour t'approcher d'aucun animal ici, rappela Hugh.

— Je ne le fais qu'en présence de Caroline, promis !

Il termina sa bière puis annonça qu'il allait faire un tour avant le dîner. Ses week-ends au relais de chasse le comblaient. À Neuilly comme à Madrid, il s'ennuyait vite, avide d'autres aventures que celles de la finance. Les conversations de sa mère avec Mathias, au sujet de la Bourse, l'assommaient, et dans l'ensemble les préoccupations de la famille Blaque-Belair ne l'intéressaient pas. En revanche, il se sentait proche de Hugh et de Caroline, très à l'aise en leur compagnie, et fasciné par le parc qu'il arpentait durant des heures en observant les fauves, les girafes ou les éléphants. Il rêvait de voyages, d'Afrique, de brousse.

Ses rapports avec son père restaient distants, jamais il n'avait apprécié l'arrogance et le cynisme de cet homme qui le traitait en copain et prétendait maintenant lui faire rencontrer des filles dans les boîtes de nuit madrilènes. Il ne comprenait pas pourquoi sa mère gardait une sorte d'indulgence à son égard.

À Madrid, il s'obligeait à rendre visite à sa grand-mère Josefa, se forçant à franchir les portes des arènes de *Las Ventas* le dimanche, pour assister à des corridas. Il détestait l'habitude de la sieste. Il jugeait la ville triste, ployant sous le poids du régime de Franco, et les rives du Manzanares ne le faisaient pas rêver. Quant à la ravissante petite maison de la plaza de la Villa, achetée et décorée par sa mère, elle était bien trop proche de la calle Mayor où se trouvait la banque Sabas.

APRÈS avoir pesté pendant près d'une demi-heure, Berill finit par dénicher une place où se garer faubourg Saint-Antoine.

— Tu restes dans la voiture? demanda-t-elle à Mathias.

— Non, je vais m'acheter un journal et je t'attendrai dans ce bistrot!

Désignant un café-tabac à deux pas de là, il descendit, claqua la portière puis s'éloigna sans se retourner. Sans doute aurait-il voulu l'accompagner, mais elle tenait à être seule. La démarche lui coûtait déjà beaucoup, pas question d'avoir un témoin.

Le vent glacial de février lui fit relever le col de sa pelisse, tandis qu'elle se dirigeait vers l'hôpital des Quinze-Vingts. Mathias cesserait de bouder tout à l'heure, lorsqu'ils effectueraient, ensemble cette fois, une visite infiniment plus agréable à la clinique Sainte-Thérèse où Eleonor avait accouché d'un garçon prénommé Jason. Un beau bébé blond de quatre kilos que tout le monde avait hâte de voir.

— D'abord la corvée…, marmonna Berill en pénétrant dans le hall de l'hôpital.

Mathias lui ayant indiqué le chemin, elle ne s'arrêta pas à l'accueil et se rendit directement dans le service concerné. Lorsqu'elle commença à lire les numéros, sur les portes des chambres, elle ralentit le pas, cherchant une bonne raison de faire demi-tour. Pourquoi s'infligeait-elle cette rencontre? Pour apaiser Mathias qui n'avait cessé de la harceler, ou bien parce que sa propre conscience l'exigeait?

Parvenue devant la chambre 21, elle s'arrêta, hésitante. Son cœur battait plus vite, soudain, d'émotion ou de colère, elle n'en savait rien.

« Si c'est pour l'injurier, n'y va pas. »

Était-elle capable d'autre chose, malgré les vingt-huit années écoulées depuis ce jour de 1946 où elle lui avait parlé pour la dernière fois, à Lausanne, dans une brasserie de la place de la Palud ? « Je ne suis pas ta sœur, je ne te connais pas. Les Károly sont morts pour toi, tu les as tués. » C'est ce qu'elle lui avait dit mot pour mot, et elle avait menacé de le détruire s'il s'approchait. Un an plus tard, lorsqu'elle l'avait aperçu dans le cimetière de Budapest où elle enterrait Vilmos, elle avait envoyé Mathias le corriger, le chasser. « Avec le temps, Mat a réussi à pardonner, mais moi, je ne peux pas, je ne suis pas prête, je ne le serai jamais... »

— Une visite pour M. Károly ? s'écria la voix joyeuse d'une infirmière. Il va être content ! Allez-y, madame...

Le jeune femme en blouse blanche venait d'ouvrir la porte devant Berill qui entra machinalement dans la chambre, s'obligeant à relever la tête pour regarder vers le lit. L'homme maigre qui y était couché lui fut, dans l'instant, horriblement familier. Les rides profondes, les cernes bistre et les joues creuses n'effaçaient pas la ressemblance avec Mathias, avec Vilmos, avec elle-même. Elle l'aurait reconnu n'importe où, bien qu'Arno ait vieilli plus vite et plus mal que les autres, parce qu'il était malade, sans le sou, et qu'il traînait sa culpabilité depuis trop longtemps.

Il la regardait avancer, les yeux écarquillés, les mains agrippées au rebord du drap. Sans cesser de le fixer, elle s'arrêta à un pas, attendit. Aucun des discours qu'elle avait préparés ne convenait, au bout du compte. Le silence se prolongea, à peine troublé par les bruits du couloir et la respiration sifflante d'Arno.

— Berill, lâcha-t-il enfin.

Il l'avait dit très bas, entre ses dents, presque comme un mot inconnu. Il laissa encore passer un moment puis demanda :

— Qui t'a convaincue ?

— La peur de la mort, répondit-elle en croyant trouver la réponse qu'elle cherchait cinq minutes plus tôt.

— Non. Pas toi.

Elle renonça à l'argument puisqu'il avait raison, mais elle ne savait toujours pas pourquoi elle était là.

— Si tu avais eu peur de mourir, le fameux numéro, tu l'aurais fait sur un trapèze, en haut de la cage, hors de portée, pas dans la gueule des lions. Maman devenait folle avec tous ces risques que vous preniez, papa et toi…

Le léger recul qu'elle venait d'avoir, malgré elle, parut accabler Arno.

— Tu ne veux pas que je parle d'eux, c'est ça ? Mais j'y pense tout le temps ! Je veux dire, à nous tous, quand on était jeunes.

— C'est loin, articula-t-elle à contrecœur.

— Je n'ai pas d'autres bons souvenirs.

Se mordant les lèvres, elle retint de justesse les phrases d'accusation qu'elle était sur le point de lâcher.

— Il m'arrive d'aller traîner près du cirque d'Hiver, à l'heure des représentations, rien que pour entendre la musique, tu te rends compte ? J'habite à deux pas. Ou plutôt, j'habitais, parce que je suis trop vieux, maintenant, ils ne veulent plus de moi comme concierge.

— Tu as un an de moins que moi, rappela-t-elle durement.

— Et alors ? Tu n'es pas concierge ! Tu n'as pas été grouillot dans les administrations communistes, tu n'as pas claqué des dents toute ta vie pour un salaire de misère, tu n'as…

— … pas été nazie.

Arno resta la bouche ouverte, son menton se mit à trembler, et il parut se recroqueviller sous son drap.

— Oui, je sais, dit-il d'une voix hachée, c'est de ça que tu veux parler, hein ?

— De quoi d'autre ?

— Tu es venue pour m'accabler ? Pas la peine ! J'ai expié chaque jour, chaque nuit, je n'ai pas besoin de toi ! D'ailleurs, tu m'as déjà servi tout ce que tu penses de moi, crois-tu que j'aie oublié ? C'est gravé là, en lettres de feu !

Il se mit à frapper violemment sa tempe, de l'index, d'un mouvement saccadé. Son accent magyar était très prononcé, il s'exprimait en français avec une maladresse qui rendait ses propos plus abrupts.

— Arno le traître, Arno le clown, Arno le minable, Arno le monstre ! se mit-il à psalmodier.

— Arrête…

Il se tut aussitôt et s'arrêta de bouger.

— Qu'est-ce que tu veux de moi, Berill ?

— Être sûre que tu regrettes.

Ahuri, il la dévisagea avant de se redresser sur ses oreillers.

— À ton avis?

— Je n'ai pas d'avis. J'ignore tout de toi. Et pas uniquement parce que je t'ai rayé de ma vie. Même avant, à l'époque où je croyais savoir qui tu étais et où tu t'es engagé dans l'armée allemande, j'aurais encore pu mettre mes deux mains à couper que tu ne vendrais pas ton père. Alors, qu'est-ce qu'on connaît des autres?

Une brusque fatigue lui coupa les jambes et elle s'appuya d'une main à la table de chevet.

— Assieds-toi, dit-il, ça ne t'engage à rien puisque tu es là…

Reculant jusqu'à un fauteuil de plastique, elle s'y effondra. Comme elle avait refusé d'écouter les explications de Mathias, elle ignorait pour quel problème de santé Arno était hospitalisé. Elle aurait dû s'en moquer mais elle venait de se poser la question. Pour quoi le soignait-on? Était-il seulement malade, ou bien condamné?

— Vilmos était courageux, n'est-ce pas? fit-elle. On l'admirait tous les trois, tu t'en souviens? Nous étions les Károly, une famille du cirque, on avait la piste dans le sang. Mais tu as lâché les chiens sur papa pour sauver ta peau.

— Il n'aurait jamais dû être là! Ce n'est pas lui que j'ai vendu, c'est une adresse, une maison vide à Vienne, rien! Pour moi, ils étaient réfugiés chez toi, à Paris, maman me l'avait écrit…

— Tu n'as pas d'excuse, Arno.

— Je n'en cherche pas, mais je suis moins ignoble que tu ne le penses.

Elle faillit acquiescer et fut stupéfaite d'avoir été sur le point de le faire.

— Bien, dit-elle seulement. Nous nous sommes revus maintenant, et parlé. Je ne peux pas t'absoudre, c'est très au-dessus de mes moyens, il faudrait que je me renie entièrement pour y parvenir. Tu comprends?

Il secoua la tête, les larmes aux yeux, sans doute désespéré de cette rencontre qui n'avait rien résolu.

— Arno, enchaîna-t-elle en se penchant en avant, j'imagine que Mat t'a raconté les conséquences de ton acte? Mon mari a voulu aller chercher papa et il a été jeté en prison. Les geôles allemandes l'ont tellement marqué qu'ensuite il s'est engagé dans la Résistance où il a risqué vingt fois sa vie. Vilmos, lui, s'est ruiné la santé durant tous ces mois qu'il a mis à traverser la moitié de l'Europe à pied, après son évasion du camp. Il n'avait plus l'âge d'être en cavale, même s'il a réussi à revenir. Lui et Tomas ont beaucoup souffert parce que tu avais vendu « une adresse » pour être bien vu par tes supérieurs. Une adresse qu'on n'aurait pas dû pouvoir t'arracher, même sous la torture. Alors, non, je ne peux pas oublier.

Sa voix ne contenait plus aucune haine, mais le constat était là, implacable, irrémédiable.

— Mathias continuera à s'occuper de toi. On ne va pas te laisser mourir de misère, si c'est ce qui t'inquiète.

Elle se leva, fit un pas vers le lit, esquissa un geste auquel elle renonça. Elle ne voulait pas le toucher, même si elle éprouvait quelque chose qui ressemblait à de la pitié. Baissant la tête, elle se détourna et gagna la porte où elle s'arrêta.

— Je t'ai dit un jour que tu n'étais plus mon frère, mais je me trompais. Les liens du sang sont trop forts, on n'arrive pas à les rompre tout à fait.

— Berill !

Sans jeter un regard en arrière, elle murmura :

— Je ne te verrai plus, Arno. Je suis désolée.

Dans le couloir, tandis qu'elle s'éloignait, elle entendit qu'il continuait à crier son prénom.

QUELQUES semaines plus tard, avec l'arrivée du printemps, le temps changea radicalement. Sous le soleil de mars, les roses commencèrent à s'épanouir dans le jardin de l'hôtel particulier de Neuilly où Eleonor venait faire prendre l'air au petit Jason.

Ce jour-là, Teresa décida de préparer des *prawn cocktails*. Après avoir fait cuire les langoustines, elle les décortiqua, les disposa dans de grands verres en cristal garnis de laitue, puis les couvrit de sauce à la crème et de poivre frais moulu.

— Je reste déjeuner ! claironna Eleonor.

— Ta grand-mère sera ravie, et Mat aussi. Tu as de quoi faire un biberon pour le bébé ?

Mais la question était superflue, Eleonor se révélant une jeune maman très organisée qui ne se laissait jamais surprendre. Teresa s'approcha du landau et observa le petit garçon qui dormait.

— Il est vraiment craquant...

— Et aussi très sage, il fait toutes ses nuits, nous avons la paix.

— Je suis contente que tu t'en occupes toi-même.

— Tu craignais que je te l'abandonne? s'esclaffa Eleonor. Tu en as assez élevé comme ça, tu as gagné ta retraite!

Elle entoura affectueusement les épaules de sa grand-tante et lui déposa un baiser dans le cou.

— Tu sens bon, j'ai toujours adoré ton eau de toilette, ça me rappelle les câlins de mon enfance. J'espère que mon fils aura des souvenirs de ce genre, mais, au risque de te décevoir, je viens d'engager une jeune fille pour le garder durant la journée.

— Tu vas travailler, déjà?

— Je meurs d'impatience à l'idée d'entrer enfin à l'Irish.

— J'ai déjà entendu ça quelque part... Maureen était comme toi, je ne sais pas ce que vous avez toutes à vouloir vous précipiter dans cette banque.

— Ce sont les femmes de la famille, lança Berill qui venait d'entrer, elles ont ça dans le sang!

Teresa ne releva pas le propos, un peu blessant pour elle. Elle aurait pu revendiquer son statut de femme au foyer, qui avait bien arrangé plusieurs générations, mais elle préféra s'abstenir, car elle avait décidé depuis très longtemps de ne pas s'offusquer.

— Mokba est en train de manger les têtes de langoustines dans la poubelle, fit remarquer Eleonor.

À l'évidence, le chien se régalait et Berill attendit qu'il ait fini avant de remettre le couvercle en place.

— Il est vieux, je ne veux pas le contrarier, dit-elle très sérieusement.

Sa main effleura la tête du beauceron puis s'égara dans la fourrure de son poitrail. Ce geste, que Teresa l'avait vue faire avec tous ses chiens, exprimait à la fois de la tendresse et de la mélancolie.

— Tu as changé de voiture, grand-mère? demanda Eleonor d'un ton malicieux.

— Oh, tu l'as remarqué?

— Difficile de ne pas la voir...

Le superbe coupé rouge, garé boulevard du Château, ne passait effectivement pas inaperçu.

— C'est la nouveauté d'Alfa Romeo, je n'ai pas résisté. Dans le temps, j'avais beaucoup aimé ma Giulia, mais cette Alfetta me semble moins survireuse, je sens que je vais me faire très plaisir !

Un silence complet accueillit sa déclaration.

— Tu n'es pas raisonnable, lâcha enfin Teresa.

— Pourquoi ? Parce que je suis trop vieille, comme mon chien ? Je devrais m'acheter une berline triste, engager un chauffeur ?

Foudroyant sa belle-sœur du regard, Berill semblait la mettre au défi de répliquer. Son âge n'était pas un problème pour elle, mais qu'on prétende toucher à son indépendance la mettait hors d'elle.

— Je sais que je suis une arrière-grand-mère, dit-elle avec un geste explicite vers le landau, mais je ne suis pas gâteuse pour autant, ma vue est encore bonne, mes réflexes aussi, et je ne cause de tort à personne sur la route !

L'arrivée de Mathias procura une heureuse diversion.

— Berill, on t'entend depuis le jardin, dit-il avec un sourire désarmant. Je meurs de faim, j'espère qu'on déjeune bientôt ?

Il embrassa sa femme, sa sœur, puis se tourna vers Eleonor qu'il observa d'un air amusé.

— Alors, Mrs Crawford, prête pour nous rejoindre à l'Irish ?

— Je serai sur place lundi matin à la première heure.

— Magnifique ! Je te servirai de mentor durant quelques semaines, et ensuite, la quille ! En tout cas, ton bureau est bien aménagé…

Son sourire s'élargit tandis qu'Eleonor lui adressait un clin d'œil.

— J'aime beaucoup la façon dont tu l'as décoré, enchaîna-t-il. À tel point que je n'ai pas résisté au plaisir de suggérer à Maureen d'aller voir.

— Sa réaction ?

— Comme tu l'imagines, exactement.

Ils éclatèrent de rire et Mathias tapota affectueusement l'épaule de sa petite-nièce.

— Intéressante idée que tu as eue, on appelle ça une arrivée en fanfare, mais, au moins, tu auras marqué ton territoire.

— On peut savoir de quoi vous parlez ? intervint Berill.

— La petite n'aime sans doute pas les gravures anglaises, ni la peinture moderne, en conséquence elle a préféré accrocher trois grandes photos superbement encadrées.

— Des photos de qui?

Mathias se tut et Eleonor expliqua, de bonne grâce :

— Des portraits de famille, on peut dire.

— À savoir?

— Eh bien, toi, grand-mère, Maureen et moi... À propos, Teresa, je te rendrai les négatifs, merci de me les avoir confiés. Je tenais à avoir des poses strictes, pas du tout glamour, pour souligner le sérieux de la maison.

— J'ai hâte de voir ça, répondit Berill sans sourire.

Mais ses yeux démentaient son sérieux. Eleonor avait le don de la surprendre, ce qu'elle appréciait par-dessus tout, jugeant la plupart des gens trop conventionnels.

— C'est prêt, à table! lança Teresa.

Elle précéda les autres vers la salle à manger, portant le plateau des *prawn cocktails*. La recherche des photos réclamées par Eleonor l'avait obligée à se replonger dans le passé de la famille, mesurant ainsi le chemin accompli par les Blaque-Belair et les Károly côte à côte. Pour Berill, elle avait choisi un cliché pris à Dublin en 1942. À l'époque, Berill avait dû assumer le fardeau de la banque sans presque rien y connaître, et elle arborait un air déterminé. Dans la plénitude de la quarantaine, elle était superbe, et malgré le noir et blanc qui ne permettait pas de voir la couleur étrange de ses yeux, son regard était magnétique. Pour Maureen, Teresa avait découvert une photo prise par Julian à Madrid, où la jeune femme offrait une certaine ressemblance avec sa mère. Même air sérieux, même autorité naturelle, et un brin d'arrogance dans le port de tête. Restait à mettre Eleonor au diapason de sa grand-mère et de sa tante, et c'était Patrick qui, sans le vouloir, avait fait la photo idéale, quelques jours après la naissance de Jason, en saisissant une expression grave et volontaire sur le visage de sa jeune femme.

— Tu laisses Jason à la cuisine? s'étonna Mathias.

Machinalement, il venait de s'adresser à Teresa qui se mit à rire.

— Je ne suis pas chargée de ce bébé-là, Mat! Mais ne t'inquiète pas, il dort, et on l'entendra très bien s'il se réveille.

Ils échangèrent un coup d'œil complice, certains de se comprendre. Être l'épouse de Mathias avait toujours comblé Teresa, et elle ne demandait rien d'autre que finir sa vie près de lui, se réjouissant déjà de ne plus le voir partir chaque matin pour la banque.

— Je vais rendre une petite visite à Hugh, annonça Berill. Le parc est toujours si magnifique à cette saison !

— Dis que tu as envie de rouler, marmonna Teresa.

— C'est surtout Mokba qui a envie de courir, le printemps lui donne des ailes.

Teresa se tut, sachant qu'elle ne dissuaderait pas Berill de prendre la route. Elle-même l'avait souvent fait, quinze ans plus tôt, quand Eleonor réclamait d'aller voir son père, et même sans apprécier la conduite automobile, elle conservait un excellent souvenir de ces jeudis en Touraine.

— Si vous avez terminé les langoustines, je vais chercher le colin, annonça-t-elle.

Mathias voulut se lever pour l'aider, ainsi qu'il le faisait toujours, mais elle l'en empêcha.

— Reste assis, je suis sûre qu'Eleonor a mille questions à te poser…

Qu'ils parlent donc tranquillement de l'Irish, leur sujet de prédilection, tandis qu'elle mettrait la dernière main à sa sauce aux câpres, heureuse à l'idée de les voir se régaler.

DEUX heures plus tard, Berill filait sur la nationale 10 en direction de Vendôme. Elle s'était arrêtée une première fois pour faire courir son chien dans un petit bois, une seconde pour faire le plein d'essence, et elle en avait profité pour téléphoner à Hugh et lui annoncer son arrivée.

Le temps restait superbe, avec ce soleil printanier qui inondait d'une lumière crue tous les paysages. Berill se sentait bien au volant, attentive aux réactions nerveuses de sa voiture qu'elle ne poussait pourtant pas, respectant le rodage.

— Écoute-moi ce bruit de moteur, Mokba ! Il n'y a que les Alfa Romeo qui ronronnent comme ça, et puis qui miaulent… Ah, tu entends ? Bon, il faut rester sage, je ralentis.

« Sage » était un mot qu'elle devrait peut-être songer à utiliser plus souvent, désormais. Tout à l'heure, à la station-service, le pompiste avait fait une drôle de tête en la voyant descendre de l'Alfetta. Sans doute ne s'attendait-il pas à ce qu'une dame âgée conduise ce genre de coupé, rouge de surcroît!

« Et alors? C'est beau, le rouge! C'est le cirque… »

L'arrivée du printemps allait apporter son lot de naissances au parc, et Berill se réjouissait par avance des anecdotes que Caroline ne manquerait pas de lui raconter, ce soir, devant un bon feu de bois, si la température fraîchissait. Peut-être même, à condition de se dépêcher, auraient-elles le temps de faire un petit tour des enclos?

Perdue dans ses pensées et pressée d'arriver, Berill avait accéléré sans s'en rendre compte. En sortant d'un virage, elle fut légèrement éblouie par les rayons du soleil qui jouaient à travers le feuillage des platanes. Sur le bas-côté, un lapin surgit soudain des hautes herbes et, après une hésitation, se lança sur la route. Berill donna un petit coup de volant pour l'éviter, malheureusement elle allait beaucoup trop vite et la voiture se mit à déraper.

L'espace d'une seconde, Berill crut qu'elle pourrait reprendre le contrôle, mais l'arrière chassait, les roues avaient perdu leur adhérence. L'instant d'après, l'Alfa franchit un fossé et alla s'écraser contre un arbre avec une brutalité inouïe. Au bruit du choc succéda un silence complet, puis quelques oiseaux recommencèrent à pépier.

Consciente, Berill savait qu'elle venait d'avoir un grave accident, qu'elle était blessée, cependant elle n'arrivait pas à reprendre tout à fait ses esprits. Le moteur ne tournait plus, la portière du côté passager béait, grande ouverte, peut-être arrachée. Dans l'effort qu'elle fit pour essayer de bouger, Berill eut une nausée et vomit un flot de sang. Avec horreur, elle constata qu'elle ne pouvait pas s'essuyer la bouche, car ses mains restaient inertes. Elle ne ressentait pas encore de douleur, juste une panique quasi asphyxiante. Lorsqu'elle parvint à remuer la tête, un éblouissement brouilla sa vue, néanmoins elle distingua la silhouette de son chien, de l'autre côté du fossé, errant sur le bitume de la route.

— Mokba…

Sa voix rauque et sifflante lui parut inaudible, pourtant le beauceron s'approcha, tourna lentement autour de la carcasse de la voiture, tête basse, puis finit par s'immobiliser. Au moins, il n'avait pas l'air blessé, et tant qu'il resterait dans le champ, il ne se ferait pas écraser.

— Mokba, articula-t-elle avec peine. Couché, pas bouger, bon chien…

Parler lui était trop difficile, elle se tut, ferma les yeux. Elle n'éprouvait toujours aucune souffrance mais elle avait l'impression d'étouffer et ne parvenait pas à faire le moindre geste, pas même à s'écarter de ce volant qui comprimait sa cage thoracique en l'empêchant de respirer. Était-elle en train de mourir à cause d'un lapin, elle qui avait affronté des fauves redoutables ? Non, ce serait trop stupide, les secours allaient arriver, la nationale était passante.

Rouvrant les yeux, elle vit tout le sang qui maculait le tableau de bord, le siège, les manches de son manteau de lainage. Une nouvelle bouffée de terreur lui serra la gorge et provoqua un haut-le-cœur, tandis qu'un voile rouge assombrissait tout autour d'elle.

Un peu plus tard, quand le chien se glissa à moitié dans la voiture et se mit à lécher sa main, elle le sentit à peine. Elle aurait voulu le rassurer, mais elle n'en eut pas la force.

« Tomas, je viens » : telle fut sa dernière pensée cohérente avant de s'enfoncer dans l'obscurité.

7

PRÉVENUS par Mathias, dont les coordonnées avaient été trouvées dans le sac de Berill, Hugh, Caroline et Liam furent les premiers à l'hôpital de Tours. Le médecin qui les reçut dans le service réanimation des urgences leur apprit avec ménagement les circonstances du décès de Berill, que les pompiers et le SAMU n'avaient pas pu ranimer.

— La cage thoracique était enfoncée, la colonne vertébrale fracturée, il n'y avait absolument rien à faire. Elle a dû mourir sur le coup, je ne pense pas qu'elle ait souffert, ni même qu'elle se soit rendu compte de quoi que ce soit.

Anéanti, Hugh semblait muré dans un chagrin sans fond, il ne parvint pas à prononcer un seul mot et laissa Caroline parler à sa place. Elle commença par suggérer à Liam de se rendre à la caserne des pompiers afin d'y récupérer Mokba.

— Si on lui a mis une muselière, ne la lui enlève pas avant d'arriver à la maison. Il va sans doute refuser de monter en voiture, fais-toi aider.

Une fois le jeune homme parti, elle se tourna vers Hugh pour savoir s'il désirait voir sa mère. La question parut d'abord le prendre au dépourvu, puis provoqua une réaction de rejet qu'il dissimula tant bien que mal. Le drame qu'il vivait lui évoquait trop précisément un autre hôpital, à Dublin, une autre morgue où il avait dû dire adieu à sa toute jeune femme alors qu'il n'avait que vingt-deux ans. Il lui fallut un moment avant de se résoudre à affronter la réalité, et il décida d'attendre Mathias pour le faire. Du plus loin qu'il s'en souvienne, son oncle avait toujours été à ses côtés, plus présent que son père, plus compréhensif que sa mère.

Caroline fit exactement ce qu'il fallait. Elle emmena Hugh dans un bar où elle lui commanda un cognac, tandis qu'elle passait quelques coups de téléphone. D'abord à Teresa qui, restée seule à Neuilly, lui confirma que Mathias était en route avec Maureen. Puis à Jean-François pour lui donner des consignes, entre autres celle d'administrer un calmant à Mokba s'il se montrait agressif. Enfin elle appela son père à qui elle expliqua le drame et qui parut très choqué par la mort violente de Berill.

— Une femme admirable, c'est consternant…, marmonna-t-il. Transmets toute mon affection à ton mari et prends bien soin de lui.

Une heure plus tard, de retour à l'hôpital, ils retrouvèrent Mathias et Maureen, aussi effondrés l'un que l'autre. Personne ne s'expliquait comment Berill, bonne conductrice, avait pu perdre le contrôle de sa voiture sur cette route qu'elle connaissait par cœur. Seul Mathias évoqua la possibilité d'un obstacle imprévu, peut-être un chevreuil ou un sanglier, mais les gendarmes n'avaient relevé aucune trace de ce genre sur la carcasse de la voiture.

Mathias, Hugh et Maureen descendirent seuls à la morgue, Caroline s'étant effacée par discrétion. Le visage de Berill n'avait pas souffert dans l'accident et semblait apaisé, serein. Longtemps, Mathias scruta les traits désormais figés de sa sœur, la cicatrice toujours visible, les marques de l'âge que la mort rendait floues, presque plus douces. Il essaya d'imaginer ce qu'avait pu être sa dernière pensée ou l'ultime image qu'elle avait vue de ce monde. Une route au soleil, l'oreille de son chien dans le rétroviseur… À quoi songeait-elle, qu'avait-elle emporté d'ici-bas? Est-ce que l'âme de Tomas Blaque-Belair l'avait aidée à franchir le pas? Croyant, Mathias récita mentalement une prière, celle que Vilmos et Margit faisaient répéter à leurs trois enfants avant de refermer la porte de la roulotte, chaque soir. Ce temps-là était bien loin, pourtant il n'eut pas à chercher ses mots, la litanie était toujours tapie au fond de sa mémoire.

— Venez, dit-il enfin d'une voix étranglée.

Hugh et Maureen, qui l'encadraient, muets de chagrin, s'éloignèrent de la table métallique, du drap blanc. Alors Mathias se pencha au-dessus de Berill, écarta délicatement une mèche de cheveux puis déposa un baiser sur son front. En sortant, il eut l'impression de laisser une part importante de son être derrière lui.

Assis à même le sol, non loin de la cheminée, Liam recommençait inlassablement la même caresse sur l'épaule de Mokba. Si le sédatif administré par Jean-François avait fini par calmer l'anxiété du chien, en revanche il avait été impossible de le faire boire ou manger.

Maureen restait pelotonnée à un bout du canapé, son maquillage délayé par les larmes et l'air hébété. La disparition de sa mère venait de créer un vide qu'elle n'aurait jamais pu soupçonner. Était-elle donc si vulnérable? Avait-elle encore tellement besoin de sa famille? Jusqu'ici, elle ne s'était guère interrogée à ce sujet, plutôt contente d'être enfin seule aux commandes de la banque. Néanmoins, elle habitait toujours à Neuilly et s'y sentait bien, à sa place au milieu de la tribu Blaque-Belair. Aller demander conseil à sa mère pour le choix d'un tailleur, d'une fourrure, ou même pour la place des convives lors d'un dîner, discuter de politique et évoquer l'avenir de l'Europe avec elle en se fiant à sa légendaire indépendance d'esprit : tout cela composait un mode de vie agréable, rassurant, jamais remis en question. Comme de laisser Teresa s'occuper de l'intendance et des menus. À présent, de quelle manière allait s'organiser le quotidien dans l'hôtel particulier? Berill disparue, pourquoi rester sous le même toit? Elle avait été l'âme de cette maison.

Elle chercha son frère du regard et le vit, à l'autre bout de la pièce, planté devant la vieille affiche de cirque qu'il chérissait. Mathias était à côté de lui, silencieux, solide. Derrière le comptoir, Caroline préparait du thé pour tout le monde. Maureen ferma les yeux et se laissa aller contre les coussins du canapé. Elle aurait aimé que Philippe soit là pour lui tenir la main, mais elle n'avait pas pris le temps de le prévenir. De toute façon, il faudrait bien rentrer à Paris dans la soirée, Hugh ne pouvait pas héberger sa sœur et son oncle en plus de Liam, et leur présence n'était d'aucune utilité.

— Mat, soupira-t-elle, à quelle heure veux-tu partir?

Il traversa la longue salle d'un pas lourd, vint s'asseoir près d'elle sur l'accoudoir.

— Après le dîner.

— Si tard?

— Hugh émerge à peine, il était très choqué.

— Nous le sommes tous, non?

Avec un petit sourire triste, il se contenta de hocher la tête.

— Je vais prévenir Teresa de ne pas nous attendre, décida-t-il.

Il regagna le comptoir où se trouvait le téléphone, tandis que Caroline déposait un plateau sur la table basse, devant Maureen. Le thé était une assez bonne idée, finalement, et elles burent leurs tasses à petites gorgées. Puis Caroline se tourna vers Liam, qui n'avait pas bougé, sa main allant et venant sur le pelage du chien.

— Comment va-t-il?

— À mon avis, pas bien.

— Il a été blessé dans l'accident? s'enquit Maureen.

— Non, je l'ai examiné, il n'a rien. Mais il est vieux, et je pense qu'il ne supportera pas l'absence de Berill, il va se laisser mourir. Les beaucerons n'ont qu'un maître.

Maureen regarda Mokba comme si elle le voyait pour la première fois. Il y avait toujours eu des chiens, de très gros chiens, à la maison. Sa mère était sempiternellement flanquée d'une de ces bêtes qui la suivaient comme son ombre et qui faisaient partie de la famille. Maureen ne s'était jamais demandé si elle aimait les animaux ou pas, cependant elle se sentit soudain bouleversée. Pour ne pas laisser libre cours à son émotion, elle se leva et demanda à Caroline si elle pouvait téléphoner.

— Va dans notre chambre, suggéra la jeune femme, tu seras plus tranquille.

Au premier étage, où elle n'était jamais montée, Maureen s'arrêta d'abord dans la salle de bains. Elle fit disparaître les traces du mascara qui avait coulé sur ses joues mais ne jugea pas utile de se recoiffer ni de se remettre du rouge à lèvres. Puis elle alla jusqu'à la chambre, dont le désordre lui arracha un sourire. Hugh n'avait jamais su ranger et Caroline n'avait rien d'une maîtresse de maison, néanmoins leur pagaille était sympathique. En suivant le fil, elle récupéra le téléphone enfoui sous les couvertures puis s'installa au pied du lit pour appeler Philippe. Lorsqu'il répondit, à la deuxième sonnerie, elle dut se racler la gorge avant de pouvoir parler.

— C'est moi, Phil… Je ne pourrai pas dîner avec toi comme prévu, il est arrivé un… un accident à maman.

Sur ce dernier mot, sa voix se cassa, tandis que les larmes lui montaient brusquement aux yeux.

— Grave ? s'inquiéta Philippe.

— Elle a été tuée sur le coup. Une sortie de route qu'on ne s'explique pas… Je suis chez mon frère, en Touraine.

— Veux-tu que je vienne te chercher ?

— Non, je rentrerai avec Mathias tout à l'heure, mais j'aimerais dormir chez toi.

— Bien sûr. Je t'attendrai à n'importe quelle heure. Je suis vraiment désolé pour toi, ma chérie.

— Moi ? Non… C'est pour maman que… Oh, Phil, elle va tellement me manquer !

Les digues étaient en train de se rompre et Maureen se mit à pleurer à gros sanglots convulsifs, entendant à peine les phrases tendres que Philippe continuait à murmurer. Elle aurait désespérément voulu être encore une enfant, redevenir cette petite fille studieuse qui aidait Hugh à faire ses devoirs, qui épatait leur père, qui faisait rire leur mère, qui avait alors toute sa vie et tous ses rêves devant elle.

Six jours plus tard, à Dublin, Berill fut inhumée dans le caveau où reposait Tomas. Eleonor et Patrick, dépêchés avant les autres, s'étaient chargés de rouvrir la maison de Parnell Square et d'accomplir les formalités indispensables.

Ayant été délibérément écartés au moment du décès de Tomas, Hugh et Maureen, comme par revanche, choisirent le moindre détail de l'enterrement de leur mère. La messe eut lieu à St. Michan's Church, et Eleonor vint lire devant l'autel un texte qu'elle avait écrit elle-même. Dans cet hommage à sa grand-mère, elle parla d'abord d'une femme « intrépide, insolite, droite, honnête et secrète ».

— Ce que je sais d'elle, ajouta-t-elle, je ne l'ai pas appris de sa bouche, car elle avait bien trop de pudeur pour se mettre en avant. Ses souvenirs, flamboyants ou déchirants, ne la freinaient en rien puisqu'elle ne les charriait pas avec elle, toujours tournée vers l'avenir, celui des siens, celui de sa famille. Chacun d'entre nous conservera d'elle, parmi les images différentes qu'elle offrait, celle de l'épouse, de la mère, de l'artiste de cirque, de la femme d'affaires, du chef de clan. Pour ma part, ce sera celle d'une grand-mère pas comme les autres, trop unique pour être jamais remplacée. Ayant moi-même épousé un Irlandais, je n'ignore pas que les Blaque-Belair formaient déjà une honorable dynastie avant qu'une petite Tzigane d'origine hongroise et portant le nom de Berill Károly vienne mêler son sang au leur et changer leur destin. Je suis fière d'être née de ces aïeux magnifiques, mais aussi terriblement triste de leur disparition. Puissions-nous leur ressembler un peu en perpétuant leur amour de la vie et leur foi en un monde meilleur. Au revoir, grand-mère, je suis sûre que là-haut, où n'existent pourtant ni dompteurs ni banquiers, tous les tiens étaient là pour t'accueillir dans la lumière de l'amour.

Abasourdis, les membres de la famille la suivirent des yeux tandis qu'elle regagnait son banc. Lorsqu'elle passa devant Liam, il lui prit la main et la serra en signe de reconnaissance.

— Tu me broies les doigts! chuchota-t-elle en souriant bravement, mais son menton tremblait.

Assis un rang derrière elle, Hugh considéra quelques instants la nuque délicate de sa fille. Il avait envie de lui poser la main sur l'épaule et de lui dire merci pour les mots qu'elle venait de prononcer, cependant il s'en abstint. Elle l'étonnait toujours, il se sentait à la fois proche d'elle et tout à fait étranger. Il ne l'avait pas vue grandir, savait à peine qui elle était. D'Isabelle il ne reconnaissait rien, de lui-même non plus, dans cette petite jeune femme à l'esprit libre, singulière, rieuse et têtue. Or cette définition ne s'appliquait finalement qu'à une seule autre personne : Berill.

La musique éclata soudain sous la voûte de l'église, faisant frémir Hugh. Jamais il ne pourrait supporter la tristesse solennelle de cet orgue. Ni, tout à l'heure, ces musiciens irlandais, choisis avec soin, qui allaient accompagner la sortie du cercueil en jouant de la cornemuse, de la flûte traversière, du tambour et de la harpe.

Pour échapper à l'émotion, il baissa la tête, se mordit la langue. Il refusait de pleurer devant sa fille, son gendre, son neveu. De retour chez lui, son chagrin s'apaiserait, noyé dans tout le travail qui l'attendait. Il oublierait l'épave de l'Alfetta envoyée à la casse, il oublierait la piqûre fatale que Caroline s'était résignée à faire à Mokba, il oublierait le visage ravagé de Mathias, et au bout du compte ne se souviendrait plus, un jour, que du rire en cascade de sa mère et de ses incroyables yeux violets.

PENCHÉ à la fenêtre de sa chambre, Liam observait le « jardin du souvenir », au centre de Parnell Square, dédié à ceux qui avaient laissé leur vie dans la guerre d'indépendance.

Au contraire de sa cousine Eleonor, il ne se sentait pas Irlandais, encore moins Espagnol, la France était vraiment sa patrie. Lorsqu'il aurait achevé ses études et épuisé ses envies de voyage, il n'en bougerait probablement plus.

S'écartant de la fenêtre, il alla récupérer son manuel de biologie. Le concours approchait, il fallait qu'il révise. Dans ce but, il avait emporté plusieurs livres et un gros paquet de fiches, mais il rechignait à travailler. Sans Caroline, jamais il n'aurait réussi à achever cette année de préparation : non seulement elle l'avait stimulé mais elle s'était révélée excellente pédagogue, en particulier pour les matières les plus rébarbatives. Comment imaginer que cette petite bonne femme aux manières un peu brusques dissimulait une véritable scientifique ? La regarder soigner les animaux sauvages était un pur bonheur, n'importe qui aurait attrapé la vocation en restant deux heures à côté d'elle dans la ménagerie. Toutefois, la veille, lorsqu'elle avait dû piquer Mokba pour abréger son agonie, il avait vu sa main trembler. Ensuite, ils s'étaient tous mis à pleurer et Liam s'était juré qu'il aurait un chien, lui aussi, sauf que, dans la pratique, c'était tout à fait impossible. Finalement, Caroline avait décidé qu'elle allait en adopter un, qui serait un peu celui de Liam lorsqu'il séjournerait au parc. Elle se rendrait à la SPA de Gennevilliers dès leur retour d'Irlande.

Alors qu'il allait se plonger dans un chapitre de bio, il entendit la voix d'Eleonor qui l'appelait, sur le palier, et il lui cria d'entrer.

— Regarde ça ! lança-t-elle d'un ton courroucé.

Elle brandissait une feuille qu'elle lui mit de force dans la main.

— Il y a des années que j'essaie de les décider à une rencontre, et après tous les courriers que nous avons échangés, voilà qu'ils m'annoncent qu'ils sont trop vieux et que, décidément, ils n'y tiennent pas !

— Qui ça ?

— Mes grands-parents ! Enfin, les autres, du côté de ma mère. Ils m'ont écrit ici parce que cette adresse à Dublin est quelque chose qu'ils ne peuvent pas prétendre avoir oublié…

Eleonor disait « ma mère » les très rares fois où elle évoquait Isabelle, n'ayant jamais pu utiliser le mot « maman ».

— Pourquoi voulais-tu absolument faire leur connaissance ?

— Pour me débarrasser d'un stupide sentiment de culpabilité. Ces gens sont persuadés que je suis responsable de la mort de leur fille et je croyais que… Oh, tant pis ! Mais leur fin de non-recevoir tombe plutôt mal avec l'enterrement de grand-mère, j'ai l'impression d'être abandonnée.

— Malgré ton mari, ton fils, ton père, j'en passe et des meilleurs, jusqu'à ton merveilleux cousin ?

Eleonor se mit à rire, puis elle récupéra la lettre et la plia avec soin.

— J'aime les grandes familles, nous ne serons jamais assez nombreux, déclara-t-elle d'un ton péremptoire.

— Sur ce point, je ne te suis pas, chacun ses goûts.

— Toi, tu es un ours solitaire, comme papa.

— J'adore ton père.

— Lui aussi adorait son oncle. Vous vous ressemblez terriblement, et ça fait braire Maureen.

Liam hocha la tête, songeur. À l'évidence, sa mère aurait préféré un fils attiré par la finance et disposé à récupérer les établissements bancaires de la famille. Il l'avait déçue, sans doute, mais elle s'apercevait si peu de son existence !

— Qu'est-ce qui va se passer, maintenant ? demanda-t-il avec curiosité.

— À quel propos ? La succession de Berill ? D'après moi, ce sera un grand moment.

— On va recommencer les histoires de notaire et de partage ? Très peu pour moi ! Non, je voulais dire, qui va vivre avec qui et où ? Est-ce que chacun va prendre une route opposée ?

— Je ne sais pas, Liam. J'imagine que ça dépendra du testament de Berill. Au moins en ce qui concerne Neuilly.

Cette perspective les rendit silencieux. L'hôtel particulier où ils avaient été élevés était leur port d'attache, Mathias et Teresa leurs rochers. Tout allait-il voler en éclats ?

— Leo, j'ai une idée, dit-il soudain. Quand j'hériterai de la banque Sabas, dans trois ans, je te la donne à diriger, à la condition expresse qu'elle devienne le mécène, ou le sponsor, ce que tu voudras, du parc Belair. Qu'en penses-tu ?

— Je pense que si tu veux renverser une marmite d'huile bouillante sur le feu, c'est la meilleure solution. En dehors de ça, je ne compte pas aller m'enterrer en Espagne, ni être poignardée par ta mère.

De nouveau, le rire les secoua, complices et soulagés de se libérer de la chape de plomb qui pesait sur eux depuis l'accident de Berill.

— Range tes idées de gamin dans un coin de ta tête et viens déjeuner, je te rappelle que vous prenez tous l'avion cet après-midi.

— Tu restes un peu ?

— Chez les parents de Patrick, oui. Ils sont heureux d'avoir Jason pour quelques jours. Pendant ce temps-là, je fermerai la maison, Dieu seul sait quand nous y reviendrons.

Ils descendirent ensemble à la cuisine où Teresa était en train de préparer, sans entrain, un repas froid. Elle errait du réfrigérateur aux placards, les yeux gonflés et l'air hagard.

— Tu veux de l'aide, Tess ? proposa gentiment Eleonor.

— Non… Ce sera un pique-nique improvisé, je n'ai pas eu le cœur de me mettre aux fourneaux.

Cessant un instant ses allées et venues, elle regarda autour d'elle.

— J'en ai mitonné, des recettes, ici! Chaque fois que Berill changeait la décoration, je me plaignais de ne rien retrouver, mais c'était pour la faire enrager.

Sa belle-sœur, avec qui elle avait vécu durant quarante-cinq années, semblait déjà cruellement lui manquer.

— Est-ce qu'on ne pourrait pas boire quelque chose? suggéra Liam.

— Les autres sont au salon, va les rejoindre.

— Pourquoi? On est bien, là, tous les trois! On va se déboucher une bouteille de champagne rien que pour nous.

— Du champagne? protesta Teresa. Tu crois vraiment que…

— Que c'était la boisson préférée de grand-mère. Le champagne rend gai, et nous en avons vraiment besoin.

Il alla chercher une bouteille, fit sauter le bouchon et emplit trois verres de cuisine.

— À ceux qui sont partis et à nous qui restons, dit gravement Eleonor.

Ils trinquèrent les yeux dans les yeux, avant de boire cul sec, ce qui les fit s'étrangler et leur donna une bonne excuse pour essuyer une larme.

Afin d'accueillir tous les intéressés, il avait fallu trouver une salle de conférences disponible dans l'étude Lefèvre et Calvet, notaires associés.

Installé au bout d'une longue table d'acajou et entouré de deux de ses clercs, Me Gilles Lefèvre avait salué avec une petite grimace le conseiller juridique de la famille, dont Maureen avait imposé la présence. Lorsque chacun fut assis, il parcourut des yeux l'assistance puis se racla la gorge.

— Nous sommes réunis afin de prendre connaissance du testament de Mme Berill Blaque-Belair, mais, auparavant, et selon sa volonté, je dois procéder à la lecture d'une lettre destinée à Mathias et Teresa Károly, à Maureen, Hugh et Caroline Blaque-Belair, à Eleonor Crawford et à Liam Sabas, ici présents.

Il décacheta ostensiblement une grande enveloppe kraft dont il sortit quelques feuillets.

Chaussant ses lunettes, il toussota de nouveau avant de se lancer :

— « Mes chéris, quand vous entendrez ce qui va suivre, je ne serai plus là. Or il serait fort regrettable que ma disparition entraîne des injustices, des querelles ou des ruptures entre vous. Mon testament, rédigé en termes impersonnels, comme il se doit, ne peut pas vous fournir d'explications quant à mes dernières volontés, aussi vais-je m'y employer dans ce préalable pour prévenir toute ambiguïté. Alors que Tomas était sur le point de mourir, je lui ai fait une promesse solennelle : veiller sur nos deux enfants et sur nos petits-enfants. La famille avait pour lui un caractère sacré, ainsi qu'il l'a prouvé tout au long de sa vie, et je reprends à mon compte ce désir de préserver l'avenir des siens. Parfois malgré eux ! Maureen, ayant démontré ses qualités de femme d'affaires, va se voir attribuer la plus grosse part des actions de l'Irish, afin de rester majoritaire au sein du conseil d'administration et d'avoir ainsi les mains libres. Le reste des actions sera réparti entre Hugh, Eleonor, Mathias et Teresa. J'ai délibérément exclu Liam qui ne m'en voudra pas, étant lui-même héritier d'un établissement financier en Espagne, et donc tout à fait à l'abri du besoin. Ma maison de Parnell Square, à Dublin, reviendra à mon frère Mathias et à Teresa, ceci pour satisfaire le désir secret d'un retour au pays qu'éprouve Teresa, je le devine, et aussi pour préserver cet endroit qui est la mémoire de notre famille, naissances et deuils confondus. En ce qui concerne l'hôtel particulier de Neuilly, dont l'entretien sera de plus en plus coûteux à cause d'une fiscalité inexorablement appelée à s'alourdir, je vous suggère de le vendre pour régler une partie des droits de succession. Comme vous le savez sans doute, je n'ai pas de fortune personnelle, hormis un certain nombre de bijoux offerts par Tomas tout au long de notre mariage, et qui seront partagés de manière équitable entre Maureen, Teresa, Eleonor et Caroline. En revanche, Tomas disposait d'un capital provenant des Blaque-Belair mais non investi dans l'Irish, qu'il a toujours réussi à préserver. Cette somme ira intégralement à Hugh, sous réserve qu'elle soit utilisée pour le parc Belair. Enfin, par souci d'équité, ayant écarté Liam de ma succession, je lui lègue en propre les tableaux achetés par Tomas entre les deux guerres : Max Beckmann, Yeats, et surtout Braque, ainsi que le Matisse qui fut son dernier coup de cœur... »

Mᵉ Lefèvre leva les yeux et considéra les membres de la famille un par un. Ne rencontrant que des visages impassibles, il reprit sa lecture :

— « Ces dispositions visent à préserver les deux choses importantes auxquelles mes deux enfants se consacrent : la banque et le parc. Mais pour créer le second, il a fallu impliquer fortement la première, une situation qui déplaît à Maureen – ainsi qu'à notre conseiller juridique, dont elle sera très probablement accompagnée lors de la lecture de cette lettre. Néanmoins, à ce jour, les deux entreprises fonctionnent au mieux, et bien que n'ayant pas la même rentabilité, elles permettent à chacun de réaliser ses rêves. Cependant, dans l'état actuel des comptes, il faudra encore un peu de patience avant de parvenir à séparer définitivement leurs intérêts. Une patience que ma fille et mon fils auront, je n'en doute pas, ne serait-ce que par respect pour ma mémoire et pour celle de Tomas. J'ai chargé mon frère Mathias, qui est un sage, de veiller sur vous. N'oubliez pas de vous aimer les uns les autres, comme nous vous avons aimés votre père et moi. »

Un silence complet s'abattit sur la salle de conférences. En rédigeant sa lettre, Berill ne s'était pas appesantie sur elle-même. Née pauvre, elle laissait derrière elle un héritage considérable dont elle voulait que ses enfants fassent bon usage, sans se déchirer.

Voyant que nul ne souhaitait intervenir, le notaire procéda à la lecture du testament proprement dit, qui ne contenait plus aucune surprise et fut écouté distraitement. Après quoi, la première à se manifester fut Eleonor.

D'une voix mal assurée, elle demanda :

— Rien pour Arno ?

Devant le geste d'ignorance de Mᵉ Lefèvre, Mathias sortit de son mutisme.

— Nous nous étions entendus à son sujet, Berill et moi. Puisqu'elle est partie la première, je m'occuperai seul de mon frère. C'est bien de t'en soucier, Leo, même si Arno est le mouton noir de la famille.

Il esquissa un petit sourire triste à l'adresse de la jeune femme, tandis que Mᵉ Lefèvre en profitait pour reprendre la parole.

— Monsieur Károly, il avait été précisé par Mᵐᵉ Blaque-Belair que, si vous décédiez avant elle, cette lettre serait caduque et devrait être détruite.

— Oui, je sais, soupira Mathias. Ma sœur et moi étions très proches, ensemble, nous avons donc décidé d'un certain nombre de choses et pris des arrangements… oraux, dont je ne souhaite pas parler ici.

Devenu le patriarche par la force des choses, Mathias semblait soudain très vieux, très las. Il donna le signal du départ dès la fin de la réunion.

D'un commun accord, ils avaient prévu de se retrouver à Neuilly pour dîner, mais lorsqu'ils furent installés tous les huit dans le grand salon, il y eut un moment de gêne qui les fit d'abord se regarder en chiens de faïence. Pour dissiper le malaise, Teresa servit l'apéritif accompagné de petits choux au fromage et de pruneaux au bacon. Allant de l'un à l'autre avec un mot gentil, elle réussit à détendre un peu l'atmosphère jusqu'à ce que Maureen retrouve l'usage de la parole.

— Si personne n'y voit d'inconvénient, annonça-t-elle, j'ai invité Philippe à se joindre à nous. Il arrivera vers huit heures et demie, ce qui nous laisse un moment d'intimité… En ce qui me concerne, je n'ai pas de secret pour lui, car je pense qu'il sera de plus en plus associé à ma vie, mais s'il y a des choses personnelles dont vous préférez débattre maintenant, allons-y!

Elle s'était exprimée de façon courtoise, mais Mathias la connaissait trop pour ne pas relever une pointe d'agressivité. Les bras croisés, il attendit la réaction des autres.

— Je n'ai pas de commentaire particulier à faire, déclara Hugh, il me semble que tout a été dit chez le notaire.

— Toi, forcément, tu es content! répliqua Maureen.

— Ce n'est pas le mot que j'aurais choisi mais, en effet, je vais être soulagé d'une partie de mes soucis financiers.

— Financiers! Si tu dois pinailler sur les termes, n'utilise pas celui-là, par pitié. Que sais-tu de la finance? Je t'adore, Hugh, mais ton zoo a toujours été un gouffre. Maman a eu beau te favoriser dans sa succession, il n'est pas sûr que tu mettes la tête hors de l'eau avant que…

— Stop! lança Mathias d'une voix de stentor. Soyez gentils, arrêtez ça tout de suite.

— Pourquoi ? s'obstina Maureen. S'il y a du linge sale à laver, profitons d'être en famille pour le faire !

Mathias la toisa d'une telle manière qu'elle finit par baisser les yeux, embarrassée. Après un petit silence, il reprit, plus posément :

— Ne perdez jamais de vue, toi et Hugh, que vous êtes des enfants gâtés. Oui, mes petits chéris, vous avez eu la vie très facile, grâce à vos parents, et je ne crois pas que vous soyez en droit de vous plaindre, ni l'un ni l'autre.

— Je ne me plains pas, plaida-t-elle.

— Tu ne vas pas tarder à le faire. Alors en attendant, écoute-moi bien. Teresa et moi, on s'est beaucoup occupés de vous quand vous étiez petits, et lorsque vous avez été grands, on s'est occupés de vos enfants. À ce titre, j'ai le droit de vous affirmer que je ne compte pas discuter d'argent toute la soirée, c'est indécent. De l'argent, vous en avez.

Il vida son verre qu'il considéra rêveusement avant de le poser, puis il se leva et vint se planter face à Maureen.

— Il n'y a pas de linge sale dans notre famille, que je sache. Et tu es beaucoup trop intelligente pour continuer à appeler le parc Belair un « zoo », sauf si tu tiens à exprimer du mépris. Je crois qu'il me faut te préciser certaines choses qui t'ont échappé. Sans ce parc, et les animaux qu'il abrite, je me demande où ta mère aurait trouvé l'énergie de vivre toutes ces dernières années. Elle vous donnait le change, mais elle détestait l'idée de vieillir, elle détestait l'absence de Tomas, et la seule chose qui la soulageait, quand elle se sentait trop mal, c'était d'aller voir un fauve de près. Alors forcément, le projet de ton frère l'avait séduite. Tu comprends ? Ta mère n'était pas une femme comme les autres, Maureen. Je sais qu'on dit ça de beaucoup de gens, mais, pour elle, c'est vrai… Maintenant, si ça te rassure, je peux t'annoncer que tout sera définitivement réglé une fois que nous serons morts, Teresa et moi. Ce jour-là, en principe, l'Irish et le parc n'auront plus aucun lien. Il n'y avait pas assez de disponibilités dans la succession de ta mère pour le faire d'un seul coup.

Tout en parlant, il avait desserré le nœud de sa cravate, puis finalement l'avait enlevée. Maureen tendit la main et la lui prit des doigts.

— Tu es beaucoup mieux comme ça, Mat, dit-elle très doucement. Je t'en offrirai une normale pour ton anniversaire.

Il vit qu'il l'avait touchée bien davantage qu'il ne s'y attendait. La blague éculée de la cravate était l'acceptation tacite de ne plus parler d'argent, une reddition qu'il approuva d'un vrai sourire, son premier depuis la mort de Berill.

À mi-voix, Caroline déclara à Hugh qu'il pouvait boire s'il en avait envie, que, pour sa part, elle resterait à l'eau et conduirait au retour. Patrick en profita pour s'approcher de Mathias, la bouteille de whiskey à la main.

— Un autre? proposa-t-il avec un clin d'œil de connivence.

Jusque-là, on ne l'avait pas entendu, il s'était mis en retrait, persuadé qu'il n'avait pas à intervenir dans ces débats.

— Ah, vous êtes bien un Irlandais! s'exclama Mathias en tendant son verre.

Patrick évoquait trop Tomas, tel qu'il l'avait connu à vingt-cinq ans, pour ne pas lui être éminemment sympathique. Avec ce garçon, la famille gagnait un retour aux sources et quelqu'un sur qui on allait pouvoir compter.

— Teresa a passé la journée d'hier à préparer un *Irish stew* rien que pour vous! lui lança-t-il. Il est en train de réchauffer à feu doux.

— Alors, je vais enfin pouvoir vérifier si votre épouse le fait mieux que ma mère, répliqua le jeune homme.

— Je pars avec un handicap, protesta Teresa, l'agneau qu'on trouve à Paris n'est pas aussi tendre et parfumé que notre *blackface*…

Comme chaque fois qu'il était question de son pays, son visage venait de s'illuminer. Mathias songea à ce don que leur avait fait Berill de la maison de Parnell Square. Avait-il envie d'y vivre?

— Que comptez-vous faire au sujet de l'hôtel particulier? demanda-t-il à la cantonade.

— Le plus sage serait de le vendre, répondit aussitôt Maureen. Mais tu as ton mot à dire, Mat. Si vous ne souhaitez pas déménager, Teresa et toi…

— Et toi? Tu habites ici aussi, non?

Fronçant les sourcils, Maureen parut réfléchir à la question avant de hausser les épaules.

— En ce qui me concerne, je préférerais partir. L'absence de maman rendra tout trop grand, trop vide. D'autant plus que Liam va s'en aller aussi s'il est reçu à Maisons-Alfort.

— Je compte louer un studio sur place, marmonna le jeune homme.

— Un studio décoré avec des Braque et des Matisse? s'esclaffa Eleonor.

Sa gaieté aurait pu paraître incongrue, mais son rire était trop communicatif pour que les autres y résistent.

— Alors la cause est entendue, intervint timidement Teresa.

Du regard, elle guettait la réaction de son mari qui se contenta de hocher la tête. En décidant de se séparer de l'hôtel particulier, la famille allait se morceler, mais il ne pouvait plus en être autrement. Eleonor et Liam avaient leurs destins à accomplir, et Maureen elle-même semblait vouloir changer d'existence. Quant à Hugh, sa vie était ailleurs depuis longtemps.

Mélancolique, Mathias pensa une fois de plus à Berill. Bouger ne lui avait jamais fait peur, elle avait traîné sa famille de Dublin à Lausanne, puis à Paris. Partout elle avait su reconstruire, refaire son nid, garder les siens unis autour d'elle. À présent qu'elle n'était plus là, vouloir rester ensemble aurait constitué un leurre.

ÉPILOGUE

Tanzanie, parc national du Serengeti, 1982

LIAM avait accompagné jusqu'à la soute de l'avion le lionceau en cage et remis son dossier sanitaire au copilote. Dossier qui allait suivre le petit fauve orphelin rescapé de la brousse durant tout son voyage, avec transbordement à Nairobi, jusqu'à son arrivée au Bourget, en France, où Caroline serait là pour l'accueillir.

Sur le chemin du retour, Liam éprouva une sorte de vague à l'âme qui n'était rien d'autre que le mal du pays. Il n'avait plus que trois mois à passer en Tanzanie pour achever son contrat de deux ans, et, d'ici là, il ne voulait penser qu'à bien faire son travail. Il avait tant appris depuis son arrivée! De quoi remplir de grands carnets sur lesquels il notait scrupuleusement l'essentiel de ses journées : observations, traitements, anecdotes, aventures insolites. Pris en charge dès le début par deux confrères, un Anglais et un Africain qui possédaient une solide expérience du terrain, il s'était non seulement vite révélé une bonne recrue pour le parc du Serengeti, mais aussi un véritable amoureux de la faune.

Dans les longues lettres qu'il adressait à Caroline et Hugh, il racontait ses rencontres avec des babouins, des hyènes ou des guépards, donnait mille détails tout en se lamentant de ne pouvoir intervenir plus efficacement, mais la stricte réglementation du parc exigeait de s'effacer devant les lois de la nature. Certains spectacles de prédateurs dévorant leurs proies lui avaient parfois soulevé le cœur, néanmoins, il était resté et il ne le regrettait pas.

À Seronera, au cœur du parc, se trouvait le village où il vivait depuis vingt et un mois, du moins quand il n'était pas en expédition quelque part sur l'immense territoire du Serengeti, et contraint de dormir sous la tente. Ces nuits-là, des gardiens en armes veillaient, entourés de lampes à pétrole censées éloigner les fauves, et, si on allait fumer une cigarette avec eux, on pouvait observer la Voie lactée dans le ciel clair tout en écoutant les bruits inquiétants de la plaine.

Les premiers temps, Liam avait cru qu'il ne serait jamais rassasié de cet environnement grandiose, d'autant plus qu'il s'était adapté sans effort au climat comme au mode de vie. Néanmoins, il commençait à se languir de la France. Et même si le parc Belair risquait de lui paraître ridiculement petit désormais, même s'il devait y déplorer le relatif enfermement des animaux, il éprouvait l'envie de rentrer.

Lorsqu'il écrivait à sa mère, ses missives étaient beaucoup plus brèves et beaucoup moins affectueuses. Mais Maureen avait difficilement admis les décisions prises par son fils, qui s'était retrouvé majeur beaucoup plus tôt que prévu grâce au président Giscard d'Estaing. Cette liberté inattendue lui ayant permis de faire des choix, Liam avait exprimé clairement certaines volontés, dont celle de s'associer à Hugh. Quant à la gestion de la banque Sabas, s'il entendait laisser sa mère s'en charger, il avait néanmoins exigé de pouvoir en contrôler les investissements, une tâche confiée à Eleonor. La colère de Maureen avait bien failli les brouiller à jamais, et, durant toute la durée de ses études à Maisons-Alfort, ils s'étaient évités. Depuis, les choses semblaient un peu tassées, sans doute grâce au calme et à la diplomatie de Philippe, un homme que toute la famille appréciait en raison de son influence apaisante sur Maureen.

Le Toyota Land Cruiser soulevait un nuage de poussière blanche sur la piste, bien que la saison des pluies ait commencé. Les nuits étaient déjà un peu froides, et le lionceau qui volait vers Paris parviendrait très probablement à supporter le climat du printemps de Touraine. Caroline allait y veiller, Jean-François et tous les soigneurs aussi. Sourire aux lèvres, Liam se mit à songer aux terres jouxtant le parc Belair qui venaient d'être mises en vente. Trente hectares de prairies et de bois, d'un seul tenant, une occasion unique de s'agrandir, moyennant quelques travaux d'aménagement. L'information lui avait été transmise par Eleonor et, depuis, il formait mille projets qu'il avait hâte de soumettre à Hugh.

Un cahot le ramena brutalement au paysage d'Afrique qu'il traversait. Des acacias, des arbres à saucisses surplombant les rivières où les animaux venaient se désaltérer : un immense territoire, moins envahi par les touristes que le trop célèbre parc du Masaï-Mara. Avec un certain amusement, il songea à sa thèse de fin d'études sur les grands félins, rédigée sous le contrôle de Caroline et brillamment soutenue devant ses professeurs. Aujourd'hui, il en savait bien davantage, conscient de vivre une expérience hors du commun.

« Plus que trois mois, je dois profiter de chaque jour… »

Les trois grands cadres contenant les photos de Berill, Maureen et Eleonor avaient été accrochés la veille dans la salle du conseil d'administration. Un conseil présidé ce jeudi-là par Eleonor elle-même, pour la première fois.

Forte du pouvoir que Maureen lui avait envoyé de Palma, la jeune femme avait toutes les cartes en main et se sentait soulevée par un agréable sentiment de puissance. Cependant elle ne se laissait pas griser, malgré ses trente ans à peine, écoutant chacun avec une attention sans défaut et sachant trancher quand il le fallait.

Depuis toujours, l'Irish la passionnait comme un outil merveilleux, infiniment plus intéressant que la banque Sabas, malgré les responsabilités que Liam lui avait données alors qu'elle ne demandait rien. Évidemment, en apprenant qu'Eleonor allait « surveiller » les investissements de l'établissement espagnol,

Maureen s'était cabrée et le torchon avait brûlé un moment entre la tante et la nièce.

« Vous êtes deux jeunes cons, mon fils et toi ! » avait craché Maureen avec hargne. Mais Eleonor savait être diplomate, ses incursions à Madrid étaient restées très discrètes, et les décisions avaient toujours été prises d'un commun accord. Hormis ce qui concernait le parc Belair, bien entendu. Là, Maureen se bouchait les oreilles ou levait les yeux au ciel, excédée. Toutefois elle n'employait plus le mot de « zoo » qui avait tant heurté Mathias à une époque.

Sourire aux lèvres, Eleonor soumit au conseil diverses propositions qui furent toutes entérinées, puis elle prononça un bref discours pour mettre fin à la séance. Son autorité naturelle – ajoutée à sa formation américaine qui la rendait à la fois crédible et efficace – semblait avoir convaincu la plupart des membres, pourtant un ou deux regards perplexes lui firent ajouter, alors qu'elle était déjà debout :

— Merci de votre confiance ainsi que de votre adhésion sans réserve à mes projets. Il est probable que, dans l'avenir, je serai de plus en plus souvent votre interlocutrice, puisque j'assume désormais pleinement la codirection. Je sais que mon âge peut effrayer certains d'entre vous, mais l'Irish a toujours été conduite par des gens jeunes qui ont su incarner l'avenir. Et comme vous le voyez sur les portraits qui sont derrière moi, c'est quasiment une dynastie de femmes qui a présidé aux destinées de notre banque depuis plusieurs décennies. J'en suis extrêmement fière. Ma grand-mère, Berill Blaque-Belair, que certains d'entre vous ont connue, venait du monde du cirque, et j'ai toujours plaisir à rappeler que, pour cette femme admirable qui avait dressé des lions, les requins de la finance n'étaient que des agneaux !

Des rires spontanés s'élevèrent, puis soudain, les membres du conseil d'administration se mirent à applaudir avec un bel ensemble. Après tout, l'Irish était florissante, et Eleonor Crawford semblait déterminée à la rendre plus prospère encore.

Elle salua l'assemblée d'un signe de tête et d'un dernier sourire satisfait avant de traverser la salle pour regagner son bureau.

Elle alla s'asseoir dans son grand fauteuil design et baissa les yeux sur son agenda. Toutes ses journées s'arrêtaient précisément à dix-sept heures, il n'y avait jamais aucun rendez-vous en bas de page. Consacrer ses soirées à Jason et à son petit frère Alan demeurait pour elle une priorité absolue. Elle ne reproduirait pas le schéma de son père ou de sa tante qui s'étaient reposés sur d'autres pour élever leurs enfants. De toute façon, l'hôtel particulier de Neuilly avait été vendu, la famille s'était séparée, les mœurs avaient changé. Aujourd'hui, les générations ne cohabitaient plus sous le même toit, les anciens ne pouvaient plus s'occuper des petits. En conséquence, Eleonor était déterminée à se consacrer *aussi* à ses deux fils. Patrick l'y aidait de son mieux, il se montrait un très bon père, tout comme il demeurait un merveilleux mari. Régulièrement, les deux petits garçons s'envolaient pour l'Irlande, une pancarte autour du cou et confiés à une hôtesse de l'air. À l'aéroport de Dublin, les parents de Patrick les récupéraient, et, le soir même, les emmenaient dîner avec eux chez Mathias et Teresa. Une manière de perpétuer les traditions, de réunir la famille malgré tout. D'ailleurs, Eleonor ne perdait pas de vue son idée de rouvrir un jour une succursale de l'Irish à Dublin.

— L'Irish Blaque-Belair Bank, Paris, Madrid, Dublin...

Eleonor éclata de rire dans le silence de son bureau avant de s'étirer comme un chat. Elle avait hérité quelque chose de chaque membre de la famille : l'ambition de Maureen, la fantaisie de Berill, la volonté de Tomas, la tendresse de Mathias. Et tous ces traits de caractère formaient une petite bonne femme de trente ans absolument unique qui avait su mater les vieux barbons du conseil d'administration !

Refermant son agenda d'un geste sec, elle décida qu'il était l'heure de rentrer chez elle.

UNE main devant les yeux pour se protéger du soleil, Philippe regardait Maureen traverser la plage. Il n'en revenait pas d'avoir réussi à la convaincre de passer toute une semaine de vacances sans autre programme que nager, dormir, se laisser vivre. Et ne pas appeler l'Irish trois fois par jour !

Lorsqu'il avait suggéré ce séjour aux Baléares, sans y croire, elle s'était d'abord mise à ronchonner, puis, de manière surprenante, elle avait cédé. Après coup, il s'était reproché son choix. Pourquoi l'Espagne, bon sang ! Pour exorciser le spectre de l'ex-mari ? Non,

Maureen et lui avaient dépassé ce stade depuis longtemps, aujourd'hui, ils formaient un couple solide même s'ils n'étaient jamais passés devant le maire.

Elle s'arrêta à côté de son transat et, secouant ses cheveux, lui envoya quelques gouttes d'eau.

— Tu ne viens pas te baigner ?

— Tout à l'heure… Rien ne presse !

Loin de Paris et de ses dossiers, il savait prendre son temps, profiter de ses vacances, se reposer. Une attitude que Maureen ne parvenait pas à adopter malgré ses efforts. À longueur de journée, elle devait absolument faire quelque chose, manger, nager ou marcher, car elle était incapable de lézarder.

— J'espère que Leo a été à la hauteur, soupira-t-elle avec une pointe d'inquiétude.

Elle n'avait envoyé son pouvoir qu'à contrecœur, se demandant jusqu'au dernier moment si elle n'avait pas commis une erreur en laissant sa nièce seule face aux membres du conseil.

— Qu'est-ce qui t'angoisserait le plus ? s'enquit-il avec une vraie curiosité. Qu'elle soit tout à fait nulle ou beaucoup trop brillante ?

Les yeux plissés de fureur, Maureen le contempla quelques instants avant de se détendre.

— Les deux, admit-elle. D'un côté, je ne tiens pas du tout à ce qu'elle me supplante, de l'autre, je ne supporterais pas qu'elle me déçoive. En réalité, Eleonor est l'avenir de l'Irish, j'en suis persuadée, néanmoins je ne veux pas être poussée sur la touche trop tôt, j'ai encore des choses à faire à la tête de la banque.

— Je vais t'adorer en retraitée, je te le jure !

Il plaisantait pour la faire sourire, mais, au fond, il rêvait de l'avoir un peu plus à lui. Abandonner le rythme forcené auquel ils étaient soumis tous deux le réjouissait d'avance, il savait que jamais il ne s'ennuierait auprès de Maureen, et il avait mille projets de voyages avec elle, de maison avec elle, de bonheur avec elle. Lorsqu'il songeait à tout le temps qu'ils avaient perdu en vains affrontements suivis de ruptures et de réconciliations, il se maudissait.

— Gambas grillées pour déjeuner ? proposa-t-il.

Petit à petit, il parvenait à l'apaiser, à la rendre plus sereine, à adoucir sa dureté de façade. Elle avait besoin d'être aimée, peut-être était-il le seul à le savoir, en tout cas il voulait être le seul à combler son désir.

— D'accord, mais rien ne presse, ironisa-t-elle en s'allongeant sur le transat voisin.

Du coin de l'œil, il observa sa peau bronzée, ses courbes de femme en pleine maturité, et il regretta une fois de plus de ne pas l'avoir rencontrée à vingt ans.

— As-tu réfléchi à ma proposition d'acheter une petite propriété dans le Midi ou…

— J'aimerais assez la Provence, répondit-elle d'une voix songeuse. Tes filles et Liam finiront bien par se marier et ce serait bien d'avoir un endroit où recevoir tout le monde, l'été.

Surpris, il se tourna vers elle pour s'assurer qu'elle ne plaisantait pas. Elle avait évoqué les jumelles, qu'elle recevait plus volontiers ces temps derniers, opérant un rapprochement aussi tardif qu'inattendu.

— Nous vieillissons, Phil, ajouta-t-elle gravement. Un jour ou l'autre, Teresa et Mat vont disparaître, or cette échéance me terrorise. Je me rends compte que la famille compte pour moi bien davantage que je n'ai pu le croire. Tu sais, c'est drôle, au début, quand je voyais Eleonor quitter la banque à cinq heures, j'avais envie de lui dire de choisir entre ses bébés et les affaires, mais elle réussit à tout mener de front. Je lui tire mon chapeau. Jason et Alan sont aussi importants pour elle que l'Irish, comme elle a raison ! Moi, je n'ai pas su le faire, et mes rapports avec Liam en ont pâti.

Encore une nouveauté, ces questions qu'elle se posait au sujet de son fils, cette remise en cause d'elle-même.

TERESA jeta un dernier regard aux eaux noires et nonchalantes de la Liffey, puis elle abandonna l'Eden Quay pour s'engager dans O'Connell Street. Chaque matin, quel que soit le temps, elle s'astreignait à une longue marche qui lui permettait de trouver les meilleurs produits afin de préparer ses recettes.

Avec la vieillesse, Teresa souffrait de rhumatismes et ses articulations étaient presque toujours douloureuses, mais elle essayait de ne pas trop y penser. Lorsqu'elle était fatiguée, elle entrait dans une église pour prier Dieu de veiller sur toute la famille, en particulier Mathias. Lui aussi commençait à plier sous le poids de l'âge, cependant il était de constitution robuste, ainsi que le répétait leur médecin en hochant la tête d'un air encourageant.

Elle fit une halte devant un étal de fruits exotiques très appétissants, mais son panier était déjà lourd, et elle renonça à acheter quoi que ce soit de plus. Dans sa jeunesse, on ne trouvait pas ce genre de produits, alors qu'aujourd'hui Dublin regorgeait de merveilles venues du monde entier. Le pays progressait à pas de géant, Eleonor avait raison de lui prédire un bel avenir économique.

Après plusieurs arrêts qui lui permirent à la fois de reprendre son souffle et de tout observer, Teresa se retrouva enfin devant sa maison de Parnell Square. « Sa » maison. C'était si merveilleux de pouvoir le dire après avoir habité toute sa vie chez Tom et chez Berill ! Pourtant, elle n'avait pas modifié grand-chose à la décoration imaginée par sa belle-sœur. Au contraire, lorsqu'elle faisait repeindre une pièce, elle utilisait les mêmes couleurs, comme si, au fond, elle souhaitait que rien ne change.

Une fois chez elle, un regard à la patère de l'office lui apprit que Mathias n'était pas encore rentré. Il devait boire une *stout* au *Conway's*, à deux pas d'ici, en s'offrant une partie de fléchettes – qu'il gagnait toujours – ou en chantant avec les autres. Au fil des ans, il avait même réussi à prendre l'accent dublinois !

Elle se laissa tomber sur un tabouret, remettant à plus tard le rangement des courses. Tout était parfaitement ordonné dans la cuisine, comme de coutume, avec des cuivres rutilants et une table bien cirée. Le soir, quand la femme de ménage qui venait tous les après-midi était enfin partie, ils dînaient là pour profiter de la chaleur des fourneaux et s'économiser des allées et venues. Invariablement, leur conversation tournait d'abord autour des membres de la famille puis glissait vers le passé. Mathias égrenait des souvenirs où Tomas tenait une grande place, mais parfois il remontait encore plus loin dans le temps, jusqu'à sa jeunesse itinérante et ses espoirs déçus de trapéziste, revenant sans cesse à sa sœur qui, depuis toujours, avait compté pour lui plus que quiconque. En revanche, il restait très discret quant au sort de son frère Arno, placé dans une maison de retraite au nord de la ville. Mat prenait le bus une fois par semaine pour aller lui rendre visite et s'assurer qu'il ne manquait de rien, mais il ne s'attardait jamais, et lorsqu'il revenait, il ne faisait aucun commentaire.

Concernant leurs finances, Teresa tombait parfois des nues en lisant les chiffres des relevés bancaires. Si Mathias avait gagné énormément d'argent, il en avait aussi dépensé beaucoup, néanmoins ils étaient à l'abri du besoin, ils pouvaient se laisser vivre sans soucis.

— Mrs Károly, je vous surprends en flagrant délit de rêverie! lança-t-il depuis le seuil de la cuisine.

Elle ne l'avait pas entendu arriver, son ouïe était moins bonne qu'avant.

— Tu reviens du *Conway's*?

— Non, de la poste. J'ai expédié ses deux pulls irlandais à Caroline et du whiskey à Félix.

— Tu ne voulais pas attendre Noël pour les leur donner?

— Ils repartent toujours avec un tel excédent de bagages! Et puis, Noël est loin…

C'était le meilleur moment de l'année pour elle, avec la famille au grand complet et toutes les chambres occupées. Elle prenait deux aides supplémentaires pour le temps de leur séjour, mais chacun mettait joyeusement la main à la pâte et la maison résonnait d'éclats de rire. Deux mois avant, Teresa commençait à penser aux cadeaux, à la décoration de la table, au sapin orné de grands nœuds écossais, aux pots-pourris de fleurs séchées, et bien sûr aux menus.

— Il y a une lettre de Liam, annonça Mathias.

Il n'avait pas résisté au plaisir de l'ouvrir et de la lire, avide d'avoir des nouvelles. La position de son petit-neveu le réjouissait au plus haut point, il avait applaudi des deux mains en apprenant que Liam comptait s'associer avec Hugh. Comment aurait-il pu rester insensible à ce clin d'œil du destin qui, d'une génération à l'autre, rapprochait toujours l'oncle du neveu? Et puis Mathias avait été à l'origine du parc Belair, le premier mis dans la confidence par Hugh, et le premier à apporter son aide financière. Tomas lui-même aurait-il adhéré à ce projet fou si Mathias n'avait pas montré l'exemple?

— J'ai rencontré les Crawford à la poste, alors je les ai invités à dîner, ajouta-t-il. Tu as de quoi préparer quelque chose?

L'idée d'être prise au dépourvu la fit sourire, car le réfrigérateur et les placards étaient toujours pleins, sans compter le récent congélateur offert par Mathias dont elle faisait bon usage en le bourrant de ragoûts, navarins et autres blanquettes.

Mathias prit le panier qu'elle avait posé par terre et commença à ranger ses achats de la matinée. En le regardant faire, elle eut soudain conscience de sa propre fatigue.

— Je vais préparer le déjeuner, marmonna-t-elle sans arriver à trouver le courage de se lever.

Tourné vers elle, Mathias l'enveloppa d'un regard indéchiffrable.

— Non, laisse, je m'en occupe, j'ai juste envie d'œufs brouillés au bacon.

Elle faillit rire tant il l'avait dit gravement. Il allait s'inquiéter pour elle et l'obliger à consulter leur médecin, sans doute l'après-midi même ! Qu'y avait-il d'étonnant à se sentir las, à quatre-vingts ans ?

— Comment la vie a-t-elle pu passer si vite ? lâcha-t-elle dans un souffle.

Elle se souvint que Berill répétait souvent cette expression avec une incrédulité comique.

— Si vite et si bien, approuva Mathias, je me le demande aussi.

En passant près d'elle, une poêle à la main, il l'embrassa dans le cou.

— Désormais, je t'accompagnerai au marché, Tess…

Avec lui, tout était simple. Elle le regarda s'affairer devant les fourneaux, maladroit et émouvant. Oh, oui, elle voulait encore un peu de temps pour l'aimer, pour regarder grandir Jason et Alan qui devenaient de vrais petits Irlandais, pour rendre grâce à Dieu d'avoir traversé près d'un siècle sans trop démériter ! Encore quelques-uns de ces merveilleux Noëls où tout le clan Blaque-Belair pressé autour d'elle et de Mathias leur faisait croire à une descendance qu'ils n'avaient pas eue.

D'un coup, son malaise se dissipa, et aussitôt elle se leva pour ajouter une goutte d'huile dans la poêle avant que les œufs n'attachent.

Hugh était en train d'achever sa tournée d'inspection, comme chaque soir après l'heure de la fermeture. Il tenait à s'assurer qu'il ne restait aucun visiteur égaré ou attardé dans l'enceinte du parc et en profitait pour vérifier toutes les clôtures. Les soigneurs en faisaient autant en venant distribuer les repas, tandis que Paul jetait toujours un dernier coup d'œil avant d'aller se coucher, ce qu'il appelait sa « petite balade du soir ».

Le lionceau en provenance de Tanzanie avait été baptisé Mambo par Caroline et assez facilement adopté par une des lionnes. En principe, il allait devenir un magnifique mâle adulte, mais alors une délicate question de rivalité se poserait sans doute avec l'autre mâle.

Au lieu de rentrer directement, Hugh fit un détour afin de grimper sur la butte qui dominait le grand enclos des éléphants. De là, on apercevait le bois et les terres en friche qui, un jour prochain, feraient peut-être partie du parc Belair. Un long moment, Hugh contempla le paysage sans vraiment le voir, perdu dans ses pensées. S'il acceptait la proposition de Liam, il devrait modifier tous les statuts de la société d'exploitation. Patiemment, Mathias lui avait expliqué par téléphone quels en seraient les avantages et les inconvénients, quant à Eleonor, elle s'était déplacée jusqu'en Touraine pour donner son accord de vive voix : « Mon petit papa, tu décides ce que tu veux, c'est ton entreprise. Mais si tu tiens à avoir mon avis, je suis sûre que Liam fera un excellent associé, d'une part grâce à l'apport de ses capitaux, d'autre part parce que tu lui as collé le virus ! »

Là-dessus, elle s'était mise à rire avec son insouciance caractéristique, puis elle avait promis le concours du service juridique de l'Irish pour étudier les modalités. En conclusion, elle s'était lancée dans une imitation très réussie de sa tante Maureen : « Ce zoo est décidément un gouffre abyssal ! »

À pas lents, Hugh descendit de la butte et prit le chemin du relais de chasse. Le parc gagnerait beaucoup à être agrandi, certains animaux étant un peu à l'étroit. Avec trente hectares supplémentaires, les parcours des visiteurs deviendraient plus variés, on pourrait même prévoir une piste pour des véhicules fermés, passant directement à travers les territoires des fauves. Frissons garantis. Bien entendu, ces changements supposaient d'énormes travaux de terrassement à effectuer durant les trois mois de fermeture annuelle, et Hugh devait prendre sa décision sans tarder puisque la vente des terres mises aux enchères allait avoir lieu dans quelques jours. À ce moment-là, Liam serait rentré de Tanzanie.

S'associer avec son neveu ne déplaisait pas à Hugh, même si, d'une certaine manière, le parc Belair était sa chose, son œuvre, et s'il voulait en rester le seul maître. De loin, il aperçut Caroline qui discutait avec Jean-François sur le perron du relais de chasse. Derrière eux, au-delà du bâtiment abritant le salon de thé, il distinguait le haut du chapiteau où se produisait une troupe de cirque pour la durée de la saison. Dans la lumière du crépuscule, c'était une vision magnifique. Son extravagant rêve de jeune homme devenu réalité.

« Mais on peut faire encore mieux. Il faut inventer, surprendre, ne pas se reposer sur nos lauriers. »

Le parc Belair était désormais célèbre, régulièrement des équipes de télévision venaient y faire des reportages, certains dimanches on refusait du monde pour ne pas trop encombrer les allées ni perturber les animaux.

Venant à sa rencontre, Caroline agitait un papier bleu.

— Télégramme de Liam, il arrive après-demain !

Elle s'en réjouissait sans arrière-pensée, heureuse à l'idée de toutes les connaissances nouvelles qu'il rapportait d'Afrique et qu'il partagerait avec elle. Sur ce point, Hugh pouvait être rassuré, Caroline n'éprouvait aucune rivalité avec Liam, elle était beaucoup trop altruiste pour ce genre de sentiment mesquin. Tout ce qu'elle voyait dans une éventuelle association était qu'un second vétérinaire à demeure serait une bénédiction pour le parc.

— Tu as pris ta décision ? demanda-t-elle à sa manière directe, presque abrupte, d'aborder les problèmes.

Amusé, il la détailla une seconde. Et dire qu'à une époque il l'avait à peine regardée ! Il adorait son petit nez, ses épaules carrées, sa chemise d'homme froissée, son teint hâlé de femme vivant au grand air. Elle avait laissé tomber ses tentatives de maquillage, mais il la préférait naturelle, attendri par les ridules sous ses yeux pétillants et par les premiers cheveux blancs au milieu de ses boucles.

— Je crois qu'on va se lancer, se contenta-t-il de déclarer.

— Fantastique ! s'écria-t-elle en se tournant vers Jean-François qui était resté à l'écart.

Lui aussi devait se sentir très concerné par les bouleversements à venir.

— N'attendons pas pour arroser ça, j'ai une bouteille de champagne au frais !

Elle prit Hugh par l'épaule et ils gagnèrent tous trois la maison. Jean-François et Caroline s'assirent sur les hauts tabourets, devant le comptoir, tandis que Hugh sortait des verres. Le champagne lui évoquait irrésistiblement sa mère, qui en ouvrait pour n'importe quelle occasion, estimant qu'on pouvait aussi bien noyer son chagrin que faire la fête avec une coupe pleine de bulles dorées.

Penser à elle lui fit tourner la tête vers la vieille affiche. Vilmos et Berill Károly… Oui, il allait en faire cadeau à Liam, comme on se transmet un flambeau. Car il y avait toujours des lions dans la famille, des lions qui avaient succédé à cette femelle du nom d'Elza, abattue par Vilmos dans la banlieue de Budapest soixante ans plus tôt. Berill racontait volontiers l'histoire du misérable cirque Károly, exsangue après la Première Guerre mondiale. Un fauve famélique, des roulottes hors d'âge, des remorques rouillées. Ensuite, l'exode, l'errance sur les routes avant ce numéro de dompteur et de danseuse qui les avait remis en piste. Des affiches comme celle-ci, les projecteurs, les paillettes, jusqu'à l'accident tragique de Berill à Londres. Tomas Blaque-Belair demandant sa main alors qu'elle gisait, défigurée, sur un lit d'hôpital. Avec cette union improbable, le sang irlandais se mêlait au sang des Tziganes, le clown Mathias devenait un *trader* inspiré tandis qu'Arno rejoignait honteusement les rangs des nazis. Saltimbanques et banquiers. Et puis Tomas rentrant à Dublin pour y mourir loin du regard des siens, et Berill se tuant stupidement sur une route de campagne qui menait au parc Belair. Toute l'histoire chaotique de cette famille dont Hugh était issu, et dont il avait épousé les illusions, les ambitions, les rêves.

Les yeux toujours rivés sur le dessin naïf, il adressa un tendre sourire à la fille aux yeux violets.

FRANÇOISE BOURDIN

Adolescente, Françoise Bourdin avait deux passions : l'équitation et les livres. Pour la première, elle a jeté ses études par-dessus les moulins, se montrant plus assidue aux écuries de Maisons-Laffitte qu'à son lycée. Elle a ainsi longtemps monté des chevaux de course à l'entraînement et obtenu une licence de cavalière. Mais, à l'époque, le monde des courses appréciait peu les femmes et par la force des choses la seconde passion, les livres, a pris le pas sur la première. Avec deux romans publiés chez Julliard à vingt et un ans, Françoise Bourdin fait un début en fanfare dans la carrière de romancière. Les aléas de la vie l'en tiendront ensuite éloignée près de vingt ans. L'immense succès de *Terre Indigo* et des *Sirènes de Saint-Malo* (1991 et 1992) scelle définitivement son retour à l'écriture. Elle a trouvé sa voie, son public et, avec deux romans publiés par an en moyenne, elle met à présent les bouchées doubles. « J'écris seulement des histoires que j'aurais envie de lire », affirme-t-elle. Nul doute que cette fidélité à elle-même constitue la clef de son succès.

Le texte intégral des ouvrages présentés
dans « Sélection du Livre »
a été publié par les éditeurs suivants :

Éditions du Panama

Peter James
COMME UNE TOMBE

Éditions Albin Michel

Olivier Deck
LA NEIGE ÉTERNELLE

Éditions Julliard

Jean-Christophe Duchon-Doris
LE CUISINIER DE TALLEYRAND

Éditions Belfond

Françoise Bourdin
BERILL OU LA PASSION EN HÉRITAGE

CRÉDITS PHOTOGRAPHIQUES : ImageBank : 7 (en haut), 8-9, 10 ; SCOPE/P. Blondel : 7 (2e milieu), 166-167, 168 ; THE BRIDGEMAN ART LIBRARY/*Souper des dames aux Tuileries*, aquarelle d'Eugène Viollet-le-Duc, Bibl. des Arts Décoratifs, Paris ; THE BRIDGEMAN ART LIBRARY/Archives Charmet/*Le Maître d'hôtel français*, ill. de Marie-Antoine Carême, 1822/Bibl. Historique de la ville de Paris : 7 (3e milieu), 260-261, 262 ; CORBIS/Condé Nast Archive/John Rawlings, *Vogue*, sept. 1946, Tailleur en flanelle de couleur sable boutonné avec des pièces de monnaie créé par Sacony ; HEMIS.FR/Franck Guiziou : 7 (en bas), 426-427, 428 ; Graham Franks : 165 ; Coll. auteur/Olivier Deck : 259 ; OPALE/Laurent Giraudou : 425 ; OPALE/Tristan Jeanne Vales : 591.

Édité le 24 janvier 2007.
Impression et reliure : GGP Media GmbH, Pößneck, Allemagne.
Dépôt légal en France : février 2007.
Dépôt légal en Belgique : d-2007-0621-38.